한국보건의료인국가시험원 최근 출제경향에 따른

위생사

긴급 최종 필기·실기 총정리문제

하재남 교수님
동영상 강의
교재(유료)

대한민국 대표브랜드 국가자격 시험문제 전문출판 에듀크라운 국가자격시험문제전문출판 크라운출판사 국가자격시험문제전문출판 www.crownbook.co.kr

최고의 적중률! 최고의 합격률!!

머리말

이 문제집에서는 위생사 국가시험이 포괄하는 필기시험과 실기시험 분야를 다루었다.

① 필기시험 과목 : 공중보건학, 환경위생학, 식품위생학, 위생곤충학, 위생관계법령

(위생사에 관한 법률, 식품위생법, 감염병의 예방 및 관리에 관한 법률, 먹는물관리법,

폐기물관리법 및 하수도법과 그 하위법령)

② 실기시험 과목(컬러 그림으로 수록) : 환경위생, 식품위생, 위생곤충 분야가 넓다보니 각 과목마다

핵심적이고 중요한 내용만을 포함시킬 수밖에 없었음을 이해해 주기 바란다.

이 교재의 특징은 다음과 같다.

첫째, 각 과목마다 간결하게 이론을 요약하였으며, 중요한 부분은 고딕체로 표시하였다.

둘째, 각 과목별로 최소한의 노력으로 최대한의 효과를 얻을 수 있도록 실전모의고사 문제를 해설과 함께 수록

하였다.

셋째, 실전모의고사 문제(수험생들의 자료 중심으로 만들어진 것임)를 수록하여 출제 문제 유형을 알게 하였다.

넷째, 최근 개정된 새 법령을 위생사 출제 기준에 맞게 정리하여 수록하였다.

다섯째, 이 문제집은 위생사 시험문제 출제 방향을 부각(浮刻)시키고 문제를 적중시켜 누구나 단시일 내에 위

생사 시험에 합격할 수 있도록 노력하였다.

① 크라운출판사에서 출간하는 "위생사 필기시험문제"를 보기 전(前)에 본 교재를 보면 위생사 시험을

준비하는 데 시간과 노력이 적게 들 것이라 생각한다.

② 크라운출판사에서 출간하는 "위생사 필기시험문제"를 보고 난 후(後) 본 문제집을 보면 중요한 부분

을 정확하게 알 수 있기 때문에 시험 직전 마지막 총정리가 될 것이라 생각한다.

여섯째, 이 문제집의 실전모의고사 문제는 자주 출제되는 문제들만 엄선하여 수록한 것이므로 반드시 숙지하고

시험을 보아야 한다.

끝으로 위생사 시험 교재의 발행에 많은 협조를 아끼지 않은 크라운출판사 회장님 이하 임직원 여러분에

게 깊은 사의(謝意)를 표합니다.

저자 하 재 남

시험 안내

🔍 직종안내

(1) 개요

「위생업무」란 지역 사회 단위의 모든 사람의 일상생활과 관련하여 사람에게 영향을 미치거나 미칠 가능성이 있는 일체의 위해 요인을 관리하여 중독 또는 감염으로부터 사전 예방을 위한 6개호의 위생업무를 법률로 정하고 동 업무 수행에 필요한 전문 지식과 기능을 가진 사람으로서 보건복지부장관의 면허를 받은 사람을 "위생사"라 한다.

(2) 수행직무

공중위생관리법 제8조의2(위생사의 업무범위) 및 동법 시행령 제6조의3(위생사의 업무)

위생사는 「공중위생관리법령」에 따라 다음과 같은 업무를 수행한다.

- 공중위생영업소, 공중이용시설및 위생용품의 위생관리
- 음료수의 처리 및 위생관리
- 쓰레기, 분뇨, 하수, 그 밖의 폐기물의 처리
- 유해 곤충·설치류 및 매개체 관리
- 식품·식품첨가물과 이에 관련된 기구·용기 및 포장의 제조와 가공에 관한 위생관리
- 그 밖에 보건위생에 영향을 미치는 것으로서 소독업무, 보건관리업무

🔍 응시원서 접수 안내

(1) 인터넷 접수

① 인터넷 접수 대상자

㉮ 방문 접수 대상자를 제외하고 모두 인터넷 접수만 가능

※ 단, 외국대학 졸업자 중 응시 자격 확인이 필요한 경우에는 접수 기간 내에 국시원에 방문하여 접수하여야 함

② 인터넷 접수 준비사항

㉮ 회원가입 등

㉠ 입력 사항 : 이름, 생년월일, 아이디, 비밀번호, 연락처(휴대폰/이메일/전체)

※ 연락처(휴대폰, 이메일)는 비밀번호 재발급 시 인증용으로 사용

㉯ 시험 선택, 실명 인증 및 안내 사항 확인

㉠ 실명 인증 관련 문의처 : 코리아크레딧뷰로(주)(02-708-1000)

㉰ 응시원서 작성 : 국시원 홈페이지 [응시원서 접수]에서 직접 입력

㉠ 입력 사항(공통) : 사진, 주소, 전화(자택/휴대전화), 이메일, 졸업학교(학과), 졸업(예정)일자, 응시지역

※ 주소 : 실제 거주지를 입력하여도 관계없음

※ 사진 파일 등록 : 등록된 사진은 면허(자격)증에 사용

㉡ 실명 인증

– 성명과 주민등록번호를 입력하여 실명인증을 시행, 외국국적자는 외국인등록증이나 국내거소신고증 상의 등록번호사용

– 금융거래 실적이 없을 경우 실명인증이 불가능함(NICE신용평가정보(1600-1522)에 문의)

㉢ 사진

– 모자를 쓰지 않은 정면 사진

– jpg, bmp, png 포맷

– 276×354 픽셀 이상 크기

– 해상도 200dpi 이상(600dpi 이상 권장)

③ 응시수수료 결제

㉮ 결제 방법 : [응시원서 작성 완료] → [결제하기] → [응시수수료 결제] → [시험선택] → [온라인계좌이체 / 가상계좌이체 / 신용카드] 중 선택

㉯ 마감 안내 : 인터넷 응시원서 등록 후, 접수 마감일 18:00까지 결제하지 않았을 경우 미접수로 처리

④ 접수결과 확인
　　㉮ 방법 : 국시원 홈페이지 [응시원서접수] – [응시원서 접수결과] 메뉴
　　㉯ 영수증 발급 : http://ecredit.uplus.co.kr [거래내역 조회]에서 열람·출력
⑤ 응시원서 기재사항 수정
　　㉮ 방법 : 국시원 홈페이지 [마이페이지] – [응시원서 수정] 메뉴
　　㉯ 기간 : 시험 시작일 하루 전까지만 가능
　　㉰ 수정 가능 범위
　　　㉠ 응시원서 접수기간 : 아이디, 성명, 주민등록번호를 제외한 나머지 항목
　　　㉡ 마감~시행 하루 전 : 비밀번호, 주소, 전화번호, 전자 우편, 학과명 등
　　　㉢ 단, 성명이나 주민등록번호는 개인정보(열람, 정정, 삭제, 처리정지) 요구서와 주민등록초본 또는 기본증명서, 신분증 사본을
　　　　　제출하여야만 수정이 가능(국시원 홈페이지 [시험정보] – [서식모음]에서「개인정보(열람, 정정, 삭제, 처리정지) 요구서」참고)
⑥ 응시표 출력
　　㉮ 방법 : 국시원 홈페이지 [마이페이지] – [응시표 출력]
　　㉯ 기간 : 시험장 공고일부터 시험 시행일 아침까지 가능
　　㉰ 기타 : 흑백으로 출력하여도 관계없음

(2) 방문 접수
① 방문 접수 대상자
　　㉮ 보건복지부장관이 인정하는 외국대학 졸업자 중 국가시험에 처음 응시하는 경우는 응시 자격 확인을 위해 방문 접수만 가능
　　※ 단, 기응시 경력자 및 인터넷 응시원서 접수를 위한 응시 자격 사전심의를 신청하여 응시 자격이 확인된 자는 인터넷 접수 가능
② 방문 접수 시 준비 서류
　　㉮ 국내대학 졸업(예정)자 제출 서류
　　　㉠ 응시원서 1매(국시원 홈페이지 [시험안내 홈] – [시험선택] – [서식모음]에서「보건의료인국가시험 응시원서 및 개인정보 수
　　　　　집·이용·제3자 제공 동의서(응시자)」참고)
　　　㉡ 동일 사진 2매(3.5×4.5cm 크기의 인화지로 출력한 컬러사진)
　　　㉢ 개인정보 수집·이용·제3자 제공 동의서 1매(국시원 홈페이지 [시험안내 홈] – [시험선택] – [서식모음]에서「보건의료인국
　　　　　가시험 응시원서 및 개인정보 수집·이용·제3자 제공 동의서(응시자)」참고)
　　　㉣ 최종학교 졸업증명서 1매
　　　㉤ 위생업무 종사증명서 1매(국시원 홈페이지 [시험안내 홈] – [시험선택] – [서식모음]에서「위생사 업무종사 증명서」참고)
　　　㉥ 응시수수료(현금 또는 카드결제)
　　　※ 대리접수 시 제출서류와 함께 응시원서에 응시자 도장 날인 또는 서명이 되어 있어야 함
　　㉯ 외국대학 졸업자 제출서류(보건복지부장관이 인정하는 외국대학 졸업자 및 면허 소지자에 한함)
　　　㉠ 응시원서 1매(국시원 홈페이지 [시험안내 홈] – [시험선택] – [서식모음]에서「보건의료인국가시험 응시원서 및 개인정보 수
　　　　　집·이용·제3자 제공 동의서(응시자)」참고)
　　　㉡ 동일 사진 2매(3.5×4.5cm 크기의 인화지로 출력한 컬러사진)
　　　㉢ 개인정보 수집·이용·제3자 제공 동의서 1매(국시원 홈페이지 [시험안내 홈] – [시험선택] – [서식모음]에서「보건의료인국
　　　　　가시험 응시원서 및 개인정보 수집·이용·제3자 제공 동의서(응시자)」참고)
　　　㉣ 면허증사본 1매(해당자에 한함)
　　　㉤ 졸업증명서
　　　㉥ 성적증명서 1매
　　　㉦ 출입국사실증명서 1매
　　　㉧ 응시수수료(현금 또는 카드결제)
　　　※ 면허증사본, 졸업증명서, 성적증명서는 현지의 한국 주재공관장(대사관 또는 영사관)의 영사 확인 또는 아포스티유
　　　　　(Apostille) 확인 후 우리말로 번역 및 공증하여 제출(단, 영문서류는 번역 및 공증을 생략할 수 있음)
　　　※ 단, 제출한 면허증, 졸업증명서, 성적증명서, 출입국사실증명서 등의 서류는 서류 보존 기간(5년) 동안 다시 제출하지 않고 응
　　　　　시할 수 있음
　　㉰ 응시 수수료 결제
　　　㉠ 결제 방법 현금, 신용카드, 체크카드 가능
　　　㉡ 마감 안내 : 방문접수 기간 18:00시까지(마지막 날도 동일)

(3) 공통 유의 사항
① 등록기준지 작성
　　㉮ 내국인의 등록기준지 작성
　　　㉠ 가까운 주민자치센터에서 '기본증명서'를 발급하거나, 전자가족관계등록시스템(http://efamily.scourt.go.kr)에서 공인인
　　　　　증서로 본인 확인을 거쳐 '가족관계등록부'를 조회하면 등록기준지 확인 가능

ⓛ 입력 방법 기본증명서상에 기재된 등록기준지를 정확하게 입력

    ⓒ 작성 사유 : 보건의료관계 법령에 의거 응시 자격 및 면허 자격 확인을 위한 결격 사유 조회를 위해 활용

    ※ 응시원서 작성 시 기재한 등록기준지가 기본증명서상에 기재된 실제 등록기준지와 다를 경우, 결격 사유 조회가 불가능하여 응시 및 면허 발급이 제한·지연될 수 있음

  ⓜ 외국국적자의 등록기준지 작성

    ㉠ 외국국적자는 등록기준지 기재란에 '외국'이라고 기재(주소 검색창에 '외국'이라고 입력 후 검색하여 000-000 외국을 선택)

    ⓛ 합격 후 면허교부신청을 위해서는 면허교부신청 서류 발송 전에 국시원(1544-4244)으로 반드시 문의

 ② 원서 사진 등록

  ㉮ 모자를 쓰지 않고, 정면을 바라보며, 상반신만을 6개월 이내에 촬영한 컬러사진

  ㉯ 응시자의 식별이 불가능할 경우, 응시가 불가능할 수 있음

  ㉰ 셀프 촬영, 휴대 전화로 촬영한 사진은 불인정

  ㉱ 기타 : 응시원서 작성 시 제출한 사진은 면허(자격)증에도 동일하게 사용

  ※ 면허 사진 변경 : 면허 교부 신청 시 변경 사진, 개인정보(열람, 정정, 삭제, 처리정지) 요구서, 신분증 사본을 제출하면 변경 가능

🔍 응시 자격

(1) 다음 각 호의 자격이 있는 자가 응시할 수 있습니다.

 ① 전문대학이나 이와 같은 수준 이상에 해당된다고 교육부장관이 인정하는 학교(보건복지부장관이 인정하는 외국의 학교를 포함한다. 이하 같다.)에서 보건 또는 위생에 관한 교육 과정을 이수한 사람

 ② 「학점인정 등에 관한 법률」 제8조에 따라 전문대학을 졸업한 사람과 같은 수준 이상의 학력이 있는 것으로 인정되어 같은 법 제9조에 따라 보건 또는 위생에 관한 학위를 취득한 사람

 ③ 보건복지부장관이 인정하는 외국의 위생사 면허 또는 자격을 가진 사람

 ※ 공중위생관리법 제6조의2제1항1호 중 "전문대학이나 이와 같은 수준 이상에 해당된다고 교육부장관이 인정하는 학교에서 보건 또는 위생에 관한 교육 과정을 이수한 자"라 함은 전공필수 또는 전공 선택과목으로 다음 각 호의 1과목 이상을 이수한 자를 말한다.

 • 식품 보건 또는 위생과 관련된 분야 : 식품학, 조리학, 영양학, 식품미생물학, 식품위생학, 식품분석학, 식품발효학, 식품가공학, 식품재료학, 식품보건 또는 저장학, 식품공학 또는 식품화학, 첨가물학

 • 환경 보건 또는 위생과 관련된 분야 : 공중보건학, 위생곤충학, 환경위생학, 미생물학, 기생충학, 환경생태학, 전염병관리학, 상하수도공학, 대기오염학, 수질오염학, 수질학, 수질시험학, 오물·폐기물 또는 폐수처리학, 산업위생학, 환경공학

 • 기타분야 : 위생화학, 위생공학

(2) 다음 각 호에 해당하는 자는 응시할 수 없습니다.

 ① 정신건강증진 및 정신질환자 복지서비스 지원에 관한 법률(약칭 : 정신건강복지법) 3조제1호에 따른 정신질환자

  다만, 전문의가 위생사로서 적합하다고 인정하는 사람은 그러하지 아니 하다.

 ② 마약·대마 또는 향정신성의약품 중독자

 ③ 「공중위생관리법」,「감염병의 예방 및 관리에 관한 법률」,「검역법」,「식품위생법」,「의료법」,「약사법」,「마약류 관리에 관한 법률」 또는 「보건범죄 단속에 관한 특별조치법」을 위반하여 금고 이상의 실형을 선고받고 그 집행이 끝나지 아니 하거나 그 집행을 받지 아니 하기로 확정되지 아니 한 사람

🔍 시험 일정

구분		일정	비고
응시원서 접수	기간	인터넷 접수 : 2022년 8월 30일(화)~9월 6일(화) ※ 다만, 외국대학 졸업자로 응시자격 확인 서류를 제출하여야 하는 자는 접수 기간 내에 반드시 국시원 별관(2층 고객지원센터)에 방문하여 서류 확인 후 접수 가능	[응시수수료] 88,000원 [접수시간] 인터넷 접수 : 해당 직종 원서 접수 시작일 09:00부터 접수 마감일 18:00까지
	장소	인터넷 접수 : 국시원 홈페이지 [응시원서 접수] 메뉴	
응시표 출력		시험장 공고일 이후부터 출력 가능	2022년 10월 26일(수) 이후
시험 시행	일시	2022년 11월 19일(토)	[응시자 준비물] 응시표, 신분증, 필기도구 지참 (컴퓨터용 흑색 수성사인펜은 지급함) ※ 식수(생수)는 제공하지 않습니다.
	장소	국시원 홈페이지 [시험장소(필기/실기)] 확인	
합격자 발표	일시	2022년 12월 7일(수)	휴대 전화번호가 기입된 경우에 한하여 SMS 통보
	장소	국시원 홈페이지 [합격자 조회] 메뉴	

🔍 시험 시간표

교시	시험 과목(문제 수)	교시별 문제 수	응시자 입장 시간	시험 시간
1	1. 위생관계법령(25) 2. 환경위생학(50) 3. 위생곤충학(30)	105	08:30	9:00~10:30(90분)
2	1. 공중보건학(35) 2. 식품위생학(40)	75	10:15	11:00~12:05(65분)
3	1. 실기시험(40)	40	12:25	12:35~13:15(40분)

🔍 합격 기준

(1) 합격자 결정

① 합격자 결정은 매 과목 만점의 40% 이상, 전 과목 총점의 60% 이상 득점한 자를 합격자로 하고, 실기시험에 있어서는 총점의 60% 이상 득점한 자를 합격자로 합니다.

② 응시 자격이 없는 것으로 확인된 경우에는 합격자 발표 이후에도 합격을 취소합니다.

(2) 합격자 발표

① 합격자 명단은 다음과 같이 확인할 수 있습니다.
  ㉮ 국시원 홈페이지 [합격자 조회] 메뉴　　　㉯ 국시원 모바일 홈페이지

② 휴대 전화번호가 기입된 경우에 한하여 SMS로 합격 여부를 알려 드립니다.
  (휴대전화번호가 010으로 변경되어, 기존 01* 번호를 연결해 놓은 경우 반드시 변경된 010 번호로 입력(기재)하여야 합니다.)

🔍 면허 자격 발급 신청 방법

(1) 신청 방법

① 우편, 방문 접수가 모두 가능합니다.

② 우편으로 신청할 때에는 가급적 등기우편을 이용하기 바랍니다. (단, 방문 접수도 즉시 발급은 불가능합니다.)

③ 보내실 곳 : (05043) 서울시 광진구 자양로 126, 성지하이츠 2층 시험운영본부 자격관리부 면허교부신청 담당자 앞

(2) 면허(자격)증 발급 진행 상황

국시원 홈페이지 [면허 · 자격 · 증명서] – [면허 · 자격 신청 및 조회] – [면허 · 자격 발급 진행 상황]에서 확인 가능합니다.

(3) 유의 사항

① 면허(자격)증 교부 신청서 관련
  ㉮ 과거 서식에 직접 작성하거나 면허(자격)증 교부 신청서 없이 신청한 경우, 접수가 불가합니다.
  ㉯ 면허(자격)증 교부 신청서에 인쇄된 바코드가 훼손되지 않도록 주의하여야 합니다.
  ㉰ 면허(자격)증은 신청서에 기재한 주소지로 발송되므로 수령지 주소를 정확히 기재하여야 합니다.
  ㉱ 수취인이 없을 경우 반송되므로 실제 우편물 수령이 가능한 주소를 기재하여 주시기 바랍니다.
  ㉲ 국시원에 방문하여 면허(자격)증을 수령하고자 할 경우, 면허(자격)증 교부 신청서 작성 시 방문 수령 선택 후 출력하여 발송합니다. 이미 신청 서류를 발송한 경우 고객상담센터(1544-4244)에 문의하여 주시기 바랍니다.
  ㉳ 신청서 출력 : 국시원 홈페이지 [면허 · 자격 · 증명서] – [면허 · 자격 발급] – [면허 · 자격 신청 및 조회] – [면허 · 자격 신청서 작성]에서 작성 후 출력

② 졸업증명서 관련
  ㉮ 대학 및 기관에서 단체 신청할 경우에도 개인별 제출 서류(졸업증명서 포함)를 각각 첨부하여야 합니다. 이때, 공문은 필요하지 않으며, 공문이 졸업 증명서 등을 대체할 수 없습니다.
  ㉯ 졸업예정증명서는 인정하지 않습니다. 즉, 졸업 후에 면허(자격)증 발급 신청이 가능합니다. (단, 위생사의 경우 3 · 4년제 대학에서 4학기 이상 수료자 제외)
  ㉰ 사본은 인정하지 않습니다.

③ 의사진단서 관련
  ㉮ 의사진단서는 30일 이내 발급된 진단서만 인정됩니다. (서류도착일 기준)
  ㉯ 의사진단서는 대학병원, 병원, 의원 등 발급 의료기관에 대한 제한을 두지 않으나, 해당 의료기관을 방문하기 전에 반드시 진단서 발급 가능 여부를 확인하여야 합니다. 즉, 아래 표에 제시된 문구가 진단서에 포함되는지를 확인하여야 합니다.
  ㉰ 사본은 인정하지 않습니다.

직종	의사진단서 내용
위생사	정신건강증진 및 정신질환자 복지서비스 지원에 관한 법률(약칭 : 정신건강복지법) 제3조제1호에 따른 정신질환자, 마약 · 대마 · 향정신성의약품 중독자가 아님

차례

Part 1

위생사 긴급최종 모의고사
위생사 요점 정리 09

Part 2

위생사 긴급최종 모의고사
위생사 실전 모의고사 45

일반 시험 방법의 단위 및 기호

(1) 길이

미터(m), 센티미터(cm), 밀리미터(mm), 마이크로미터(μm) = 미크로(μ)

나노미터(nm) = 밀리크론(mμ), 옹스트롬(Å) $1m = 10^2cm = 10^3mm = 10^6μm = 10^9nm = 10^{10}Å$

$1mm = 10^3μm$ $1μm = 10^3nm$ $1nm = 10Å$ $1ft = 0.3048m$

(2) 무게

킬로그램(kg), 그램(g), 밀리그램(mg), 마이크로그램(μg), 나노그램(ng)

$1kg = 10^3g = 10^6mg = 10^9μg = 10^{12}ng$ $1mg = 10^3μg$ $1μg = 10^3ng$

(3) 넓이

제곱미터(m^2), 제곱센티미터(cm^2), 제곱밀리미터(mm^2)

$1m^2 = 10^4cm^2 = 10^6mm^2$

(4) 부피

세제곱미터(m^3), 세제곱센티미터(cm^3), 세제곱밀리미터(mm^3)

$1m^3 = 10^6cm^3 = 10^9mm^3$

(5) 용량

킬로리터(kl), 리터(l), 밀리리터(ml), 마이크로리터(μl)

$1kl = 10^3l = 10^6ml = 10^9μl$ $m^3 = kl$

$1m^3 = 10^3l$ $1l = 10^3ml$ $cm^3 = ml = cc$

(6) 압력

기압(atm), 수은주밀리미터(mmHg), 수주밀리미터(mmH_2O)

$1atm = 760mmHg = 10,332mmH_2O$ $mmH_2O = mmAq = kg/m^2$

(7) 밀도 단위

$1g/cm^3 = 1,000kg/m^3$(4℃ 물의 밀도) $1lb/ft^3 = 16.02kg/m^3$

$1lb/in^3 = 27,700kg/m^3$

(8) 점도 단위

$1cp(centipois) = 0.001kg/m \cdot sec = 10^{-3}kg/m \cdot sec$

(9) 중량 단위

$1lb = 0.4536kg$ lb ; libra(라틴어) = pound

(10) 온도의 표시

섭씨온도 : ℃(Celsius), $0℃ = 273°K$, $℃ = \frac{5}{9}(°F-32)$

절대온도 : °K(Kelvin), $0°K = -273℃$ 표준온도 : 0℃

찬 곳 : 0~15℃   상온 : 15~25℃   실온 : 1~35℃

Part 1

위생사 요점 정리

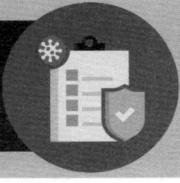

1 상수의 6단계 정수 과정

> • 상수 처리에는 **폭기, 응집, 침전, 여과, 소독, 특수정수법** 등이 있다.
> • 상수의 처리 계통도는 다음과 같다.
> 취수 → 스크린 → 염소 전처리 → 침사지 → 응집제 투입(약품 투입) → 교반 → 침전지 → 사(모래)여과 → 염소 후처리 → 정수지 → 송수(송수펌프) → 배수 → 급수 또는 **취수 → 도수 → 정수 → 송수 → 배수 → 급수**

(1) 폭기
① 냄새와 맛을 제거한다.
② pH를 높이고, Fe, Mn 등을 제거한다.
③ 고온의 물을 냉각시킨다.

(2) 응집
① 목적 : 화학약품을 첨가하여 전기적 중화에 의해 전기적 반발력(Zeta Potential)을 감소시키고, 입자를 충돌시켜 입자끼리 뭉치게 하여 침전시키기 위한 것이다.
② 응집제 종류 : 황산알루미늄[$Al_2(SO_4)_3 \cdot 8H_2O$=황산반토], 염화제2철, 황산제1철, 황산제2철 등

(3) 침전
① 보통침전 : 중력을 이용하여 침전시키는 것으로서 스토크법칙(Stokes 법칙)이 적용된다.
② 약품침전 : 약품을 이용하여 침전시키는 것

(4) 여과(Fliteration) : 여과 처리방법은 SS(부유물질)를 처리하는 것으로서, 완속여과는 1829년 영국에서 처음으로 시작했으며, 급속여과는 1872년 미국에서 사용하기 시작했다.
① 완속여과 : 완속여과란 물이 모래판 내를 천천히 흘러감에 따라서 불순물은 모래알 사이의 작은 틈 사이에 침전되어 제거되게 하는 원리를 이용한다.
② 급속여과 : 급속여과는 완속여과의 유속에 비해 빠른 속도로 여과되기 때문에 약품침전을 하여야 한다.

[완속여과와 급속여과의 차이점]

구분	완속여과	급속여과
여과 속도	3~5m/day	120~150m/day
예비 처리	보통침전법(중력침전)	약품침전
제거율	98~99%	95~98%
모래층 청소	사면대치(표면층 삭제)	역류세척(back wash)
경상비	적다.	많다.
건설비	많다.	적다.
부유물질 제거	모래층 표면	탁도, 색도가 높은 물에 좋다.
장점	세균 제거율이 높다.	수면 동결이 쉬운 곳에 좋다.

(5) 소독 : 소독 방법에는 염소, O_3, 자외선, Br_2, I_2, 은, 표백분 등이 있다.
① 표백분 : 표백분은 염소가스를 소석회에 흡수시킨 $Ca(OCl)_2$를 35% 함유한 것과 58% 함유한 것이 있다.
② 염소 소독
㉮ 염소 소독은 먹는물의 정수처리나 수처리의 방류수에 가장 많이 사용하는 소독 방법이다.

㉯ 물을 살균 처리하는 것은 병균을 죽여서 수인성 감염병(Mills-Reincke 현상과 관련 있는 질병)을 예방하는 데 있다.
㉰ 염소 소독 시 수중의 반응은 다음과 같다.
$Cl_2+H_2O \rightarrow HOCl+H^++Cl^-$(낮은 pH(pH 5~6))
$HOCl \rightarrow OCl^-+H^+$(높은 pH, 즉 알칼리 상태(pH 9~10))
$Cl_2 : pH < 5$
㉱ 살균력이 강한 순서 : HOCl > OCl^- > 클로라민
(HOCl은 OCl^-보다 살균력이 80배 정도 더 강하다.)
㉲ HOCl과 OCl^-의 물속 용존량은 pH와 밀접한 관계가 있다.
㉠ pH가 낮을수록 OCl^-보다 HOCl이 물속에 많이 용존한다.
㉡ pH가 높을수록 $HOCl^-$보다 OCl^-이 물속에 많이 용존한다.
㉳ 유리잔류 염소(遊離殘留鹽素) : 물속에 HOCl(차아염소산)이나 OCl^-(차아염소산이온)로 존재하는 염소이다.
㉴ 결합잔류 염소 : 결합잔류 염소란 염소가 암모니아나 유기성 질소와 반응하여 존재하는 것으로서 대표적인 형태가 클로라민(Chloramine)이다.
㉵ 염소 주입량 = 염소 요구량 + 잔류 염소량
㉠ 염소 요구량 : 수중 유기물질의 산화에 필요한 염소의 양
㉡ 잔류 염소량 : 물속에 남아 있는 유리형 잔류 염소량
㉶ 상수도 염소 소독 시 잔류 염소량 기준 : 0.1ppm 이상(수도꼭지 기준), 병원성 미생물에 의하여 오염되었거나 오염될 우려가 있는 경우에는 0.4ppm 이상(수도꼭지 기준), 4.0ppm을 넘지 아니 할 것(정수장 기준)
㉷ 잔류 염소의 장단점
㉠ 유리형 잔류 염소
ⓐ 장점 : 살균력이 강하다. ⓑ 단점 : 물에서 냄새가 난다.
㉡ 결합 잔류 염소(클로라민 ; chloramine)
ⓐ 장점 : 잔류성이 크다(살균이 오래 지속된다), 냄새가 적다.
ⓑ 단점 : 살균력이 약하다.
㉮ 염소 소독과 오존 소독과의 비교 시 장단점

구분	완속여과	급속여과
염소 소독	• 가격이 저렴하다. • 잔류성이 크다.	• 냄새가 난다. • 발암물질(THM ; Trihalomethan)을 생성한다.
오존 (O_3) 소독	• pH 변화에 상관없이 강력한 살균력을 발휘한다. • THM을 형성하지 않는다. • 공기와 전력만 있으면 필요량을 쉽게 만들 수 있다.	• 잔류성이 없어 살균 후 미생물 증식에 의한 2차 오염의 위험이 있다. • 반감기가 짧아 처리장에 오존 발생기가 있어야 한다. • 오존 구입 시설 장비가 복잡하여 고도의 운전 기술이 필요하다. • 가격이 비싸다.

(6) 특수정수
① 경수의 연수화 : 석회소다법, 제오라이트법
② Fe 제거 : 폭기, 여과
③ Mn 제거 : 산화법, 망간제오라이트법, 양이온교환법, 폭기(소량 제거)
④ 조류 제거 : $CuSO_4$, 활성탄
⑤ 맛, 냄새, 탁도, ABS, 페놀 등 : 활성탄, 약품 처리

2 수질오염 지표

(1) 용존 산소량(DO ; Dissolved Oxygen)

물속에 녹아 있는 산소를 DO라 한다.

① 온도가 높을수록 DO의 포화 농도는 감소한다.

② 20℃에서 DO의 포화 농도는 9.17ppm이다.

③ 임계점 : 용존 산소의 농도가 가장 부족한 지점을 말한다.

④ 변곡점 : 산소의 복귀율이 가장 큰 지점을 말한다.

(2) 생물화학적 산소 요구량(BOD ; Biochemical Oxygen Demand)

시료를 20℃에서 5일간 배양할 때 호기성 미생물에 의해 유기물을 분해시키는 데 소모되는 산소량을 BOD_5라 한다.

① 1단계 BOD

㉮ 탄소화합물이 산화될 때 소비되는 산소량을 1단계 BOD라 한다.

㉯ 보통 20일 정도 시간이 걸린다.

② 2단계 BOD(질소분해 BOD)

㉮ 질소화합물이 산화될 때 소비되는 산소량을 2단계 BOD라 한다.

㉯ 보통 100일 이상 시간이 소요된다.

(3) 화학적 산소 요구량(COD ; Chemical Oxygen Demand)

COD란 수중에 있는 유기물을 산화제($KMnO_4$, $K_2Cr_2O_7$)를 이용하여 측정하는 것으로 유기물이 산화되는 데 요하는 산소량을 ppm으로 나타낸 것이다.

(4) 경도 : 경도는 물속에 용해되어 있는 Ca^{2+}, Mg^{2+}, Mn^{2+}, Fe^{2+}, Sr^{2+} 등의 2가 양이온이 원인이 되며 이들의 양을 탄산칼슘($CaCO_3$)으로 환산하여 나타낸다.

① 단위 : ppm으로 표시한다.

② 종류

㉮ 일시경도(탄산경도)

㉠ 일시경도 유발물질 : OH^-, CO_3^{2-}, HCO_3^- 등

예 $Ca(OH)_2$, $Ca(HCO_3)_2$, $Mg(HCO_3)_2$, $MgCO_3$, $Mg(OH)_2$

㉡ 일시경도는 물을 끓이면 경도를 제거할 수 있다. 즉, 연수화시킬 수 있다.

㉯ 영구경도(비탄산경도)

㉠ 영구경도 유발물질 : Cl^-(염화물), SO_4^{2-}(황산염), NO_3^-(질산염) 등

예 $MgCl_2$, $MgSO_4$, $CaSO_4$, $Mg(NO_3)_2$, $Ca(NO_3)_2$

㉡ 영구경도는 끓여도 제거되지 않는다.

③ 제거 방법 : 석회소다법, 제오라이트법

(5) 질소화합물

① 질산화반응(호기성)

용존산소가 풍부한 수중에서 미생물에 의해 단백질이 분해될 때의 과정은 다음과 같다.

단백질 → Amino acid → NH_3-N → NO_2-N → NO_3-N

아미노산 → NH_4^+ → NO_2^- → NO_3^-

② 질산화반응 과정에서 생성된 물질의 특징

㉮ $NH_3-N(NH_4^+)$

㉠ 상수에 대한 분변오염의 가장 직접적인 지표가 된다.

㉡ 암모니아성 질소가 대량 검출되면 가장 최근에 오염되었다는 것을 알 수 있다.

㉯ $NO_2-N(NO_2^-)$

수중에 유기질소가 유입되었을 때 유기질소는 미생물에 의하여 여러 단계를 거치면서 변화된다. 이 과정에서 가장 적은 양으로 존재한다.

㉰ $NO_3-N(NO_3^-)$

㉠ 질산성질소는 단백질이 질산화 과정을 거친 후 생긴 최종 산물이다.

㉡ 질산성질소만 대량 검출되면 하수 처리가 잘 되었음을 알 수 있다.

㉢ 질산성질소는 Blue babies(Methemoglobinemia ; 유아청변증) 문제를 유발하는 물질이다.

> ● NH_3-N : 암모니아성질소 NO_2-N : 아질산성질소
> NO_3-N : 질산성질소 NH_4^+ : 암모늄이온암모늄염
> NO_2^- : 아질산이온아질산염 NO_3^- : 질산이온질산염

3 수질오염의 기전

(1) 호수의 부영양화

부영양화(Eutrophication, 富榮養化)는 정체수역(호수, 하천)에 질소(N), 인(P) 등의 무기성 영양소가 대량 유입 시 플랑크톤이 폭발적으로 증가하여 결국 늪 모양으로 변화하는 현상을 말한다.

① 부영양화를 일으키는 인자

㉮ 정체수역에서 발생하기 쉽다.

㉯ 부영양화에 관계되는 오염물질은 탄산염(100), 질산염(15 또는 16), 인산염(1) 등이 있는데 이 중에서 한계인자가 되는 것은 P이다.

② 부영양화를 일으키는 오염물질 배출원

㉮ 농지에서 사용되는 비료

㉯ 합성세제

㉰ 자연산림지대 등에 있는 썩은 식물

㉱ 목장 지역의 축산폐수

㉲ 처리되지 않은 가정하수, 공장폐수 등의 유입 등

③ 부영양화 발생 시 피해

㉮ 수질의 색도 증가

㉯ 수서생물의 종류변화

㉰ 화학적 산소 요구량(COD) 값이 증가한다.

㉱ 식물성 플랑크톤의 번식이 증가하여 다량의 산소가 소비된다.

㉲ 투명도가 저하한다.

④ 부영양화 방지 대책

㉮ $CuSO_4$(황산동) 등의 화학약품을 살포한다.

㉯ 활성탄, 황토 등을 주입한다.

㉰ 인을 사용하는 합성세제 사용을 금한다(유역 내 무린(無燐)세제 사용을 한다).

㉱ 정수장의 에너지 공급을 차단한다.

㉲ 질소, 인 등의 영양원 공급을 차단한다.

㉳ 유입 하수를 고도처리한다.

(2) 적조 : 적조(Red Tide) 현상이란 식물성 플랑크톤의 이상 증식으로 해수가 변색되는 것을 말한다. 플랑크톤의 색에 따라 적조, 백조 등으로 구분한다.

① 적조 발생의 요인
  ㉮ 정체성 수역일 것(수괴의 연직 안정도가 작다.)
  ㉯ 수중의 탄소(100), 질소(15 또는 16), 인(1) 등의 영양 염류의 증가
  ㉰ 염분 농도가 적당할 것(염분 농도는 적조 발생에 크게 관여 안 함)
  ㉱ 수온의 상승
② 적조 현상이 발생했을 때의 피해
  ㉮ 어떤 조류는 독소를 방출한다.
  ㉯ 과영양 상태로 진행되면 용존 산소를 소비한다.
  ㉰ 수중의 용존 산소가 소비되어 어류 등 다른 생물이 살 수 없게 된다.
  ㉱ 적조생물이 어패류의 아가미에 부착하여 질식시킨다.
③ 적조현상의 방지 대책
  ㉮ 황산동, 활성탄, 황토 등을 주입한다.
  ㉯ 인을 사용하는 합성세제 사용을 금한다.

4 하수도의 시설 및 특징

(1) 합류식
합류식이란 우수와 오수를 합쳐서 처리하는 방식으로서 평상시 오수만 유입시 유속이 작아져 관 내에 고형물이 퇴적되기 쉽다.
① 장점
  ㉮ 건설비가 적게 든다.
  ㉯ 관이 크므로 보수·점검·청소를 하기가 용이하다.
  ㉰ 하수관이 우수에 의해 자연적으로 청소가 된다.
② 단점
  ㉮ 강우 시 하수량이 많아져 수처리가 어렵다.
  ㉯ 강우 시 큰 유량에 대비하여 단면적을 크게 하므로 가뭄이 계속되는 여름철에는 침전물이 생겨 부패하기 쉽다.

(2) 분류식
우수와 오수를 분리하는 것으로서 항상 일정한 유량을 유지할 수 있으며 장·단점은 합류식의 반대가 된다.

5 공기

(1) 공기의 성분과 농도(표준 상태)
① 질소(N_2 78.09v/v%), 산소(O_2 20.95v/v%), 아르곤(Ar 0.93v/v%), 이산화탄소(CO_2 0.03~0.035v/v%), 기타

(2) 실내공기오염
① 군집독 : 다수인이 밀폐된 공간에 있을 때 실내 공기의 물리적·화학적 조성의 변화로 두통, 구토, 메스꺼움, 현기증, 불쾌감, 식욕 부진 등을 유발하는 것을 군집독이라 한다.
  ㉮ 물리적 변화 : 실내 온도 증가, 습도 증가
  ㉯ 화학적 변화 : CO_2 증가, O_2 감소, 악취 증가, 기타 가스의 증가
② 실내 공기의 변화
  ㉮ 질소(N_2)
    ㉠ 공기의 78.09%로 가장 많다.
    ㉡ 고압 상태에서 잠함병의 원인이 된다.
    ㉢ 잠함병 : 잠함병은 고압 상태(이상 고압)에서 질소가 혈액이나 지방조직에 용해되었다가 급격히 감압되면서 질소가 기포를 형성하여 발생되는 병이다.

㉣ 이상 기압 : 0.7기압 이하
㉤ 이상 고압 : 1기압 초과
  ㉯ 산소(O_2)
    ㉠ 1회 호흡 시 4~5%의 산소를 소비한다.
    ㉡ 성인 한 사람이 1일 필요한 공기량 : 약 13kl(12~14kl)
    ㉢ 성인 한 사람이 1일 필요한 산소량 : 약 600~700l
    ㉣ 대기 중 산소의 변동 범위 : 15~27%(21%)
    ㉤ 10% 이하 : 호흡 곤란
    ㉥ 7% 이하 : 질식
  ㉰ 이산화탄소(CO_2)
    ㉠ 실내 공기 오염의 지표이다.
    ㉡ 적외선을 흡수하여 온실효과를 일으키는 가스이다.
    ㉢ 1시간 동안 이산화탄소 배출량(호출량) : 약 20~22l/hr·인
    ㉣ 오염 허용 기준 : 1시간 평균치 1,000ppm 이하(실내 기준)
    ㉤ 10% 이상 : 질식
    ㉥ 7% 이상 : 호흡 곤란
  ㉱ 일산화탄소(CO)
    ㉠ 배출 : 탄소 성분의 불완전 연소로 발생한다.
    ㉡ 주배출원 : 자동차 배기가스 등에서 많이 배출된다.
    ㉢ 무색, 무취, 자극이 없다.
    ㉣ 오염 허용 기준 : 10ppm 이하(실내 기준), 25ppm 이하(실내 주차장 기준)
    ㉤ 헤모글로빈(Hb)과의 친화력이 산소보다 200~300배 정도 강하다.
    ㉥ CO 중독 시 후유증 : 중추 신경계의 장애를 유발한다. 즉, 운동 장애, 언어 장애, 시력 저하, 지능 저하, 시야 협착 등
    ㉦ 치료 : 고압 산소에 의한 CO와 Hb의 해리를 촉진하기 위해 고압 산소 요법을 사용한다.
  ㉲ 먼지
    ㉠ 우리 인체에 영향을 미치는 입자의 크기 : 0.5~5μm이다.
    ㉡ 장애 : 알레르기 반응, 진폐증, 감염병(전염병) 등을 유발한다.
    ※ 전염병 = 감염병

6 대기오염

(1) 대기의 수직 구조
대기의 수직 구조 순서는 대류권(0~11km) → 성층권(11~50km) → 중간권(50~80km) → 열권(80~500km)이다.
① 대류권(0~11km)에서는 고도로 올라갈수록 온도가 떨어진다.
② 성층권(11~50km)의 오존층은 고도로 올라갈수록 온도가 올라간다.
③ 오존층은 지상 25~35km(25km에서 O_3은 최대 밀도(약 10ppm))의 기층을 말한다.

(2) 공기의 자정 작용
대기 오염 물질이 스스로 정화되어 깨끗해지는 것을 공기의 자정 작용이라 한다. 공기의 자정 작용 인자는 다음과 같다.
① 바람에 의한 희석 작용
② 강우, 강설, 우박 등에 의한 세정 작용
③ O_2(산소), O_3(오존), H_2O_2(과산화수소) 등에 의한 산화 작용
④ 식물의 CO_2와 O_2의 교환에 의한 탄소 동화 작용
⑤ 자외선에 의한 살균 작용
⑥ 중력에 의한 침강 작용 등
※ 여과는 공기의 자정 작용이 아님.

(3) 발생원에 따른 대기 오염 물질의 분류

① 1차 오염 물질

1차 오염 물질이란 각종 발생원으로부터 직접 대기로 방출되는 물질을 말한다.

㉮ 아침과 저녁, 밤에는 대기 중의 농도가 증가하나 낮에는 감소한다. 왜냐하면 1차 오염 물질이 자외선과 반응하여 2차 오염 물질을 형성하기 때문이다.

㉯ 1차 오염 물질의 하루의 변화 : 오전 9시경 증가, 12시경 감소, 오후 6시경 증가(즉, 9시 ↑, 12시 ↓, 6시 ↑)

㉰ CO, CO_2, HC, H_2S, HCl, NH_3, Pb, Zn, Hg, SiO_2, 중금속산화물 등

② 2차 오염 물질

오염 물질이란 발생원에서 배출된 1차 오염 물질 간 또는 1차 오염 물질과 다른 물질이 반응하여 생성된 물질을 말하는 것으로서, 외부의 광합성도, 반응 물질의 농도, 지형, 습도 등에 영향을 받는다.

㉮ 태양광선(자외선)이 있는 낮에 대기 중의 농도는 증가한다. (12시경 증가, 오후 2시가 가장 높고, 오후 4시 이후 감소)

㉯ O_3, PAN, $NOCl$, H_2O_2, PBN 등

㉰ 광화학 반응 : 성층권의 오존층이 대부분의 자외선을 차단한 후 대류권으로 들어오는 태양 빛의 파장(Wavelength)은 280(290)nm 이상의 장파장이다. 따라서 광화학 대기 오염에 영향을 미치는 물질은 280~700nm의 범위에 있는 빛을 흡수할 수 있는 물질이다.

㉠ 광화학 반응을 간단히 설명하면 다음과 같다.

$$NO_x$$
$$HC(올레핀계탄화수소) \xrightarrow{\text{자외선}} O_3, PAN, H_2O_2, NOCl, HCHO, PBN 등$$
$$유기물$$

7 일광

(1) 자외선

① 범위 : 파장 2,000~4,000Å(200~400nm)

② 오존층에서는 200~290nm의 파장이 흡수되기 때문에 대류권에 미치는 파장은 290nm 이상의 파장이다.

③ 살균력이 강한 선 : 2,400~2,900Å(240~290nm)

④ 도노라 선(건강선) : 2,800~3,200Å(280~320nm)

⑤ 오존층에서 자외선을 흡수하는 범위 : 200~290nm

⑥ 자외선의 인체에 대한 작용

㉮ 장애 작용 : 피부의 홍반 및 색소 침착 심할 때는 부종, 수포 형성, 피부 박리, 결막염, 설안염, 피부암, 백내장 등이 발생한다.

㉯ 긍정적인 작용 : 비타민 D의 형성으로 구루병 예방 작용, 피부 결핵 · 관절염의 치료 작용, 신진대사 촉진, 적혈구 생성 촉진, 혈압 강하 작용, 살균 작용 등을 한다.

※ nm = mμ, 1nm = 10Å

(2) 가시광선

① 가시광선이란 명암을 구분할 수 있는 파장을 말한다.

② 범위 : 파장 4,000~7,000Å(400~700nm)

③ 가시광선 중 가장 강한 빛을 느끼는 파장 : 550nm(5,500Å)

④ 눈에 적당한 조도 : 100~1,000Lux

⑤ 낮은 조도로 인한 장애 : 안구진탕증, 안정 피로, 시력 저하, 작업 능률 저하 등

(3) 적외선

① 범위 : 파장 7,800~30,000Å(780~3,000nm)

② 적외선은 열선이므로 온실 효과를 유발한다.

③ 적외선의 장애 : 피부 온도의 상승, 혈관 확장, 피부 홍반, 두통, 현기증, 열사병, 열경련, 백내장 등의 원인이 되기도 한다.

8 오염 물질의 확산

(1) 기온 역전(Temperature Inversion)

대류권에서는 평균 기온 감률이 0.65℃/100m(−0.65℃/100m)로서 하층에서 상공으로 올라갈수록 기온이 감소하는 것이 보통이다. 그러나 어떤 기층에서는 환경 감률이 상공으로 올라가면서 일정하거나 또는 상승하기도 한다. 이러한 현상을 기온 역전이라 하고, 이러한 층을 기온 역전층이라 한다(즉, 상층 기온이 하층 기온보다 더 높은 현상).

① 역전일 때는 다음과 같은 결과가 발생한다.

㉮ 공기의 수직 운동이 억제된다.

㉯ 대류 현상이 생기지 않는다.

㉰ 하층에서 생긴 대류 현상이라도 이 층에서는 저지당한다.

㉱ 대기 오염 물질이 대기층으로 쉽게 확산되지 못한다.

㉲ 지표 부근의 오염 농도가 커진다.

② 역전의 종류

㉮ 복사 역전(접지 역전 ; Ground Inversion) : 복사 냉각이 심하게 일어나는 때는 지표에 접한 공기가 상공의 공기에 비해 더 차가워져서 발생하는 역전을 복사 역전이라 하고, 지면에 접하여 발생하기 때문에 접지 역전이라고도 한다.

㉠ 발생 : 주로 가을~겨울, 일몰 후~해 뜨기 전에 많이 발생한다.

㉡ 감소 : 봄이나 해가 뜨면 감소한다.

㉯ 침강 역전(Subsidence Inversion) : 고기압 중심 부분에서 기층이 서서히 침강하면서 기온이 단열 압축 및 단열 변화로 승온되면서 발생하는 현상이다.

㉠ 고기압 중심 부근에서 발생한다.

㉡ 기층이 서서히 침강하면서, 단열 변화로 승온되어서 발생한다.

㉢ 장기적으로 지속된다.

㉣ 대기 오염 물질이 수직으로 확산되는 것을 방해한다.

(2) 대기 안정도와 플륨(Plume)의 모양

플륨이란 굴뚝에서 배출되는 연기의 행렬을 말한다.

① 환상형(파상형 = Looping)

㉮ 대기의 상태 : 절대 불안정

㉯ 맑은 날 오후나 풍속이 매우 강하여 상 · 하층 간에 혼합이 크게 일어날 때 발생한다.

㉰ 풍하측 지면에 심한 오염의 영향을 미친다(지표 농도 최대).

② 원추형(Conning)

㉮ 대기의 상태 : 중립

㉯ 플륨의 단면도가 전형적인 가우시안 분포(Gaussian Distriution)를 이룬다.

③ 부채형(Fanning)

㉮ 대기의 상태 : 안정

㉯ 역전층 내에서 잘 발생한다.

㉰ 오염 농도 추정이 곤란하다.

㉱ 강한 역전을 형성하며, 대기가 매우 안정된 상태이고, 아침과 새벽에 잘 발생한다.

④ 상승형(지붕형 = 처마형 = Lofting)

역전이 연기의 아래에만 존재해서 하향 방향으로 혼합이 안 되는 경우에 일어난다.

⑤ 훈증형(끌림형 = Fumigation)
  ㉮ 대기의 상태 : 하층이 불안정하다.
  ㉯ 오염 물질이 지면까지 영향을 미치면서 지표 부근을 심하게 오염시킨다.
⑥ 함정형(구속형 = Trapping) : 침강 역전과 복사 역전이 있는 경우 양 역전층 사이에서 오염물이 배출될 때에 발생한다.

9 대기 오염 사건

(1) 뮤즈계곡
① 1930년 : 뮤즈계곡(Meuse Valley) 사건, 벨기에에서 발생했다.
② 원인 물질 : 공장의 아황산가스(SO_2), 황산미스트(H_2SO_4 mist), 불소화합물 등
③ 기상 상태 : 무풍, 기온 역전
④ 피해 : 급성 피해(3일 동안 약 60명 사망), 기관지 계통에 피해

(2) 도노라
① 1948년 : 도노라(Donora) 사건, 미국 피츠버그시 도노라에서 발생했다.
② 원인 물질 : 공장의 아황산가스(SO_2), 황산미스트(H_2SO_4 mist) 등
③ 기상 상태 : 무풍, 기온 역전
④ 피해 : 호흡기 질환

(3) 포자리카
① 1950년 : 포자리카(Poza Rica) 사건, 멕시코에서 발생했다.
② 원인 물질 : 공장의 황화수소(H_2S) 등
③ 기상 상태 : 기온 역전
④ 피해 : 호흡 곤란

(4) 런던
① 1952년 12월 : 런던스모그(London Smog) 사건, 영국의 런던에서 발생했다.
② 원인 물질 : 석탄 연소 시 아황산가스(SO_2), 매연 등
③ 기상 상태 : 무풍, 역전(복사 역전), 하천의 평지, 아침(기온 0~5℃)
④ 피해 : 만성기관지염, 호흡기 질환자 발생, 급성 피해(사고 당시 4,000명이 사망)
⑤ 시정 거리 : 100m 이하
⑥ 장소 : 하천의 평지

(5) 로스앤젤레스
① 1954년 7월 : 로스앤젤레스(Los Angeles) 사건, 광화학 스모그 사건), 미국 로스앤젤레스에서 발생했다.
② 원인 물질 : 석유 연소 시 발생한 올레핀계 탄화수소(HC), 질산화물(NOx) 등이 자외선과 반응하여 생성된 2차 오염 물질을 생성했다.
③ 기상 상태 : 침강성 역전, 낮(기온 24~30℃)
④ 피해
  ㉮ 사람 : 폐, 기도, 눈, 코
  ㉯ 고무제품 손상, 가죽제품의 피해, 건축물의 손상, 시정 악화, 과실의 손상 등
⑤ 장소 : 해안 분지에서 1년 내내 해안성 안개 발생
⑥ 시정 거리 : 800~1,600m 이하

10 폐기물

(1) 폐기물의 정의
폐기물이라 함은 쓰레기·연소재·오니·폐유·폐산·폐알칼리·동물의 사체 등으로서 사람의 생활이나 사업 활동에 필요하지 아니한 물질을 말한다.

(2) 폐기물의 분류
① 생활 폐기물 : 생활 폐기물이라 함은 사업장 폐기물 외의 폐기물을 말한다.
② 사업장 폐기물 : 산업장 폐기물이라 함은 대기환경보전법·수질환경보전법 또는 소음·진동관리법의 규정에 의하여 배출 시설을 설치·운영하는 사업장, 기타 대통령이 정하는 사업장에서 발생되는 폐기물을 말한다.
③ 지정폐기물 : 지정 폐기물이라 함은 사업장 폐기물 중 폐유·폐산 등 주변 환경을 오염시킬 수 있거나 의료 폐기물 등 인체에 위해를 줄 수 있는 유해한 물질을 말한다. 지정 폐기물의 종류는 다음과 같다.
  ㉮ 폐산 : 수소이온농도(pH)가 2.0 이하인 것에 한한다.
  ㉯ 폐알칼리 : 수소이온농도(pH)가 12.5 이상인 것에 한한다.
  ㉰ 폐유 : 기름 성분을 5% 이상 함유한 것에 한한다.
  ㉱ 폐합성 고분자 화합물 : 폐합성 수지, 폐합성 고무
  ㉲ 폐석면 : 건조 고형물의 함량을 기준으로 석면이 1% 이상 함유된 제품·설비 등의 해체·제거 시 발생되는 것
  ㉳ 오니 : 고형물 함량이 5% 이상인 것에 한한다.
  ㉴ 의료폐기물 : 보건·의료기관, 동물병원, 시험·검사기관등에서 배출되는 폐기물 중 인체에 감염 등 위해를 줄 우려가 있는 폐기물과 인체 조직 등 적출물, 실험동물의 사체 등 보건·환경보호상 특별한 관리가 필요하다고 인정되는 폐기물로써 대통령령으로 정하는 폐기물을 말한다.

(3) 폐기물 처리 시설의 분류 : 폐기물 처리 시설은 중간 처리와 최종 처리로 분류한다.
① 중간 처리 : 소각·중화·파쇄·고형화 등에 의한 처리를 중간 처리라 한다.
② 최종 처리 : 매립 등에 의한 최종 처리를 말한다.

(4) 폐기물처리 계통도

```
발생원 → 쓰레기통 → 손수레 → 적환장 → 차량 → 최종처리(매립)
         └─ 수거비용(60% 이상) ─┘      └─ 운반 ─┘
```

① 수거 노선 설정 시 유의 사항
  ㉮ 길 양 옆에 폐기물을 동시에 수거한다.
  ㉯ 반복 운행을 피한다.
  ㉰ 교통 신호를 적게 받는 노선을 선택한다.
  ㉱ 출퇴근 시간을 피해 수거한다.
  ㉲ 고지대에서 저지대로 하향 수거 노선을 선택한다.
  ㉳ U자 회전을 피해 수거한다.
  ㉴ 출발점을 차고와 가까운 곳으로 한다.
② 적환장의 기능
  ㉮ 옮겨 하적
  ㉯ 분쇄, 절단, 압축
  ㉰ 혼합, 분리
③ 적환장을 설치하는 이유
  ㉮ 발생원과 처리장이 멀 때
  ㉯ 수거 차량이 소형일 때

　　㉱ 수거 형태가 압축식 수거 시스템일 때
　　㉲ 주거 지역의 밀도가 낮을 때

(5) 폐기물 처리

① 소각 : 우리나라는 일본, 독일, 미국의 도시 폐기물의 성분과 비교 시 종이류가 적고 채소류가 높아 발열량이 적다. 폐기물을 소각 처리할 때에는 **가연분의 함유도** 가장 먼저 고려하여야 한다.
　㉮ 장점
　　㉠ 남은 열의 회수가 가능하다.
　　㉡ 매립에 비해 넓은 **토지**를 필요로 하지 않는다.
　　㉢ 기후에 영향을 거의 받지 않는다.
　　㉣ 도시의 중심부에 설치가 가능하다.
　　㉤ 의료 폐기물의 처리에 좋다.
　　㉥ 폐기물의 부피 감소
　　㉦ 폐열 이용
　㉯ 단점
　　㉠ 건설비가 비싸고, 운전관리비가 비싸다.
　　㉡ 대기 오염 물질이 발생한다.
　㉰ 도시 폐기물 소각 시 배기가스의 성분
　　㉠ 불완전 연소가 될 때 CO, 분진 발생
　　㉡ 폐기물 중의 성분에 의한 SO_x 등 발생
　　㉢ 소각로 내의 고온 시 NO_x 발생
　　㉣ 플라스틱류에 들어 있는 염소에 의한 염화수소, 다이옥신 등 발생
② 퇴비화
　㉮ 농촌이나 도시 주변의 도시에서 4~5개월 발효시켜서 퇴비로 이용한다.
　㉯ 미생물을 이용하여 퇴비화를 하는 방법으로 **퇴비화의 조건**은 다음과 같다.
　　㉠ 공기(산소) 공급 : 호기성
　　㉡ C/N : 30 내외
　　㉢ 최적 온도 : 65~75℃(고온균)
　　㉣ 수분 : 50~70%
　　㉤ pH : 6~8
③ 동물 사료 : 폐기물을 동물의 먹이로 주는 방법이다.
④ 매립 : 매립 장소는 인가에서 멀어야 하고 수질 오염이 없는 곳에 설치한다.
　㉮ 위생적인 매립 방식 : 위생적인 매립에는 도랑식, 경사식, 지역식이 있다.
　　㉠ 도랑식
　　　ⓐ 도랑을 2.5~7m 정도 파고 폐기물을 묻은 후 다시 흙을 덮는 방식이다.
　　　ⓑ 복토할 흙을 다른 장소로부터 가지고 오지 않아도 된다.
　　㉡ 경사식 : 경사면에 폐기물을 쌓은 후 그 위에 흙을 덮는 방법이다. 경사식 매립 시 표면은 30° 경사가 좋다.
　　㉢ 지역식(저지대 매립법) : 어느 지역에 폐기물을 살포시키고 다진 후에 흙을 덮는 방법이다. 지역식은 다른 장소로부터 복토할 흙을 가지고 와야 한다.
　㉯ 폐기물 매립 시 복토
　　㉠ 폐기물 매립 시 복토를 하는 이유
　　　ⓐ 미관상(종이 등이 바람에 날리는 것 방지)
　　　ⓑ 위생 해충의 발생 방지
　　　ⓒ 침출수의 유출 방지 등
　　㉡ 복토의 두께
　　　ⓐ 일일 복토 : 매립 작업이 끝난 후 투수성이 낮은 흙, 고화처리물 또는 건설폐재류를 재활용한 토사 등을 사용하여 15cm 이상의 두께로 다져 일일 복토를 하여야 한다.
　　　ⓑ 중간 복토 : 매립 작업이 7일 이상 중단되는 때에는 노출된 매립층의 표면 부분에 30cm 이상의 두께로 다져 기울기가 2% 이상이 되도록 중간 복토를 하여야 한다.
　　　※ 소각재·도자기 조각·광재류·폐석고·폐석회나 폐각류 등 악취의 발생이나 흩날릴 우려가 없는 폐기물은 일일 복토와 중간 복토를 하지 아니 할 수 있다.
　　　ⓒ 최종 복토 : 매립 시설의 사용이 끝났을 때에는 최종 복토층을 기울기가 2% 이상이 되도록 설치하여야 한다.
　　　• 가스배제층 : 두께 30cm 이상
　　　• 배수층 : 모래, 재생골재 등으로 두께 30cm 이상
　　　• 차단층 : 점토·점토광물혼합토 등으로 두께 45cm 이상
　　　• 식생대층 : 식물 심기와 생장이 가능한 양질의 토양으로 두께 60cm 이상 설치한다.
　　　※ 복토란 흙을 덮는 것을 말한다.
　㉰ 매립 후 사후처리
　　㉠ 침출수 처리
　　㉡ 가스 배출 장치 설치
　　㉢ 악취 제거 장치 설치
　　㉣ 해충, 쥐 등의 번식 방지

본 문제집(위생사 긴급 최종 필기실기 총정리)을 보고 난 후 크라운출판사에서 출간한 "위생사 필기시험문제"와 "위생사 실기시험문제"를 보면 위생사 시험 합격에 큰 무리가 없으리라 생각한다.

하재남 저자 직강 온라인 강의

● 책으로만 공부하여 이해가 되지 않았던 부분을 동영상 강의로 쉽게 공부한다.

● **"위생사 필기·실기시험문제" 동영상 강의 실시**

제2장 곤충위생학

1 곤충의 일반적인 특징

① 다소 앞뒤가 길고 원통이며 좌우 대칭이다.
② 곤충은 모두 환절(環節) 또는 체절(體節)로 되어 있다.
③ 두부, 흉부, 복부가 뚜렷이 구분된다.
④ 두부에는 눈, 촉각(1쌍), 구부(口部)가 있다.
⑤ 흉부에는 3쌍의 다리와 날개가 있다.
⑥ 복부에는 말단부(末端部)에만 부속지(附屬肢)가 있다.
⑦ 곤충의 부속지는 마디로 되어 있다.

2 곤충의 외피(Integument)

(1) 표피층
① 구조 : 복잡한 구조로 되어 있다.
② 화학 성분 : 각질(Chitin), 단백질 색소 등
③ 표피층의 최외부(最外部)인 시멘트층(Cement)과 밀랍층(wax layer)은 얇은 층으로 손상을 입으면 다시 진피세포층에서 분비물이 세도관(Pore Canal)을 통해 나와 재형성된다.
④ 밀랍층 : 두께 1/4µ의 박층(薄層)이지만 내수성이 가장 강한 부분이다.

(2) 진피층
진피층은 진피 세포(epitherial cell)로 형성되어 있는데, 표피층을 생성하며 일부는 변형되어 극모(Satae) 등을 형성하는 조모세포(造毛細胞, Trichogen)로 되어 있다.

(3) 기저막
① 기저막은 진피 밑에 얇은 막으로 되어 있다.
② 진피와 체강 사이에 경계를 이루고 있는 층이며, 진피 세포의 분비로 형성된다.

[곤충의 일반적인 형태]

외피(integument)
- 표피(cuticle)
  - 외표피(epicuticle)
    - 시멘트층(cement layer)
    - 밀랍층(wax layer)
    - 단백성표피층(protein epicuticle)
  - 원표피(procuticle)
    - 외원표피(exocuticle)
    - 내원표피(endocuticle)
- 진피(epidermis)
- 기저막(basement membrane)

[곤충 외피의 구조]

3 바퀴(Cockroaches)

① 두부
  ㉮ 두부는 역삼각형이고 작다.
  ㉯ Y자형의 두개선이 있다.
  ㉰ 촉각은 길고 편상이며, 100절 이상이다.
  ㉱ 1쌍의 복안은 대형이고 단안은 1쌍이다.
  ㉲ 구기 : 저작형
② 흉부
  ㉮ 날개 : 2쌍 후시는 막질로 부채 모양
  ㉯ 다리 : 질주에 적합하다.
③ 복부
  ㉮ 복부는 크고 폭이 넓으며 10절로 되어 있다.
  ㉯ 암수 모두 미모(尾毛, cercus)를 1쌍 갖고 있다.
  ㉰ 수컷(♂)은 1~2개의 미돌기(尾突起)가 있다.

(2) 생활사 및 습성
① 불완전 변태 : 알 → 유충 → 성충, 바퀴 유충과 성충의 서식처가 같다.
② 식성 : 잡식성, 필요 영양 물질은 단백질, 탄수화물, 비타민, 콜레스테롤 및 무기염, 물
③ 서식 장소 : 위생 문제가 되는 가주성(家住性) 바퀴는 먹이를 구할 수 있고 온도나 습도가 있는 으슥한 곳(주방 벽 틈, 천장, 서랍 밑, 싱크대 등)
④ 야간 활동성 : 밤이 되면 민활한 동작으로 활동한다.
⑤ 군거성(군서성) : 바퀴는 여러 마리가 한곳에 모여 군서생활(群棲生活)을 한다.
⑥ 다리 : 질주성
⑦ 서식 장소로서 적당한 온도 : 28~33℃
⑧ 바퀴분 : 집합 페로몬(aggregation pheromone)이 있어 동족을 찾는다. 종 특이성은 강하지 않아 다른 종도 유인한다.

(3) 한국산 바퀴의 주요 종
① 바퀴 또는 독일바퀴(Blattella germanica)
  ㉮ 분포 : Blattella germanica(독일바퀴)는 우리나라에서도 전국적으로 분포하고 있다.

ⓒ 형태
- ㉠ 가주성 바퀴 중 가장 소형이다.
- ㉡ 암수 모두 밝은 황갈색이고 암컷은 약간 검다.
- ㉢ 전흉배판에 2줄의 흑색 종대가 있으며, 약충은 2줄의 흑색 종대가 전흉, 중흉 및 복부에 걸쳐 뚜렷하게 있다.

ⓔ 생활사 및 습성
- ㉠ 암컷은 일생 동안 4~8회의 난협(알주머니)을 산출(産出)하는데, 후기의 것일수록 알 수가 적어진다.
- ㉡ 난협은 알이 부화할 때까지 어미 품에 붙어 있다.
- ㉢ 30℃ 정도가 최적 온도이고 20℃ 이하의 낮은 온도에서는 활동을 중지한다.
- ㉣ 날개는 잘 발달되어 있으나 날지는 못하며, 민활한 동작으로 질주(疾走)한다
- ㉤ 잡식성, 저작형 구기
- ㉥ 군거성이며, 야행성이다.

② 이질바퀴(Periplaneta americana)
- ㉮ 분포 : 국내에서는 목포, 광주, 여수, 부산 등 남부 지방에 분포되어 있다.
- ㉯ 형태
  - ㉠ 바퀴의 전흉배판 가장자리에 현저한 황색무늬가 윤상으로 있고 가운데는 거의 흑색이며, 약충은 동일한 크기의 전흉, 중흉 및 후흉이 뚜렷하다.
  - ㉡ 우리나라 옥내서식 종 가운데서 가장 대형인 바퀴이다.
- ㉰ 생활사 및 습성 : 온도와 습도가 높은 장소에서 서식한다. 최적 온도 29(23~33)℃, 20℃ 이하에서 활동을 정지한다.

[주요 바퀴의 비교]

구분	독일바퀴 (Blattella Germanica)	이질바퀴 (Periplaneta Americana)	먹바퀴 (Periplaneta Fuliginosa)	집바퀴 (Periplaneta Japonica)
분포	전국적	남부지방	제주도, 남부지방	중부지방
체장	10~15mm	35~40mm	30~38mm	20~25mm
체색	밝은 황색	광택성 적갈색	광택성 암갈색 암적갈색	무광택의 흑갈색
전흉 배판	2줄의 흑색 종대	가장자리에 황색무늬가 윤상으로 있고 가운데는 거의 흑색이다.	-	약간 오목 볼록형
날개	♂ : 복부 전체 덮음 ♀ : 복부 선단 약간 노출	♂ : 복부와 같음 ♀ : 복부보다 김	♂ : 복부 전체를 덮음 ♀ : 복부 전체를 덮음	♂ : 복부 전체를 덮음 ♀ : 복부 반만 덮음
난협산 출수	4~8개	21~59개	20개 내외	14개
최적 온도	30℃	29℃	-	-

4 모기(Mosquitoes)

(1) 모기의 일반적 형태

① 성충의 형태
- ㉮ 장각아목 중에서 모기과는 시맥(wing venation)의 특징으로 분류된다.
- ㉯ 주둥이 : 전방으로 길게 돌출한 주둥이가 있다.

ⓒ 촉각 : 긴 촉각이 있다.
ⓓ 촉수 : 모기의 촉각과 주둥이 사이에는 촉수(촉빈)가 있다.

[모기의 형태(우의 배면)]

② 유충의 형태
- ㉮ 모기 유충은 수서생활(水捿生活)을 하며, 모기 유충을 장구벌레라 한다.
- ㉯ 두부
  - ㉠ 먹이 : 저작형 구기가 있으며 유기물을 섭취하거나 다른 모기 유충이나 곤충을 잡아먹는 포식성인 종류도 있다.
  - ㉡ 두부의 각종 털은 분류상 중요한 특징이 된다.
- ㉰ 흉부 : 전흉 1 · 2 · 3번을 각각 내견모(內肩毛, inner shoulder hair), 중견모(中肩毛, middle shoulder hair), 외견모(外肩毛, outer shoulder hair)라 부르며 종 감별에 주요한 특징이 된다.
- ㉱ 복부
  - ㉠ 제8절에는 호흡관(呼吸管)이 있고 끝에 1쌍의 기문(氣門)이 열려 있다.
  - ㉡ 호흡관의 형태와 여기에 나 있는 호흡관모(siphonal hair) 및 즐치(櫛齒, fecten)는 분류학상 중요하다(복부의 미절에 즐치가 있다).
  - ㉢ 호흡관의 길이와 최대폭과의 비(比)를 호흡관비(siphon index)라 하며 중요한 특징이 된다.
  - ㉣ 학질모기아과 유충은 1번 털이 부채 모양의 장상모(palmate hair)로 변형되었다. 호흡관이 없기 때문에 장상모를 수면에 펴서 몸을 수평으로 유지하여 떠 있게 한다(장상모의 역할은 수면에 수평으로 뜨게 한다). 제8복절 배면에 기문(氣門) 1쌍이 열려 있다.

③ 번데기
- ㉮ 모기의 번데기는 수서생활을 하는데, 다른 곤충의 번데기와는 다르게 활발하게 움직인다.
- ㉯ 두흉부에는 배면(背面)에 1쌍의 호흡각(呼吸角, trumpet)이 있는데 끝에 기문이 열려 있어 유충처럼 대기의 산소를 호흡한다.
- ㉰ 호흡각은 모기속 분류의 특징으로 사용된다.
- ㉱ 두흉부낭(頭胸部囊)이 있어 번데기의 무게를 물보다 가볍게 하고 움직이지 않으면 수면에 뜬다.

ⓐ 유영편은 난형(卵形)이고 테두리에 연모가 있는 경우도 있고 또 수 개의 유영편모(遊泳片毛)를 갖고있는데, 이것은 종 분류에 사용된다.

ⓑ 번데기는 복절의 굴곡과 유영편을 이용하여 수중에서 빠른 속도로 움직인다.

(2) 모기의 생태

① 모기의 생활사

㉮ 모기는 완전 변태를 한다.

㉯ 산란 방식 : 중국얼룩날개모기속(물 표면에 1개씩), 집모기속(물 표면에 난괴 형성), 숲모기속(물 밖에 1개씩)

㉰ 유충 : 모기의 유충은 4령기(4th larval instar)이며 4회 탈피로 번데기가 되고, 유충은 제8절에 있는 1쌍의 기문(氣門, spiracle)을 통해 대기 중의 산소를 호흡한다.

㉱ 우화 : 번데기에서 성충이 되는 발육 과정을 우화라 한다.

㉲ 성충의 수명 : 1개월 정도이다.

② 교미의 습성

㉮ 군무는 수컷이 떼를 지어 상하로 비상운동(飛翔運動)을 하는 현상으로 20~30마리에서 수백 마리를 이룬다.

㉯ 군무의 장소 : 지상 1~3m 높이에서 군무를 한다.

㉰ 교미는 1마리의 암컷이 수컷의 무리 속으로 날아 들어가 땅으로 떨어지면서 이루어진다.

㉱ 암모기가 찾아올 수 있는 요인 : 움직임에서 오는 음파장, 즉 모기 소리가 종 특이성이어서 같은 종의 모기 소리를 식별할 수 있기 때문이다.

㉲ 숲모기는 군무 현상 없이 1:1로 교미를 한다.

㉳ 모기는 일생에 1번 교미한다.

㉴ 정자는 수정낭에 저장되어 있다가 매 산란 시 수정된다.

③ 흡혈 습성

㉮ 암모기는 산란하기 위해 흡혈을 한다.

㉯ 모기의 암컷은 흡혈 후 2~3일 휴식을 필요로 한다.

㉰ 암모기의 침에는 항혈 응고 성분이 있어 흡혈하는 동안 숙주의 혈액을 응고하지 못하게 한다.

㉱ 숙주 발견 : 지상 1~2m 높이로 바람을 거슬러가며 지그재그로 비상(飛翔)한다.

㉲ 숙주동물 찾아가는 요인 : 1차적으로 이산화탄소(탄산가스, CO_2), 2차적으로 시각, 체온, 습기 등

㉳ 모기가 숙주의 피를 흡혈할 때 숙주로부터 가장 먼 거리에서 숙주를 찾을 수 있는 것은 체취이다.

㉴ 체취 : 체취란 많은 분비물에서 발산하는 냄새의 혼합물이다.

㉵ 흡혈 활동 시간 : 야간 활동(집모기, 학질모기, 늪모기), 주간 활동성(숲모기)

㉶ 종에 따라 숙주 선택성을 갖지만 엄격하지는 않다.

④ 계절적 소장

㉮ 모기의 개체 밀도에 크게 작용하는 요인은 기온과 강수량이다.

㉯ 기온이 높으면 발육 기간이 짧아진다. – 개체 수가 증가

㉰ 비가 많이 오면 – 개체 수 증가

㉱ 높은 기온과 많은 강수량 – 개체 수가 폭발적으로 증가

㉲ 모기 밀도의 증가는 질병 발생률도 높아진다.

⑤ 월동

㉮ 월동의 시기는 기후의 변동에 의해 결정된다.

㉯ 특히 일조 시간이 중요한 요인이다.

㉰ Diapause : 모기는 일조 시간이 10시간 이하가 되면 유충이 월동 시기임을 감지하게 되고, 이와 같은 유충으로부터 우화(羽化)한 암컷은 이미 지방체(fat body)를 충분히 축적하고

있어 월동 준비를 완료한 상태가 되는데 이러한 생리적 현상을 Diapause라 한다.

㉱ 월동 형태

㉠ 성충으로 월동 : 얼룩날개모기속, 집모기속

㉡ 알로 월동 : 숲모기

(3) 모기과의 분류

[학질모기아과와 보통모기아과의 비교]

구분		학질모기아과	보통모기아과
알		날개로 산란	• 집모기속 : 난괴 형성 • 숲모기속 : 날개로 산란, 늪모기 : 난괴 형성
		방추형, 부낭이 있음	포탄형, 부낭이 없음
유충		호흡관 : 퇴화	호흡관 : 발달
		장상모 : 있음	정상모 : 없음
		배판 : 있음	배판 : 없음
		수면에 수평으로 뜬다.	수면에 각도를 갖고 매달린다.
번데기		호흡각 : 짧고 굵다.	호흡각 : 길고 가늘다.
성충		촉수 : 주둥이와 거의 같고, 수컷은 끝이 곤봉상이다.	촉수 : 암컷은 현저히 짧고, 수컷은 길고 낫 모양이다.
		날개 : 대부분 반점이 있다.	날개 : 대부분 반점이 없다.
		소순판 : 타원형	소순판 : 3엽상
		휴식 시 : 45~90도 유지	휴식 시 : 수평
		수정낭 : 1개	수정낭 : 2~3개

[숲모기속·집모기속·늪모기속 비교]

구분	숲모기속	집모기속	늪모기속
흉복부, 다리	무늬나 띠가 있음	뚜렷한 무늬가 없음	흑색 비늘로 된 무늬
알	타원형, 포탄형, 날개 형성	난괴 형성	한쪽 끝이 가시 모양의 돌기, 난괴 형성
호흡관	짧다. 1쌍의 호흡관모	길다. 3쌍의 호흡관모	짧다. 끝부분이 각질화, 끝이 뾰족하다.
서식 장소 (유충)	나무 구멍, 바위에 고인 물, 인공 용기 등	다양함	식물의 줄기나 뿌리
흡혈 활동	주로 주간, 옥내 흡혈성	주로 야간, 흡혈성	주로 야간, 옥외 흡혈성

(4) 국내 서식 모기

① 작은빨간집모기(Culex tritaeniorhynchus)

㉮ 일본뇌염 바이러스를 매개하는 모기이다.

㉯ 성충의 특징

㉠ 뇌염모기는 집모기속에 속한다.

㉡ 크기는 4.5mm 정도의 소형이다.

㉢ 전체적으로 암갈색을 띠고 뚜렷한 무늬가 없다.

㉣ 다리 각 절(節) 끝에 작고 흐린 백색 띠가 있다.

㉤ 주둥이 중앙에 넓은 백색 띠가 있다. 이 띠로부터 기부로 내려가면서 복면에 백색 비늘이 산재해 있는 것이 특징이다.

㉥ 흡혈 활동 : 가장 활발히 흡혈하는 시간은 저녁 8~10시이다.

㉦ 휴식 시 수평으로 휴식한다.

㉰ 유충의 형태적 특징

㉠ 흉부에 있는 3쌍의 견모(肩毛, shoulder hair)는 모두 단모(單毛)이다.

㉡ 호흡관이 가늘고 길다.

ⓒ 호흡관모는 아복측부에 5쌍, 측부에 1쌍이 있다.

ⓔ 즐치(pecten)는 11~14개이다.

ⓜ 측즐(comb scale)은 30~40개인데 끝이 뭉툭하다.

ⓗ 주로 논, 늪, 호수, 고인 웅덩이 등 비교적 깨끗한 물에서 서식하나, 오염된 물에서도 발생 가능하다.

ⓢ 수면에 매달린다.

② 중국얼룩날개모기(Anopheles sinensis, 학질모기)

㉮ 말라리아를 매개하는 모기이다.

㉯ 성충의 형태적 특징

ⓐ 날개의 전연맥(costa vein)에 백색반점(白色斑點)이 2개 있다.

ⓑ 전맥(anal vein)에 흑색반점(黑色斑點)이 2개 있다.

ⓒ 촉수의 각 마디의 말단부에 좁은 흰 띠가 있다.

ⓓ 전체적으로 흑색의 중형 모기이다.

ⓔ 휴식 시 45~90도를 유지한다.

㉰ 유충의 특징

ⓐ 호흡관이 퇴화되어 있다.

ⓑ 복절배판에 장상모(palmate hair)를 갖고 있어 수면에 평행으로 뜬다.

ⓒ 서식 장소 : 깨끗한 곳에서 서식한다(논, 개울, 관개수로, 늪, 빗물 고인 웅덩이 등), 하수구 등에는 서식하지 않는다.

ⓓ 알 : 얼룩날개모기의 알은 하나씩 낱개로 산란되는데 방추형이고, 공기주머니인 부낭이 있어 수면에 뜬다.

③ 토고숲모기

㉮ 성충은 5.6mm의 중형이다.

㉯ 흉부의 순판(scutum)에는 흑갈색 바탕에 금색 비늘로 된 종대(縱帶)가 중앙선에 2줄, 아중앙선(亞中央線)에 2줄, 봉합선을 따라 아크(arc)형으로 2줄이 있다.

㉰ 유충 서식 장소 : 유충은 해변가의 바위에 고인 물(염분이 섞인 물)에 주로 서식한다. 해변 지역이면 담수와 염분 어느 곳에서나 서식한다.

㉱ 숲모기 체내에서 사상충 유충이 발육하는 기간은 9~12일이다.

㉲ 숲모기속 알 : 타원형 또는 포탄형이다.

㉳ 흡혈 대상 동물 : 사람(사람을 더 좋아함), 돼지, 소 등

(5) 모기 매개 질병

모기가 옮기는 질병에는 말라리아, 뇌염, 사상충증, 황열, 뎅기열 등이 있다.

① 말라리아

㉮ 중국얼룩날개모기(Anopheles sinensis)가 매개한다.

㉯ 우리나라에서 유행하는 말라리아의 병원체는 Plasmodium vivax(삼일열원충)이다.

② 뇌염(일본뇌염) : 작은빨간집모기(Culex tritaeniorhynchus)가 매개한다.

③ 사상충 : 토고숲모기(Aedes togoi)가 매개한다.

④ 황열병 : 에집트숲모기(Aedes aegypti)가 매개한다.

⑤ 뎅기열 및 뎅기출혈열 : 에집트숲모기(Aedes aegypti)가 매개한다.

5 파리의 분류

(1) 집파리과

집파리과에는 집파리, 딸집파리(아기집파리), 큰집파리, 침파리가 있다.

구기(口器)는 집파리의 경우처럼 액상 물질을 흡입하는 형과 침파리와 같은 흡혈형이 있다.

① 집파리

집파리는 각종 질병의 기계적 전파자로서 중요한 구실을 하는 것은 다음과 같은 특징이 있기 때문이다.

㉮ 음식물, 배설물이나 분비물(변, 침, 콧물, 고름, 뇨 등)을 섭취하고

㉯ 다리에 강모가 있고

㉰ 구기에 털이 있으며

㉱ 욕반에 점액성 물질을 분비하며

㉲ 소낭의 내용물(분비물, 배설물 등을 먹고)을 토함

② 딸집파리(아기집파리)

㉮ 유충

ⓐ 특유한 형태를 하고 있어 쉽게 구별할 수 있다.

ⓑ 길이가 5~6mm의 난형(卵形)으로 상하 편평(扁平)하다.

ⓒ 유충은 각 체절에 현저하게 돌출되어 있는 여러 쌍의 육질돌기(肉質突起)가 있다.

㉯ 성충 : 음식물에 앉는 빈도가 낮고, 비상시 공중 한 지점에 꼼짝 않고 정지하는 습관이 있다.

(2) 검정파리과

① 검정파리과는 위생상 크게 문제가 되지 않는다.

② 검정파리과에는 띠금파리속, 금파리속, 검정파리속 등이 있다.

(3) 쉬파리과

① 쉬파리과에는 쉬파리속, Wohlfahrtia속이 있다.

② 쉬파리과의 암컷은 모두 유생 생식을 한다.

(4) 체체파리과

① 체체파리과에는 체체파리속 1개속뿐이다.

② 체체파리는 아프리카수면병을 전파한다.

③ 유충 : 1개의 알이 자궁에서 부화하고 유충은 자궁 속에서 모체로부터 영양 공급을 받으며 발육한 후 밖으로 나온다.

6 벼룩

(1) 형태

① 성충의 형태

㉮ 벼룩의 성충은 좌우측면(左右側面)이 편평(扁平)하여 동물의 털 사이를 기어다니는 데 적응되어 있다.

㉯ 주둥이 : 흡혈에 적합하다.

㉰ 벼룩의 구부에서 소악의 기능 : 날카로운 구조를 하고 있으나 피부를 뚫는 데 사용되지 않고 숙주의 털을 가르며 빠져나가는 데 쓰인다.

㉱ 촉각 : 숙주 감지(따뜻한 기류)에 이용한다.

② 유충의 형태

㉮ 벼룩의 유충은 다리가 전혀 없는 구더기 모양을 하고, 미세한 유기물을 섭취한다.

㉯ 벼룩 알의 부화 기간 : 1주(평균 5일)이다.

㉰ 유충의 발육 기간 : 약 2주이다.

㉱ 대부분의 종은 2회 탈피하면서 3령기를 거치는데, 극소수의 종류가 2령기로 유충 시기를 마친다.

③ 번데기 : 유충은 고치를 치고 번데기가 된다.

(2) 생활사 및 습성 : 완전변태를 하며, 성충의 특징은 다음과 같다.

① 성충의 수명은 약 6개월이다.

② 암수 모두 흡혈한다.

③ 체장의 약 100배 정도 점프를 한다.

④ 숙주 선택이 엄격하지 않다(숙주가 아니더라도 공격한다. 예 쥐벼룩은 사람도 흡혈한다.)

⑤ 흑사병균에 감염된 벼룩은 정상적인 벼룩보다 자주 흡혈한다.

⑥ 흑사병균에 감염된 벼룩은 수명이 짧다.

⑦ 숙주가 죽으면 재빨리 떨어져 다른 동물로 옮긴다.

⑧ 벼룩이 알을 낳는 장소 : 마루의 갈라진 틈, 먼지 속, 부스러기, 숙주 동물의 등지에 산란한다.

(3) 벼룩 매개 질병 : 벼룩이 사람에게 주는 피해는 다음과 같다.

① 자교에 의한 직접적 피해 : 물리면 가려우므로 수면을 방해한다.

② 흡혈을 하므로 자극적이고 불쾌하다.

③ 성충이 되면 사람과 동물에 기생하며 흡혈하면서 흑사병(페스트), 발진열을 옮긴다.

④ 조충의 중간 숙주 : 기생충(개조충과 축소조충)의 중간 숙주 역할을 한다.

7 살충제에 대한 곤충의 저항성

(1) 저항성(resistance)

① 저항성이란 한 살충제에 대해 감수성을 보이던 곤충이 동일 지역에서 본 살충제에 의해 방제가 불가능한 경우를 저항성이 생겼다고 한다(즉, 대다수의 해충을 치사시킬 수 있는 농도에서 대다수가 생존할 수 있는 능력이 발달되었을 때).

② 저항성은 후천적 적응이 아니고 선천적인 단일 유전자에 의한 것이므로 저항성 발전요인은 살충제 사용 이전에 이미 개체군의 일부 개체에 존재하고 있다.

③ 저항성이 생기는 정도나 속도는 개체군의 크기, 접촉 빈도, 곤충의 습성이나 유전인자의 성격 등 여러 요인에 의하여 결정된다.

④ 단일 유전자에 의한 저항성을 생리적 저항성(physiological resistance)이라 한다.

⑤ 살충제 자체가 저항성을 나타내는 유전자의 돌연변이를 유발하지 않으며, 정상적으로 일어나는 돌연변이 발생비율이 증가하지도 않는다.

(2) 내성(vigour tolerance)

① 단일 유전자에 의한 특수방위기능(specific defence mechanism)이 아닌 다른 요인에 의하여 살충제에 대항하는 힘이 증강되었을 경우를 내성이라 한다.

② 내성 요인 : 체중 증가, 다리 부절의 각질이 두꺼워지는 것, 2차적 생리적 기능을 강하게 발전시키는 것 등

(3) 생태적 저항성(behavior resistance)

① 살충제에 대한 습성적(習性的) 반응이 변화함으로써 치사량 접촉을 피할 수 있는 능력을 생태적 저항성이라 한다.

예 DDT가 가장 대표적인 예로써 모기는 옥내 휴식 습성이 옥외 휴식 습성으로 변한 경우가 있다.

② 단일 유전 인자에 의한 발현이다.

(4) 교차저항성(cross resistance)

① 어떤 약제에 저항성일 때 유사한 다른 약제에도 자동적으로 저항성이 생기는 것을 교차 저항성이라 한다.

② 단일 유전인자에 의한 생리적 저항성의 경우에만 해당된다.

8 쥐류

(1) 국내 위생 쥐류의 분류

• 들쥐 : 들(野)에서 서식하는 것을 들쥐(野鼠, field rodent)라 한다(가주성 쥐를 제외한 모든 쥐).

　– 등줄쥐(Apodemus agrarius)

• 가주성 쥐 : 마을 내 가옥(家屋) 안팎에서 사는 쥐를 가주성 쥐(家柱性 鼠)라 한다(시궁쥐, 곰쥐, 생쥐).

　– 시궁쥐(Rattus norvegicus, Norway rat)

　– 곰쥐(지붕쥐, 집쥐, Rattus rattus, Roof rat)

　– 생쥐(Mus musculus, House mouse)

① 등줄쥐(Apodemus agrarius)

㉮ 등줄쥐는 들쥐 중 전국적으로 가장 많이 차지하고 있다.

㉯ 등줄쥐는 들쥐의 일종으로 농촌 지역에 많이 분포되어 있다.

㉰ 체색

　㉠ 배면은 회색이 섞인 연한 적갈색이다.

　㉡ 검은 줄이 머리 위로부터 꼬리의 기부(基部)까지 있다(등에 종(縱)으로 검은 줄이 나 있다).

　㉢ 복면은 회백색이다.

㉱ 무게 : 20g 내외

㉲ 크기, 형태 등이 모두 생쥐와 비슷하나, 등의 검은 줄로 쉽게 구별이 된다.

㉳ 두동장(頭胴長) : 90~120mm이다.

㉴ 뒷발의 크기 : 18~22mm이다.

㉵ 꼬리 : 82~88mm로 두동장보다 언제나 짧다.

㉶ 둥지 : 구멍을 S자로 1~2m 파고 그 속에 둥지가 있다.

㉷ 월동식량을 별도로 저장하는 습성이 없어, 겨울에도 먹이를 찾아 활동한다.

② 시궁쥐(Rattus norvegicus)

㉮ 시궁쥐는 애굽쥐라고도 하고 영어로 Norway rat이다.

㉯ 체중 : 400~500g

㉰ 꼬리 길이가 16~20cm로 두동장(19~25cm)보다 짧거나 같은 것이 곰쥐와 구별되는 특징이다.

③ 곰쥐(Rattus rattus)

㉮ 곰쥐는 지붕쥐 또는 집쥐라고도 하고 Roof rat, House rat, Black rat 등 여러 이름으로 불린다.

㉯ 무게 : 300~400g

㉰ 꼬리 길이가 250mm로 두동장(145~200mm)보다 긴 것이 시궁쥐와 구별되는 특징이다.

④ 생쥐(Mus musculus)

㉮ 평균 무게 : 20g

㉯ 꼬리 길이와 두동장(80~100mm)이 비슷하다.

(2) 쥐의 생활사

① 쥐는 포유류에 속한다.

② 생후 10일 정도면 귀가 열려 제대로 들을 수 있다.

③ 2주 후에 눈을 뜨고 사물을 볼 수 있다.

④ 새끼는 약 5주까지 어미에게 의존한다.

⑤ 교미활동

㉮ 생쥐 : 8주

㉯ 곰쥐, 시궁쥐 : 10~12주

⑥ 임신 기간 : 22일이다.

⑦ 쥐는 출산 후 2일 만에 교미한다.

⑧ 새끼 수

㉮ 생쥐 : 5.8(4~7)마리

㉯ 곰쥐 : 보통 6.2(4~8)마리
㉰ 시궁쥐 : 평균 8~10마리
⑨ 수명
㉮ 생쥐 : 1년
㉯ 곰쥐, 시궁쥐 : 2년

(3) 쥐의 습성
① 갉는 습성
㉮ 2쌍의 문치(incisor)는 빠른 속도로 성장한다.
㉯ 쥐의 문치는 연간 평균 11~14cm 자란다.
㉰ 생후 2주부터 죽을 때까지 단단한 물질을 갉아서 자라는 길이만큼 마모시켜야 한다.
② 서식처 : 쥐는 먹이와 물이 있는 조용한 곳이면 어디든지 서식한다.
③ 감각 기관
㉮ 후각 : 후각이 예민하여 이성이나 가족을 식별할 때 후각을 사용한다.
㉯ 촉각 : 촉각은 발달되어 있어 야간의 모든 활동을 촉각에 의존한다.
㉰ 청각 : 어둠 속에서 활동하기 때문에 청각은 대단히 예민하다.
㉱ 시각 : 야간 활동성이지만 시력은 빈약하여 근시이다(색맹이며 근시이다).
㉲ 미각(味覺) : 맛을 아는 미각은 고도로 발달되어 있다.
④ 쥐의 활동
㉮ 가주성 쥐는 야간 활동성으로 일몰 직후부터 활동하기 시작하여 12~1시까지 계속되며, 새벽까지 계속되기도 한다.
㉯ 쥐는 점프(jump)에 능하다. 쥐는 선 자리에서 60cm까지 점프할 수 있다(생쥐는 25cm 점프).
㉰ 곰쥐와 생쥐는 각종 파이프의 외부와 내부 또는 전선을 타고 이동한다(시궁쥐는 파이프나 전선을 타고 이동 못 함).
㉱ 쥐는 달리다 넘을 때 수직 벽을 1m까지 뛰어오를 수가 있다.
㉲ 수평 거리는 1.2m를 뛸 수 있다.
㉳ 활동 범위
㉠ 생쥐 : 3~10m
㉡ 곰쥐 : 15~50m
㉢ 시궁쥐 : 30~50m
㉴ 수영 능력
㉠ 생쥐 : 0.7km/hr
㉡ 곰쥐, 시궁쥐 : 1km/hr
⑤ 이물질에 대한 반응 : 경계심이 강하여 무엇이든(먹이도) 조심스럽게 피한다.
⑥ 식성
㉮ 잡식성이며, 구토하는 능력이 없다.
㉯ 도시 지역에 있어서 쥐 먹이의 주요 출처는 부엌 쓰레기이다.
㉰ 설치류의 먹이 선택은 환경의 먹이에 의하여 결정된다.

(4) 쥐의 개체군 밀도
① 쥐의 개체군 크기 : 출산, 사망, 이동의 3요인에 의해 결정된다.
② 쥐의 활동 범위는 극히 제한적이기 때문에 이동에 의한 개체군의 변동은 크지 않다.
③ 제한 요인(또는 억제 요인) : 쥐의 사망 수보다 출생 수가 훨씬 높은데, 개체군이 일정하게 머물러 있는 것은 주위의 환경 요인이 개체군 증가를 억제시키고 있기 때문인데, 이러한 현상을 제한 요인이라 한다. 제한 요인에는 물리적 환경, 천적, 경쟁률을 들 수 있다.

④ 개체군 증가의 제한 요인
㉮ 물리적 환경 : 먹이, 은신처, 기후
(개체군의 밀도 : 겨울 < 여름 < 가을 < 봄의 순으로 높다)
㉯ 천적 : 족제비, 개, 고양이, 매, 말똥가리, 부엉이, 뱀 등이 쥐의 천적이다.
㉰ 경쟁 : 개체군의 밀도가 높아질수록 이종 간 또는 동종 간의 경쟁이 심해진다.

(5) 쥐 매개 질병
설치동물인 쥐가 옮기는 질병 : 흑사병(페스트), 발진열, 쯔쯔가무시병, 리케치아폭스, 살모넬라증, 서교열, 렙토스피라증, 신증후군출혈열(유행성출혈), 선모충, 리슈만편모증, 샤가스병 등

1 식품위생학의 개념

(1) 식품의 정의
식품이라 함은 모든 음식물을 말한다. 다만, 의약으로 섭취하는 것은 제외한다.

(2) 식품위생의 정의
식품위생이란 식품 · 식품첨가물 · 기구 또는 용기 · 포장을 대상으로 하는 식품에 관한 위생을 말한다.

(3) 식품의 위생적인 보관 방법
① 물리적 처리
  ㉮ 냉동 · 냉장법(저온저장법)
    ㉠ 냉장고는 벽에서 10cm 정도 떨어진 위치에 설치한다.
    ㉡ 냉장고에 식품은 전체 용량의 80% 정도만 저장하는 것이 좋다.
    ㉢ 냉장고 문은 자주 열지 않는 것이 좋다.
    ㉣ 냉장고는 깨끗하게 청소를 하여야 세균의 오염을 막을 수 있다.
    ㉤ 냉장고 내부에 온도계를 비치하여야 한다.
    ㉥ 온도계는 냉장고의 중간에 설치한다.
    ㉦ 냉장고의 식품저장 방법은 다음과 같다.
      ⓐ 냉동실(영하 18℃ 이하) : 육류의 냉동보관, 건조한 김 등을 보관한다.
      ⓑ 냉장실(0~10℃)
        • 1단 온도 0~3℃ : 육류 어류 등
        • 중간 온도 5℃ 이하 : 유지가공품 등
        • 하단 온도 7~10℃(10℃ 이하) : 과일, 야채류 등
    ㉧ 냉장의 목적은 다음과 같다.
      ⓐ 자기소화를 지연시킨다.
      ⓑ 미생물의 증식을 저지한다.
      ⓒ 변질을 지연시킨다.
      ⓓ 식품의 신선도를 단기간 유지시킨다.
  ㉯ 가열살균법 : 미생물의 사멸과 효소의 파괴를 위하여 100℃ 정도로 가열한다.
  ㉰ 건조 · 탈수법 : 건조식품은 수분 함량이 15%(14%) 이하가 되도록 보관한다.
  ㉱ 자외선 조사법 : 자외선을 이용하여 살균한다.
  ㉲ 농축법
② 화학적 처리
  ㉮ 방부제(보존제) 첨가법
    ㉠ 데이히드로초산(DHA ; dehydroacetic acid) – [삭제]
    ㉡ 안식향산나트륨(sodium benzoate)
    ㉢ 프로피온산나트륨(sodium propionate)
    ㉣ 프로피온산칼슘(calcium propionate)
  ㉯ 산화방지제 첨가법
    ㉠ 디부틸 히드록시 톨루엔(BHT ; dibutyl hydroxy toluene)
    ㉡ 부틸 히드록시 아니졸(BHA ; butyl hydroxy anisole)
    ㉢ 몰식자산 프로필(propyl gallate)
    ㉣ DL-α-토코페롤(DL-α-tocopherol)
  ㉰ 식염 · 설탕 첨가법 : 10% 이상의 식염(염장법)이나 50% 이상의 설탕(당장법)으로 저장하면 미생물의 발육을 억제할 수 있다.

NaCl이 미생물의 생육을 억제하는 이유는 다음과 같다.
  ㉠ 식품 내의 수분 활성을 저하
  ㉡ 삼투압에 의한 원형질 분리
  ㉢ Cl⁻의 독작용
  ㉣ 산소분압의 감소 등
  ㉱ 산저장법 : pH4.7(5) 이하(초산이나 젖산 이용)
③ 미생물처리법 : 미생물을 이용한 처리방법 – 간장, 된장, 고추장, 김치, 요구르트, 치즈 등
※ DHA : 현재 "식품공전"에는 "삭제"되었으나 "위생사 시험"에는 출제되고 있음.

2 경구감염병

(1) 정의
병원체가 음식물, 손, 기구, 위생동물 등을 거쳐 경구적(입)으로 체내에 침입하여 일으키는 질병을 경구감염병이라 한다.

(2) 경구감염병의 분류
① 세균 : 장티푸스, 파라티푸스, 콜레라, 세균성이질, 파상열 등
② 바이러스 : 폴리오(소아마비), A형간염(유행성간염) 등
③ 리케치아 : Q열 등
④ 원충류 : 아메바성이질 등

(3) 경구감염병의 예방 대책
① 환자 · 보균자의 조기 발견 및 격리 치료한다.
② 환자 · 보균자의 조리를 금한다.
③ 음료수의 위생적 관리와 소독을 한다.
④ 환경 위생을 철저히 한다.
⑤ 병균을 매개하는 파리, 바퀴벌레, 쥐 등을 구제한다.
⑥ 날 음식의 섭취를 피하고 위생 처리를 한다.

(4) 경구감염병과 감염형 식중독과의 차이점
① 경구감염병에서는 병원체가 고유 숙주와의 사이에 infection cycle을 성립한다.
② 세균성 식중독에서는 세균에서 사람으로 terminal infection (최종 감염)된다.
③ 세균성 식중독은 다량의 균이 필요하다.
④ 경구감염병은 세균성 식중독에 비하여 잠복기가 비교적 길다.
⑤ 경구감염병은 2차 감염률이 드물지만 있다.

3 인축공통 감염병(인수공통 감염병)

(1) 정의
인간과 척추동물 사이에 전파되는 질병을 인축공통 감염병이라 한다.

(2) 분류
• 세균성 질병 : 탄저병, 돼지단독(돈단독), 결핵, 야토병, 브루셀라 (파상열), 장출혈성대장균감염증 등
• 바이러스에 의한 질병 : 일본뇌염, 광견병(공수병), 조류인플루엔자인체감염증(AI), 중증급성호흡기증후군(SARS), 앵무병, New castle병 등
• 리케치아에 의한 질병 : Q열 등
• 원충성 질병 : Toxoplasma병 등
• Prion(단백질 일종) : 변종 크로이츠펠트-야콥병(vCJD)

① 결핵(Tuberculosis)
　㉮ 결핵균에 오염된 우유로 감염된다.
　㉯ 인형결핵균인 것은 Mycobacterium tuberculosis이다.
　㉰ 우형결핵균(M. bovine)이 사람에 감염될 수 있는 매개 경로
　　는 우유이다.
② 파상열(Brucellosis)
　㉮ 소, 염소, 양, 돼지의 동물에게 유산을 일으키며, 사람에게는
　　열을 발생시키는 질병이다.
　㉯ 종류
　　㉠ Brucella abortus : 소에 감염되어 유산을 일으키는 병
　　　원체이다.
　　㉡ Brucella suis : 파상열 중 돼지에 감염되는 병원체이다.
　　㉢ Brucella melitensis : 염소, 양에 유산을 일으키는 병원
　　　체이다.

4 기생충 감염 경로와 외부 형태

(1) 야채를 통한 기생충 질환
① 회충
　㉮ 경구침입, 위에서 부화한 유충은 심장, 폐포, 기관지를 통과하
　　여 소장에 정착한다.
　㉯ 장내 군거생활을 한다.
　㉰ 인체에 감염 후 75(70)일이면 성충이 되어 산란한다.
　㉱ 충란은 여름철 자연조건에서 2주일 정도 후면 인체에 감염력
　　이 있는 충란이 된다.
　㉲ 충란은 70℃로 가열하면 사멸된다.
　　㉳ 일광에서 사멸된다.
　㉴ 충란 제거를 위해서는 흐르는 물에 5회 이상 씻는다.
② 요충
　㉮ 경구침입을 한다.
　㉯ 집단생활하는 곳에 많이 발생한다.
　㉰ 항문 주위에서 산란한다(항문 소양증).
　㉱ Scatch tape(스카치 테이프) 검출법을 이용하여 검사한다.
③ 구충(십이지장충, 아메리카구충)
　㉮ 피부감염(경피감염)되므로 인분을 사용한 채소밭에서는 피부
　　를 보호해야 한다.
　㉯ 경피감염은 유충이 침입한 피부 국소에 소양감, 작열감이 생
　　기면서 소위 풀독(채독증)이라 부르는 피부염을 일으킨다.
　㉰ 소장에 기생한다.
④ 편충
　㉮ 말채찍 모양을 한 기생충이다.
　㉯ 맹장 또는 대장에 기생한다.
⑤ 동양 모양 선충

(2) 어패류로부터 감염되는 기생충
• 간디스토마와 폐디스토마의 인체 감염형은 피낭유충(Metacercaria)
　이다.
• 충란 → Miracidium(유모유충) → Sporocyst(포자낭유충) →
　Redia(Redi유충) → Cercaria(유미유충) → Metacercaria(피
　낭유충) 형태로 인체에 감염된다.
① 간디스토마(간흡충) : 제1중간숙주 → 왜우렁, 제2중간숙주 → 민
　물고기(붕어, 잉어, 모래무지)
② 폐디스토마(폐흡충) : 제1중간숙주 → 다슬기, 제2중간숙주 → 가
　재, 게, 참게
③ 광절열두조충 : 제1중간숙주 → 물벼룩, 제2중간숙주 → 민물고
　기(송어, 연어, 숭어)

④ 아니사키스(anisakis, 고래회충) : 제1중간숙주 → 갑각류(크릴
　새우), 제2중간숙주 → 바다생선(고등어, 갈치, 오징어 등) → 종
　숙주(고래, 물개 등)
⑤ 요코가와흡충 : 제1중간숙주 → 다슬기, 제2중간숙주 → 담수어
　(붕어, 은어 등)
⑥ 유구악구충 : 제1중간숙주 → 물벼룩, 제2중간숙주 → 미꾸라
　지 · 가물치 · 뱀장어, 최종숙주 → 개 · 고양이 등

(3) 수육을 통한 기생충 질환
① 유구조충(갈고리촌충) : 중간숙주 – 돼지
② 무구조충(민촌충) : 중간숙주 – 소
③ 선모충 : 중간숙주 – 돼지

5 식품의 변질과 수분량

(1) 식품의 변질
식품을 자연 상태로 방치했을 때 미생물, 햇볕, 산소, 효소, 수분의
변화 등에 의하여 식품의 성분의 변화가 생겨 영양가 파괴, 맛 등에
손상을 가져오는 것을 식품의 변질이라 한다.
① 부패 : 미생물의 번식으로 단백질이 분해되어 아미노산, 아민, 암
　모니아, 악취 등을 발생하는 현상을 부패라 한다.
② 변패 : 당질, 지방이 미생물에 의해 변질되는 현상을 변패라 한다.
③ 산패 : 지방의 산화로 aldehyde, ketone, ester, alcohol 등
　이 생성되는 현상을 말한다. 산패는 미생물에 의한 것이 아니고
　산소에 의해 변질되는 것이다.
④ 발효(fermentaion) : 탄수화물이 산소가 없는 상태에서 분해되
　는 것을 말한다.

(2) 부패판정
① 부패(Putrefaction)란 단백질 및 유기물이 변화된 것을 말한다
　(단백질 변질이 주).
② 부패에는 기온, 습도, pH, 열 등의 인자가 관여한다.
③ 부패생성물 : methane, H_2S, mercaptan, 함질소화합물 등
④ 초기 부패 판정
　㉮ 관능검사 : 부패 판정의 제일 기본이 되는 검사로써, 판정하는
　　항목에는 냄새, 맛, 외관, 색깔, 조직의 변화 상태 등이 있다.
　㉯ 물리학적 판정 : 물리학적 검사로는 경도, 점성, 탄성, 색도,
　　탁도, 전기 저항 등의 변화를 본다.
　㉰ 화학적 판정 : 화학적 판정에 이용되는 것은 트리메틸아민
　　(trimethylamine), dimethylamine, 휘발성 염기질소(휘
　　발성 아민류, 암모니아 등), 휘발성 유기산, 질소가스, 히스타
　　민, pH, K값 측정 등이 있다.
　　㉠ amine : 아미노산의 탈탄산 반응으로 생성된 물질이다.
　　㉡ trimethylamine : 어류의 비린내의 원인 물질인 부패 생
　　　성물이다.
　㉱ 미생물학적(생물학적) 판정
　　㉠ 생균 수 측정 : 식품은 1g당 세균수가 10^8 이상(10^8/g)일
　　　때 쉰 냄새가 나게 되어 먹지 못하게 된다. 즉, 초기 부패로
　　　판정할 수 있는 세균 수는 식품 1g당 10^8이다.
　　㉡ 식품 중의 생균 수를 측정하는 목적은 신선도의 여부를 알기
　　　위해서이다.
　　㉢ 1g당 세균수가 10^5 이하이면 안전하다(10^5 이하/g).

(3) 대장균군
대장균군이란 Gram음성의 무아포성 단간균으로서 젖당(유당)을 분
해하여 산과 가스(gas)를 생성하는 호기성 또는 통성혐기성균을 말
한다.

대장균이 검출되는 음료수를 오염수라고 하는 가장 중요한 이유는 대장균이 검출되면 병원성 미생물이 생존해 있을 가능성 때문이다.

① 시험 방법 : 우유 및 유제품의 대장균군 시험에는 정성시험과 정량시험이 있는데, 시험 방법은 다음과 같다.

㉮ 정성시험
  ㉠ 일정량의 시료 중에 1개 이상의 대장균의 유무를 측정하는 방법이다.
  ㉡ LB(Lactose Broth) 발효관 배지를 이용할 때의 3단계 시험 순서는 다음과 같다.

  추정시험 → 확정시험 → 완전시험

  ㉢ BGLB(Brillant Lactose Bile Broth) 배지나 고형 배지 사용하는 경우에는 3단계의 시험 순서를 구분하지 않고 완전시험까지 연속해서 실시한다.
  ㉣ LB(Lactose Broth)발효관 배지를 이용한 시험
    ⓐ 추정시험
      • LB(Lactose Broth) 발효관 배지에 접종하여 35~37℃, 24±2시간 배양했을 때 **가스(gas)가 생성**되면 대장균의 존재가 추정된다.
      • 고형 배지에 접종한 것은 배지의 종류에 따라 특유 색상의 집락을 형성한다.
    ⓑ 확정시험
      • 추정시험에서 가스 발생을 본 발효관으로부터 BGLB 발효관에 이식하여 35~37℃, 48±3시간 배양했을 때 gas가 생성된 것을 1 백금이를 취해서 EMB한천배지, Endo평판배지에 도말해서 분리 배양한 후 전형적인 대장균군의 집락을 증명할 경우에 확정시험은 양성이다.
      • EMB배지에서 금속 광택의 **청동 색깔의 집락(colony)**이 나타나면 **확정시험은 양성이다.**
    ⓒ 완전시험
      • LB발효관 배지에서 가스발생, 사면배양에서 그람음성, 무아포성 간균인 것이 증명될 경우 대장균군은 양성으로 판정된다.
      • 배지 : Endo평판배지, EMB한천배지를 사용한다.

㉯ 정량시험 : 사용하는 배지에는 액체배지와 고형배지가 있다. 액체배지는 LB발효관 배지 또는 BGLB발효관 배지를 사용한다. 고형배지에는 desoxycholate agar가 사용된다.

6 식중독

(1) 식중독의 정의

식중독이란 유독 · 유해물질이 음식물에 흡인되어 경구적으로 섭취 시 일어나는 질병을 말한다.

(2) 식중독 분류

① **세균성 식중독** : 우리나라에서 세균성 식중독의 발생 빈도가 **가장 높은 계절은 여름**이고, 식중독 중 발생률이 가장 높은 것은 세균성 식중독이다.

㉮ 살모넬라(Salmonella) 식중독

Salmonella 식중독에 해당되는 균은 Sal. typhimurium, Sal. thompson, Sal. enteritidis, Sal. derby 등이 있

다(장티푸스균, 파라티푸스균은 제외).

㉠ 외부 형태 : Gram음성, 무포자간균, 주모균
㉡ 원인균의 특징 : 생육 최적 온도는 37℃이고, pH 7~8이다.
㉢ 증세 : 식중독 환자는 38~40℃의 심한 고열이 나는 것이 특징이다. 치사율은 낮다.
㉣ 원인 식품 및 감염 경로 : 감염된 동물, 어육제품, 샐러드, 마요네즈, 유제품 등을 섭취 시 발생한다.
㉤ 잠복기 : 12~24(48)시간(길다)
㉥ 예방 : 60℃에서 20분간 가열한다.

㉯ 장염 Vibrio 식중독

㉠ 외부 형태 : Gram음성, 간균, 단모균, 무포자
㉡ 원인균 : Vibrio parahaemolyticus(호염균)
㉢ 원인균의 특징 : 3~4%의 식염 농도(NaCl)에서 잘 자라는 중온균이며, 열에 약하다.
㉣ 원인 식품 및 감염 경로 : 어패류, 생선 등
㉤ 콜레라균(Vibrio cho1era)과 유사한 형태이다.
㉥ 주요 증상 : 설사 위장장애
㉦ 잠복기 : 평균 10~18시간
㉧ 배지 : TCBS agar 배지
㉨ 예방 : 어패류를 담수로 씻거나, 가열 후 섭취한다.
㉩ Vibrio vulnificus : 날것의 어패류를 섭취하므로 감염되는 비브리오 패혈증의 원인균이다.

㉰ 병원성 대장균

㉠ 외부 형태 : Gram음성, 주모균, 간균, 무아포성
㉡ 외부 형태는 일반 대장균과 차이가 없다(항원으로 구별).
㉢ 원인균 : Escherichia coli
㉣ 증세 : 영 · 유아에게 감염성(전염성) 설사, 성인에게는 급성장염을 유발한다.

㉱ 포도상구균 식중독

㉠ 외부 형태 : Gram양성, 구균, 무(無)아포성, 무편모로 비운동성이다.
㉡ 원인균 : Staphylococcus aureus
㉢ 원인균의 특징 : 장독소인 enterotoxin을 생성한다. enterotoxin은 **식중독의 원인 독소이며 끓여도 잘 파괴되지 않는다.**
㉣ 원인 식품 : 우유 및 유제품 등
㉤ 감염원 : 화농성 환자이다.
㉥ 잠복기 : 1~6시간(평균 3시간), 짧다.
㉦ 증세 : 열이 없다.
㉧ 예방 대책 : 화농성 환자는 식품 취급을 금한다.

㉲ 보툴리누스 식중독

㉠ 외부 형태 : Gram양성, 간균, 주모균, **아포형성, 혐기성** 등
㉡ 원인균 : Clostridium botulinum
㉢ 원인균의 특징 : 신경독소인 neurotoxin을 생성한다.
㉣ 원인 식품 및 감염 경로 : 밀봉 상태의 통조림 식품에서 잘 자란다.
㉤ 증세 : **신경마비 증세, 치명률이 높고,** 호흡곤란, 연하곤란, 복시, 실성 등의 현상이 일어나고 **발열이 없다.**
㉥ 치사율 : 15~20%이다.
㉦ 잠복기 : 12~36시간이다.
㉧ 아포는 120℃에서 4분 이상 가열해야 사멸한다.

㉳ 세균성 식중독의 특징

㉠ **많은 양의 세균이나 독소에 의해 발생한다.**
㉡ **면역이 생기지 않는다.**
㉢ **2차 감염이 없다.**
㉣ 식품에서 사람으로 최종 감염된다(식중독은 종말 감염이다).

ⓐ 잠복기가 짧다(잠복기는 경구감염병보다 짧다).
ⓑ 식중독 세균의 적온은 25~37℃이다
⑭ 세균성 식중독 예방법
  ㉠ 위생 처리된 식품 재료를 고른다.
  ㉡ 70℃ 이상의 열을 가해 잘 익힌다(세균성 식중독은 음식물 섭취 전 가열에 의하여 대부분 예방할 수 있다).
  ㉢ 조리된 식품은 가능하면 바로 먹는다(가급적이면 조리 직후에 먹는다).
  ㉣ 냉장 보관했던 음식을 먹을 때에는 다시 익힌다.
  ㉤ 설사 환자나 화농성 질환이 있는 사람은 식품을 취급하지 못하도록 한다.
② 화학성 식중독 : 화학성 식중독에 속하는 독성물질에는 사카린, 메탄올, 인공색소, 둘신, 카드뮴, 불소화합물, 수은, 비소, 바륨 등이 있다.
③ 자연독 식중독
  ㉮ 식물성 식중독
    ㉠ 독버섯 : 독성분은 muscarine, muscaridine, coprin, choline, lampterol, neurine이다.
    ㉡ 감자 : 독성분은 솔라닌(solanine), 셉신(sepsin)이다.
    ㉢ 독미나리 : 독성분은 시큐톡신(cicutoxin)이다.
    ㉣ 면실유 : 독성분은 고시폴(gossypol)이다.
    ㉤ 청매 : 독성분은 아미그달린(amygdaline)이다.
    ㉥ 독보리 : 독성분은 테뮬린(temuline)이다.
    ㉦ 피마자 : 독성분은 ricin, ricinin, allergen이다.
    ㉧ 오두, 바꽃 : 독성분은 aconitine이다.
    ㉨ 가시독말풀, 미치광이풀 : 독성분은 scopolamine, atropine, hyoscyamine이다. 참깨와 비슷하므로 참깨로 잘못 알고 섭취하여 중독을 일으키는 가시독말풀의 중독성분은 Scopolamine이다.
    ㉩ 붓순나무 : 독성분은 shikimin, hananomin, anisatin 등이 있다.
    ㉪ 고사리 : 독성분은 프타퀼로시드(ptaquiloside)이다.
  ㉯ 동물성 식중독
    ㉠ 복어 중독
      ⓐ 복어의 독력이 계절적으로 가장 강한 시기는 5~7월이다.
      ⓑ tetrodotoxin : 복어의 생식기(고환, 난소), 창자, 간, 피부 등에 들어 있는 독소이다. 이 중에서 독성분이 제일 강한 곳은 난소(알)이다.
      ⓒ 식중독 야기 시 cyanosis(청색증) 현상을 나타낸다.
      ⓓ 치사율이 높다.
      ⓔ 증세 : 운동마비, 언어장애, 지각이상, 호흡마비, 구순 및 혀의 지각마비 등
    ㉡ 모시조개, 바지락, 굴
      ⓐ 독성분 : Venerupin(3~4월 발생)
      ⓑ 중독 증상 : 구토, 두통, 미열, 점막출혈, 황달, 피하출혈, 입냄새, 권태감 등
    ㉢ 대합조개, 섭조개, 홍합
      ⓐ 독성분 : Saxitoxin(5~9월 발생)의 독소를 분비하며, Saxitoxin은 마비성 패독을 유발한다.
      ⓑ 특징 : Plankton(플랑크톤)이 생성한 독소를 조개가 섭취, 체내에 축적
  ㉰ 곰팡이 중독 : 곰팡이의 대사물질인 mycotoxin은 만성 장애를 일으킨다. mycotoxin 생산 곰팡이는 Aspergillus, Penicllium, Fusarium속 등이 있다.
    ㉠ 아플라톡신(aflatoxin) : 진균독인 아플라톡신(aflatoxin)은 간장·된장 담글 때 발생 가능한 독성분으로서 간암을 유발시킨다(Aspergillus flavus는 aflatoxin을 생성한다).
    ㉡ 황변미 : 황변미 독에는 citrinin, islanditoxin, citreoviridin, luteoskyrin, cyclohlorotin 등이 있다.
    ㉢ 맥각독 : ergotamine과 ergotoxin은 보리, 밀 등을 기질로 번식하는 곰팡이가 분비하는 독성분이다.

7 식품첨가물

(1) 보존료(방부제)
미생물의 증식에 의해 일어나는 식품의 부패나 변질을 방지하기 위하여 사용되는 물질을 보존료라 한다. 보존료는 식품 중에서 미생물에 대해 정균작용(bacteriostatic)이나 효소의 발효작용을 억제한다.
① 보존료의 효과
  현재 허용되고 있는 보존료는 파라옥시안식향산에스테르류를 제외하면 모두 유기산이나 그 염류인데, 이러한 산형보존료는 산성 영역에서 그 효과를 발휘한다. 원인은 중성용액에서는 완전히 해리하나 산성용액에서는 비해리 분자가 증가하기 때문이다.
② 보존료의 특징
  ㉮ 디히드로초산 및 디히드로초산 나트륨(DHA ; dehydro-acetic acid, sodium dehydroacetate) : DHA는 pH가 낮을수록 효과가 증대된다.
  ㉯ 소르빈산 및 소르빈산칼륨(sorbic acid, potassium sorbate) : pH가 낮을수록 효과가 크나 안식향산과는 달리 pH가 6~7에서도 어느 정도의 효력을 나타낸다. 젖산균이나 혐기성 포자성균에는 거의 효과가 없으나 그 외의 세균이나 곰팡이, 효모에는 동일하게 작용하는 것이 특징이다.
  ㉰ 안식향산 및 안식향산나트륨(benzoic acid, sodium benzoate) : pH 4 이하에서는 저농도로서도 각종 부패 미생물의 증식을 억제하지만, pH 5 이상에서는 그 효과가 격감한다.

(2) 산화방지제(항산화제)
항산화제라고도 하며, 공기 중의 산소에 의해 일어나는 변질, 즉 유지의 산패에 의한 이미, 이취, 식품의 변색 및 퇴색 등을 방지하기 위하여 사용되는 첨가물이 산화방지제이다. 식품 중의 유지는 공기 중에서 산패 등을 일으킨다. 그 이유는 유지 중의 불포화지방산이 그 중 결합 부위에 산소분자와 결합하여 peroxide를 거쳐 aldehyde 등으로 변화하기 때문이다.

(3) 호료(증점제)
식품에 대하여 점착성을 증가시키고, 유화안정성을 좋게 하며, 가공할 때의 가열이나 보존 중의 경시변화에 관하여 점도를 유지하고 형체를 보존하는 데 도움을 주며, 미각에 대해서도 점활성을 줌으로써 촉감을 좋게 하기 위하여 식품에 첨가되는 것이 호료이며 증점제라고도 한다.

(4) 착색료
인공적으로 착색을 시켜 천연색을 보완·미화하며 식품의 매력을 높여 소비자의 기호를 끌기 위하여 사용되는 물질을 착색료라 한다.
① 식용 tar 색소
  ㉮ tar 색소란 명칭은 석탄의 col tar에서 만들어지는 benzene, xylene, toluene, naphthalene 등을 원료로 하기 때문에 허가되어 있는 tar 색소는 모두 수용성의 산성색소이다.
  ㉯ 화학구조별로 분류하면 다음과 같다.
    (적색 2·3·40호, 황색 4·5호, 청색 1·2호, 녹색 3호)
② 식용 tar 색소 알루미늄레이크

식용 tar 색소와 염기성 알루미늄염을 작용시켜서 얻은 복잡한 화합물을 알루미늄레이크라 하며 **색소 함량이 10~30%이다.**

③ β-카로틴(β-carotene)

자연계에 널리 존재하는 색소이지만 합성에 의해서도 얻으므로 그 합성품을 지정한 것이다. 적자색~암적색의 결정성인 분말로서 약간의 특유한 냄새와 맛이 있다.

지용성 색소이므로 유지성 식품에 적합하여 **치즈, 버터, 마가린** 등에 **많이 사용되지만**, 수용화시킨 것도 있어서 수성식품에도 사용할 수 있다. 그러나 산이나 광선 등에 의하여 **분해되기 쉽고,** 산화되기 쉬운 **결점이** 있다.

④ 황산동(황산구리, $CuSO_4$)

채소류, 과일류, 다시마 등의 착색료로 많이 사용되는데, 황산동의 사용 기준은 구리로서 규정이 되어 있다.

(5) 발색제

발색제는 그 자체에 의하여 착색되는 것이 아니고, 식품 중에 존재하는 유색물질과 결합하여 그 색을 안정화하거나 선명하게 또는 발색되게 하는 물질이다.

① 아질산나트륨(sodium nitrite ; $NaNO_2$)

아질산나트륨은 고기 중의 myoglobin이나 hemoglobin과 결합하여 공기, 열, 세균 등에 대하여 비교적 안정한 nitrosomyoglobin이나 nitrosohemoglobin을 생성하여 **붉은색을** 유지하게 한다.

$NaNO_2 + RCOOH \rightleftarrows HNO_2 + RCOONa$

$2HNO_2 \rightleftarrows H_2O + NO_2 + NO$

myoglobin(Mb) + NO → Mb-NO(nitrosomyoglobin)

hemoglobin(Hb) + NO → Hb-NO(nitrosohemoglobin)

② 질산칼륨 및 질산나트륨

③ 황산 제1철

과채 등의 발색제로서 특히 가지를 소금에 절임할 때 변색 방지에 이용되는데, 이것은 과채 중의 천연색소인 anthocyanin 색소류가 철이온과 결합하여 선명한 빛깔을 나타낸다고 한다.

(6) 감미료

감미료란 당질을 제외한 감미를 지닌 화학적 제품을 총칭한다.

① 허용 감미료

사카린 나트륨, 글리실리친산 2나트륨, D-소르비톨, 아스파탐

1 역학의 분류(역학의 접근 방법)

(1) 기술역학 : 건강 수준 파악, 자연사 파악, 가설 유도

인간집단에서 발생되는 질병의 분포, 경향 등을 인적 · 지역적 · 시간적 특성에 따라 사실 그대로를 기술하여 조사 · 연구하는 제1단계 역학을 말한다.

(2) 분석역학 : 원인 규명

기술역학의 결과로 얻은 가설을 규명하는 역학으로 질병 발생과 질병 발생의 요인 혹은 속성과의 인과 관계를 밝혀 내는 제2단계 역학이다.

① **단면적인 연구(Cross Sectional Study, 단면 조사)**

일정한 인구집단을 대상으로 특정한 시점이나 기간 내에 그 질병과 그 인구집단이 가지고 있는 속성과의 관계를 찾아내는 조사 방법이다.

(예) 한 지역에 어떤 종류의 악성 종양이 가장 많은가를 알기 위하여 한 시점에서 집단 검진을 일률적으로 실시함)

② **환자−대조군연구(Case−control Study) 또는 후향성 조사 (Retrospective Study)**

질병에 이환되어 있는 환자군과 질병이 없는 건강한 대조군을 선정하여 질병의 원인이 된다고 보는 속성이나 요인에 폭로된 상태를 비교 검토, 질병과의 인과 관계를 규명하는 방법이다.

③ **전향성 조사(Prospective Study)**

질병 발생의 원인과 관련되어 있다고 생각되는 인구집단과 관련이 없는 인구집단 간에 질병 발생률을 비교 분석하는 연구 방법이다.

[단면조사와 코호트조사의 장단점]

조사 방법	장점	단점
단면조사	㉮ 비교적 단시간 내 결론을 얻는다. ㉯ 동시에 여러 종류의 질병과 발생 요인과의 관련성에 대한 조사가 가능 ㉰ 저렴한 비용	㉮ 질병과 관련 요인 간의 선후 관계를 규명하기 어렵다. ㉯ 대상 인구집단이 커야 함
전향성 (코호트) 조사 (Prospective Study ; 추적조사)	㉮ 속성 또는 요인에 편견이 들어가는 일이 적다(객관적이다). ㉯ 상대위험도와 귀속위험도의 산출이 가능하다. ㉰ 원인적 연관성을 확정하는 데 도움이 되는 시간적 속발성 관계를 알 수 있다. ㉱ 흔한 질병에 적용(폐암)	㉮ 많은 대상자를 필요로 한다. ㉯ 오랜 기간 관찰해야 한다. ㉰ 비용이 많이 든다.
후향성 (코호트) 조사 (Retrospective Study ; 기왕조사)	㉮ 비교적 비용이 적게 든다. ㉯ 대상자의 수가 적다. ㉰ 비교적 단시간 내에 결론 얻음.(시간이 적게 든다.) ㉱ 희귀한 질병 조사에 적합하다(에이즈).	㉮ 정보 수집이 불확실하다. ㉯ 기억력이 흐려 착오가 생긴다.(편견이 크다 ; 주관적이다) ㉰ 대조군 선정이 어렵다. ㉱ 위험도 산출이 불가능

(3) 이론역학

감염병의 발생 모델과 유행 현상을 수학적으로 분석하여, 이론적으로 그 유행 법칙이나 현상을 수식화하는 3단계적 역학을 말하고, 어떤 감염병(전염병)의 발생이나 유행을 예측하는 데 활용한다.

(4) 실험역학(임상역학)

실험군을 원인에 의도적으로 노출시키는 역학으로서 가장 정확하나, 인간을 대상으로 하여야 하는 단점이 있다.

(5) 작전역학

보건의료 서비스의 효과 판정에 쓰인다(여러 보건 관리 사업의 평가에 쓰임).

2 감염병(전염병) 생성 6개 요건

(1) 병원체

세균, 진균, 바이러스, 리케치아, 원충, 윤충 등을 병원체라 한다.

(2) 병원소

인간(환자, 보균자), 동물(개, 소, 돼지), 토양(오염된 토양)

※ 식품은 병원소가 아님.

① **건강(만성) 보균자**

감염에 의한 임상 증상이 전혀 없고 건강자와 다름없지만 병원체를 배출하는 자를 건강 보균자라 하며, **영구 보균자**라고도 한다.

예 장티푸스, 디프테리아, 콜레라 등

② **잠복기 보균자**

감염성(전염성) 질환의 잠복 기간 중에 병원체를 배출하는 자, 호흡기계 감염병은 일반적으로 잠복기 보균자에 속한다.

예 디프테리아, 홍역, 백일해, 유행성이하선염, 수막구균성수막염 등

③ **병후(회복기) 보균자**

감염성(전염성) 질환에 이환된 후 그 임상 증상이 소실된 후에도 병원체를 배출하는 자, 소화기계 감염병은 일반적으로 병후 보균자에 속한다.

예 장티푸스, 파라티푸스, 세균성이질, 디프테리아 등

(3) 병원소로부터 병원체의 탈출

호흡기계, 소화기계, 비뇨생식기계, 개방병소(한센병, 피부병 등), 기계적 탈출(주사기 : 매독, 에이즈 등)

(4) 전파

① **직접전파** : 접촉에 의한 전파(성병, 에이즈), 비말에 의한 전파(디프테리아, 결핵 등)

② **간접전파** : 간접전파의 필수 조건에는 전파체가 있어야 하며 병원체가 병원소 밖으로 탈출하여 일정 기간 생존 능력이 있어야 한다.

㉮ **활성 전파체(생물 전파체)**

㉠ 기계적 전파 : 파리, 가주성 바퀴 등에 의한 전파(소화기계 감염병)

㉡ 생물학적 전파 : 증식형 · 발육형 · 발육증식형 · 배설형 · 난소 전이형 전파

㉯ **비활성 전파체(무생물 전파체)** : 공기, 토양, 물, 우유, 음식물, 개달물에 의한 전파

㉠ 공기 전파(호흡기계 감염병, 비말 감염) : 디프테리아, 결핵, 홍역, 백일해, 풍진, 성홍열, 두창(천연두) 등

㉡ 토양 : 파상풍 등

㉢ 물(수인성 감염병) 전파 : 장티푸스, 파라티푸스, 콜레라, 소아마비, 이질, A형간염(유행성간염) 등

㉣ 우유 : 결핵, 파상열, Q열 등

㉤ 음식물 : 식중독, 콜레라 등

ⓑ 개달물 : 공기, 토양, 물, 우유, 음식물(5가지)을 제외한 환자가 쓰던 모든 무생물을 개달물이라 한다.
  예 환자의 손수건, 컵, 안경, 장신구 등(대표적인 질환 : 트라코마)

(5) 신숙주에의 침입
호흡기, 소화기, 성기 점막, 피부, 점막 피부

(6) 숙주의 감수성과 면역
① 감수성(Susceptibility, 접촉성) 지수
두창·홍역(95%) > 백일해(60~80%) > 성홍열(40%) > 디프테리아(10%) > 소아마비(0.1%)
② 면역의 종류
  ㉮ 선천적 면역 : 인종, 종족, 개인 특이성 등
  ㉯ 후천적 면역
    ㉠ 능동면역
      ⓐ 자연능동면역 : 질병에 감염된(질병이환) 후 형성되는 면역이다.
      ⓑ 인공능동면역 : vaccine(병원체 자체)이나 toxoid(독소)의 예방접종 후 얻어지는 면역이다.
    ㉡ 수(피)동면역
      ⓐ 자연수(피)동면역 : 모체로부터 태반이나 수유를 통해 받는 면역이다.
      ⓑ 인공수(피)동면역 : 면역혈청(Antiserum), 항독성(Antitoxin), 항체(γ-lobulin) 등 인공제제를 접종하여 얻는 면역이다.

3 감염병의 유행 현상(역학의 4대 현상)

(1) 생물학적 현상(사람)
연령, 성, 인종, 사회경제적 상태와 직업에 따라 유행 현상이 다르다.

(2) 시간적 현상(시간)
① 추세 변화(장기 변화) : 수십 년(10년 이상) 주기로 유행, 장티푸스(30~40년), 디프테리아(20년), 인플루엔자(20~30년)
② 순환 변화(주기적 변화) : 수년(10년 미만)의 단기간을 주기로 반복 유행, 홍역(2~3년), 백일해(2~4년), 일본뇌염(3~4년)
③ 계절적 변화 : 1년 주기로 계절적 발생 및 유행(여름 – 소화기 질환, 겨울 – 호흡기 질환)
④ 불규칙 변화 : 외래 감염병(전염병)이 국내 침입 시 돌발적 유행(수계 감염병 ; 콜레라)

(3) 지리적 현상(장소)
국가 간 또는 지역 간 감염병 발생 및 유행의 차이가 있다. 지방병적(endemic), 유행병적(epidemic), 산발적(sporadic), 범발적(pandemic ; 감염병이 다른 나라로 전파되는 것)

(4) 사회적 현상
인구 밀도, 직업, 문화, 거주

4 인구보건

(1) 인구정태통계와 인구동태통계
① 인구정태통계(조사)
  ㉮ 일정 시점에 있어서 일정 지역의 인구의 크기, 구성, 분포, 밀도 등에 관한 통계이다.
  ㉯ 최초의 국세조사 실시 : 스웨덴(1749년)
  ㉰ 우리나라 인구조사 : 5년마다 조사(11월 1일)
  ※ 국세조사 : 일정한 시간 간격을 두고 전국적으로 실시하는 인구 정태 조사이다.
② 인구동태통계(조사)
  출생, 사망, 전입, 전출, 혼인, 이혼 등 인구의 변동을 중심으로 한 통계이다.

(2) C.P. Blacker가 분류한 인구 성장 5단계
① 제1단계(고위정지기) : 고출생·고사망률인 인구정지형, 아프리카 지역의 후진국형 인구
② 제2단계(초기확장기) : 고출생·저사망률인 인구증가형, 경제 개발 초기 단계의 인구
③ 제3단계(후기확장기) : 저출생·저사망률인 인구성장둔화형, 한국·중미 지역 국가
④ 제4단계(저위정지기) : 출생률과 사망률이 최저로 인구성장정지형, 일본·미국 등 선진국형의 인구
⑤ 제5단계(감퇴기) : 출생률이 사망률보다 낮아져 인구감소경향형, 스웨덴·유럽·호주·뉴질랜드

(3) 인구 증가
① 인구증가 = 자연증가 + 사회증가
  ㉮ 자연증가 = 출생 – 사망
  ㉯ 사회증가 = 유입인구 – 유출인구
② 인구증가율 = $\dfrac{\text{자연증가} + \text{사회증가}}{\text{인구}} \times 1{,}000$
③ 조자연증가율 = $\dfrac{\text{연간출생수} - \text{연간사망수}}{\text{인구}} \times 1{,}000$
  = 조출생률 – 조사망률
④ 동태지수(증가지수) = $\dfrac{\text{출생수}}{\text{사망수}} \times 100$
⑤ 재생산율
  ㉮ 합계생산율 : 한 여성이 일생 동안 낳은 아기의 수
  ㉯ 재생산율 : 여자가 일생 동안 낳는 여자아이의 평균수 또는 한 여성이 다음 세대에 남긴 어머니의 수를 재생산이라고 한다.
    ㉠ 총재생산율 : 어머니의 사망률을 무시하는 재생산율 또는 한 여성이 일생 동안 낳은 여아의 총수(어머니로 될 때까지의 사망은 무시)를 총재생산율이라 한다.
    ㉡ 순재생산율 : 어머니의 사망을 고려하는 경우에는 순재생산율이라 한다(총재생산율에 모성까지 생존을 곱한 율).
      (1.0 이상 : 인구 증가, 1.0 이하 : 인구 감소)

(4) 인구의 구성 형태(연령별)
① 피라미드형(Pyramid Form)
  ㉮ 출생률은 높고, 사망률이 낮은 형
  ㉯ 14세 이하가 50세 이상 인구의 2배 이상
  ㉰ 인구증가형
② 종형(Bell Form)
  ㉮ 가장 이상적인 인구 구성 형태, 출생률과 사망률이 모두 낮은 형
  ㉯ 14세 이하가 50세 이상 인구의 2배 정도
  ㉰ 인구정지형
③ 항아리형(Pot Form)
  ㉮ 출생률이 사망률보다 더 낮은 형
  ㉯ 14세 이하가 50세 이상의 2배 이하
  ㉰ 인구감퇴형, 선진국형
④ 별형(Star Form, 星型)
  ㉮ 도시형, 생산층 인구가 전체 인구의 1/2 이상인 경우

④ 생산층 인구가 증가되는 형
  ⑤ 생산층 유입
⑤ 기타형(Guitar Form, 호로형, 표주박형)
  ㉮ 농촌형, 생산층 인구가 전체 인구의 1/2 미만인 경우
  ㉯ 생산층 인구가 감소하는 형
  ㉰ 생산층 유출

피라미드형　종형　항아리형　성형　기타형
[인구 구성의 일반적 정형]

※ 인구의 구성 형태에서 50세 이상 인구는 60세 또는 65세 이상의 인구를 뜻하기도 함.

(5) 인구의 성별 구성
• 성비(Sex Ratio) : 여자 100에 대하여 남자 인구비를 표시하는 것
• 성비 = $\dfrac{남자수}{여자수} \times 100$

① 1차 성비(태아 성비) : 남 > 여
② 2차 성비(출생 시 성비) : 남 > 여
③ 3차 성비(현재 인구의 성비) : 남 < 여

5 공중보건학의 발전 단계

(1) 고대기(기원전~서기 500년)
그리스, 이집트, 로마의 위생시설을 볼 수 있으며, Hippocrates가 대표적 인물이다.

(2) 중세기(500~1500년)
중세기에는 나병, 흑사병, 천연두, 디프테리아, 홍역 등 많은 전염병이 유행하였으며, 방역 의사와 빈민구제의사 활동이 활발했다.
페스트는 1347~1348년 징기스칸이 유럽 정벌 시 전파되어 유럽 인구의 1/4을 죽였던 무서운 질병이다. 이때 40일간 교통을 차단하였는데 여기에서 검역 제도가 유래되었으며, 검역법을 제정하여 검역소를 설치하였다.

(3) 여명기(요람기, 근세, 1500~1850년)
① 산업혁명으로 공중보건의 사상이 싹튼 시기였다.
② Ramazzini(1633~1714년) : 직업병의 저서
③ J. P. Frank(1745~1821년) : 전 의사 경찰 체계(최초의 보건학 저서)
④ 스웨덴 : 최초의 국세조사(1749년)
⑤ E. Jenner : 우두종두법 개발(1798년)
⑥ Edwin Chadwick(1800~1875(1890)년) : 열병 환자를 조사하여 Fever report(위생상태보고서)를 작성, 정부에 보고하였다.
⑦ 세계 최초의 공중보건법 제정·공포(1848년, 영국) : 이 법에 기준하여 공중보건국과 지방보건국 설치로 보건행정의 기틀을 마련하였다.

(4) 확립기(근대, 1850~1900년)
① 예방의학적 사상이 시작된 시기이다.
② Pettenkofer : 위생학 교실 창립(1866년, 뮌헨대학)
③ Pasteur : 질병의 자연발생설을 부인하고 미생물설을 주장하였다.
④ John Snow(1813~1858년) : 콜레라 역학 조사에 관한 보고서(1855년)를 발표하였다.

(5) 발전기(현대, 20세기 이후)
① 보건소 설치 및 사회보장제도 발전, 1919년 영국의 보건부가 설립되었다.
② WHO 발족(1948. 4. 7.), 사회보장제도 발전, 1차 보건 의료, 건강 증진 사업, 포괄적 보건 사업의 전개가 시작되었다.

6 사회보장

(1) 사회보장제도의 창시자 : 독일의 Bismarck

(2) 최초의 사회보장법 : 1935년 미국

(3) 우리나라 최초의 사회보장법 : 1963년에 제정·공포

(4) 체계
① 사회보험
  ㉮ 보험료와 일반 재정 수입에 의존(본인 부담)
  ㉯ 의료보장(의료보험, 산재보험), 소득 보장(연금보험, 실업보험)
② 공적부조
  ㉮ 조세를 중심으로 한 일반 재정 수입에 의존
  ㉯ 생활보호, 의료보호(의료급여), 재해구호, 보훈사업
③ 공공복지서비스
  ㉮ 사회복지서비스 : 노인복지, 아동복지, 부녀자복지, 장애자복지
  ㉯ 보건의료서비스 : 무료보건의료서비스, 환경위생, 감염병관리, 위생적인 상수 등
  ※ 의료보험(현재 : 국민건강보험), 산재보험(산업재해보험), 실업보험(고용보험), 연금보험(국민연금), 의료보호(현재 : 의료급여), 생활보호대상자(기초생활수급권자)

7 의료보험 진료 체계(우리나라)

(1) 의료기관
종합병원, 병원, 의원, 치과병원, 치과의원, 한방병원, 한의원, 요양병원, 정신병원, 조산원

(2) 의료인 : 의사, 치과의사, 한의사, 간호사, 조산사

(3) 진료비 지불 체계 : 제3자 지불제
제1자(피보험자 = 보험가입자), 제2자(의료기관), 제3자(보험자 = 보험관리공단)

(4) 진료비 지불제도
① 인두제 : 의료인이 맡고 있는 일정 지역의 주민 수에 일정 금액을 곱하여 지급하는 제도이다(등록된 환자 또는 사람 수에 따라 일정액을 보상하는 방식).
② 봉급제 : 기본급을 지불하는 제도이다.
③ 포괄수가제(DRG 제도) : 진료의 종류나 양에 관계없이 요양기관 종별(종합병원, 병원, 의원) 및 입원 일수별로 미리 정해진 일정액의 진료비만을 부담하는 제도이다. – 미국, 우리나라(일부 질병 채택)
④ 행위별수가제(점수제) : 동일한 질병이라도 의료인의 행위에 따라 수가가 다르게 지급되는 제도이다. – 우리나라
⑤ 총액계약제 : 보험자와 의사 단체가 미리 총액을 정해 놓고 치료하는 제도이다.
⑥ 굴신제 : 부유한 사람에게는 많이 받고, 가난한 사람에게는 경감해 주는 제도이다.

8 보건 통계

(1) 보건 통계 지표

① 조사망률 $= \dfrac{\text{연간 총사망자수}}{\text{연앙인구}} \times 1,000$

② 신생아 사망률 $= \dfrac{\text{연간 신생아 사망수(생후 4주 이내)}}{\text{연간 출생아수}} \times 1,000$

③ 영아사망률 $= \dfrac{\text{연간 영아 사망수}}{\text{연간 출생아수}} \times 1,000$

④ 모성사망률 $= \dfrac{\text{연간 임신·분만·산욕열에 의한 모성사망수}}{\text{연간 출생아수}} \times 10^3(10^5)$

※ 보건 계열에서는 관행상 모성사망비(모성사망수 ÷ 출생아수)를 모성 사망률로 쓰고 있음.

⑤ 조출생률 $= \dfrac{\text{연간 출생아수}}{\text{연앙인구(기양인구)}} \times 1,000$ (가족계획 판정에 쓰임)

⑥ 일반출산율 $= \dfrac{\text{연간 총출생수}}{\text{가임연령의 여자인구}} \times 1,000$

⑦ 연령별 출산율 $= \dfrac{\text{해당 연령의 여자에 의한 출생아수}}{\text{해당 연령의 가임여성인구}} \times 1,000$

⑧ 주산기사망률 $=$

$\dfrac{\text{임신 28주 이후의 태아 사망수 + 생후 1주일 이내 사망아수}}{\text{연간 28주 이후의 태아 사망수 + 연간 출생아수}} \times 10^3$

⑨ α-Index $= \dfrac{\text{영아 사망자수(율)}}{\text{신생아 사망자수(율)}}$

⑩ 감염력(infectivity) : 병원체가 숙주에 침입하여 알맞은 기관에 자리 잡고 증식하는 능력이다.

감염력 $= \dfrac{\text{감염자수(발병자 + 항체상승자)}}{\text{가족내 발단자와 첩촉한 감수성자수}}$

⑪ 병원력(pathogenicity = 병원성) : 병원체가 감염된 숙주에게 현성 질환을 일으키는 능력이다.

병원력 $= \dfrac{\text{발병자수}}{\text{전감염자수}}$

⑫ 독력(virulence) : 질병의 위중도와 관련된 개념이다.

독력 $= \dfrac{\text{중증환자수(후유증 또는 사망)}}{\text{전발병자수}}$

⑬ 치명률 : 그 질병에 걸렸을 때 일정 기간 내 사망하는 확률이다.

(치명률 $= \dfrac{\text{사망수}}{\text{발병자수}} \times 100$)

⑭ 발생률 $= \dfrac{\text{일정기간 내 새로 발생한 환자발생건수}}{\text{일정기간 인구}} \times 10^3$

(발생률의 분모 : 면역자, 기감염자 제외)

(어떤 질병의 위험도 추정과 발생기전을 구명하는 데 유용)

⑮ 유병률 $= \dfrac{\text{그 당시의 환자수}}{\text{조사시 인구(시점인구)}} \times 10^3$

(유병률 분모 : 면역자, 기감염자 포함)

(병상 수, 전문의 수, 약품 생산의 수요 등 추정하는 데 유용)

⑯ 2차 발병률 $= \dfrac{\text{발병자 수}}{\text{접촉자 수(기감염자와 면역자는 제외)}} \times 10^3$

(가구나 병영 같은 폐쇄 집단에 전염병 환자가 들어왔을 때 그로 인한 유행의 확산 정도를 알기 위한 지표료 쓰임)

⑰ 발병률 $= \dfrac{\text{새로운 환자}}{\text{위험에 폭로된 전체 인구}} \times 10^X$

(발병률 : 어떤 집단이 한정된 기간에 한해서만 어떤 질병에 걸릴 위험에 놓여 있을 때 전체 기간 중 주어진 집단 내에 새로이 발병한 총수의 비율) – 유행 전 기간에 폭로된 인구

※ 보건 통계에 사용되는 상수는 상황에 따라 변할 수 있음(100, 1,000, 100,000) 연앙인구(연중간인구, 기양인구)란 7월 1일 인구를 말한다.

(2) 지역 사회의 보건 수준과 건강 수준 평가

① 영아사망률 : 한 국가나 지역 사회의 보건 수준을 평가할 수 있는 대표적인 지표로 사용

② α-Index : 더욱 세밀한 평가를 위해 α-Index를 계산하고 그 값이 1.0에 가장 가까울 때 보건 수준이 가장 높은 것으로 평가하고 있다.

(3) 세계보건기구(WHO)가 제시한 건강 지표

① WHO가 제시한 종합건강지표
 ㉮ 조사망률(Crude Ceath rate)
 ㉯ 비례사망지수(Proportional Mortality Indicator)

$= \dfrac{\text{50세 이상 사망수}}{\text{총사망수}} \times 100$

전체사망자 중 50세 이상의 사망 수를 백분율(%)로 표시한 지수
 ㉰ 평균 수명(Expectation of Life) : 0세의 평균 여명
 ※ 평균 여명 : x세가 앞으로 몇 년을 더 살 수 있는가의 기대치 또는 x세에 달한 사람이 앞으로 몇 년을 더 살 수 있는가의 기대치

② 국가 간 건강지표
 ㉮ 조사망률 ㉯ 평균수명 ㉰ 비례사망지수 ㉱ 신생아사망률
 ㉲ 영아사망률 ㉳ 모성사망률 ㉴ 질병이환율 등

③ 국가 간이나 지역 사회의 보건 수준을 비교하는 3대 지표
 ㉮ 영아사망률 ㉯ 비례사망지수 ㉰ 평균수명

9 WHO 건강 증진을 위한 국제회의

■ 제1차 오타와 헌장

1986년 11월 캐나다 오타와에서 최초로 세계건강증진 대회가 개최되었으며, 여기에서 건강 증진을 개인의 생활 개선에 한정시키지 않고, 사회적 환경 개선을 포함하는 "오타와 헌장"이 채택되었다. Ottawa 헌장 채택 내용은 다음과 같다.

(1) 오타와 헌장은 건강평등실현에 초점을 두고 있으며, 건강 증진의 3대 원칙과 활동 요소

① 옹호 : 건강에 대한 대중의 관심을 일으키고, 보건의료의 수요를 충족시킬 수 있는 건강한 보건 정책을 도입해야 한다.

② 역량 : 본인과 가족의 건강을 유지할 수 있게 하는 것을 권리로 인정하며, 스스로 건강 관리에 적극 참여하여 자신의 행동에 책임을 느끼게 해야 한다.

③ 연합 : 모든 사람들이 건강하도록 건강에 영향을 미치는 관련 분야 사람들이 연합해야 한다.

(2) 건강 증진이 무엇이라는 개념을 정립하였고, 그 개념을 실천하기 위해 5가지 전략을 제시

① 건강에 관한 공공정책의 수립(건강 공중정책 개발 = 건전한 공공정책의 수립)

 ㉮ 모든 정책과 법령(교통, 환경, 주택, 교육, 사회적 서비스 등)에서 중요한 고려 사항으로 건강을 포함시키는 것(정책과 법령은 모두 건강에 영향을 주기 때문)

 ㉯ 그들의 의사 결정 결과에서 건강을 고려하고 건강에 대한 책임을 받아들이기 위하여 모든 부분과 모든 수준의 전역에서 모든 정부와 정책 입안자들의 협동 운영체제를 수립하는 것이다.

② 지원적 환경의 조성(지원적 환경의 창조 = 건강 지향적 환경 조성)

건강에는 사회적, 생태학적과 관계가 있다. 작업, 생활, 여가 등의 행태, 변화는 건강에 중대한 영향을 미친다.

㉮ 자연환경을 보살피기 위하여 모든 국가, 지역, 공동체 그리고 개인의 책임을 수립

㉯ 천연자원을 보존하고, 자연환경과 인공 환경을 보호하는 것

㉰ 건강한 생활 환경을 지원하는 것

③ **지역 사회 활동의 강화**(공동체 **행동** 강화 = 지역 활동 강화)

㉮ 공동체에 권한을 부여하는 것

㉯ **공적 참여**와 공동체 소유권과 건강 문제의 방향 통제를 강화하는 것

㉰ 정보, 자금과 지원에 대한 충분한 이용 방법을 제공하는 것

④ **개인 건강 기술의 개발**(개인의 기능 발견 = **개인적 기술 개발** = 자기 건강 돌보기 육성)

㉮ 개인과 사회의 발전을 지원하는 것

㉯ 정보, 교육을 제공하고 삶의 기능을 향상하는 것

⑤ 보건사업의 재정립(**보건의료의 방향 재설정** = 보건 서비스 개혁 = 기존 보건의료체계의 방향 재설정)

■ **제2차 : 애들레이드**(Adelaide = 아델레이드회의, 호주, 1988) : 건전한 공공 보건정책을 건강 증진의 수단으로 강조, 우선순위는

① 여성 건강의 개선

② 식품과 영양

③ 흡연과 음주

④ 지원적 환경의 조성

■ **제3차 :** 선즈볼(스웨덴, 1991) : 건강을 지원하는 환경 구축 강조

■ **제4차 :** 자카르타(인도네시아, 1997) : 건강 증진을 보건의료 개발의 중심에 둠

■ **제5차 :** 멕시코시티(멕시코, 2000) : 건강 증진을 위한 과학적 근거 확보와 파트너십 형성

■ **제6차 :** 방콕(태국, 2005) : 건강 결정 요소를 다루기 위한 정책과 파트너십

■ **제7차 : 케냐 나이로비**(2009) : **건강 증진과 개발 – 수행 역량 격차 해소** 과제

■ **제8차 :** 핀란드 헬싱키(2012)

■ **제9차 :** 중국 상하이(2016년 11월 21일~24일) : 목표는 건강을 증진하는 것과 2030 지속가능한 발전 의제 간의 비평적 연결점들을 뚜렷하게 나타내는 데 있다.

1 공중위생관리법

제1조【목적】 이 법은 공중이 이용하는 영업의 위생관리등에 관한 사항을 규정함으로써 위생 수준을 향상시켜 국민의 건강증진에 기여함을 목적으로 한다.

제2조【정의】 "공중위생영업"이라 함은 **다수인을 대상**으로 위생관리서비스를 제공하는 영업으로서 **숙박업 · 목욕장업 · 이용업 · 미용업 · 세탁업 · 건물위생관리업**을 말한다.

제3조【공중위생영업의 신고 및 폐업신고】 ① **공중위생영업을 하고자 하는 자**는 공중위생영업의 종류별로 보건복지부령이 정하는 시설 및 설비를 갖추고 **시장 · 군수 · 구청장**(자치구의 구청장에 한한다. 이하 같다.)에게 **신고**하여야 한다.

제5조【공중위생영업자의 불법카메라 설치 금지】 공중위생영업자는 영업소에 「성폭력범죄의 처벌 등에 관한 특례법」제14조제1항에 위반되는 행위에 이용되는 **카메라**나 그 밖에 이와 유사한 기능을 갖춘 **기계장치를 설치해서는 아니** 된다.

제6조의2【위생사의 면허 등】
① **위생사**가 되려는 사람은 다음 각 호의 어느 하나에 해당하는 사람으로서 위생사 국가시험에 합격한 후 **보건복지부장관의 면허**를 받아야 한다.
 1. **전문대학**이나 이와 같은 수준 이상에 해당된다고 교육부장관이 인정하는 학교(보건복지부장관이 정하여 고시하는 인정 기준에 해당하는 외국의 학교를 포함한다. 이하 같다.)에서 **보건 또는 위생**에 관한 교육 과정을 **이수**한 사람
 2. 「학점인정 등에 관한 법률」제8조에 따라 **전문대학**을 졸업한 사람과 같은 **수준 이상의 학력**이 있는 것으로 인정되어 같은 법 제9조에 따라 **보건 또는 위생**에 관한 학위를 **취득**한 사람
 3. **외국의 위생사 면허 또는 자격**(보건복지부장관이 정하여 고시하는 인정 기준에 해당하는 면허 또는 자격을 말한다)을 가진 사람
② 제1항에 따른 위생사 국가시험은 **매년 1회 이상 보건복지부장관이 실시**하며, 시험과목 · 시험방법 · 합격기준과 그 밖에 시험에 필요한 사항은 **대통령령**으로 정한다.
③ **보건복지부장관**은 위생사 국가시험의 실시에 관한 업무를 「한국보건의료인국가시험원법」에 따른 **한국보건의료인국가시험원에 위탁**할 수 있다.
④ 위생사 국가시험에서 대통령령으로 정하는 **부정행위**를 한 사람에 대하여는 그 시험을 **정지**시키거나 합격을 **무효**로 한다.
⑤ 제4항에 따라 시험이 정지되거나 합격이 무효가 된 사람은 해당 위생사 **국가시험 후**에 처러지는 위생사 국가시험에 **2회 응시할 수 없다.**
⑥ **보건복지부장관**은 위생사 면허를 부여하는 경우에는 보건복지부령으로 정하는 바에 따라 면허대장에 등록하고 **면허증을 발급**하여야 한다.
⑦ **다음 각 호**의 어느 하나에 해당하는 사람은 **위생사 면허를 받을 수 없다.**

 1. 「정신건강증진 및 정신질환자 복지서비스 지원에 관한 법률」제3조제1호에 따른 **정신질환자.** 다만, **전문의**가 위생사로서 **적합하다고 인정**하는 사람은 그러하지 **아니** 하다.
 2. 「마약류 관리에 관한 법률」에 따른 **마약류 중독자**
 3. **이 법**, 「감염병의 예방 및 관리에 관한 법률」, 「검역법」, 「식품위생법」, 「의료법」, 「약사법」, 「마약류 관리에 관한 법률」 또는 「보건범죄 단속에 관한 특별조치법」을 위반하여 **금고 이상의 실형**을 선고받고 그 집행이 **끝나지 아니** 하거나 그 집행을 **받지 아니** 하기로 **확정되지 아니** 한 사람
⑧ 제6항에 따른 면허의 등록, 수수료 및 면허증에 필요한 사항은 보건복지부령으로 정한다.

제7조의2【위생사 면허의 취소 등】
① **보건복지부장관**은 위생사가 다음 각 호의 어느 하나에 해당하는 경우에는 그 **면허를 취소**한다.
 1. 제6조의2제7항 각 호의 어느 하나에 해당하게 된 경우
 2. **면허증을 대여**한 경우
② 위생사가 제1항제1호에 따라 **면허가 취소된 후** 그 처분의 원인이 된 **사유가 소멸된 때**에는 보건복지부장관은 그 사람에 대하여 **다시 면허를 부여**할 수 있다.

제8조의2【위생사의 업무 범위】 위생사의 업무 범위는 다음 각 호와 같다.
 1. **공중위생영업소, 공중이용시설 및 위생용품의 위생관리**
 2. **음료수의 처리 및 위생관리**
 3. **쓰레기, 분뇨, 하수, 그 밖의 폐기물의 처리**
 4. **식품 · 식품첨가물**과 이에 관련된 **기구 · 용기 및 포장의 제조와 가공**에 관한 **위생관리**
 5. **유해곤충 · 설치류 및 매개체 관리**
 6. 그 밖에 **보건위생에 영향**을 미치는 것으로서 **대통령령**으로 정하는 업무

제12조【청문】 보건복지부장관 또는 시장 · 군수 · 구청장은 다음 각 호의 어느 하나에 해당하는 **처분**을 하려면 청문을 하여야 한다.
 2. 제7조에 따른 이용사와 미용사의 면허취소 또는 면허정지
 3. 제7조의2에 따른 **위생사의 면허취소**
 4. 제11조에 따른 영업정지명령, 일부 시설의 사용중지명령 또는 영업소 폐쇄명령

제13조【위생서비스수준의 평가】
① **시 · 도지사**는 **공중위생영업소**(관광숙박업의 경우를 제외한다. 이하 이 조에서 같다.)의 위생관리수준을 향상시키기 위하여 위생서비스평가계획(이하 "평가계획"이라 한다.)을 **수립**하여 **시장 · 군수 · 구청장**에게 통보하여야 한다.
② **시장 · 군수 · 구청장**은 평가계획에 따라 관할지역별 세부평가계획을 수립한 후 공중위생영업소의 위생서비스수준을 평가(이하 "위생서비스평가"라 한다.)하여야 한다.
③ 시장 · 군수 · 구청장은 위생서비스평가의 전문성을 높이기 위하여 필요하다고 인정하는 경우에는 관련 전문기관 및 단체로 하여금 위생서비스평가를 실시하게 할 수 있다.
④ 제1항 내지 제3항의 규정에 의한 위생서비스평가의 주기 · 방법, 위생관리등급의 기준 기타 평가에 관하여 필요한 사항은 보건복지부령으로 정한다.

제14조【위생관리등급 공표 등】

① 시장·군수·구청장은 보건복지부령이 정하는 바에 의하여 위생서비스평가의 결과에 따른 위생관리등급을 해당공중위생영업자에게 통보하고 이를 공표하여야 한다.

② 공중위생영업자는 제1항의 규정에 의하여 시장·군수·구청장으로부터 통보받은 위생관리등급의 표지를 영업소의 명칭과 함께 영업소의 출입구에 부착할 수 있다.

③ 시·도지사 또는 시장·군수·구청장은 위생서비스평가의 결과 위생서비스의 수준이 우수하다고 인정되는 영업소에 대하여 포상을 실시할 수 있다.

제17조【위생교육】

① 공중위생영업자는 매년 위생교육을 받아야 한다.

② 제3조제1항 전단의 규정에 의하여 신고를 하고자 하는 자는 미리 위생교육을 받아야 한다. 다만, 보건복지부령으로 정하는 부득이한 사유로 미리 교육을 받을 수 없는 경우에는 영업 개시 후 6개월 이내에 위생교육을 받을 수 있다.

제19조의3【같은 명칭의 사용금지】 위생사가 아니면 위생사라는 명칭을 사용하지 못한다.

제20조【벌칙】 ④ 다음 각 호의 어느 하나에 해당하는 사람은 300만원 이하의 벌금에 처한다.

3. 제6조의2제9항을 위반하여 다른 사람에게 위생사의 면허증을 빌려주거나 빌린 사람

4. 제6조의2제10항을 위반하여 위생사의 면허증을 빌려주거나 빌리는 것을 알선한 사람

제22조【과태료】

③ 제19조의3을 위반하여 위생사의 명칭을 사용한 자에게는 100만원 이하의 과태료를 부과한다.

④ 제1항부터 제3항까지의 규정에 따른 과태료는 대통령령으로 정하는 바에 따라 보건복지부장관 또는 시장·군수·구청장이 부과·징수한다.

> **참고**
> 법에 쓰이는 용어
> ① : 1항…   1. : 1호…   가 : 가목…

2 공중위생관리법 시행령

제6조의2【위생사 국가시험의 시험방법 등】

① 보건복지부장관은 법 제6조의2제1항에 따른 위생사 국가시험(이하 "위생사 국가시험"이라 한다.)을 실시하려는 경우에는 시험일시, 시험장소 및 시험과목 등 위생사 국가시험 시행계획을 시험실시 90일 전까지 공고하여야 한다. 다만, 시험장소의 경우에는 시험실시 30일 전까지 공고할 수 있다.

② 위생사 국가시험은 다음 각 호의 구분에 따라 필기시험과 실기시험으로 실시한다.

1. 필기시험 : 다음 각 목의 시험과목에 대한 검정(檢定)
   가. 공중보건학   나. 환경위생학
   다. 식품위생학   라. 위생곤충학
   마. 위생 관계 법령(「공중위생관리법」, 「식품위생법」, 「감염병의 예방 및 관리에 관한 법률」, 「먹는물관리법」, 「폐기물관리법」 및 「하수도법」과 그 하위 법령)

2. 실기시험 : 위생사 업무 수행에 필요한 지식 및 기술 등의 실기방법에 따른 검정

③ 위생사 국가시험의 합격자 결정기준은 다음 각 호의 구분에 따른다.

1. 필기시험 : 각 과목 총점의 40퍼센트 이상, 전 과목 총점의 60퍼센트 이상 득점한 사람

2. 실기시험 : 실기시험 총점의 60퍼센트 이상 득점한 사람

④ 보건복지부장관은 위생사 국가시험을 실시할 때마다 시험 과목에 대한 전문지식 또는 위생사 업무에 대한 풍부한 경험을 갖춘 사람 중에서 시험위원을 임명하거나 위촉한다. 이 경우 해당 시험위원에 대해서는 예산의 범위에서 수당과 여비를 지급할 수 있다.

⑤ 보건복지부장관은 법 제6조의2제3항에 따라 위생사 국가시험의 실시에 관한 업무를 「한국보건의료인국가시험원법」에 따른 한국보건의료인국가시험원에 위탁한다.

⑥ 법 제6조의2제4항에서 "대통령령으로 정하는 부정행위"란 다음 각 호의 어느 하나에 해당하는 행위를 말한다.

1. 대리시험을 의뢰하거나 대리로 시험에 응시하는 행위

2. 다른 수험생의 답안지를 보거나 본인의 답안지를 보여 주는 행위

3. 정보통신기기나 그 밖의 신호 등을 이용하여 해당 시험 내용에 관하여 다른 사람과 의사소통하는 행위

4. 부정한 자료를 가지고 있거나 이용하는 행위

5. 그 밖의 부정한 수단으로 본인 또는 다른 사람의 시험 결과에 영향을 미치는 행위로서 보건복지부령으로 정하는 행위

⑦ 제1항부터 제6항까지에서 규정한 사항 외에 위생사 국가시험의 실시절차, 실시방법, 실시비용 및 업무위탁 등에 필요한 사항은 보건복지부장관이 정하여 고시한다.

제6조의3【위생사의 업무】 법 제8조의2제6호에서 "대통령령으로 정하는 업무"란 다음 각 호의 업무를 말한다.

1. 소독업무
2. 보건관리업무

제10조의3【민감정보 및 고유식별정보의 처리】

① 보건복지부장관(법 제6조의2제3항에 따라 보건복지부장관의 업무를 위탁받은 자를 포함한다.)은 다음 각 호의 사무를 수행하기 위하여 불가피한 경우 「개인정보 보호법」 제23조에 따른 건강에 관한 정보, 같은 법 시행령 제19조제1호 또는 제4호에 따른 주민등록번호 또는 외국인등록번호가 포함된 자료를 처리할 수 있다.

1. 법 제6조의2에 따른 위생사 면허 및 위생사 국가시험에 관한 사무

2. 법 제7조의2에 따른 위생사 면허의 취소 및 면허 재부여에 관한 사무

3. 법 제12조제3호에 따른 청문에 관한 사무

3 공중위생관리법 시행규칙

제11조【위생사 국가시험의 부정행위】

영 제6조의2제6항제5호에서 "보건복지부령으로 정하는 행위"란 다음 각 호의 어느 하나에 해당하는 행위를 말한다.

1. 시험 중 다른 수험자와 시험과 관련된 대화를 하는 행위

2. 답안지(실기작품을 포함한다.)를 교환하는 행위

3. 시험 중 시험문제 내용과 관련된 물건을 휴대하여 사용하거나 이를 주고받는 행위

4. 시험장 내외의 자로부터 도움을 받고 답안지(실기작품을 포함한다.)를 작성하는 행위

5. 미리 시험문제를 알고 시험을 치른 행위

6. 다른 수험자와 성명 또는 수험번호를 바꾸어 제출하는 행위

제11조의2 【위생사 면허증의 발급】

① 법 제6조의2제6항에 따라 **위생사 면허를 받으려는 사람**은 별지 제10 호의2서식의 위생사 면허증 발급신청서(전자문서로 된 신청서를 포함 한다.)에 다음 각 호의 서류(전자문서를 포함한다.)를 **첨부**하여 **보건 복지부장관에게 제출**하여야 한다.

1. 다음 각 목의 구분에 따른 서류
   가. 법 제6조의2제1항제1호에 해당하는 사람 : **보건 또는 위생에 관한 이수증명서**
   나. 법 제6조의2제1항제2호에 해당하는 사람 : 보건 또는 위생에 관한 **학위증명서 또는 졸업증명서**
   다. 법 제6조의2제1항제3호에 해당하는 사람 : **외국의 위생사 면 허증** 또는 자격증 사본
   라. 법률 제13983호 공중위생관리법 일부개정법률 부칙 제5조에 따라 위생사 국가시험에 응시하여 합격한 사람 : **위생업무에 종사한 경력증명서**
2. **법 제6조의2제7항제1호** 본문에 해당하지 아니 함을 증명하는 의 사의 진단서 또는 같은 호 단서에 해당 한다는 사실을 증명할 수 있는 **전문의의 진단서**
3. 법 제6조의2제**7항제2호**에 해당하지 아니 함을 증명하는 **의사의 진단서**
4. 사진 2장

② **보건복지부장관**은 제1항에 따른 **면허증의 발급 신청이 적합**하다고 **인 정하는 경우**에는 다음 각 호의 사항이 포함된 면허대장에 해당 사항을 **등록**하고, 별지 제10호의3서식의 위생사 **면허증을 신청인에게 발급** 하여야 한다.

1. **면허번호 및 면허연월일**
2. **성명 · 주소 및 주민등록번호**
3. **위생사 국가시험 합격연월일**
4. **면허취소 사유 및 취소연월일**
5. 면허증 재교부 사유 및 **재교부연월일**
6. 그 밖에 보건복지부장관이 면허의 관리에 **특히 필요**하다고 인정 **하는 사항**

제11조의3 【위생사 면허증 재발급】

① 위생사는 **면허증을 잃어버리거나 못쓰게 된 경우**에는 별지 제10호의 4서식의 위생사 면허증 재발급 신청서(전자문서로 된 신청서를 포함 한다.)에 다음 각 호의 서류(전자문서를 포함한다.)를 **첨부**하여 **보건 복지부장관에게 제출**하여야 한다.

1. 면허증 원본(면허증을 못쓰게 된 경우만 해당한다.)
2. 분실사유서(면허증을 잃어버린 경우만 해당한다.)
3. 사진 2장

② 위생사 면허증을 잃어버린 후 재발급 받은 사람이 잃어버린 면허증을 찾은 때에는 지체없이 **보건복지부장관에게 그 면허증을 반납**하여야 한다.

제12조의2 【위생사 면허의 재부여】

법 제7조의2제1항제1호에 따라 위생 사 **면허가 취소된 사람**이 같은 조 제2항에 따라 다시 면허를 받으려는 경 우에는 별지 제10호의4서식의 위생사 **면허증 재부여 신청서**(전자문서 로 된 신청서를 포함한다.)에 다음 각 호의 서류(전자문서를 포함한다.)를 첨부하여 **보건복지부장관에게 제출**하여야 한다.

1. 면허취소의 원인이 된 사유가 소멸한 것을 증명하는 서류
2. 사진 2장

제21조 【위생관리등급의 구분 등】

① 법 제13조제4항의 규정에 의한 **위생관리등급의 구분**은 다음 각 호와 같다.

1. **최우수업소** : **녹색등급**
2. **우수업소** : **황색등급**
3. **일반관리대상 업소** : **백색등급**

② 제1항의 규정에 의한 **위생관리등급의 판정**을 위한 세부항목, 등급결 정 절차와 기타 위생서비스평가에 필요한 구체적인 사항은 **보건복지 부장관이 정하여 고시**한다.

제23조 【위생교육】

① 법 제17조에 따른 **위생교육**은 집합교육과 **온라인** 교육을 병행하여 실 시하되, 교육시간은 **3시간**으로 한다.

② 위생교육의 내용은「공중위생관리법」및 관련 법규, 소양교육(친절 및 청결에 관한 사항을 포함한다), 기술교육, 그 밖에 **공중위생에 관하여 필요한 내용**으로 한다.

④ 법 제17조제1항 및 제2항에 따른 위생교육 대상자 중 보건복지부장 관이 고시하는 **도서 · 벽지 지역에서 영업**을 하고 있거나 하려는 자에 대하여는 제9항에 따른 **교육교재를 배부하여 이를 익히고 활용하도록 함으로써 교육에 갈음**할 수 있다.

⑥ 법 제17조제2항 단서에 따라 영업신고 전에 위생교육을 받아야 하는 자 중 다음 각 호의 어느 하나에 해당하는 자는 영업신고를 한 후 6개 월 이내에 위생교육을 받을 수 있다.

1. **천재지변**, 본인의 질병 · 사고, 업무상 국외출장 등의 사유로 교 육을 받을 수 없는 경우
2. 교육을 실시하는 단체의 사정 등으로 **미리 교육을 받기 불가능**한 경우

4 식품위생법

제2조【정의】

이 법에서 사용하는 용어의 뜻은 다음과 같다.

1. "**식품**"이란 모든 음식물(**의약으로 섭취**하는 것은 **제외**한다)을 말 한다.
2. "**식품첨가물**"이란 식품을 **제조 · 가공 · 조리 또는 보존**하는 과정 에서 감미(甘味), 착색(着色), 표백(漂白) 또는 산화방지 등을 목 적으로 식품에 사용되는 물질을 말한다.
3. "**화학적 합성품**"이란 화학적 수단으로 원소 또는 화합물에 **분해 반응 외**의 화학 반응을 일으켜서 얻은 물질을 말한다.
4. "**기구**"란 다음 각 목의 어느 하나에 해당하는 것으로서 식품 또는 식품첨가물에 직접 닿는 기계 · 기구나 그 밖의 물건(**농업과 수산** 업에서 식품을 채취하는 데에 쓰는 기계 · 기구나 그 밖의 물건 및 **위용생품은 제외**한다)을 말한다.
   가. 음식을 먹을 때 **사용하거나 담는 것**
   나. 식품 또는 식품첨가물을 채취 · 제조 · 가공 · 조리 · 저장 · 소 분[(소분) : 완제품을 나누어 유통을 목적으로 재포장하는 것 을 말한다. 이하 같다.] · 운반 · 진열할 때 사용하는 것
5. "**용기 · 포장**"이란 식품 또는 식품첨가물을 넣거나 싸는 것으로서 식품 또는 식품첨가물을 주고받을 때 함께 건네는 물품을 말한다.
5의 2. "**공유주방**"이란 식품의 제조 · 가공 · 조리 · 저장 · 소분 · 운 반에 필요한 시설 또는 기계 · 기구 등을 여러 **영업자가 함께 사용** 하거나, 동일한 영업자가 여러 종류의 영업에 사용할 수 있는 시 설 또는 기계 · 기구 등이 갖춰진 **장소를 말한다.**
6. "**위해**"란 식품, 식품첨가물, 기구 또는 용기 · 포장에 존재하는 **위험 요소로서 인체의 건강을 해치거나 해칠 우려가 있는 것**을 말한다.
7. "**표시**" 〈2019. 6. 12. 삭제〉
8. "**영양표시**" 〈2019. 6. 12. 삭제〉

9. "영업"이란 식품 또는 식품첨가물을 채취·제조·가공·조리·저장·소분·운반 또는 판매하거나 기구 또는 용기·포장을 제조·운반·판매하는 업(농업과 수산업에 속하는 식품 채취업은 제외한다. 이하 이 호에서 "식품제조업등"이라 한다)을 말한다. 이 경우 공유주방을 운영하는 업과 공유주방에서 식품제조업등을 영위하는 업을 포함한다.

10. "영업자"란 제37조제1항에 따라 영업허가를 받은 자나 같은 조제4항에 따라 영업신고를 한 자를 말한다.

11. "식품위생"이란 식품, 식품첨가물, 기구 또는 용기·포장을 대상으로 하는 음식에 관한 위생을 말한다.

12. "집단급식소"란 영리를 목적으로 하지 아니 하면서 특정 다수인에게 계속하여 음식물을 공급하는 다음 각 목의 어느 하나에 해당하는 곳의 급식시설로서 대통령령으로 정하는 시설을 말한다.

　가. 기숙사　　　나. 학교, 유치원, 어린이집
　다. 병원　　　라. 사회복지시설
　마. 산업체　　　바. 국가, 지방단체 및 공공기관
　사. 그 밖의 후생기관 등

13. "식품이력추적관리"란 식품을 제조·가공단계부터 판매단계까지 각 단계별로 정보를 기록·관리하여 그 식품의 안전성 등에 문제가 발생할 경우 그 식품을 추적하여 원인을 규명하고 필요한 조치를 할 수 있도록 관리하는 것을 말한다.

14. "식중독"이란 식품 섭취로 인하여 인체에 유해한 미생물 또는 유독물질에 의하여 발생하였거나 발생한 것으로 판단되는 감염성 질환 또는 독소형 질환을 말한다.

제4조【위해식품 등의 판매 등 금지】 누구든지 다음 각 호의 어느 하나에 해당하는 식품 등을 판매하거나 판매할 목적으로 채취·제조·수입·가공·사용·조리·저장·소분·운반 또는 진열하여서는 아니 된다.

1. 썩거나 상하거나 설익어서 인체의 건강을 해칠 우려가 있는 것
2. 유독·유해물질이 들어 있거나 묻어 있는 것 또는 그러할 염려가 있는 것. 다만, 식품의약품안전처장이 인체의 건강을 해칠 우려가 없다고 인정하는 것은 제외한다.
3. 병을 일으키는 미생물에 오염되었거나 그러할 염려가 있어 인체의 건강을 해칠 우려가 있는 것
4. 불결하거나 다른 물질이 섞이거나 첨가된 것 또는 그 밖의 사유로 인체의 건강을 해칠 우려가 있는 것
5. 제18조에 따른 안전성 심사 대상인 농·축·수산물 등 가운데 안전성 심사를 받지 아니 하였거나 안전성 심사에서 식용으로 부적합하다고 인정된 것
6. 수입이 금지된 것 또는 「수입식품안전관리특별법」 제20조제1항에 따른 수입신고를 하지 아니 하고 수입한 것
7. 영업자가 아닌 자가 제조·가공·소분한 것

제5조【병든 동물 고기 등의 판매 등 금지】 누구든지 총리령으로 정하는 질병에 걸렸거나 걸렸을 염려가 있는 동물이나 그 질병에 걸려 죽은 동물의 고기·뼈·젖·장기 또는 혈액을 식품으로 판매하거나 판매할 목적으로 채취·수입·가공·사용·조리·저장·소분 또는 운반하거나 진열하여서는 아니 된다.

제48조【식품안전관리인증기준】
① 식품의약품안전처장은 식품의 원료관리 및 제조·가공·조리·소분·유통의 모든 과정에서 위해한 물질이 식품에 섞이거나 식품이 오염되는 것을 방지하기 위하여 각 과정의 위해요소를 확인·평가하여 중점적으로 관리하는 기준(이하 "식품안전관리인증기준"이라 한다.)을 식품별로 정하여 고시할 수 있다.

5　식품위생법 시행령

제2조【집단급식소의 범위】 「식품위생법」 제2조제12호에 따른 집단급식소는 1회 50인 이상에게 식사를 제공하는 급식소를 말한다.

제23조【허가를 받아야 하는 영업 및 허가관청】 허가를 받아야 하는 영업 및 해당 허가관청은 다음 각 호와 같다.

1. 식품조사처리업 : 식품의약품안전처장
2. 단란주점영업과 유흥주점영업 : 특별자치시장·특별자치도지사 또는 시장·군수·구청장

제25조【영업신고를 하여야 하는 업종】
① 특별자치시장·특별자치도지사 또는 시장·군수·구청장에게 신고를 하여야 하는 영업은 다음 각 호와 같다.

2. 즉석판매제조·가공업　　4. 식품운반업
5. 식품소분·판매업　　6. 식품냉동냉장업
7. 용기·포장류제조업
8. 휴게음식점영업, 일반음식점영업, 위탁급식영업, 제과점영업

제26조의2【등록하여야 하는 영업】
① 법 제37조제5항 본문에 따라 특별자치도지사 또는 시장·군수·구청장에게 등록하여야 하는 영업은 다음 각 호와 같다.

1. 제21조제1호의 식품제조·가공업
2. 제21조제3호의 식품첨가물제조업
3. 제21조제9호의 공유주방운영업

6　식품위생법 시행규칙

제38조【식품소분업의 신고대상】
① 영 제21조제5호가목에서 "총리령으로 정하는 식품 또는 식품첨가물"이란 제21조제1호 및 제3호에 따른 영업의 대상이 되는 식품 또는 식품첨가물(수입되는 식품 또는 식품첨가물을 포함한다)과 벌꿀[영업자가 자가채취하여 직접 소분(小分)·포장하는 경우를 제외한다.]을 말한다. 다만, 다음 각 호의 어느 하나에 해당하는 경우에는 소분·판매해서는 안 된다.

1. 어육 제품　　2. 특수용도식품(체중조절용 조제식품은 제외한다.)
3. 통·병조림 제품　　4. 레토르트식품　　5. 전분
6. 장류 및 식초(제품의 내용물이 외부에 노출되지 않도록 개별 포장되어 있어 위해가 발생할 우려가 없는 경우는 제외한다.)

제61조【우수업소·모범업소의 지정 등】
① 법 제47조제1항에 따른 우수업소 또는 모범업소의 지정은 다음 각 호의 구분에 따른 자가 행한다.

1. 우수업소의 지정 : 식품의약품안전처장 또는 특별자치시장·특별자치도지사·시장·군수·구청장
2. 모범업소의 지정 : 특별자치시장·특별자치도지사·시장·군수·구청장

7　감염병의 예방 및 관리에 관한 법률

제2조【정의】 이 법에서 사용하는 용어의 뜻은 다음과 같다.

1. 감염병이란 제1급감염병, 제2급감염병, 제3급감염병, 제4급감염병, 기생충감염병, 세계보건기구 감시대상 감염병, 생물테러감염병, 성매개감염병, 인수(人獸)공통감염병 및 의료관련감염병을 말한다.

2. "제1급감염병"이란 생물테러감염병 또는 치명률이 높거나 집단발생의 우려가 커서 발생 또는 유행 즉시 신고하여야 하고, 음압격리와 같은 높은 수준의 격리가 필요한 감염병으로서 다음의 감염병을 말한다. 다만, 갑작스러운 국내 유입 또는 유행이 예견되어 긴급한 예방·관리가 필요하여 보건복지부장관이 지정하는 감염병을 포함한다.

가. 디프테리아   나. 탄저
다. 두창   라. 보툴리눔독소증
마. 야토병   바. 신종감염병증후군
사. 페스트
아. 중증급성호흡기증후군(SARS)
자. 동물인플루엔자 인체감염증   차. 신종인플루엔자
카. 중동호흡기증후군(MERS)   타. 마버그열
파. 에볼라바이러스병   하. 라싸열
거. 크리미안콩고출혈열   너. 남아메리카출혈열
더. 리프트밸리열

3. "제2급감염병"이란 전파가능성을 고려하여 발생 또는 유행 시 24시간 이내에 신고하여야 하고, 격리가 필요한 다음 각 목의 감염병을 말한다. 다만, 갑작스러운 국내 유입 또는 유행이 예견되어 긴급한 예방·관리가 필요하여 보건복지부장관이 지정하는 감염병을 포함한다.

가. 백일해   나. 홍역
다. 폴리오   라. 유행성이하선염
마. 풍진   바. 수두
사. b형헤모필루스인플루엔자   아. 폐렴구균 감염증
자. A형간염   차. 콜레라
카. 장티푸스   타. 파라티푸스
파. 세균성이질   하. 장출혈성대장균감염증
거. 결핵   너. 한센병
더. 성홍열   러. 수막구균 감염증
머. 반코마이신내성황색포도알균(VRSA) 감염증
버. 카바페넴내성장내세균속균종(CRE) 감염증
서. E형간염

4. "제3급감염병"이란 그 발생을 계속 감시할 필요가 있어 발생 또는 유행 시 24시간 이내에 신고하여야 하는 다음 각 목의 감염병을 말한다. 다만, 갑작스러운 국내 유입 또는 유행이 예견되어 긴급한 예방·관리가 필요하여 질병관리청장이 보건복지부장관과 협의하여 지정하는 감염병을 포함한다.

가. 파상풍   나. B형간염
다. C형간염   라. 일본뇌염
마. 말라리아   바. 레지오넬라증
사. 비브리오패혈증   아. 발진티푸스
자. 발진열   차. 쯔쯔가무시증
카. 렙토스피라증   타. 브루셀라증
파. 공수병   하. 신증후군출혈열
거. 후천성면역결핍증(AIDS)
너. 크로이츠펠트-야콥병(CJD) 및 변종크로이츠펠트-야콥병(vCJD)
더. 황열   러. 뎅기열
머. 큐열(Q熱)   버. 웨스트나일열
서. 라임병   어. 진드기매개뇌염
저. 유비저(類鼻疽)   처. 치쿤구니야열
커. 중증열성혈소판감소증후군(SFTS)
터. 지카바이러스감염증

5. "제4급감염병"이란 제1급감염병부터 제3급감염병까지의 감염병 외에 유행 여부를 조사하기 위하여 표본감시 활동이 필요한 다음 각 목의 감염병을 말한다.

가. 인플루엔자   나. 매독
다. 회충증   라. 요충증
마. 편충증   바. 간흡충증
사. 폐흡충증   아. 장흡충증
자. 수족구병   차. 임질
카. 클라미디아감염증   타. 연성하감
파. 성기단순포진   하. 첨규콘딜롬
거. 반코마이신내성장알균(VRE) 감염증
너. 메티실린내성황색포도알균(MRSA) 감염증
더. 다제내성녹농균(MRPA) 감염증
러. 다제내성아시네토박터바우마니균(MRAB) 감염증
머. 장관감염증   버. 급성호흡기감염증
서. 해외유입기생충감염증   어. 엔테로바이러스감염증
저. 사람유두종바이러스 감염증

6. "기생충감염병"이란 기생충에 감염되어 발생하는 감염병 중 질병관리청장이 고시하는 감염병을 말한다.

8. "세계보건기구 감시대상 감염병"이란 세계보건기구가 국제공중보건의 비상사태에 대비하기 위하여 감시대상으로 정한 질환으로서 질병관리청장이 고시하는 감염병을 말한다.

9. "생물테러감염병"이란 고의 또는 테러 등을 목적으로 이용된 병원체에 의하여 발생된 감염병 중 질병관리청장이 고시하는 감염병을 말한다.

10. "성매개감염병"이란 성 접촉을 통하여 전파되는 감염병 중 질병관리청장이 고시하는 감염병을 말한다.

11. "인수공통감염병"이란 동물과 사람 간에 서로 전파되는 병원체에 의하여 발생되는 감염병 중 질병관리청장이 고시하는 감염병을 말한다.

12. "의료관련감염병"이란 환자나 임산부 등이 의료 행위를 적용받는 과정에서 발생한 감염병으로서 감시 활동이 필요하여 질병관리청장이 고시하는 감염병을 말한다.

13. "감염병환자"란 감염병의 병원체가 인체에 침입하여 증상을 나타내는 사람으로서 제11조 제6항의 진단 기준에 따른 의사, 치과의사 또는 한의사의 진단이나 제16조의2에 따른 감염병병원체 확인 기관의 실험실 검사를 통하여 확인된 사람을 말한다.

14. "감염병의사환자"란 감염병병원체가 인체에 침입한 것으로 의심이 되나 감염병환자로 확인되기 전 단계에 있는 사람을 말한다.

15. "병원체보유자"란 임상적인 증상은 없으나 감염병병원체를 보유하고 있는 사람을 말한다.

15의2. "감염병의심자"란 다음 각 목의 어느 하나에 해당하는 사람을 말한다.

가. 감염병환자, 감염병의사환자 및 병원체보유자(이하 "감염병환자 등"이라 한다.)와 접촉하거나 접촉이 의심되는 사람(이하 "접촉자"라 한다.)
나. 「검역법」 제2조제7호 및 제8호에 따른 검역관리지역 또는 중점검역관리지역에 체류하거나 그 지역을 경유한 사람으로서 감염이 우려되는 사람
다. 감염병병원체 등 위험요인에 노출되어 감염이 우려되는 사람

16. "감시"란 감염병 발생과 관련된 자료 및 매개체에 대한 자료를 체계적이고 지속적으로 수집, 분석 및 해석하고 그 결과를 제때에 필요한 사람에게 배포하여 감염병 예방 및 관리에 사용하도록 하는 일체의 과정을 말한다.

16의2. "**표본감시**"란 감염병 중 감염병환자의 **발생 빈도가 높아 전수조사가 어렵고 중증도가 비교적 낮은** 감염병의 발생에 대하여 **감시기관을 지정**하여 **정기적이고 지속적인 의과학적 감시**를 실시하는 것을 말한다.

17. "**역학조사**"란 감염병환자 등이 발생한 경우 **감염병의 차단과 확산 방지** 등을 **위하여** 감염병환자등의 발생 규모를 파악하고 감염원을 추적하는 등의 활동과 감염병 예방접종 후 이상반응 사례가 발생한 경우나 감염병 여부가 불분명하나 그 발병 원인을 조사할 필요가 있는 사례가 발생한 경우 그 **원인을 규명**하기 위하여 하는 활동을 말한다.

18. "**예방접종 후 이상반응**"이란 예방접종 후 그 접종으로 인하여 발생할 수 있는 모든 증상 또는 질병으로서 해당 예방접종과 시간적 관련성이 있는 것을 말한다.

19. "**고위험병원체**"란 생물테러의 목적으로 **이용되거나 사고** 등에 의하여 **외부에 유출**될 경우 국민 건강에 **심각한 위험**을 초래할 수 있는 감염병병원체로서 보건복지부령으로 정하는 것을 말한다.

20. "**관리대상 해외 신종감염병**"이란 기존 감염병의 변이 및 변종 또는 기존에 알려지지 아니 한 **새로운 병원체**에 의해 발생하여 **국제적으로 보건문제**를 야기하고 **국내 유입에 대비하여야** 하는 **감염병**으로서 보건복지부장관이 지정하는 것을 말한다.

21. "**의료 · 방역 물품**"이란 「약사법」 제2조에 따른 의약품 · 의약외품, 「의료기기법」 제2조에 따른 **의료기기 등 의료 및 방역에 필요한 물품 및 장비**로서 질병관리청장이 지정하는 것을 말한다.

제11조 【의사 등의 신고】

① **의사, 치과의사 또는 한의사는** 다음 각 호의 어느 하나에 해당하는 사실(제16조제6항에 따라 표본감시 대상이 되는 제4급감염병으로 인한 경우는 제외한다)이 있으면 **소속 의료기관의 장에게 보고**하여야 하고, 해당 환자와 그 동거인에게 질병관리청장이 정하는 감염 방지 방법 등을 지도하여야 한다. 다만, **의료기관에 소속되지 아니 한 의사, 치과의사 또는 한의사**는 그 사실을 **관할 보건소장에게 신고**하여야 한다.

1. 감염병환자등을 진단하거나 그 **사체를 검안**(檢案)한 경우
2. 예방접종 후 이상반응자를 진단하거나 그 사체를 검안한 경우
3. 감염병환자등이 **제1급감염병부터 제3급감염병**까지에 해당하는 **감염병으로 사망**한 경우
4. 감염병환자로 의심되는 사람이 감염병병원체 **검사**를 거부하는 경우

② 제16조의2에 따른 **감염병병원체 확인기관의 소속 직원**은 실험실 검사 등을 통하여 **보건복지부령으로 정하는 감염병환자등을 발견**한 경우 그 사실을 그 **기관의 장에게 보고**하여야 한다.

③ 제1항 및 제2항에 따라 보고를 받은 **의료기관의 장** 및 제16조의2에 따른 **감염병병원체 확인기관의 장**은 제1급감염병의 경우에는 **즉시**, **제2급감염병 및 제3급감염병**의 경우에는 **24시간 이내**에, **제4급감염병**의 경우에는 **7일 이내**에 질병관리청장 또는 관할 보건소장에게 신고하여야 한다.

④ **육군, 해군, 공군 또는 국방부** 직할 부대에 **소속된 군의관**은 제1항 각 호의 어느 하나에 해당하는 사실(제16조 제6항에 따라 표본감시 대상이 되는 제4급감염병으로 인한 경우는 **제외**한다.)이 있으면 **소속 부대장에게 보고**하여야 하고, 보고를 받은 소속 부대장은 **제1급감염병의 경우에는 즉시**, 제2급감염병 및 제3급감염병의 경우에는 **24시간 이내**에 관할 보건소장에게 신고하여야 한다.

⑤ 제16조 제1항에 따른 **감염병 표본감시기관**은 제16조 제6항에 따라 표본 감시 대상이 되는 제4급감염병으로 인하여 제1항제1호 또는 제3호에 해당하는 사실이 있으면 보건복지부령으로 정하는 바에 따라 **질병관리청장 또는 관할 보건소장에게 신고**하여야 한다.

제12조 【그 밖의 신고의무자】

① 다음 각 호의 어느 하나에 해당하는 사람은 **제1급감염병부터 제3급감염병**까지에 해당하는 감염병 중 **보건복지부령으로 정하는 감염병이 발생한 경우**에는 의사, 치과의사 또는 한의사의 진단이나 **검안을 요구**하거나 해당 주소지를 관할하는 **보건소장에게 신고**하여야 한다.

1. **일반가정에서는** 세대를 같이하는 **세대주**. 다만, 세대주가 부재 중인 경우에는 그 세대원
2. 학교, 사회복지시설, 병원, 관공서, 회사, 공연장, 예배장소, 선박 · 항공기 · 열차 등 운송수단, 각종 사무소 · 사업소, 음식점, 숙박업소 또는 그 밖에 **여러 사람이 모이는 장소로서 보건복지부령으로 정하는** 장소의 관리인, **경영자 또는 대표자**
3. 「약사법」에 따른 약사 · **한약사 및 약국개설자**

② 제1항에 따른 **신고의무자가 아니더라도** 감염병환자등 또는 감염병으로 인한 사망자로 의심되는 사람을 발견하면 **보건소장에게 알려야** 한다.

제16조의2 【감염병병원체 확인기관】

① 다음 각 호의 기관(이하 "감염병병원체 확인기관"이라 한다)은 실험실 검사 등을 통하여 감염병병원체를 확인할 수 있다.

1. 질병관리청
2. 국립검역소
3. 「보건환경연구원법」 제2조에 따른 **보건환경연구원**
4. 「지역보건법」 제10조에 따른 **보건소**
5. 「의료법」 제3조에 따른 의료기관 중 진단검사의학과 **전문의가 상근**(常勤)하는 기관
6. 「고등교육법」 제4조에 따라 설립된 의과대학 중 **진단검사의학과가 개설된 의과대학**
7. 「결핵예방법」 제21조에 따라 설립된 **대한결핵협회**(결핵환자의 병원체를 확인하는 경우만 해당한다.)
8. 「민법」 제32조에 따라 한센병환자 등의 치료 · 재활을 지원할 목적으로 **설립된 기관**(한센병환자의 병원체를 확인하는 경우만 해당한다)
9. 인체에서 채취한 검사물에 대한 검사를 **국가, 지방자치단체, 의료기관** 등으로부터 위탁받아 처리하는 기관 중 **진단검사의학과 전문의가 상근하는 기관**

제24조 【필수예방접종】

① 특별자치도지사 또는 시장 · 군수 · 구청장은 다음 각 호의 질병에 대하여 관할 보건소를 통하여 **필수예방접종을 실시**하여야 한다.

1. 디프테리아	2. 폴리오
3. 백일해	4. 홍역
5. 파상풍	6. 결핵
7. B형간염	8. 유행성이하선염
9. 풍진	10. 수두
11. 일본뇌염	12. b형헤모필루스인플루엔자
13. 폐렴구균	14. 인플루엔자
15. A형간염	16. 사람유두종바이러스 감염증

제26조 【예방접종의 공고】
특별자치도지사 또는 시장 · 군수 · 구청장은 임시예방접종을 할 경우에는 예방접종의 일시 및 장소, 예방접종의 종류, 예방접종을 받을 사람의 범위를 정하여 **미리 공고**하여야 한다.

제27조 【예방접종증명서】

① 질병관리청장, 특별자치도지사 또는 시장 · 군수 · 구청장은 필수예방접종 또는 임시예방접종을 받은 사람 본인 또는 법정대리인에게 보건복지부령으로 정하는 바에 따라 **예방접종증명서를 발급**하여야 한다.

제29조【예방접종에 관한 역학조사】

질병관리청장, 시·도지사 또는 시장·군수·구청장은 **다음 각 호의 구분**에 따라 **조사를 실시하고, 예방접종 후 이상반응 사례가 발생**하면 그 원인을 밝히기 위하여 제18조에 따라 **역학조사를 하여야 한다.**

1. 질병관리청장 : 예방접종의 효과 및 예방접종 후 **이상반응에 관한** 조사
2. 시·도지사 또는 시장·군수·구청장 : 예방접종 후 **이상반응에 관한 조사**

제40조의3【수출금지 등】

① 보건복지부장관은 **제1급감염병의 유행**으로 그 **예방·방역 및 치료에 필요한 의료·방역 물품** 중 보건복지부령으로 정하는 **물품의 급격한 가격 상승 또는 공급 부족**으로 국민건강을 현저하게 저해할 우려가 있을 때에는 그 물품의 수출이나 국외 반출을 금지할 수 있다.

② 보건복지부장관은 제1항에 따른 금지를 하려면 미리 관계 **중앙행정기관의 장과 협의하여야 하고, 금지 기간을 미리 정하여 공표하여야 한다.**

제42조【감염병에 관한 강제처분】

① 질병관리청장, 시·도지사 또는 시장·군수·구청장은 해당 공무원으로 하여금 다음 각 호의 어느 하나에 해당하는 감염병환자등이 있다고 인정되는 **주거시설, 선박·항공기·열차** 등 운송수단 또는 그 밖의 장소에 들어가 필요한 조사나 진찰을 하게 할 수 있으며, 그 진찰 결과 **감염병환자등으로 인정될 때에는** 동행하여 **치료받게 하거나 입원시킬** 수 있다.

1. 제1급감염병
2. 제2급감염병 중 **결핵, 홍역, 콜레라, 장티푸스, 파라티푸스, 세균성이질, 장출혈성대장균감염증, A형간염, 수막구균 감염증, 폴리오, 성홍열** 또는 **질병관리청장이 정하는 감염병**
3. 제3급감염병 중 **질병관리청장이 정하는 감염병**
4. 세계보건기구 감시대상 감염병

② 질병관리청장, 시·도지사 또는 시장·군수·구청장은 **제1급감염병이 발생**한 경우 해당 **공무원으로 하여금** 감염병의심자에게 다음 각 호의 조치를 하게 할 수 있다. 이 경우 해당 공무원은 감염병 **증상 유무를 확인**하기 위하여 **필요한 조사나 진찰을 할 수 있다.**

1. 자가(自家) 또는 시설에 격리
1의2. 제1호에 따른 **격리에 필요한 이동수단의 제한**
2. 유선·무선 통신, 정보통신기술을 활용한 기기 등을 이용한 감염병의 **증상 유무 확인**이나 위치정보의 수집. 이 경우 위치정보의 수집은 제1호에 따라 **격리된 사람으로 한정**한다.
3. 감염 여부 검사

③ 질병관리청장, 시·도지사 또는 시장·군수·구청장은 제2항에 따른 **조사나 진찰 결과 감염병환자등으로 인정된 사람**에 대해서는 해당 공무원과 동행하여 **치료받게 하거나 입원시킬 수 있다.**

④ 질병관리청장, 시·도지사 또는 시장·군수·구청장은 제1항·제2항에 따른 **조사·진찰이나 제13조제2항에 따른 검사를 거부하는 사람**(이하 이 조에서 "**조사거부자**"라 한다.)에 대해서는 해당 공무원으로 하여금 **감염병관리기관에 동행**하여 필요한 **조사나 진찰을 받게 하여야 한다.**

⑤ 제1항부터 제4항까지에 따라 조사·진찰·격리·치료 또는 입원 조치를 하거나 동행하는 **공무원은 그 권한을 증명하는 증표**를 지니고 이를 관계인에게 **보여 주어야 한다.**

⑥ 질병관리청장, 시·도지사 또는 시장·군수·구청장은 제2항부터 제4항까지 및 제7항에 따른 **조사·진찰·격리·치료 또는 입원 조치**를 위하여 **필요한 경우**에는 관할 **경찰서장에게 협조**를 요청할 수 있다. 이 경우 요청을 받은 관할 경찰서장은 정당한 사유가 없으면 이에 따

라야 한다.

⑦ 질병관리청장, 시·도지사 또는 시장·군수·구청장은 **조사거부자를** 자가 또는 감염병관리시설에 격리할 수 있으며, 제4항에 따른 **조사·진찰 결과 감염병환자등으로 인정**될 때에는 감염병관리시설에서 **치료받게 하거나 입원시켜야 한다.**

⑧ 질병관리청장, 시·도지사 또는 시장·군수·구청장은 **감염병의심자 또는 조사거부자가 감염병환자등이 아닌 것으로 인정**되면 제2항 또는 제7항에 따른 격리 조치를 **즉시 해제하여야 한다.**

⑨ 질병관리청장, 시·도지사 또는 시장·군수·구청장은 제7항에 따라 **조사거부자를 치료·입원시킨 경우** 그 사실을 조사거부자의 **보호자에게 통지하여야 한다.** 이 경우 통지의 방법·절차 등에 관하여 필요한 사항은 제43조를 준용한다.

⑩ 제8항에도 불구하고 **정당한 사유 없이 격리 조치가 해제되지 아니 하는 경우** 감염병의심자 및 조사거부자는 **구제청구를** 할 수 있으며, 그 절차 및 방법 등에 대해서는 「**인신보호법**」을 준용한다. 이 경우 "**감염병의심자 및 조사거부자**"는 "**피수용자**"로, 격리 조치를 명한 "**질병관리청장, 시·도지사 또는 시장·군수·구청장**"은 "**수용자**"로 본다(다만, 「인신보호법」제6조제1항제3호는 적용을 제외한다).

제46조【건강진단 및 예방접종 등의 조치】
질병관리청장, 시·도지사 또는 시장·군수·구청장은 보건복지부령으로 정하는 바에 따라 **다음 각 호의 어느 하나에 해당하는 사람에게 건강진단을 받거나** 감염병 예방에 필요한 예방접종을 받게 하는 등의 조치를 할 수 있다.

1. 감염병환자등의 **가족** 또는 그 **동거인**
2. 감염병 발생지역에 **거주하는 사람** 또는 그 지역에 **출입하는 사람**으로서 감염병에 **감염되었을 것으로 의심되는 사람**
3. 감염병환자등과 접촉하여 감염병에 **감염되었을 것으로 의심되는 사람**

제47조【감염병 유행에 대한 방역 조치】
질병관리청장, 시·도지사 또는 시장·군수·구청장은 감염병이 유행하면 감염병 **전파를 막기** 위하여 다음 각 호에 해당하는 모든 조치를 하거나 그에 필요한 일부 조치를 하여야 한다.

1. 감염병환자등이 있는 **장소**나 감염병병원체에 **오염**되었다고 인정되는 **장소**에 대한 다음 각 목의 **조치**
   가. 일시적 **폐쇄**
   나. 일반 공중의 **출입 금지**
   다. 해당 장소 내 **이동 제한**
   라. 그 밖에 **통행 차단**을 위하여 필요한 조치
2. **의료기관에 대한 업무 정지**
3. **감염병의심자**를 적당한 장소에 일정한 기간 입원 또는 격리시키는 것
4. **감염병병원체에 오염**되었거나 오염되었다고 의심되는 **물건을 사용·접수·이동**하거나 버리는 행위 또는 해당 물건의 **세척을 금지하거나 태우거나 폐기처분**하는 것
5. 감염병병원체에 **오염된 장소에 대한 소독**이나 그 밖에 필요한 조치를 명하는 것
6. **일정한 장소에서 세탁하는 것을 막거나** 오물을 일정한 장소에서 처리하도록 명하는 것

제49조【감염병의 예방 조치】

① **질병관리청장, 시·도지사 또는 시장·군수·구청장**은 감염병을 예방하기 위하여 다음 각 호에 해당하는 모든 조치를 하거나 그에 필요한 일부 조치를 하여야 하며, 보건복지부장관은 감염병을 예방하기 위하여 제2호, 제2호의2부터 제2호의4까지, 제12호 및 제12호의2에 해당하는 조치를 할 수 있다.

1. 관할 지역에 대한 **교통의 전부 또는 일부를 차단**하는 것
2. 흥행, 집회, 제례 또는 그 밖의 여러 사람의 **집합을 제한하거나 금지**하는 것
2의2. **감염병 전파의 위험성이 있는 장소** 또는 시설의 관리자·운영자 및 이용자 등에 대하여 **출입자 명단 작성, 마스크 착용 등 방역지침의 준수**를 명하는 것
2의3. 버스·열차·선박·항공기 등 감염병 전파가 우려되는 운송수단의 이용자에 대하여 **마스크 착용 등 방역지침의 준수**를 명하는 것
2의4. **감염병 전파가 우려**되어 지역 및 기간을 정하여 **마스크 착용** 등 방역지침 준수를 명하는 것
3. **건강진단, 시체 검안** 또는 **해부를 실시**하는 것
4. 감염병 전파의 위험성이 있는 **음식물의 판매·수령을 금지**하거나 그 음식물의 폐기나 그 밖에 필요한 **처분을 명하는 것**
5. **인수공통감염병** 예방을 위하여 **살처분(殺處分)에 참여한 사람** 또는 인수공통감염병에 드러난 사람 등에 대한 **예방조치를 명**하는 것
6. 감염병 **전파의 매개가 되는 물건의 소지·이동을 제한·금지**하거나 그 물건에 대하여 **폐기, 소각** 또는 그 밖에 필요한 처분을 명하는 것
7. 선박·항공기·열차 등 운송 수단, 사업장 또는 그 밖에 여러 사람이 모이는 장소에 **의사를 배치**하거나 감염병 예방에 필요한 시설의 설치를 명하는 것
8. 공중위생에 관계있는 시설 또는 **장소에 대한 소독**이나 그 밖에 필요한 조치를 명하거나 **상수도·하수도·우물·쓰레기장·화장실의 신설·개조·변경·폐지 또는 사용을 금지**하는 것
9. 쥐, 위생해충 또는 그 밖의 감염병 **매개동물의 구제(驅除)** 또는 구제시설의 설치를 **명하는 것**
10. 일정한 장소에서의 **어로(漁撈)·수영** 또는 일정한 우물의 사용을 제한하거나 금지하는 것
11. 감염병 매개의 중간 숙주가 되는 동물류의 포획 또는 생식을 금지하는 것
12. 감염병 유행기간 중 의료인·의료업자 및 그 밖에 필요한 의료관계요원을 동원하는 것
12의2. 감염병 유행기간 중 의료기관 **병상, 연수원·숙박시설 등 시설을 동원**하는 것
13. **감염병병원체에 오염되었거나** 오염되었을 것으로 **의심되는 시설 또는 장소에 대한 소독**이나 그 밖에 필요한 조치를 명하는 것
14. **감염병의심자**를 적당한 장소에 일정한 기간 **입원 또는 격리**시키는 것

제52조 【소독업의 신고 등】

① **소독을 업으로 하려는 자**(제51조제4항 단서에 따른 주택관리업자는 제외한다)는 **보건복지부령**으로 정하는 시설·장비 및 인력을 갖추어 **특별자치도지사 또는 시장·군수·구청장**에게 **신고**하여야 한다. 신고한 사항을 변경하려는 경우에도 또한 같다.

8 감염병의 예방 및 관리에 관한 법률 시행령

제24조 【소독을 해야 하는 시설】 법 제51조제3항에 따라 감염병 예방에 필요한 소독을 해야 하는 시설은 다음 각 호와 같다.

1. 「공중위생관리법」에 따른 **숙박업소**(객실 수 **20실 이상**인 경우만 해당한다), 「관광진흥법」에 따른 **관광숙박업소**
2. 「식품위생법 시행령」 제21조제8호(마목은 제외한다.)에 따른 **식품접객업 업소**(이하 "식품접객업소"라 한다.) 중 **연면적 300제곱미터 이상**의 업소

3. 「여객자동차 운수사업법」에 따른 시내버스·농어촌버스·**마을버스**·시외버스·전세버스·장의자동차, 「항공안전법」에 따른 항공기 및 「공항시설법」에 따른 공항시설, 「해운법」에 따른 여객선, 「항만법」에 따른 **연면적 300제곱미터 이상의 대합실**, 「철도사업법」 및 「도시철도법」에 따른 여객운송 철도차량과 역사(驛舍) 및 역 시설
4. 「유통산업발전법」에 따른 **대형마트, 전문점, 백화점**, 쇼핑센터, **복합쇼핑몰**, 그 밖의 대규모 점포와 「전통시장 및 상점가 육성을 위한 특별법」에 따른 **전통시장**
5. 「의료법」 제3조제2항제3호에 따른 **병원급 의료기관**
6. 「식품위생법」 제2조제12호에 따른 **집단급식소**(한 번에 **100명 이상에게 계속적으로 식사를 공급**하는 경우만 해당한다)
6의2. 「식품위생법 시행령」 제21조제8호마목에 따른 위탁급식영업을 하는 식품접객업소 중 **연면적 300제곱미터 이상**의 업소
7. 「건축법 시행령」 별표 1 제2호라목에 따른 **기숙사**
7의2. 「화재예방, 소방시설 설치·유지 및 안전관리에 관한 법률 시행령」 별표 2 제8호가목에 따른 **합숙소**(50명 이상을 수용할 수 있는 경우만 해당한다)
8. 「공연법」에 따른 **공연장**(객석 수 **300석 이상**인 경우만 해당한다.)
9. 「초·중등교육법」 제2조 및 「고등교육법」 제2조에 따른 **학교**
10. 「학원의 설립·운영 및 과외교습에 관한 법률」에 따른 연면적 1천제곱미터 이상의 학원
11. 연면적 2천제곱미터 이상의 사무실용 건축물 및 복합용도의 건축물
12. 「영유아보육법」에 따른 어린이집 및 「유아교육법」에 따른 **유치원**(50명 이상을 수용하는 **어린이집 및 유치원**만 해당한다)
13. 「공동주택관리법」에 따른 **공동주택**(300세대 이상인 경우만 해당한다)

9 감염병의 예방 및 관리에 관한 법률 시행규칙

제8조 【그 밖의 신고대상 감염병】

① 법 제12조제1항 각 호 외의 부분 중에서 "보건복지부령으로 정하는 감염병"이란 다음 각 호의 감염병을 말한다.

1. **결핵**   2. **홍역**
3. **콜레라**   4. **장티푸스**
5. **파라티푸스**   6. **세균성이질**
7. **장출혈성대장균감염증**   8. **A형간염**

② 법 제12조제1항제2호에서 "**보건복지부령으로 정하는 장소**"란 다음 각 호의 장소를 말한다.

1. 「모자보건법」 제2조제10호에 따른 **산후조리원**
2. 「공중위생관리법」 제2조에 따른 **목욕장업소, 이용업소, 미용업소**

제31조의4 【수출금지 등】 법 제40조의3제1항에서 "**의료·방역 물품 중** 보건복지부령으로 정하는 물품"이란 다음 각 호의 어느 하나에 해당하는 물품을 말한다.

1. 「약사법」 제2조제7호에 따른 의약외품에 해당하는 **마스크**
2. 「약사법」 제2조제7호에 따른 의약외품에 해당하는 **손 소독용 외용 소독제**
3. **감염병 예방**을 위하여 착용하는 **보호장비**
4. 그 밖에 제1급감염병의 예방·방역 및 치료에 필요한 물품으로써 **보건복지부장관이 정하여 고시하는 물품**

제33조 【업무 종사의 일시 제한】

① 법 제45조제1항에 따라 **일시적으로** 업무 종사의 **제한을 받는 감**

염병환자 등은 다음 각 호의 감염병에 해당하는 감염병환자등으로 하고, 그 제한 기간은 감염력이 소멸되는 날까지로 한다.

1. 콜레라   2. 장티푸스
3. 파라티푸스   4. 세균성이질
5. 장출혈성대장균감염증   6. A형간염

② 법 제45조제1항에 따라 업무 종사의 제한을 받는 업종은 다음 각 호와 같다.

1. 「식품위생법」제2조제12호에 따른 집단급식소
2. 「식품위생법」제36제1항제3호 따른 식품접객업

⑩ 먹는물 관리법

제3조【정의】 이 법에서 사용하는 용어의 뜻은 다음과 같다.

1. "먹는물"이란 먹는 데에 일반적으로 사용하는 자연 상태의 물, 자연 상태의 물을 먹기에 적합하도록 처리한 수돗물, 먹는샘물, 먹는염지하수, 먹는해양심층수 등을 말한다.

2. "샘물"이란 암반대수층 안의 지하수 또는 용천수 등 수질의 안전성을 계속 유지할 수 있는 자연 상태의 깨끗한 물을 먹는 용도로 사용할 원수를 말한다.

3. "먹는샘물"이란 샘물을 먹기에 적합하도록 물리적으로 처리하는 등의 방법으로 제조한 물을 말한다.

3의2. "염지하수"란 물속에 녹아있는 염분(鹽分) 등의 함량(含量)이 환경부령으로 정하는 기준 이상인 암반대수층 안의 지하수로서 수질의 안전성을 계속 유지할 수 있는 자연 상태의 물을 먹는 용도로 사용할 원수를 말한다.

4. "먹는해양심층수"란 「해양심층수의 개발 및 관리에 관한 법률」제2조제1호에 따른 해양심층수를 먹는 데 적합하도록 물리적으로 처리하는 등의 방법으로 제조한 물을 말한다.

5. "수처리제"란 자연 상태의 물을 정수 또는 소독하거나 먹는물 공급시설의 산화 방지 등을 위하여 첨가하는 제제를 말한다.

6. "먹는물공동시설"이란 여러 사람에게 먹는물을 공급할 목적으로 개발했거나 저절로 형성된 약수터, 샘터, 우물 등을 말한다.

7. "정수기"란 물리적·화학적 또는 생물학적 과정을 거치거나 이들을 결합한 과정을 거쳐 먹는물을 제5조제3항에 따른 먹는물의 수질기준에 맞게 취수 꼭지를 통하여 공급하도록 제조된 기구[해당 기구에 냉수·온수 장치, 제빙(製氷) 장치 등 환경부장관이 정하여 고시하는 장치가 결합되어 냉수·온수, 얼음 등을 함께 공급할 수 있도록 제조된 기구를 포함한다]로서, 유입수(流入水) 중에 들어 있는 오염물질을 감소시키는 기능을 가진 것을 말한다.

9. "먹는물관련영업"이란 먹는샘물·먹는염지하수의 제조업·수입판매업·유통전문판매업, 수처리제 제조업 및 정수기의 제조업·수입판매업을 말한다.

제8조【먹는물공동시설의 관리】

① 먹는물공동시설 소재지의 특별자치시장·특별자치도지사·시장·군수·구청장(구청장은 자치구의 구청장을 말하며, 이하 "시장·군수·구청장"이라 한다)은 국민들에게 양질의 먹는물을 공급하기 위하여 먹는물공동시설을 개선하고, 먹는물공동시설의 수질을 정기적으로 검사하며, 수질검사 결과 먹는물공동시설로 이용하기에 부적합한 경우에는 사용 금지 또는 폐쇄 조치를 하는 등 먹는물공동시설의 알맞은 관리를 위하여 환경부령으로 정하는 바에 따라 필요한 조치를 하여야 한다.

제8조의2【냉·온수기 또는 정수기의 설치·관리】

① 냉·온수기 설치·관리자 또는 정수기 설치·관리자는 환경부령으로 정하는 바에 따라 냉·온수기 또는 정수기의 설치 장소, 설치 대수 등을 시장·군수·구청장에게 신고하여야 한다. 신고한 사항 중 환경부령으로 정하는 중요한 사항을 변경하려는 때에도 또한 같다.

제8조의3【샘물보전구역의 지정】

① 시·도지사는 샘물의 수질보전을 위하여 다음 각 호의 어느 하나에 해당하는 지역 및 그 주변지역을 샘물보전구역(이하 "샘물보전구역"이라 한다)으로 지정할 수 있다.

1. 인체에 이로운 무기물질이 많이 들어 있어 먹는샘물의 원수(原水)로 이용 가치가 높은 샘물이 부존(賦存)되어 있는 지역
2. 샘물의 수량이 풍부하게 부존되어 있는 지역
3. 그 밖에 샘물의 수질보전을 위하여 필요한 지역으로서 대통령령으로 정하는 지역

제9조【샘물 또는 염지하수의 개발 허가 등】

① 대통령령으로 정하는 규모 이상의 샘물 또는 염지하수(이하 "샘물등"이라 한다)를 개발하려는 자는 환경부령으로 정하는 바에 따라 시·도지사의 허가를 받아야 한다.

제33조【수질개선부담금의 용도】 제31조에 따라 징수된 수질개선부담금은 다음 각 호의 어느 하나에 해당하는 용도에만 사용한다. 다만, 제31조제8항에 따라 징수비용으로 교부한 금액은 해당 수질개선부담금을 부과·징수하는 데 드는 경비 등으로 사용하여야 한다.

1. 제5조제1항에 따른 먹는물의 수질관리시책 사업비의 지원
2. 제5조제2항에 따른 먹는물의 수질검사 실시 비용의 지원
2의2. 제8조제1항에 따른 먹는물공동시설의 관리를 위한 비용의 지원
3. 그 밖에 공공의 지하수 자원을 보호하기 위하여 대통령령으로 정하는 용도

⑪ 먹는물관리법 시행령

제7조(부담금의 부과 대상)

① 법 제31조제1항에 따른 수질개선부담금(이하 "부담금"이라 한다.)의 부과 대상은 다음 각 호와 같다.

1. 법 제9조에 따라 개발 허가를 받은 자로서 다음 각 목의 구분에 따른 자가 취수한 샘물 등
가. 기타샘물의 개발 허가를 받은 자가 취수한 샘물 등
나. 음료류를 제조하기 위하여 먹는샘물 등의 제조설비를 사용하는 자가 취수한 샘물 등

2. 법 제21조제1항에 따라 먹는샘물등의 제조업 허가를 받은 자(이하 "먹는샘물등의 제조업자"라 한다.)가 취수한 샘물 등

3. 법 제21조제3항에 따라 먹는샘물등의 수입판매업의 등록을 받은 자(이하 "먹는샘물등의 수입판매업자"라 한다.)가 수입한 먹는샘물 등

② 제1항에 따른 부과 대상 중 다음 각 호의 어느 하나에 해당하는 것은 부담금의 부과 대상에서 제외한다.

1. 수출하는 것
2. 우리나라에 주재하는 외국군대 또는 주한외국공관에 납품하는 것
3. 「재난 및 안전관리 기본법」제66조제3항제1호에 따라 이재민의 구호를 위하여 지원·제공하는 것
4. 법 제13조제1항에 따른 환경영향조사 및 법 제18조제1항에 따른 환경영향심사를 위하여 취수한 샘물등

제15조【수질개선부담금의 용도】 법 제33조제3호에서 "대통령령으로 정하는 용도"란 다음 각 호의 어느 하나에 해당하는 용도를 말한다.

1. 「지하수법」제12조에 따른 **지하수보전구역의 지정을 위한 조사의** 실시
2. 지하수자원의 개발·이용 및 보전·관리를 위한 **기초조사와 복구사업의 실시**
3. 법 제31조제9항에 따른 **샘물보전구역을 지정한 시·도지사에 대한 지원**

12 먹는물관리법 시행규칙

제8조【조사대행자의 등록】

① 법 제15조 전단에 따라 환경영향조사 대행자(이하 "조사대행자"라 한다.)로 등록하려는 자는 별지 제6호서식의 환경영향조사 대행자 등록신청서(전자문서를 포함한다.)에 다음 각 호의 서류를 첨부하여 **시·도지사에게 제출**하여야 한다.

⑧ 다음 각 호의 어느 하나에 해당하는 기관은 제1항부터 제3항까지의 규정에도 불구하고 조사대행자로 등록한 것으로 본다.

1. 「한국농어촌공사 및 농지관리기금법」에 따른 **한국농어촌공사**
2. 「과학기술분야 정부출연연구기관 등의 설립·운영 및 육성에 관한 법률」제8조제1항에 따라 설립된 **한국지질자원연구원**

제35조【검사기관의 지정 등】

① 법 제43조제9항에 따라 먹는물 수질검사기관·수처리제 검사기관 및 정수기 성능검사기관(이하 **"먹는물 수질검사기관등"**이라 한다)의 지정을 받으려는 자가 갖추어야 하는 기술인력 및 시설·장비 기준은 별표8과 같다.

⑥ 다음 각 호의 어느 하나에 해당하는 기관은 **먹는물 수질검사기관**(바이러스 및 원생동물검사 분야는 제외한다.) 및 **수처리제 검사기관으로 지정**된 것으로 본다. 이 경우 법 제36조제2항에 따른 자가기준과 자가규격에 관한 검사는 제1호의 기관에서만 할 수 있다.

1. **국립환경과학원**
2. **유역환경청 또는 지방환경청**
3. **시·도 보건환경연구원**
4. 특별시·광역시의 **상수도연구소·수질검사소**

[별표6] 먹는샘물 등 제조업자의 자가품질검사기준

(제33조제1호 관련)

구분	검사 목항	검사 주기
먹는샘물·먹는 염지하수	**냄새, 맛, 색도, 탁도, 수소이온농도**(5개 항목)	매일 1회 이상
	일반세균(저온균·중온균), **총대장균군**, 녹농균(4개 항목)	매주 2회 이상 3~4일 간격으로 실시
	분원성연쇄상구균, 아황산환원혐기성포자형성균, 살모넬라, 쉬겔라(4개 항목)	매월 1회 이상
	「먹는물수질기준 및 검사 등에 관한 규칙」별표 1에서 정하는 모든 항목	매반기 1회 이상
샘물·염지하수	**일반세균**(저온균·중온균), 총대장균군, 분원성연쇄상구균, 녹농균, 아황산환원혐기성포자형성균(6개 항목)	매주 1회 이상
	「먹는물수질기준 및 검사 등에 관한 규칙」별표 1에서 정하는 모든 항목	매반기 1회 이상

13 먹는물 수질기준 및 검사 등에 관한 규칙

제4조【수질검사의 횟수】

① 「수도법」제29조제1항, 제53조 및 제55조제1항에 따라 **일반수도사업자, 전용상수도 설치자 및 소규모급수시설을 관할하는 시장·군수·구청장**(자치구의 구청장을 말한다. 이하 같다.)은 다음 각 호의 구분에 따라 수질검사를 실시하여야 한다.

1. **광역상수도 및 지방상수도의 경우**
   가. **정수장에서의 검사**
   (1) 별표 1 중 **냄새, 맛, 색도, 탁도(濁度), 수소이온 농도 및 잔류염소에 관한 검사 : 매일 1회 이상**
   (2) 별표 1 중 **일반세균, 총 대장균군, 대장균 또는 분원성 대장균군, 암모니아성 질소, 질산성 질소, 과망간산칼륨 소비량 및 증발잔류물에 관한 검사 : 매주 1회 이상**
   (3) 별표 1의 제1호부터 제3호까지 및 제5호에 관한 검사 : 매월 1회 이상
   (4) 별표 1의 제4호에 관한 검사 : 매 분기 1회 이상
2. **마을상수도·전용상수도 및 소규모급수시설의 경우**
   가. 별표 1 중 **일반세균, 총 대장균군, 대장균 또는 분원성 대장균군, 불소, 암모니아성 질소, 질산성 질소, 냄새, 맛, 색도, 망간, 탁도, 알루미늄, 잔류염소, 붕소 및 염소이온에 관한 검사 : 매 분기 1회 이상**

[별표 1] 먹는물의 수질기준

1. **미생물에 관한 기준**
   가. 일반세균은 1ml 중 100CFU(CoLony Forming Unit)를 넘지 아니 할 것
   나. 총대장균군은 100ml(샘물·먹는샘물, 염지하수·먹는염지하수 및 먹는해양 심층수의 경우에는 250ml)에서 검출되지 아니 할 것
   다. 대장균·분원성 대장균군은 100ml에서 검출되지 아니 할 것
   라. 분원성 연쇄상구균·녹농균·살모넬라 및 쉬겔라는 250ml에서 검출되지 아니 할 것
   마. 아황산환원혐기성포자형성균은 50ml에서 검출되지 아니 할 것
   바. 여시니아균은 2l에서 검출되지 아니 할 것(먹는물공동시설의 물의 경우에만 적용한다.)

2. **건강상 유해영향 무기물질에 관한 기준**
   가. 납은 0.01mg/l를 넘지 아니 할 것
   나. 불소는 1.5mg/l(샘물·먹는샘물 및 염지하수·먹는염지하수의 경우에는 2.0mg/l)를 넘지 아니 할 것
   다. 비소는 0.01mg/l(샘물·염지하수의 경우에는 0.05mg/l)를 넘지 아니 할 것
   라. 셀레늄은 0.01mg/l(염지하수의 경우에는 0.05mg/l)를 넘지 아니 할 것
   마. 수은은 0.001mg/l를 넘지 아니 할 것
   바. 시안은 0.01mg/l를 넘지 아니 할 것
   사. 크롬은 0.05mg/l를 넘지 아니 할 것
   아. 암모니아성 질소는 0.5mg/l를 넘지 아니 할 것
   자. 질산성 질소는 10mg/l를 넘지 아니 할 것
   차. 카드뮴은 0.005mg/l를 넘지 아니 할 것
   카. 붕소는 1.0mg/l를 넘지 아니 할 것

3. **건강상 유해영향 유기물질에 관한 기준**
   가. 페놀은 0.005mg/l를 넘지 아니 할 것
   나. 다이아지논은 0.02mg/l를 넘지 아니 할 것
   다. 파라티온은 0.06mg/l를 넘지 아니 할 것

라. 페니트로티온은 0.04mg/l를 넘지 아니 할 것
마. 카바릴은 0.07mg/l를 넘지 아니 할 것
바. 1,1,1-트리클로로에탄은 0.1mg/l를 넘지 아니 할 것
사. 테트라클로로에틸렌은 0.01mg/l를 넘지 아니 할 것
아. 트리클로로에틸렌은 0.03mg/l를 넘지 아니 할 것
자. 디클로로메탄은 0.02mg/l를 넘지 아니 할 것
차. 벤젠은 0.01mg/l를 넘지 아니 할 것
카. 톨루엔은 0.7mg/l를 넘지 아니 할 것
타. 에틸벤젠은 0.3mg/l를 넘지 아니 할 것
거. 사염화탄소는 0.002mg/l를 넘지 아니 할 것

4. **소독제 및 소독부산물질**에 관한 기준(샘물 · 먹는샘물 · 염지하수 · **먹는염지하수 · 먹는해양심층수** 및 먹는물공동시설의 물의 경우에는 **적용하지 아니** 한다.)
   가. 잔류염소(유리잔류염소를 말한다.)는 4.0mg/l를 넘지 아니 할 것
   나. 총트리할로메탄은 0.1mg/l를 넘지 아니 할 것
   다. 클로로포름은 0.08mg/l를 넘지 아니 할 것
   카. 포름알데히드는 0.5mg/l를 넘지 아니 할 것

5. **심미적 영향물질**에 관한 기준
   가. 경도(硬度)는 1,000mg/l(수돗물의 경우 300mg/l, 먹는염지하수 및 먹는해 양심층수의 경우1,200mg/l)를 넘지 아니 할 것
   나. 과망간산칼륨 소비량은 10mg/l를 넘지 아니 할 것
   다. 냄새와 맛은 소독으로 인한 냄새와 맛 이외의 냄새와 맛이 있어서는 아니 될 것
   라. 동은 1mg/l를 넘지 아니 할 것
   마. 색도는 5도를 넘지 아니 할 것
   바. 세제(음이온 계면활성제)는 0.5mg/l를 넘지 아니 할 것
   사. 수소이온 농도는 pH 5.8 이상 pH 8.5 이하이어야 할 것
   아. 아연은 3mg/l를 넘지 아니 할 것
   자. 염소이온은 250mg/l를 넘지 아니 할 것
   차. 증발잔류물은 수돗물의 경우에는 500mg/l를 넘지 아니 할 것
   카. 철은 0.3mg/l를 넘지 아니 할 것
   타. 망간은 0.3mg/l(수돗물의 경우 0.05mg/l)를 넘지 아니 할 것
   파. 탁도는 1NTU(Nephelometric Turbidity Unit)를 넘지 아니 할 것. 다만, 지하수를 원수로 사용하는 마을상수도, 소규모급수시설 및 전용상수도를 제외한 수돗물의 경우에는 0.5NTU를 넘지 아니 하여야 한다.
   하. 황산이온은 200mg/l를 넘지 아니 할 것
   거. 알루미늄은 0.2mg/l를 넘지 아니 할 것

6. **방사능에 관한 기준(염지하수**의 경우에만 적용한다.)
   가. 세슘(Cs-137)은 4.0mBq/l를 넘지 아니 할 것
   나. 스트론튬(Sr-90)은 3.0mBq/l를 넘지 아니 할 것
   다. 삼중수소는 6.0Bq/l를 넘지 아니 할 것

14 하수도법

제2조 【정의】 이 법에서 사용하는 **용어의 뜻**은 다음과 같다.
1. "하수"라 함은 **사람의 생활이나 경제활동**으로 인하여 **액체성 또는 고체성의 물질**이 **섞이어 오염된 물**(이하 "오수"라 한다)과 건물 · 도로 그 밖의 시설물의 부지로부터 하수도로 **유입되는 빗물 · 지하수**를 말한다. 다만, **농작물의 경작으로 인한 것은 제외**한다.
2. "**분뇨**"라 함은 **수거식 화장실**에서 수거되는 **액체성 또는 고체성의 오염물질**을 말한다.

3. "하수도"란 하수와 분뇨를 유출 또는 처리하기 위하여 설치되는 **하수관로 · 공공하수처리시설 · 간이공공하수처리시설 · 하수저류시설 · 분뇨처리시설 · 배수설비 · 개인하수처리시설** 그 밖의 공작물 · 시설의 총체를 말한다.
4. "**공공하수도**"라 함은 **지방자치단체가 설치 또는 관리하는 하수도**를 말한다. 다만, **개인하수도는 제외**한다.
5. "**개인하수도**"라 함은 건물 · 시설 등의 설치자 또는 소유자가 해당 건물 · 시설 등에서 발생하는 하수를 유출 또는 처리하기 위하여 설치하는 배수설비 · 개인하수처리시설과 그 부대시설을 말한다.
6. "**하수관로**"란 하수를 공공하수처리시설 · 간이공공하수처리시설 · 하수저류시설로 이송하거나 하천 · 바다 그 밖의 공유수면으로 유출시키기 위하여 지방자치단체가 설치 또는 관리하는 관로와 그 부속시설을 말한다.
7. "**합류식하수관로**"란 오수와 하수도로 유입되는 빗물 · 지하수가 **함께 흐르도록** 하기 위한 하수관로를 말한다.
8. "**분류식하수관로**"란 오수와 하수도로 유입되는 빗물 · 지하수가 **각각 구분**되어 흐르도록 하기 위한 하수관로를 말한다.
9. "**공공하수처리시설**"이라 함은 하수를 처리하여 하천 · 바다 그 밖의 공유수면에 방류하기 위하여 지방자치단체가 설치 또는 관리하는 처리시설과 이를 보완하는 시설을 말한다.
10. "**하수저류시설**"이란 하수관로로 유입된 **하수에 포함된 오염물질이 하천 · 바다**, 그 밖의 공유수면으로 방류되는 것을 줄이고 하수가 원활하게 유출될 수 있도록 하수를 **일시적으로 저장**하거나 **오염물질을 제거** 또는 감소하게 하는 시설을 말한다.
11. "**분뇨처리시설**"이라 함은 **분뇨를 침전 · 분해** 등의 방법으로 처리하는 시설을 말한다.
12. "**배수설비**"라 함은 **건물 · 시설** 등에서 **발생하는 하수를 공공하수도에 유입**시키기 위하여 설치하는 배수관과 그 밖의 배수시설을 말한다.
13. "**개인하수처리시설**"이라 함은 건물 · 시설 등에서 발생하는 **오수를 침전 · 분해** 등의 방법으로 처리하는 시설을 말한다.
14. "**배수구역**"이라 함은 **공공하수도에 의하여 하수를 유출시킬 수 있는 지역**으로서 제15조의 규정에 따라 공고된 구역을 말한다.
15. "**하수처리구역**"이라 함은 **하수를 공공하수처리시설에 유입하여 처리할 수 있는 지역**으로서 제15조의 규정에 따라 공고된 구역을 말한다.

제4조 【국가하수도종합계획의 수립】
① **환경부장관**은 국가 하수도정책의 체계적 발전을 위하여 **10년 단위의 국가하수도종합계획**(이하 "**종합계획**"이라 한다)을 수립하여야 한다.

제5조 【하수도정비기본계획의 수립권자 등】
① **특별시장 · 광역시장 · 특별자치시장 · 특별자치도지사 · 시장 또는 군수**(광역시의 군수는 제외한다.)는 사람의 건강을 보호하는 데 필요한 공중위생 및 생활환경의 개선과 「환경정책기본법」에서 정한 수질환경기준을 유지하고, 관할 구역의 침수를 예방하기 위하여 종합계획 및 유역하수도정비계획을 바탕으로 관할구역 안의 유역별로 **하수도의 정비에 관한 20년 단위의 기본계획**(이하 "**하수도정비기본계획**"이라 한다.)을 수립하여야 한다.

제41조 【분뇨처리 의무】
① **특별자치시장 · 특별자치도지사 · 시장 · 군수 · 구청장**은 관할구역 안에서 발생하는 **분뇨를 수집 · 운반 및 처리**하여야 한다.
② 특별자치시 · 특별자치도 · 시 · 군 · 구(자치구를 말한다. 이하 같다.)는 오지 · 벽지 등 분뇨의 수집 · 운반 및 처리가 어려운 지역에 대하여

환경부령으로 정하는 기준에 따라 제1항을 적용하지 아니할 수 있는 지역을 해당 지방자치단체의 조례로 정할 수 있다.

제44조【분뇨의 재활용】

① 환경부령으로 정하는 양 이상의 **분뇨를 재활용하려는 자는 특별자치시장 · 특별자치도지사 · 시장 · 군수 · 구청장에게 신고**하여야 한다.

제45조【분뇨수집 · 운반업】

① **분뇨를 수집**(개인하수처리시설 및 분류식하수관로 중 오수가 흐르는 하수관로의 내부청소를 포함한다.)· **운반하는 영업**(이하 **"분뇨수집 · 운반업"**이라 한다.)을 하려는 자는 대통령령으로 정하는 기준에 따른 시설 · 장비 및 기술인력 등의 요건을 갖추어 **특별자치시장 · 특별자치도지사 · 시장 · 군수 · 구청장의 허가**를 받아야 하며, 허가받은 사항 중 환경부령으로 정하는 중요한 사항을 변경하려는 경우에는 특별자치시장 · 특별자치도지사 · 시장 · 군수 · 구청장에게 변경신고를 하여야 한다.

15 하수도법 시행령

제15조【공공하수도의 운영 · 관리 기준 등】

① 법 제19조제1항에서 "대통령령으로 정하는 기준"이란 다음 각 호의 기준을 말한다.
1. **공공하수처리시설 · 간이공공하수처리시설 및 분뇨처리시설 : 시설별로 시설규모, 처리능력, 처리방법, 유입하수 및 방류수의 수질과 강우 등 기후조건** 등에 **적합**할 것
2. 하수관로 : 처리구역별로 유입하수와 강우 등 기후조건 등에 적합할 것
3. 하수저류시설 : 시설별로 설치 목적, 시설규모, 유입 · 방류 시기와 방법 및 하수저류시설에 유입된 하수의 처리방법과 방류 시 하천 수위 등 주변 여건에 적합할 것

③ 법 제19조제4항에 따른 **공공하수처리시설 · 간이공공하수처리시설 또는 분뇨처리시설의 방류수 수질검사**는 다음 각 호의 **주기**로 실시해야 한다. 다만, **공공하수처리시설** 방류수 수질검사의 항목 중 **생태독성**에 대한 검사는 월 1회 이상 실시해야 한다.
1. 1일 처리용량이 **500세제곱미터 이상**인 공공하수처리시설 또는 **100세제곱미터 이상**인 분뇨처리시설 : 매일 1회 이상
2. 1일 처리용량이 **50세제곱미터 이상 500세제곱미터 미만**인 공공하수처리시설 또는 **50세제곱미터 이상 100세제곱미터 미만**인 분뇨처리시설 : 주 1회 이상
3. 1일 처리용량이 **50세제곱미터 미만**인 공공하수처리시설 또는 분뇨처리시설 : 월 1회 이상
4. 간이공공하수처리시설 : 가동 시마다 1회 이상

제26조【개인하수처리시설의 운영 · 관리】

① 법 제39조제3항에서 "대통령령이 정하는 부득이한 사유"란 다음 각 호의 어느 하나에 해당하는 경우를 말한다.
1. 개인하수처리시설을 **개선, 변경 또는 보수**하기 위하여 필요한 경우
2. 개인하수처리시설의 **주요 기계장치 등의 사고로 인하여 정상 운영할 수 없는** 경우
3. **단전 · 단수**로 인하여 오수처리시설 또는 단독 정화조를 정상 운영할 수 없는 경우
4. **기후의 변동 또는 이상물질의 유입** 등으로 인하여 개인하수처리시설을 정상 운영할 수 없는 경우
5. **천재지변, 화재, 그 밖의 부득이한 사유**로 인하여 개인하수처리시설을 정상 운영할 수 없는 경우

16 하수도법 시행규칙

제37조【분뇨수집 등의 의무제외 지역】

법 제41조제2항에 따라 **특별자치시 · 특별자치도 · 시 · 군 · 구의 조례로 분뇨의 수집 · 운반 및 처리가 어려운 지역**으로 정할 수 있는 지역은 **다음 각 호의 어느 하나에 해당하는 지역**으로 한다. 다만, 국립공원 등 많은 사람이 모이는 관광지로써 **청결을 유지할 필요가 있는 지역은 제외**한다.
1. **오지나 벽지 등에 위치한 마을로써 가구 수가 50호 미만인 지역**
2. **차량 출입이 어려워 분뇨의 수집 · 운반이 어려운 지역**

17 폐기물 관리법

제2조【정의】

이 법에서 사용하는 용어의 뜻은 다음과 같다.
1. **"폐기물"**이란 쓰레기, 연소재, 오니, 폐유, 폐산, 폐알칼리 및 동물의 사체 등으로써 사람의 생활이나 사업활동에 필요하지 아니하게 된 물질을 말한다.
2. **"생활폐기물"**이란 **사업장폐기물** 외의 폐기물을 말한다.
3. **"사업장폐기물"**이란 「대기환경보전법」, 「물환경보전법」 또는 「소음 · 진동관리법」에 따라 배출시설을 설치 · 운영하는 사업장이나 그 밖에 대통령령으로 정하는 사업장에서 발생하는 폐기물을 말한다.
4. **"지정폐기물"**이란 **사업장폐기물 중 폐유 · 폐산 등 주변 환경을 오염시킬 수 있거나 의료폐기물 등 인체에 위해를 줄 수 있는 해로운 물질로써** 대통령령으로 정하는 폐기물을 말한다.
5. **"의료폐기물"**이란 **보건 · 의료기관, 동물병원, 시험 · 검사기관** 등에서 **배출되는 폐기물 중 인체에 감염** 등 위해를 줄 우려가 있는 폐기물과 **인체 조직** 등 **적출물, 실험 동물의 사체** 등 보건 · 환경보호상 **특별한 관리가 필요**하다고 인정되는 폐기물로써 대통령령으로 정하는 폐기물을 말한다.
5의2. **"의료폐기물 전용용기"**란 의료폐기물로 인한 **감염 등의 위해 방지**를 위하여 **의료폐기물을 넣어 수집 · 운반 또는 보관**에 사용하는 **용기**를 말한다.
5의3. **"처리"**란 폐기물의 **수집, 운반, 보관, 재활용, 처분**을 말한다.
6. **"처분"**이란 폐기물의 소각(燒却)· 중화(中和)· 파쇄(破碎)· 고형화(固形化) 등의 **중간처분과 매립하거나 해역(海域)으로 배출하는** 등의 **최종처분**을 말한다.
7. **"재활용"**이란 다음 각 목의 어느 하나에 해당하는 활동을 말한다.
   가. 폐기물을 **재사용 · 재생이용**하거나 재사용 · 재생이용할 수 있는 **상태로 만드는** 활동
   나. 폐기물로부터 「에너지법」 제2조제1호에 따른 **에너지를 회수**하거나 회수할 수 있는 상태로 만들거나 폐기물을 **연료로 사용**하는 활동으로써 환경부령으로 정하는 활동
8. **"폐기물처리시설"**이란 폐기물의 **중간처분시설, 최종처분시설 및 재활용시설**로써 대통령령으로 정하는 시설을 말한다.
9. **"폐기물감량화시설"**이란 생산 공정에서 발생하는 **폐기물의 양을** 줄이고, 사업장 내 재활용을 통하여 **폐기물 배출을 최소화하는 시설**로써 대통령령으로 정하는 시설을 말한다.

제17조의2【폐기물분석전문기관의 지정】

① **환경부장관**은 폐기물에 관한 시험 · 분석 업무를 전문적으로 수행하기 위하여 다음 각 호의 기관을 폐기물 시험 · 분석 전문기관(이하 **"폐기물분석전문기관"**이라 한다)으로 **지정**할 수 있다.
1. 「한국환경공단법」에 따른 **한국환경공단**(이하 "한국환경공단"이라 한다)

2. 「수도권매립지관리공사의 설립 및 운영 등에 관한 법률」에 따른 **수도권매립지관리공사**

3. 「보건환경연구원법」에 따른 **보건환경연구원**

4. 그 밖에 환경부장관이 폐기물의 **시험 · 분석 능력이 있다고 인정하는 기관**

제25조(폐기물처리업)

⑤ 폐기물처리업의 **업종 구분과 영업 내용**은 다음과 같다.

1. 폐기물 **수집 · 운반업** : 폐기물을 **수집**하여 재활용 또는 처분 장소로 운반하거나 폐기물을 수출하기 위하여 수집 · 운반하는 영업

2. 폐기물 **중간처분업** : 폐기물 중간처분시설을 갖추고 폐기물을 소각 처분, 기계적 처분, 화학적 처분, 생물학적 처분, 그 밖에 환경부장관이 폐기물을 안전하게 중간처분할 수 있다고 인정하여 고시하는 방법으로 중간처분하는 영업

3. 폐기물 **최종처분업** : 폐기물 최종처분시설을 갖추고 폐기물을 **매립 등**(해역 배출은 제외한다)의 방법으로 최종처분하는 영업

4. 폐기물 **종합처분업** : 폐기물 중간처분시설 및 최종처분시설을 갖추고 폐기물의 중간처분과 최종처분을 함께 하는 영업

5. 폐기물 **중간재활용업** : 폐기물 **재활용시설**을 갖추고 **중간가공 폐기물**을 만드는 영업

6. 폐기물 **최종재활용업** : 폐기물 재활용시설을 갖추고 중간가공 폐기물을 제13조의2에 따른 폐기물의 재활용 원칙 및 준수사항에 따라 재활용하는 영업

7. 폐기물 **종합재활용업** : 폐기물 재활용시설을 갖추고 중간재활용업과 최종재활용업을 함께 하는 영업

18 폐기물 관리법 시행령

[별표 1] 지정폐기물의 종류(제3조 관련)

1. **특정시설에서 발생되는 폐기물**
   가. **폐합성 고분자화합물**
      1) 폐합성 수지   2) 폐합성 고무
   나. **오니류**(수분함량이 95퍼센트 미만이거나 **고형물함량이 5퍼센트 이상**인 것)
      1) 폐수처리 오니   2) 공정 오니
   다. **폐농약**(농약의 제조 · 판매업소에서 발생되는 것)

2. **부식성 폐기물**
   가. **폐산**(액체상태의 폐기물로써 수소이온 농도지수가 2.0 이하인 것)
   나. **폐알칼리**(액체상태의 폐기물로써 수소이온 농도지수가 12.5 이상인 것)

3. **유해물질함유 폐기물**
   가. 광재   나. 분진
   다. 폐주물사 및 샌드블라스트 폐사   마. 소각재
   사. 폐촉매   아. 폐흡착제 및 폐흡수제

4. **폐유기용제**

5. 폐페인트 및 폐래커

6. **폐유**(기름 성분을 **5퍼센트 이상** 함유한 것)

7. 폐석면

8. 폴리클로리네이티드비페닐 함유 폐기물
   가. 액체상태의 것(1리터당 2밀리그램 이상 함유한 것)
   나. 액체상태 외의 것

9. 폐유독물질

10. **의료폐기물**

11. **수은폐기물**

[별표 2] 의료폐기물의 종류

1. **격리의료폐기물** : 「감염병의 예방 및 관리에 관한 법률」 제2조제1호의 **감염병으로부터** 타인을 보호하기 위하여 **격리된 사람에 대한 의료행위에서 발생한 일체의 폐기물**

2. **위해의료폐기물**
   가. **조직물류폐기물** : **인체 또는 동물의 조직 · 장기 · 기관 · 신체의 일부**, 동물의 **사체, 혈액 · 고름 및 혈액생성물**(혈청, 혈장, 혈액제제)
   나. **병리계폐기물** : 시험 · 검사 등에 사용된 배양액, 배양용기, 보관균주, 폐시험관, 슬라이드, 커버글라스, 폐배지, 폐장갑
   다. **손상성폐기물** : **주사바늘, 봉합바늘, 수술용 칼날, 한방침,** 치과용침, 파손된 유리재질의 시험기구
   라. **생물 · 화학폐기물** : 폐백신, **폐항암제**, 폐화학치료제
   마. **혈액오염폐기물** : 폐혈액백, 혈액투석 시 사용된 폐기물, 그 밖에 혈액이 유출될 정도로 포함되어 있어 특별한 관리가 필요한 폐기물

3. **일반의료폐기물** : 혈액 · 체액 · 분비물 · 배설물이 함유되어 있는 탈지면, 붕대, 거즈, 일회용 기저귀, 생리대, 일회용 주사기, 수액세트

※ 비고

1. 의료폐기물이 아닌 폐기물로써 **의료폐기물과 혼합되거나 접촉된 폐기물**은 혼합되거나 접촉된 **의료폐기물과 같은 폐기물**로 본다.

2. 채혈진단에 사용된 **혈액이 담긴 검사튜브, 용기** 등은 제2호가목의 **조직물류폐기물**로 본다.

3. 제3호 중 **일회용 기저귀**는 다음 각 목의 일회용 기저귀로 한정한다.
   가. 「감염병의 예방 및 관리에 관한 법률」 제2조제13호부터 제15호까지의규정에 따른 감염병환자, 감염병의사환자 또는 병원체보유자(이하 **"감염병환자 등"**이라 한다.)가 **사용한 일회용 기저귀**. 다만, 일회용 기저귀를 매개로 한 **전염 가능성이 낮다**고 판단되는 감염병으로써 환경부장관이 고시하는 감염병 관련 감염병환자등이 사용한 일회용 기저귀는 **제외**한다.
   나. **혈액**이 함유되어 있는 **일회용 기저귀**

Part 2

필기 실전모의고사

실전모의고사는 자주 반복 출제되는 문제이므로 반드시 숙지하기 바람

제1회 실전모의고사

1 환경위생학

01 다음 중 지하수의 특징인 것은?

① 유기물이 적고, 경도가 높다.
② 미생물과 세균 번식이 활발하다.
③ 경도가 낮다.
④ 수온 및 탁도의 변화가 심하다.
⑤ 용존산소의 농도가 높다.

해설 ②·③·④·⑤번 : 지표수의 특징이다.

02 상수의 정수 과정에 해당되지 않는 것은?

① 침전법   ② 여과법   ③ 폭기법
④ 희석법   ⑤ 소독

해설 상수의 정수 과정에는 ①·②·③·⑤번 외, 응집, 특수정수가 있다.

03 상수의 염소소독에서 모든 조건이 같다면 다음 중 살균력이 가장 큰 것은?

① NH_2Cl ② $NHCl_2$ ③ HCO_3
④ $HOCl$ ⑤ 클로라민

해설 ① 염소소독 시 수중의 반응
　$Cl_2 + H_2O \rightarrow HOCl + H^+ + Cl^-$ (낮은 pH(pH 5~6))
　$HOCl \rightarrow OCl^- + H^+$ (높은 pH, 즉 알칼리 상태(pH 9~10))
　Cl_2 : pH 〈 5
② 살균력이 강한 순서 : $HOCl$ 〉 OCl^- 〉 클로라민($HOCl$은 OCl^-보다 살균력이 80배 정도 더 강하다.)

04 물의 염소요구량이란 무엇인가?

① 물에 주입하는 염소의 양
② 수중의 유기물질을 산화시키고 남은 염소의 양
③ 수중 유기물질의 산화에 필요한 염소의 양
④ 물에 여분으로 넣어 주는 염소의 양
⑤ 불연속점 이상 주입하는 염소량

해설 염소주입량 = 염소요구량 + 잔류염소량
　염소요구량 : 수중 유기물질의 산화에 필요한 염소의 양
　잔류염소량 : 물속에 남아 있는 유리형 잔류염소량

05 흡착제가 아닌 것은?

① 활성탄   ② 실리카겔
③ 활성알루미나   ④ 합성제올라이트
⑤ 황산알루미늄

해설 ① 흡착제의 종류 : 활성탄, 실리카겔, 활성알루미나, 합성제올라이트 등
② 흡착제로 가장 많이 쓰이는 것 : 활성탄

06 다음 중 물의 포기 목적에 해당되지 않는 것은?

① 맛과 냄새 제거   ② 가스류 제거
③ 물의 pH값 상승   ④ 철·망간 성분 제거
⑤ 용존 유기물 제거

해설 포기의 목적 : ①·②·③·④번 외 고온의 우물을 냉각시킬 때 사용한다.

07 다음 중 상호관계가 없는 것으로 연결된 것은?

① 질산성질소(NO_3-N) - 청색아(Blue Baby)
② 황산동($CuSO_4$) - 조류 제거
③ 불소(F) - 우치, 반상치
④ Mills-Reincke 현상 - 물의 여과·소독 후 급수
⑤ 탄산경도 - $CaSO_4$, $MgSO_4$

해설 ⑤번은 영구경도(비탄산경도)이다.

08 BOD의 증가 요인이 되는 것은?

① 유기물 농도가 높을 때
② 유기물 농도가 낮을때
③ 온도가 낮을 때
④ 온도가 높을 때
⑤ 기압이 높을 때

해설 유기물 농도가 높을 때 BOD의 증가 요인이 된다.

09 수중의 부영양화(Eutrophication)의 방지 대책으로 틀린 것은?

① 인을 함유한 합성세제의 사용 금지
② 화학비료의 사용 금지
③ 하수의 3차 처리
④ 황산구리를 사용하여 조류를 사멸시킨다.
⑤ 수온을 상승시킨다.

해설 수온 상승 : 부영양화 촉진

10 유기염소계 농약은 토양에 잔류성이 크다. 유기염소계 농약은?

① DDT   ② DDVP   ③ CPT
④ 메틸디메톤   ⑤ PMP

해설 ① 유기인계 : DDVP, 메틸디메톤, PMP, EPN, ~thion 등
② 유기염소계 : DDT, BHC, aldrin, dieldrin 등

11 분뇨 처리 시 부식성 가스는?

① H_2S ② CO_2 ③ NH_3
④ CH_4 ⑤ 메르캅탄

해설 분뇨를 혐기성으로 처리할 때 발생하는 H_2S(황화수소)는 부식의 원인이 되므로 분뇨처리장에는 반드시 탈황 장치를 설치하여야 한다.

12 하수도 처리 시설 및 그 처리장 설치를 관장하는 주무부서는?

① 보건복지부   ② 행정자치부
③ 국토교통부   ④ 환경부
⑤ 고용노동부

13 무색, 무취, 공기 중의 농도가 0.03%인 기체는?

① CO_2 ② CO   ③ O_2
④ N_2 ⑤ SO_2

해설 CO_2 : 무색, 무취, 공기중의 농도는 0.03~0.035% 정도이다

14 CO_2를 실내공기의 오탁 측정지표로 사용하는 이유는?

① 미량으로도 인체에 해를 끼치므로
② O_2와 반비례하므로
③ CO_2가 CO가스로 변화하였으므로
④ 공기 오탁의 전반적인 사태를 측정할 수 있으므로
⑤ 다른 것은 측정하는 방법이 없으므로

🔵해설 군집독 : 다수인이 밀폐된 공간에 있을 때 실내공기의 물리적·화학적 조성의 변화로 두통, 구토, 메스꺼움, 현기증, 불쾌감, 식욕 부진 등을 유발하는 것을 군집독이라 한다.
① 물리적 변화 : 실내 온도 증가, 습도 증가
② 화학적 변화 : CO_2 증가, O_2 감소, 악취 증가, 기타 가스의 증가

15 호흡 곤란과 질식을 일으키는 산소와 이산화탄소의 함량은?

> ㉮ 산소(O_2) : 10% 이하 – 호흡 곤란
> ㉯ 산소(O_2) : 7% 이하 – 질식
> ㉰ 이산화탄소(CO_2) : 10% 이상 – 질식
> ㉱ 이산화탄소(CO_2) : 7% 이상 – 호흡 곤란

① ㉮, ㉯, ㉰   ② ㉮, ㉰   ③ ㉯, ㉱
④ ㉱   ⑤ ㉮, ㉯, ㉰, ㉱

🔵해설 ① 산소(O_2) : 10% 이하 – 호흡 곤란, 7% 이하 – 질식
② 이산화탄소(CO_2) : 10% 이상 – 질식, 7% 이상 – 호흡 곤란

16 온도, 습도, 기류의 3가지 인자에 의해 이루어지는 체감을 무엇이라 하는가?

① 감각온도   ② 복사온도   ③ 온열온도
④ 쾌적온도   ⑤ 지적온도

🔵해설 감각온도(체감온도 = 실효온도)
① 온도, 습도(100% 습도, 포화습도), 기류(무풍)의 3가지 인자에 의해 이루어지는 체감을 감각온도라 한다. 온도 18℃, 습도 100%, 무풍에서의 감각온도는 18℃이다. 온도 66℉, 습도 100%, 무풍에서의 감각온도는 66℉이다.
② 겨울철의 최적적 감각온도는 66℉이고, 여름철의 최적적 감각온도는 71℉이다.

17 침실의 적정온도는?

① 18±2℃   ② 15±1℃   ③ 21±2℃
④ 23±1℃   ⑤ 20±5℃

🔵해설 거실의 쾌적온도 : 18±2℃, 침실의 적정온도 : 15±1℃, 병실의 최적온도 : 21±2℃

18 적합한 비교습도(쾌적습도)는 얼마인가?

① 40~0%   ② 70~80%   ③ 20~30%
④ 80~100%   ⑤ 40~50%

19 기류의 분류 중 불감기류인 것은?

① 0.1m/sec   ② 0.5m/sec   ③ 1.0m/sec
④ 1.5m/sec   ⑤ 2.0m/sec

🔵해설 기류의 분류
① 무풍 : 0.1m/sec
② 불감기류 : 0.5m/sec
③ 쾌적기류 : 1.0m/sec

20 대기권의 기온 변화를 바르게 설명한 것은?

① 성층권의 기온은 고도에 관계없이 일정하다.
② 성층권에서는 고도에 따라 기온이 낮아진다.
③ 대류권에는 고도에 따라 기온이 점점 낮아진다.
④ 대류권의 기온은 고도에 관계없이 일정하다.
⑤ 대류권의 기온은 고도에 따라 온도가 상승한다.

🔵해설 ① 대류권 : 고도에 따라 기온이 점점 낮아진다.
② 성층권 : 고도에 따라 기온이 올라간다.

21 광화학반응 과정을 간단히 기술하였다. 빈칸은 무엇이 들어가야 하는가?

> $NO_2 + (\quad) \rightarrow NO + O$, $O + O_2 A \rightarrow O_3$
> $O_3 + NO \rightarrow NO_2 + O_2$

① 가시광선   ② 자외선   ③ 적외선
④ α선   ⑤ γ선

🔵해설 대기의 NO_2의 광분해 사이클은 다음과 같다.

22 폐포에 도달할 수 있는 먼지 입자는 0.25~5μm이다. 폐포에 침착률이 가장 높은 입자의 크기는?

① 0.1μm 전후   ② 0.5μm 전후
③ 1.0μm 전후   ④ 4.0μm 전후
⑤ 5.0μm 전후

23 대기 역전상태로 굴뚝 연기의 옳은 형태는?

① 파상형(looping)   ② 원추형
③ 지붕형   ④ 부채형(fanning)
⑤ 환상형

🔵해설 부채형 : 강한 역전을 형성하며, 대기가 매우 안정된 상태이다.

24 다음은 런던스모그 사건과 LA스모그 사건을 비교한 것이다. 틀린 것은?

> ㉮ 런던스모그는 방사역전, LA스모그는 침강성 역전
> ㉯ 런던스모그는 이른 아침에 발생, LA스모그는 낮에 발생
> ㉰ LA스모그의 원인물질은 광화학반응, 런던스모그의 원인물질은 아황산가스
> ㉱ LA스모그는 습도가 85%일 때 발생

① ㉮, ㉯, ㉰   ② ㉮, ㉰   ③ ㉯, ㉱
④ ㉱   ⑤ ㉮, ㉯, ㉰, ㉱

25 대기오염의 사건 중 황산화물이 주원인이 아닌 사건은?

> ㉮ 도노라사건   ㉯ 뮤즈계곡사건
> ㉰ 런던 스모그   ㉱ 로스앤젤레스 스모그

① ㉮, ㉯, ㉰   ② ㉮, ㉰   ③ ㉯, ㉱
④ ㉱   ⑤ ㉮, ㉯, ㉰, ㉱

26 다음 중 제진효율이 가장 좋은 집진장치(제진장치)는?

① 관성력 집진장치　　　② 원심력 집진장치
③ 세정 집진장치　　　　④ 여과 집진장치
⑤ 전기 집진장치

> **해설** ① 집진장치 중에서 제진효과가 가장 좋은 것은 전기 집진장치이다.
> ② 제진효율은 다음과 같다.
> 　㉮ 중력 집진장치 : 40~60%
> 　㉯ 관성력 집진장치 : 50~70%
> 　㉰ 원심력 집진장치 : 85~95%
> 　㉱ 세정 집진장치 : 85~95%
> 　㉲ 여과 집진장치 : 90~99%
> 　㉳ 전기 집진장치 : 90~99.9%

27 분뇨를 도시폐기물과 혼합하여 퇴비화 처리할 때 유의하지 않아도 될 사항은?

① 통기성　　② 함수율　　③ pH
④ C/N비　　⑤ 온도

> **해설** ① 분뇨의 pH는 7 정도이므로 퇴비화할 때 pH를 고려하지 않아도 된다.
> ② 도시폐기물과 분뇨의 혼합 퇴비화 조건
> 　㉮ 공기(산소) 공급
> 　㉯ C/N(30℃ 내외)
> 　㉰ 최적온도(65~75℃)
> 　㉱ 수분(50~70%)
> 　㉲ pH 6~8

28 의료폐기물의 처리방법으로 가장 적절한 방법은?

① 매몰 처분　　　　② 가축 사료 이용
③ 퇴비화　　　　　④ 해양 투기
⑤ 소각을 한 후 소독하여 매립한다.

29 건수율의 분모가 되는 것은?

① 재해건수　　　　② 총종업원수
③ 연간총근로일수　④ 연평균근로시간
⑤ 재해자수

> **해설** 건수율 $= \dfrac{재해건수}{평균\ 실근로자\ 수} \times 10^3 = \dfrac{재해건수}{평균\ 종업원\ 수} \times 10^3$

30 체온조절의 부조화로 올 수 있는 열중증은?

① 열피로　　② 열허탈증　　③ 열경련
④ 열사병　　⑤ 더위

> **해설** 열사병(일사병)의 원인 : 체온의 부조화, 뇌의 온도 상승, 중추신경장애

31 아래의 내용 중 γ선에 해당하는 것은?

① 자외선　　　　② 가시광선
③ 적외선　　　　④ 전리복사선
⑤ 비전리복사선

> **해설** 전파는 전리작용의 유무에 따라 전리복사선과 비전리복사선으로 나눈다.
> ① 전리복사선 : 태양광선의 전리복사선은 지표에 도달하지 않는 우주선, γ선, x선을 말한다.
> ② 비전리복사선 : 태양광선의 비전리복사선은 자외선, 가시광선, 적외선을 말하며, 비전리복사선 중 단파장은 오존층에서 흡수된다.

32 다음 중 전리방사선의 단위 중 인체의 피해를 고려한 단위는?

① Ci(curie)　　　　② R(Roentgen)
③ REM　　　　　　④ J/cm²
⑤ Rad(radiation absorbed dose)

> **해설** REM(roentgen equivalent in man) : 방사선이 인체에 미치는 영향을 기본으로 선정한 단위

33 진폐증을 유발하는 먼지 중에서 폐결핵을 동반하는 분진은?

① 석면　　　　　② 사료용 건초 및 퇴비
③ 활성탄　　　　④ 유리규산
⑤ 섬유

> **해설** 유리규산은 규폐증을 유발하며, 규폐증은 폐결핵의 합병증을 유발한다.

34 욕조수의 수질기준 검사 항목이 <u>아닌</u> 것은?

① 과망간산칼륨소비량　　② 탁도
③ 대장균군　　　　　　　④ 과망간산칼륨소비량 탁도
⑤ 수소이온농도 색도

> **해설** 욕장 목욕물의 수질기준
> ① 원수 : 색도, 탁도, 수소이온농도(pH), 과망간산칼륨 소비량, 총대장균군
> ② 욕조수 : 탁도, 과망간산칼륨 소비량, 대장균군, 레지오넬라균 · 유리잔류염소(욕조수를 순환하여 여과시키는 경우 : 염소소독을 실시하지 않는 경우에는 레지오넬라균, 염소소독을 실시하는 경우에는 레지오넬라균과 유리잔류염소)
> ③ 해수를 목욕물로 하는 경우 : COD, pH, 총대장균군

35 다음 중 주택의 위생학적 조건에 적합하지 <u>않은</u> 것은?

① 지하수위는 3m 이상의 것이 좋다.
② 인근에 공해업소가 없을 것
③ 진개 매립 3년 이상 경과한 대지일 것
④ 지질은 유기물에 오염되지 않은 사토(砂土)가 좋다.
⑤ 남향이나 동남향이 좋다.

> **해설** 폐기물관리법 : 폐기물(진개류 등)을 매립한 후 30년 후에 주택지로 사용한다.

36 자연채광을 위해 창문의 개각 및 입사각은 몇 도로 하는 것이 좋은가?

① 개각 2° 이상, 입사각 20° 이상
② 개각 5° 이상, 입사각 20° 이상
③ 개각 5° 이상, 입사각 28° 이상
④ 개각 3° 이상, 입사각 30° 이상
⑤ 개각 1° 이상, 입사각 28° 이상

37 다음 내용은 인공조명의 구비 조건에 관한 내용이다. 적절하지 <u>못한</u> 것은?

① 같은 장소의 조도는 시간에 따라 불변, 균등해야 한다.
② 폭발의 위험성이 없어야 한다.
③ 광색은 주광색에 가까워야 한다.
④ 열의 발생이 적어야 한다.
⑤ 휘도가 커야 한다.

> **해설** ① 인공조명은 ① · ② · ③ · ④번 외, 기준조도를 유지할 것, 경제적일 것
> ② 인공조명 시 야간에는 주위가 어둡고 주간에는 밝기 때문에 눈의 명암순응(明暗順應)으로 인하여, 주간조명은 야간의 1.5~2배 정도의 밝기가 필요하며, 광선은 좌측상방 · 좌측후방에서 비쳐 주는 것이 좋다.

38 다음 중 난방이 필요한 실내 온도는 몇 ℃ 이하인가

① 2℃　　② 5℃　　③ 7℃
④ 10℃　　⑤ 15℃

39 다음 중 중앙난방법과 거리가 먼 것은?

① 증기난방법
② 온수난방법
③ 공기난방법
④ 지역난방법
⑤ 난로난방법

> **해설** 난방 : 온도가 10℃ 이하가 되면 난방을 하여야 한다.
> ① 국소난방 : 난로, 화로 등
> ② 중앙난방 : 중앙난방이란 한 곳에서 발생한 열을 각 방으로 보내는 난방을 말한다.
> ③ 지역난방
> ㉮ 아파트, 학교, 병원 등의 지역 내 건물에서 증기나 온수를 열원으로 보내는 방법이며, 앞으로 도시에서 할 난방이다.
> ㉯ 화력발전의 폐열 이용 방식을 채택하여 유럽에서 보급되었다.

40 의복의 목적이 아닌 것은?

㉮ 체온조절	㉯ 사회생활
㉰ 신체의 청결	㉱ 인간과 짐승을 뚜렷하게 구별하기 위하여

① ㉮, ㉯, ㉰
② ㉮, ㉱
③ ㉯, ㉱
④ ㉱
⑤ ㉮, ㉯, ㉰, ㉱

> **해설** 이상 체온 조절과 해충으로부터 신체 보호, 신체의 청결, 장식 등을 위해 의복을 입는다.

41 다음 중 상대습도를 나타낸 것은?

① 일정 온도의 공기 중에 포함될 수 있는 수증기의 상태
② 일정 공기가 포화 상태로 함유할 수 있는 수증기량
③ 현재 공기 1m³ 중에 함유한 수증기량
④ (절대습도 ÷ 포화습도) × 100
⑤ 포화습도 − 절대습도

> **해설**
> ① 절대습도 : 현재 공기 1m³ 중에 함유한 수증기량(수증기 장력)을 말한다.
> ② 포화습도 : 일정 공기 함유량이 한계를 넘을 때 공기 중의 수증기량(g)이나 수증기의 장력(mmHg)을 포화습도라 한다.
> ③ 쾌적습도와 온도 : 쾌적습도 범위는 40~70%이며, 15℃에서는 70~80%, 18~20℃에서는 60~70%, 24℃에서는 40~60%가 적절하다.
> ④ 비교습도(상대습도) = $\frac{절대습도}{포화습도}$ × 100
> ⑤ 포차 = 포화습도 − 절대습도
> ⑥ 최적습도 : 40~70%

42 분뇨를 혐기성으로 처리할 때의 단점에 해당하지 않는 것은?

① 냄새가 심하다.
② 호기성에 비해 반응 기간이 길다.
③ 상등액의 BOD가 높다.
④ 위생해충이 발생한다.
⑤ 에너지가 많이 든다.

> **해설**
> ① 혐기성 처리 : 메탄(CH₄)이 발생한다.
> ② 메탄 : 무색, 무취, 폭발성

43 다음 중 벤젠 중독 장애에 해당하는 것은?

① 호흡기장애
② 조혈기능장애
③ 위장장애
④ 신장장애
⑤ 피부장애

> **해설** 벤젠 : 재생불량성 빈혈을 유발한다.

44 폐포에 섬유증식(fibrosis)을 일으키는 물질은?

① 유리규산
② 카드뮴
③ 수은
④ 비소
⑤ 납

> **해설**
> ① 진폐증 중에서 섬유증식(fibrosis ; 섬유조직의 증식)을 유발하는 물질 : 규소, 석면, 베릴륨, 활석, 석회 등
> ② 면폐증 : 섬유증식이 없음(진행되면 폐기종 유발)

45 다음 직업과 그 작업에서 오는 직업병을 연결한 것 중 틀린 것은?

① 용접공 − 백내장
② 축전지 제조 − 연 중독
③ 유리규산 발생 업종 − 직업성 난청
④ 항공기 정비사 − 소음성 난청
⑤ 도자기 공장 − 규폐증

> **해설** 유리규산 : 규폐증을 유발한다.

46 적외선에 장시간 노출 시 유발하는 증상이 아닌 것은?

① 열사병
② 비타민 D를 형성, 색소 침착
③ 혈관 확장
④ 초자공의 백내장
⑤ 출혈

> **해설**
> ① 적외선의 장애 : 피부 온도의 상승, 혈관 확장, 출혈, 피부 홍반, 두통, 현기증, 열경련, 열사병, 백내장 등
> ② 자외선 : 비타민 D를 형성, 살균작용, 색소 침착 등

47 다음 중 이상적인 소독제의 구비 조건에 해당하지 않는 것은?

① 석탄산 계수치가 낮을 것
② 안전성이 있고 물에 잘 녹을 것
③ 인축에 독성이 낮을 것
④ 가격이 저렴하고 사용 방법이 간편할 것
⑤ 침투력이 강할 것

> **해설** ②·③·④·⑤번 외, 석탄산 계수치가 높을 것, 구입이 쉬울 것, 방취력이 있을 것

48 석탄산 계수(Phenol Coefficient Index)의 설명 중 틀린 것은?

① 석탄산 계수의 값이 클수록 소독력이 강하다.
② 석탄산의 희석배수에 대한 소독약의 희석배수의 비를 말한다.
③ 시험균은 장티푸스균 또는 포도상구균을 이용한다.
④ 시험균을 5분 내에 죽이지 않고 10분 내에 죽이는 희석배수를 말한다.
⑤ 36.5℃에서 살균력을 실험한다.

> **해설** 석탄산계수 : 20℃에서 살균력을 실험한다.

49 다음 중 분변 소독에 가장 저렴하고 소독법이 쉬운 소독제는?

① 알코올
② 승홍수
③ 석탄산
④ 생석회
⑤ 과산화수소

50 다음 소독약과 사용 농도와의 연결이 <u>잘못된</u> 것은?

① 석탄산 – 3% 수용액

② 과산화수소 – 3% 수용액

③ 승홍 – 0.1% 용액

④ 알코올 – 95% 용액

⑤ 클로르칼키 – 5% 수용액

🔎 해설 소독약의 종류

① 3~5% 석탄산(phenol) 수 : 오염 의류·용이·오물, 실내벽, 실험대, 배설물, 토사물, 기차, 선박 등

② 2.5~3.5% 과산화수소 : 상처 소독, 구내염, 인두염, 입안 세척 등

③ 70~75% 알코올(메탄올 75%, 에탄올 70% 또는 에탄올 75%) : 건강한 피부에 사용

④ 3% 크레졸(cresol) : 배설물 소독에 사용

⑤ 0.01~0.1% 역성비누(양성비누) : 손 소독 가장 많이 사용, 중성비누와 혼합해서 사용 시 효과 없음

⑥ 0.1% 승홍 : 손 소독에 이용

⑦ 생석회(CaO) : 변소 등의 소독에 이용

⑧ 0.02~0.1% formalin : 훈증 소독에 사용

2 위생곤충학

01 곤충의 혈림프액의 기능이 <u>아닌</u> 것은?

① 생식기능

② 조직세포에 산소 공급

③ 노폐물 운반

④ 체내 수분 유지

⑤ 영양분을 조직에 공급

🔎 해설 ① 곤충의 피를 혈림프액(haemolymph)이라 하며 엷은 담황색, 담녹색, 무색이다.

② 혈림프액의 기능은 다음과 같다.

㉮ 영양분을 조직에 공급

㉯ 노폐물을 배설기관으로 운반

㉰ 체내의 수분 유지

㉱ 조직세포에 산소 공급

㉲ 혈압을 이용함으로써 호흡작용도 돕고 탈피 과정도 돕는다.

02 다음은 거미강의 특징을 설명한 것이다. <u>잘못된</u> 것은?

① 몸은 두흉부와 복부의 2부분으로 되어 있다.

② 다리가 4쌍이다.

③ 두흉부에는 6쌍의 부속지가 있다.

④ 촉각이 없다.

⑤ 촉각이 1쌍이다.

🔎 해설 거미강의 특징 : ①·②·③·④번 외, 종류(거미목, 진드기목, 전갈목 등)

03 빛을 싫어하는 곤충은?

① 빈대

② 파리

③ 바퀴

④ 모기

⑤ 바퀴와 빈대

🔎 해설 바퀴, 빈대 : 야행성 곤충이다.

04 모기 유충의 흉부에 존재하며 분류학적으로 중요한 털은 다음 중 무엇인가?

① 견모

② 안연모

③ 액모

④ 구기쇄모

⑤ 두순모

🔎 해설 모기 유충의 흉부 : 전흉 1·2·3번을 각각 내견모, 중견모, 외견모라 부르며 종 감별에 주요한 특징이 된다.

05 암모기(♀) 침에 들어 있는 성분은?

① 항혈응고성분

② 수면제

③ 신경마비성분

④ 생장촉진제

⑤ 혈액응고 조장성분

🔎 해설 암모기의 침에는 항혈응고성분이 있어 흡혈하는 동안 숙주의 혈액을 응고하지 못하게 한다.

06 숲모기속 알에 대한 설명 중 옳은 것은?

① 건조하면 죽는다.

② 모개가 있다.

③ 무더기로 산란한다.

④ 타원형 또는 포탄형이다.

⑤ 부낭을 갖고 있다.

🔎 해설 숲모기속 알 : 타원형 또는 포탄형이다.

07 깔따구에 대한 설명 중 옳지 <u>않은</u> 것은?

① 야간활동성이고 강한 추광성이다.

② 구기가 퇴화하였다.

③ 유충의 피 속에 적혈구가 없다.

④ 수명은 2~7일이다.

⑤ 몸에 비늘이 전혀 없다.

🔎 해설 깔따구 : 파리목 중 장각아목, 깔따구과에 속하는 날벌레로서 형태가 모기와 유사하므로 "모기붙이"라고도 한다. 완전변태를 하며, 다음과 같은 특징이 있다.

① 유충

㉮ 수서생활을 한다.

㉯ 호흡 : 아가미로 수중에 녹아 있는 산소를 이용한다.

㉰ 먹이 : 진흙 속의 유기물을 섭취한다.

㉱ 깔따구 유충은 피 속에 적혈구를 가지고 있어 몸 전체가 붉은색을 띠고 있다.

㉲ 수질이 오염되어 산소가 적은(BOD : 10~20ppm) 곳에서도 생존할 수 있다.

② 성충

㉮ 모기와 유사한 형태를 가지고 있다.

㉯ 구기 : 구기가 퇴화하였다(모기는 전방으로 돌출).

㉰ 날개를 포함한 몸에는 비늘이 전혀 없다.

㉱ 흉부에 날개가 1쌍, 평균곤(halter) 1쌍과 긴 다리 3쌍이 있다.

㉲ 평균수명 : 2~7일

㉳ 암수 모두 야간활동성이고, 강한 추광성이 있어서 옥내외(屋內外)의 전등 빛에 모여들어 그곳에서 많은 개체가 죽는다.

㉴ 산란 장소 : 개울, 강, 호수, 저수지, 논, 바위틈, 일부 오염이 심한 곳

08 다음 곤충 중 유충의 각 체절에 육질돌기가 있는 것은?

① 검정파리

② 집파리

③ 딸집파리

④ 금파리

⑤ 침파리

🔎 해설 딸집파리(아기집파리)

① 유충

㉮ 유충의 서식 장소 : 사람, 소, 말, 돼지 등의 배설물(특히 인분(변 F소)을 좋아함)

㉯ 유충은 부식 초기의 변(便)에서 발견되며, 장(腸) 내 또는 비뇨기 내 구더기증을 유발한다(항문에 변이 묻어 있을 때 성충이 산란할 경우 유충이 장내로 기어들어 가면서 기생할 수 있기 때문이다).

㉰ 유충은 각 체절에 현저하게 돌출되어 있는 여러 쌍이 육질돌기(肉質突起)가 있다.

② 성충

㉮ 성충은 음식물에 앉는 빈도가 집파리보다 낮아 질병 매개 능력이 떨어진다.

㉯ 성충은 비상할 때 공중의 한 지점에서 꼼짝하지 않고 정지하는 습성이 있다.

09 빈대의 베레제기관의 역할은?

① 신경기관　　　② 호흡기관　　　③ 생식기관
④ 배설기관　　　⑤ 소화기관

> 해설　빈대의 암컷은 제4복판에 각질로 된 홈이 있어서 교미공을 형성하는데, 그 속에 베레제기관이 있다. 이 기관은 정자를 일시 보관하는 장소로 빈대의 특징이다.

10 벼룩이 알을 낳는 장소로 잘못된 것은?

① 숙주 동물의 몸　　　　② 마루의 갈라진 틈
③ 먼지 속　　　　　　　④ 부스러기
⑤ 숙주 동물의 등지

> 해설　벼룩이 알을 낳는 장소 : 마루의 갈라진 틈, 먼지 속, 부스러기, 숙주 동물의 등지에 산란한다.

11 독나방과 관계가 없는 것은?

① 성충의 수명은 7~9일이다.
② 야간활동성이다.
③ 낮에는 산에서 휴식한다.
④ 종령기에 가장 많은 독모가 있다.
⑤ 군서성으로 연 1회 발생한다.

> 해설　독나방의 생활사 및 습성
> ① 독나방은 연 1회 발생한다(성충은 7월 중순~8월 상순에 나타남).
> ② 부화한 유충은 군서 생활을 한다.
> ③ 독나방의 발생(우화) 시기는 7월 중순~8월 상순이다.
> ④ 우화한 성충은 먹이를 먹지 않으며 2~3일 후 교미를 하고 암컷은 산란 후 곧 죽는다.
> ⑤ 성충의 수명은 7~9일이다.
> ⑥ 독모가 복부 털에 부착되어 있으며 접촉하면 피부염을 유발한다.
> ⑦ 강한 추광성(趨光性)이 있어 전등 빛에 유인되어 실내로 들어온다.
> ⑧ 야간활동성이다(성충은 낮에는 잡초나 풀 속에서 휴식하다가 밤이면 활동한다.
> ⑨ 유충의 유방돌기에 밀생하는 독모는 길이가 평균 100μm이며, 종령기에 가장 많은 독모가 있다.

12 이질바퀴의 특징이 맞는 것은?

① 전흉배판은 약간 오목볼록형
② 전흉배판에는 2줄의 흑색 종대
③ 체색은 밝은 황색
④ 소형이며 체장 10~15mm
⑤ 대형이며 체장은 35~40mm, 체색은 광택성 적갈색

> 해설　①번 – 집바퀴, ②·③·④번 – 독일바퀴, ⑤번 – 이질바퀴

13 다음 "보기"의 특징을 갖고 있는 바퀴는?

> ㉮ 암컷의 날개 – 복부 반만 덮음
> ㉯ 전흉배판 – 약간 오목볼록형

① 경도바퀴　　　② 독일바퀴　　　③ 이질바퀴
④ 집바퀴　　　　⑤ 먹바퀴

> 해설　집바퀴의 특징 : 암컷의 날개는 복부 반만 덮음, 수컷의 날개는 복부 전체를 덮음, 전흉배판은 약간 오목볼록형

14 털진드기는 어느 시기에 포유동물을 흡혈하는가?

① 성충　　　　　　　② 번데기
③ 유충　　　　　　　④ 성충 준비 단계
⑤ 자충 준비 단계

15 다음 "보기"의 특징을 갖고 있는 곤충은 무엇인가?

> 성충은 체장이 2~3mm로 매우 미소한 파리이다. 현저한 검은 눈을 가지고 있으며, 두부, 흉부 및 복부에는 긴 털로 덮여 있고 가늘고 긴 다리를 가진 곤충이다.

① 모기　　　　　　　② 깔따구
③ 모래파리　　　　　④ 먹파리(곱추파리)
⑤ 집파리

> 해설　모래파리 : 모래파리 성충은 체장이 2~3mm로 매우 미소한 파리이다. 현저한 검은 눈을 가지고 있으며, 두부, 흉부 및 복부에는 긴 털로 덮여 있고 가늘고 긴 다리를 가진 곤충이다.

16 낮에는 가구 사이에 숨어 있다가 밤이 되면 나와서 흡혈하는 곤충은?

① 벼룩　　　　　　　② 이　　　　　　　③ 빈대
④ 모기　　　　　　　⑤ 바퀴

> 해설　빈대 : 주간에는 틈새에 숨어 있다가 밤이 되면 나와서 사람을 흡혈한다.

17 곰쥐의 1회 출산 수는?

① 2~5마리　　　② 4~8마리　　　③ 10~15마리
④ 15~18마리　　⑤ 20마리

18 쥐를 방제하는 가장 효과적인 방법은?

① 천적을 이용한다.
② 만성 살서제를 투여한다.
③ 먹을 것과 서식처를 없앤다.
④ 급성 살서제를 투여한다.
⑤ 쥐덫을 사용한다.

> 해설　환경 개선 : 가주성 쥐의 방제 방법 중 효과적이고 영구적인 방법은 발생원 및 제거하는 환경 개선이다.

19 살서제를 사용할 때 인축의 피해를 방지하기 위하여 알아야 할 사항 중 틀린 것은?

① 만성 살서제 중독 시 Vit K₁을 다량 투여하면 회복률이 높다.
② sodium monofluoroacetate(1080)는 결정체 분말이므로 호흡기관을 통해 중독 가능성이 높다.
③ 만성 살서제는 2차 독성이 거의 없다.
④ 만성 살서제에 중독되면 치료 방법이 없다.
⑤ 인화아연은 미끼먹이와 섞을 때 수분과 작용하여 맹독성인 인가스를 방출한다.

20 다음 중 발육증식형에 속하는 것은?

① 페스트, 수면병　　　② 말라리아, 수면병
③ 사상충, 록키산홍반열　　④ 발진티푸스
⑤ 양충병

21 흑사병 병원체가 증식하는 곳은?

① 전위　　　　　② 대장　　　　　③ 소낭
④ 타액선　　　　⑤ 위

> 해설　병원체가 증식 또는 발육하는 곳
> ① 흑사병 : 전위　　② 뇌염·황열 : 위
> ③ 말라리아 : 위 외벽　　④ 사상충 : 흉부의 근육

22 해충의 생물학적 방제는?

① 천적 이용 ② 웅덩이 제거
③ 방사선 이용 ④ 방충망 설치
⑤ 살충제 살포

> **해설** 생물학적 방법 : 불임 수컷의 방산(放散), 포식동물(천적) 이용, 병원성 기생생물을 이용하는 것

23 다음 유기인계 살충제 중 포유류에 독성이 낮은 것은?

① phosdrin ② parathion
③ endrin ④ guthion
⑤ malathion

> **해설** malathion(마라티온) : 포유동물에 독성이 낮다. 개미, 거미 및 진드기에 살충력이 있으나, 우리나라에서는 곤충이 저항성을 나타내고 있어 사용이 감소 추세에 있다.

24 다음 중 효력증강제는 어느 것인가?

① piperonyl butoxide ② dimethyl phtalate
③ paradichlorbenzene ④ hydrogen
⑤ methyl bromide

25 56% 마라티온을 물에 타서 4% 희석액을 만들려면 몇 배의 물이 필요한가?

① 10배(1:10) ② 13배(1:13)
③ 15배(1:15) ④ 20배(1:20)
⑤ 130배(1:130)

> **해설** $\frac{56\%}{4\%} - 1 = 13$배

26 살충제 용매로서 가장 널리 사용되고 있는 것은?

① Ether ② 물
③ Acetone ④ Alcohol
⑤ 석유나 Kerosene(등유)

> **해설** 용제(溶劑, solution, S)의 유기용매 : 석유, methylnaphthalene, xylene 등

27 살충제 살포 작업 시 주의할 점 중 틀린 것은?

① 보호용 장비를 착용 및 휴대
② 살포 기구를 점검
③ 살포 후 기구 세척
④ 용기를 쓰레기통에 그대로 버린다.
⑤ 바람을 등에 업고 바람 쪽으로 후진하면서 살포

> **해설** 살충제 살포 작업 시 주의할 점 : ①·②·③·⑤번 외, 사용한 용기의 폐기 등

28 가열연막을 실시하는 데 있어 틀린 것은?

① 주로 제제 중에서 용제를 사용한다.
② 노즐(nozzle)은 풍향을 가로지르되 30~40°로 하향한다.
③ 실시 시기는 밤 10시 후부터 새벽 해 뜨기 직전까지가 좋다.
④ 가능하면 넓은 면적을 단시간에 하기 위해 살포의 폭을 크게 한다.
⑤ 풍속이 10km/hr 이상일 때는 살포할 수 없다.

> **해설** 가열연무 시 속도와 살포 면적
>
> | 구분 | 휴대용 | 차량용 |
> | --- | --- | --- |
> | 속도 | 1km/hr | 8km/hr |
> | 살포 폭 | 5~10m | 50m |
> | 살포 면적 | 1ha/hr | 40ha/hr |

29 잔류분무 시 가장 이상적으로 분무하려면 벽 면적당 몇 cc의 희석액이 살포되어야 하는가?

① $10cc/m^2$ ② $40cc/m^2$ ③ $60cc/m^2$
④ $100cc/m^2$ ⑤ $200cc/m^2$

> **해설** 잔류분무 시 가장 중요한 것은 희석 농도에 관계없이 희석액이 벽면에 $40cc/m^2$이 되도록 살포되어야 한다.

30 축사 벽면에 잔류분무를 하여 집파리를 방제하려고 한다. 적합한 노즐은?

① 부채형 ② 원추형 ③ 방사형
④ 직선형 ⑤ 원뿔형

---

3 식품위생학

01 다음 중 감염형 식중독이 아닌 것은?

① 살모넬라 식중독 ② 황색포도상구균 식중독
③ 아리조나 식중독 ④ 캄필로박터 식중독
⑤ 장염비브리오 식중독

> **해설** 식중독 분류
> ┌ 세균성 식중독 ┬ 감염형 : 살모넬라, 장염비브리오, 병원성 대장균, 프로테우스, 아리조나 식중독 등
> │ └ 독소형 : 포도상구균, 보툴리누스 식중독 등
> ├ 화학성 식중독 : 유해첨가물, 유해금속, 농약 중독 등
> └ 자연독 식중독 : 식물성, 동물성, 곰팡이(Mycotoxin) 중독 등

02 다음 중 장염 비브리오균의 특징은 어느 것인가?

① 열에 약하다.
② 독소를 생성한다.
③ 아포를 형성한다.
④ 편모가 없다.
⑤ 20% 전후의 식염농도에서 잘 발육한다.

03 식중독 및 화농의 원인균으로 내열성이 강한 장독소를 가진 식중독은?

① 포도상구균 식중독
② 살모넬라 식중독
③ 호염균 식중독
④ 보툴리누스 식중독
⑤ 프로테우스 식중독

> **해설** ① 포도상구균 식중독의 장독소 : 엔트로톡신(enterotoxin)
> ② 보툴리누스 식중독 신경독소 : 네로톡신(neurotoxin) - 신경마비를 일으킨다.

04 캠필로박터 식중독균의 특징은?

① 잠복기는 3시간 정도이다.
② 신경 증상을 나타낸다.
③ 원인균은 열에 강하다.
④ 인축공통의 병원균이다.
⑤ 치명률이 매우 높다.

🔎해설 Camphylobacter(캠필로박터) 식중독
　　① 특징 : 건조나 가열에 약해 60℃에서 30분 가열로 사멸, 소나 염소
　　　　에 유산과 설사, 사람에 대한 병원성이 밝혀졌다.
　　② 원인균 : Campylobacter jejuni, C. coli이며, 이 균은 인축공통
　　　　질환의 원인균이다.
　　③ 원인 식품 : 식육, 우유, 햄버거, 닭고기
　　④ 감염원 : 가축, 가금류, 애완동물
　　⑤ 잠복기 : 2~7일
　　⑥ 증상 : 설사, 복통, 두통, 발열, 구토 등 감염형 식중독과 유사하다.

05 다음 중 핑크색 염기성 타르 색소로서 주로 과자 등에 사용되어
화학성 식중독을 일으키는 물질은?

① acid
② rhodamine B
③ silk scarlet
④ auramine
⑤ rongalite

06 독버섯의 성분으로 자율신경계에 작용하는 물질은?

① gyromitrin
② coprin
③ lampterol
④ amin
⑤ psilocybin

🔎해설 coprin : 자율신경계에 장애를 준다.

07 다음 중 감자에서 생성되는 독소는?

① solanine
② muscarine
③ gossypol
④ amygdaline
⑤ cicutoxin

🔎해설 ① 감자의 발아 부위와 녹색 부위에 함유한 독소 :
　　　　solanine($C_{45}H_{73}NO_{15}$)
　　② 부패한 감자의 독소 : sepsine($C_5H_{11}N_2O_2$)

08 아래의 내용은 복어독에 관한 설명이다. 맞는 것 모두가 조합된
것은?

> ㉮ Tetrodotoxin은 복어의 독소이며, 독성분이 제일 강한 곳은 난소이다.
> ㉯ 식중독 야기 시에 호흡 곤란, Cyanosis(청색증) 현상을 나타낸다.
> ㉰ 치사율이 높다.
> ㉱ 소화기 장애를 유발한다.

① ㉮, ㉯, ㉰
② ㉮, ㉰
③ ㉯, ㉱
④ ㉱
⑤ ㉮, ㉯, ㉰, ㉱

09 다음 중 모시조개의 독성분은?

① Solanine
② muscarine
③ aconitine
④ islanditoxin
⑤ venerupin

🔎해설 모시조개, 바지락조개, 굴
　　① 독성분 : Venerupin(3~4월에 발생)
　　② 열에 안정(100℃에서 3시간 가열해도 파괴되지 않음), 알칼리에서
　　　　가열하면 파괴된다.
　　③ 중독 증상 : 구토, 두통, 미열, 점막 출혈, 황달, 피하 출혈, 권태감 등
　　④ 치사율 : 40~45% 정도
　　※ verotoxin : O-157의 독소

10 다음 중 황변미의 독성분이 아닌 것은?

① Citrinin
② Aflatoxin
③ Citreoviridin
④ Luteoskyrin
⑤ Islanditoxin

🔎해설 Aflatoxin : Aspergillus flavus에 의하여 생성된 독성 대사물이다.

11 감염성(전염성) 설사증의 병원체는 어느 것인가?

① Salmonella
② Virus
③ Shigella dysenteriae
④ Amoeba
⑤ Bacillus

🔎해설 감염성 설사증을 유발하는 것은 세균, 바이러스, 콜레라, 대장균 등이
　　있다.
　　③번은 세균성이질 병원체이다.

12 경구감염병과 감염형 식중독과의 차이점이 아닌 것은?

① 경구감염병에서는 병원체가 고유 숙주와의 사이에
　infection cycle이 성립한다.
② 세균성 식중독에서는 세균에서 사람으로 terminal
　infection(최종 감염)된다.
③ 경구감염병은 2차 감염이 일어나지 않는다.
④ 세균성 식중독은 다량의 균이 필요하다.
⑤ 경구감염병은 세균성 식중독에 비하여 잠복기가 비교적 길다.

🔎해설 경구감염병은 2차 감염이 드물지만 일어난다.

13 식품으로 인한 질병과 관계가 없는 것은?

① 장티푸스, 콜레라
② 성홍열, 세균성이질
③ 유행성간염, 결핵, 천열
④ 야토병, 브루셀라증
⑤ 두창, 광견병

🔎해설 ① 식품으로 인한 질병(경구감염병) : ①·②·③·④번 외, 파라티푸
　　　　스, 소아마비(폴리오), A형간염(유행성간염), 천열 등
　　② 성홍열 : 보균자나 또는 환자와의 접촉 또는 직접 접촉에 의해 전파
　　　　되나, 드물게는 손이나 물건을 통해 간접적으로 전파된다.
　　③ 천열 : 환자의 분비물이 경구 침입 시 발생하며 오한, 두통, 발열 증
　　　　상이 있다.
　　④ 두창 : 바이러스성으로 호흡기로부터의 배설물과 접촉 시 전파된다.
　　⑤ 광견병 : 광견병 바이러스에 감염된 동물에 물렸을 때 감염된다.

14 식품을 보존하는 방법에 해당되지 않는 것은?

① 염장
② 건조
③ 당장
④ 수장
⑤ 농축

🔎해설 ① 염장법 : NaCl(염화나트륨) 10% 이상
　　② 건조·탈수법 : 15(14)% 이하
　　③ 당장법 : 설탕 50% 이상

15 식품의 냉장 목적과 가장 관계가 적은 것은?

① 자기 소화 지연
② 식품의 신선도 단기 유지
③ 미생물 증식 저지
④ 변질의 지연
⑤ 병원미생물의 사멸

🔎해설 냉장의 목적은 다음과 같다.
　　① 자기 소화를 지연시킨다.
　　② 미생물 증식을 저지한다.
　　③ 변질을 지연시킨다.
　　④ 식품의 신선도를 단기간 유지시킨다.

16 곰팡이의 안전한 수분 함량은?

① 14% 이하   ② 16% 이하   ③ 20% 이하

④ 25% 이하   ⑤ 30% 이하

해설 미생물의 발육을 저지할 수 있는 수분 함량은 식품에 따라 다르지만 일반적으로 곰팡이는 14% 정도, 세균은 15% 정도이다.

17 부패의 판정 방법 중 관능적 판정 방법의 시험 항목에 해당되지 않는 것은?

① 냄새의 발생 유무   ② 조직의 변화 상태

③ Histamine 생성 유무   ④ 색깔의 변화 상태

⑤ 불쾌한 맛의 발생 유무

해설 Histamine 생성 유무 : 화학적 검사

18 식품 중의 생균 수를 측정하는 목적은 무엇인가?

① 감염병균의 여부를 알기 위하여

② 식중독균의 여부를 알기 위하여

③ 분변세균의 오염 여부를 알기 위하여

④ 신선도의 여부를 알기 위하여

⑤ 식품의 산패 여부를 알기 위하여

해설 ① 식품 중의 생균 수를 측정하는 목적은 신선도의 여부를 알기 위해서이다.
② 식품 중에 생균 수를 측정하여 1g당 10^8 이상이면 식품이 신선하지 않은 상태이다.
③ 식품 중에 1g당 세균 수가 10^5 이하면 안전하다(10^5 이하/g).

19 다음 중 수분이 많은 식품에서 주로 형성되는 microflora는 어느 것인가?

① 곰팡이   ② 세균   ③ 원충류

④ 효모   ⑤ 바이러스

해설 ① 수분이 많은 식품에는 세균이, 수분이 적은 건조식품에는 곰팡이가 각각 microflora를 형성한다.
② microflora란 미생물 집단이다.

20 호기성이며 전분 분해력이 강한 내열성 아포를 형성하는 균속은?

① Proteus   ② Bacillus

③ Salmonella   ④ Clostridium

⑤ Vibrio

21 다음 중 Allergy 식중독과 관련이 있는 것은?

① Enterotoxin   ② Mycotoxin

③ Ergotoxin   ④ Histamine

⑤ Neurotoxin

해설 ① Histamine : 어육 중의 histidine이 proteus morgainii에 의해 탈탄산작용의 결과로 histamine이 된다.
② Histamin은 Allergy(알러지)성 식중독을 유발한다.

22 다음 내용은 곰팡이에 대한 설명이다. 잘못된 것은 어느 것인가?

① 식품을 부패시키기도 한다.

② 식품공업에 이용하기도 하고 항생물질을 만들어 질병 치료에 이용하기도 한다.

③ 대부분 호기성으로 산소가 있어야 번식한다.

④ 체외로 독소를 분비시켜 사람에게 질병을 유발하기도 한다.

⑤ 대부분 저온성이고 중성의 pH에서 잘 번식한다.

해설 ① 곰팡이는 세균보다 저온에서 발육하고 낮은 온도에서 저항이 크다.
② 곰팡이의 pH는 4.0(산성)에서 번식이 양호하다.

23 다음 중 Aflatoxin을 생산하는 미생물은 어느 것인가?

① Aspergillus oryzae

② Aspergillus

③ Aspergillus flavus

④ Aspergillus niger

⑤ Aspergillus awamori

해설 Aspergillus flavus
① 번식 : 곡류 등에 번식한다.
② 피해 : 인체나 가축에 유해한 발암물질을 생성한다.

24 곰팡이의 유독물질로서 사람이나 온혈동물에게 만성적인 건강 장애를 유발하는 물질은?

① Mycotoxin   ② Mytilotoxin

③ Neurotoxin   ④ Amanitatoxin

⑤ Enterotoxin

25 대장균군의 오염 경로는?

① 공기   ② 토양   ③ 음식물

④ 우유   ⑤ 분변

해설 대장균이 검출되면 분변과 접했다는 것을 의미한다.

26 채소밭을 맨발로 걸어갈 때 감염되기 쉬운 기생충은?

① 선모충   ② 요충   ③ 편충

④ 구충   ⑤ 회충

해설 구충 : 피부감염(경피감염)

27 다음 중 민물고기가 중간숙주인 것으로만 구성된 것은?

① 갈고리촌충, 간디스토마

② 민촌충, 폐디스토마

③ 광절열두조충, 간디스토마

④ 갈고리촌충, 폐디스토마

⑤ 민촌충, 간디스토마

28 환경오염 물질이 식품을 통해 인체에 들어와서 나타나는 증상이 아닌 것은?

① 발암   ② 돌연변이

③ 기형유발   ④ 염색체 이상

⑤ 정상세포 증식

해설 생물 농축에 의한 유해물질 피해는 세포의 증식과 감소 등을 유발한다.

29 먹이 연쇄 현상과 질병의 연결이 잘못된 것은?

① Hg – 미나마타 질환

② Cd – 이타이이타이 질환

③ PCB – 카네미유증

④ BHC – 뼈에 이상

⑤ 유기인 – cholinesterase 억제

해설 ① BHC(benzene hexa chloride)의특징
㉮ 유기염소계 살충제
㉯ 호흡장애, 순환기장애, 신경장애 등
② Cd, F : 뼈에 이상
③ 비소 : 사지의 색소 침착, 흑피증, 피부암 등
④ 납 : 빈혈, 조혈기능 장애, 적혈구 감소 등

30 빛에 의해 분해되므로 차광 보관하여야 하는 품목은?

① 초산   ② 명반   ③ hexane
④ β-카로틴   ⑤ DHA

> **해설** β-카로틴 : 치즈, 버터, 마가린 등에 많이 사용되는 착색료이지만, 산이나 광선 등에 의해 분해되기 쉽고, 산화되기 쉬운 결점이 있다.

31 다음 보존료(방부제) 중 사용할 수 없는 보존료는?

① 안식향산   ② 디히드로초산
③ 소르빈산   ④ 안식향산에스텔
⑤ 프로피온산나트륨

> **해설** 허용 방부제(보존료) : 데히드로초산(DHA ; dehydroacetic acid), 소르빈산(sorbic acid), 안식향산(benzoic acid) 등
> ※ DHA : 현재 식품공전법에는 삭제되었으나 위생사시험에는 허용 방부제로 출제되고 있음

32 치즈, 버터에 사용하는 보존료는?

① 질산   ② 안식향산
③ 프로피온산   ④ DHA
⑤ 파라옥시안식향산 부틸

> **해설** DHA : 치즈, 버터, 마가린 이외에는 사용하지 못한다.

33 다음 중 날것의 어패류를 섭취함으로써 감염되는 패혈증의 원인균은?

① Vibrio parahaemolyticus
② Vibrio
③ Salmonella enteritidis
④ Salmonella typhi
⑤ Vibrio vulnificus

34 아민물질과 반응하여 발암 및 돌연변이의 원인이 되는 니트로조아민을 생성하는 물질은?

① 삼염화질소   ② 아질산염
③ 유동파라핀   ④ 과산화수소
⑤ 붕산

> **해설** 아질산염과 제2급 아민이 반응하여 발암성 물질인 N-nitrosoamine을 생성한다.

35 부패 미생물의 생육이 가능한 최저 수분활성치(Aw)의 순서가 맞게 된 것은?

① 세균 〉 곰팡이 〉 효모
② 세균 〉 효모 〉 곰팡이
③ 곰팡이 〉 효모 〉 세균
④ 효모 〉 곰팡이 〉 세균
⑤ 효모 〉 세균 〉 곰팡이

> **해설** 생육이 가능한 최저 수분활성치(Aw)의 순서 : 세균(0.96) 〉 효모(0.88) 〉 곰팡이(0.81)

36 수중 세균이 아닌 것은?

① Pseudomonas   ② Moraxella
③ Flavobacterium   ④ Acinetobacter
⑤ Bacillus

> **해설** ① 담수세균 : Pseudomonas속, Moraxella속, Flavobacterium속, Acinetobacter속, Aeromonas속 등
> ② 해수세균 : Pseudomonas속, Moraxella속, Flavobacterium속, Acinetobacter속, Vibrio속 등
> ③ Bacillus속, Clostridium속 : 토양과 공기 중에 많이 존재하는 세균이다.

37 합성수지로 제조한 용기에서 나타나는 유해한 물질은?

① 폼알데하이드   ② 불소화합물
③ 유기인   ④ 염산
⑤ 중금속

> **해설** ① 합성수지 중 열경화성 수지에는 페놀수지, 멜라민수지, 요소수지가 있는데 요소수지에는 인체에 유해한 폼알데하이드(포름알데히드)가 검출된다.
> ② 열가소성 수지 : 폴리에틸렌, 프로필, 스티렌(용출로 이취 발생)이 검출되며, 폼알데하이드는 검출이 안 된다.

38 인간이 평생 섭취해도 유해 영향이 나타나지 않을 1일당 최대허용섭취량을 나타낸 것은?

① LD_50   ② LC_50   ③ TLm
④ LT_50   ⑤ ADI

> **해설** ADI(acceptable daily intake ; 유해물질의 1일당 허용 섭취량) : 인간이 평생 섭취해도 유해 영향이 나타나지 않을 1일당 최대허용섭취량을 말하며, 사람의 체중 kg당 1일 허용섭취량을 mg으로 나타낸다(mg/kg · day).

39 밀가루 개량제는 표백과 숙성 기간을 단축시키고 제빵 효과의 저해물질을 파괴시켜 분질을 개량하는 목적으로 사용된다. 다음 중 밀가루 개량제가 **아닌** 품목은 어느 것인가?

① 과산화수소   ② 스테아릴젖산
③ 과산화벤조일   ④ 브롬산칼륨
⑤ 이산화염소

> **해설** 과산화수소 : 표백제
> ※ 브롬산칼륨 : 식품공전법에는 삭제되었으나 위생사시험에는 출제되고 있음

40 다음은 석탄산계수 설명에 대한 것이다. 옳은 것은?

> ㉮ 낮을수록 살균력이 좋다.
> ㉯ 1일 때 살균력이 좋다.
> ㉰ 0.1 이하일 때 유효
> ㉱ 1보다 높을수록 살균력이 좋다.

① ㉮, ㉯, ㉰   ② ㉮, ㉰   ③ ㉯, ㉱
④ ㉱   ⑤ ㉮, ㉯, ㉰, ㉱

---

4 공중보건학

01 질병의 원인이 무엇인지를 알기 위해서 가설을 설정하여 그 가설이 옳은지 그른지를 판정하는 역학은?

① 기술역학   ② 분석역학   ③ 이론역학
④ 실험역학   ⑤ 작전역학

> **해설** 분석역학 : 기술역학의 결과를 바탕으로 질병 발생에 대한 가설을 설정해 해답을 구하는 2단계적 역학. 질병에 대한 기왕조사(후향성 조사) · 추적조사(전향성 조사) 등을 실시한다.

02 역학적 분석에서 전향성 조사의 경우 상대 위험도의 산출 방법은?

① 폭로군의 발병률 ÷ 비폭로군의 발병률
② 폭로군의 발병률 × 비폭로군의 발병률
③ 폭로군의 발병률 − 비폭로군의 발병률
④ 비폭로군의 발병률 − 폭로군의 발병률
⑤ 비폭로군의 발병률 ÷ 폭로군의 발병률

> 해설 ① 상대(비교) 위험도 = 폭로군의 발병률 ÷ 비폭로군의 발병률
> ② 귀속(기여) 위험도 = 폭로군의 발병률 − 비폭로군의 발병률

03 역학적으로 환경적 인자와 관계없는 것은?

① 매개곤충 ② 인종 ③ 지형
④ 전파체 ⑤ 기후

> 해설 환경적 인자 : 전파체(매개곤충 ; 모기, 파리), 기후, 지형 등

04 다음 감염병 중 세균성(bacteria) 감염병으로만 엮어진 항목은?

① 백일해, 유행성 일본뇌염, 페스트
② 디프테리아, 백일해, 홍역
③ 발진티푸스, 두창, 결핵
④ 장티푸스, 파라티푸스, 콜레라
⑤ 페스트, 콜레라, 풍진

> 해설 ① 세균성 : 콜레라, 장티푸스, 파라티푸스, 백일해, 디프테리아, 결핵, 페스트 등
> ② 바이러스성 : 풍진, 홍역, 두창, 일본뇌염 등
> ③ 리케치아성 : 발진티푸스, 발진열 등

	호흡기계	소화기계	피부 점막계
세균	결핵, 디프테리아, 백일해, 성홍열, 수막구균성수막염, 폐렴, 나병	장티푸스, 파라티푸스, 콜레라, 세균성이질, 파상열	페스트, 파상풍, 매독, 임질, 야토병, 연성하감
바이러스	홍역, 두창, 유행성이하선염(볼거리), 인플루엔자, 풍진, 수두, 두창	소아마비, A형간염(유행성간염)	에이즈, 트라코마, 일본뇌염, 광견병, 황열
리케치아	Q열	Q열	발진티푸스, 발진열, 쯔쯔가무시병(양충병)
원충류		아메바성이질	말라리아

05 공중보건상 감염병(전염병) 관리 면에서 가장 중요하고 어려운 것은?

① 동물병원소 ② 보균자 ③ 음료수
④ 토양 ⑤ 환자

06 병원소로부터 병원체의 탈출 경로가 아닌 것은?

① 비뇨기계 ② 호흡기계 ③ 소화기계
④ 피부, 점막 ⑤ 순환기계

> 해설 병원소로부터 병원체의 탈출 : 호흡기계, 소화기계, 비뇨생식기계(소화기계, 성병), 개방병소(한센병, 피부병 등), 기계적 탈출(주사기에 의한 매독 · 에이즈, 모기에 의한 말라리아 등)

07 공기로 전파되는 감염병(전염병)은?

① 일본뇌염 ② 발진티푸스 ③ 디프테리아
④ 광견병 ⑤ 장티푸스

08 감염지수가 큰 것부터 차례로 나열된 것은?

① 홍역 − 백일해 − 성홍열 − 디프테리아 − 소아마비
② 홍역 − 디프테리아 − 성홍열 − 백일해 − 소아마비
③ 홍역 − 디프테리아 − 백일해 − 소아마비 − 성홍열
④ 천연두 − 홍역 − 백일해 − 소아마비 − 디프테리아
⑤ 천연두 − 백일해 − 디프테리아 − 성홍열 − 소아마비

> 해설 ① 감수성(Susceptibility) 지수 : De Rudder는 급성호흡기계 감염병에 있어서 감수성 보유자가 감염되어 발병하는 율을 %로 표시하였다.
> ② 두창 · 홍역(95%) 〉백일해(60~80%) 〉성홍열(40%) 〉디프테리아(10%) 〉소아마비(0.1%)

09 자연능동면역이 가장 강력하게 형성되는 질병은?

① 매독, 임질
② 두창, 홍역
③ 이질, 말라리아
④ 수막구균성수막염
⑤ 인플루엔자, 폐렴

> 해설 자연능동면역과 질병

면역의 종류	질병
영구면역(현성 감염 후)	홍역, 수두, 유행성이하선염, 백일해, 콜레라, 두창, 성홍열, 발진티푸스, 장티푸스, 페스트, 황열 등
영구면역(불현성 감염 후)	일본뇌염, 폴리오, 디프테리아 등
약한 면역	폐렴, 수막구균성수막염, 세균성이질
감염면역(면역 형성이 안 됨)	성병(매독, 임질), 말라리아

10 역학의 4대 현상(감염병의 유행 양식)에 속하지 않는 것은?

① 생물학적 현상 ② 지리적 현상
③ 물리적 현상 ④ 시간적 현상
⑤ 사회적 현상

> 해설 감염병의 유행 양식(역학의 4대 현상)
> ① 생물학적 현상(사람) : 연령, 성, 인종, 사회 경제적 상태, 직업에 따라 유행 양상이 다르다.
> ② 시간적 현상(시간)
> ㉮ 추세 변화 : 장기 변화로써 수십년(10년 이상) 주기로 발생 유행
> 장티푸스(30~40년), 디프테리아(20년), 독감(인플루엔자 ; 20~30년)
> ㉯ 주기적 변화(순환 변화) : 주기적 변화는 수년(10년 미만)의 단기간을 주기로 반복 유행
> 홍역(2~3년), 백일해(2~4년), 일본뇌염(3~4년)
> ㉰ 계절적 변화 : 1년 주기로 계절적 발생 및 유행(여름 − 소화기질환, 겨울 − 호흡기질환)
> ㉱ 불규칙 변화 : 외래 감염병이 국내 침입 시 돌발적 유행(수계 감염병 ; 콜레라)
> ③ 지리적 현상(장소) : 국가 간 또는 지역 간 감염병 발생 및 유행의 차이가 있다.
> 지방병적(endemic), 유행병적(epidemic), 산발적(sporadic), 범발적(pandemic ; 감염병이 다른 나라로 전파되는 것)
> ④ 사회적 현상 : 인구 밀도, 직업, 문화, 거주 등
> ※ 역학에서 직업은 생물학적 현상 또는 사회적 현상에 속한다.

11 어떤 질병이 10년을 주기로 대유행이 반복된다면 이런 변화는?

① 추세 변화 ② 순환 변화 ③ 계절적 변화
④ 단기 변화 ⑤ 불규칙 변화

12 소아에 있어서 폐결핵의 집단검진 순서는?

① 객담검사 – 간접촬영 – 직접촬영

② 투베르쿨린반응검사 – 직접촬영 – 객담검사

③ 간접촬영 – 직접촬영 – 객담검사

④ 객담검사 – 직접촬영 – 간접촬영

⑤ 투베르쿨린반응검사 – 직접촬영 – 간접촬영

해설 폐결핵 검진 순서

① 어린이 : 투베르쿨린검사 → X-ray 직접촬영 → 배양객담 검사

② 성인 : X-ray 간접촬영 → X-ray 직접촬영 → 배양객담 검사

※ 투베르쿨린검사(T-test = PPD test) : 결핵균 감염 유무 판단에 사용한다.

13 잠복기는 감염병(전염병) 관리상 어떤 목적에 이용되나?

① 건강 격리 기간 결정　　　② 감염 시간 결정

③ 감염 기간 결정　　　　　④ 보균 기간 결정

⑤ 환자 격리 기간 결정

14 다음은 사람과 동물을 함께 병원소로 하는 인축공통감염병이다. 이 중에서 가축이나 야생동물·설치류 등 다양한 병원소를 가지며 건강 보균 숙주인 들쥐의 신장·세뇨관에 무증상 감염된 후 오줌으로 배설되어 논밭에서 작업하는 농부의 상처로 침입하여 감염되는 질병은?

① 공수병　　　　　　　　② 렙토스피라증

③ 신증후군출혈열　　　　④ 탄저

⑤ 살모넬라증

해설 Leptospirosis(렙토스피라증) : 한국에서 9~10월, 습한 지역에서 소, 개, 돼지, 쥐 등에 감염되는데 특히 쥐가 중요한 병원소로써 물, 식품 등에 오염시켜 경구적 섭취 시 5~7일의 잠복기를 거쳐 오한·전율을 시작하여 두통·요통·불면·식욕 감퇴·황달을 일으키며 심장·순환기계·신장·간장장애를 일으키는 질환이다.

15 만성감염병의 역학적 특성을 잘 표현한 것은?

① 발생률은 높고 유병률은 낮다.

② 발생률과 유병률이 모두 높다.

③ 발생률은 낮고 유병률은 높다.

④ 발생률과 유병률이 모두 낮다.

⑤ 유병률은 낮고 치명률은 높다.

16 임신 초기에 이환되면 태아에게 영향을 주는 질병은?

① 디프테리아　　② 풍진　　　③ 수두

④ B형간염　　　⑤ 홍역

해설 풍진, 매독 : 태아에게 선천적 기형(농아, 심장기형 등)을 유발하며, 매독은 선천적 매독을 유발한다.

17 인구의 정태통계에 해당하는 것은?

① 질병이환율　　　　　② 감염병발생률

③ 영아사망률　　　　　④ 국세조사

⑤ 출생률

해설 인구 증가율은 인구 동태 지표이다.

인구조사에는 인구 정태조사, 인구 동태조사가 있다.

① 인구 정태조사 : 일정 시점에 있어서 일정 지역의 인구의 크기, 자연적(성별, 연령별), 사회적(국적별, 배우자별), 경제적(직업별, 산업별) 구조(구성), 분포, 밀도 등에 관한 통계

② 인구 동태조사 : 출생, 사망, 전입, 전출, 혼인, 이혼 등 인구의 변동을 중심으로 한 통계

18 대도시지역의 전형적인 인구구조는?

① 피라미드형　　② 종형　　　③ 항아리형

④ 별형　　　　　⑤ 기타형

해설 별형(星型, 성형)

① 도시형, 생산층 인구가 전체 인구의 1/2 이상인 경우

② 생산층 인구가 증가되는 형

③ 생산층 유입

19 1차 예방에 속하지 <u>않는</u> 것은?

① 보건교육·상담　　　　② 질병 예방, 건강 증진

③ 유기체의 대처 능력　　④ 불구의 기능 극대화 및 재활

⑤ 예방접종, 가족계획

해설 질병 발생 과정과 예방 조치

① Leavell과 Clark 교수의 질병의 자연사 과정을 5단계로 나눈 예방 조치는 다음과 같다.

예방 대책	예방 단계	질병의 과정	예비적 조치
1차 예방	1단계	비병원성기	적극적 예방(환경 개선, 건강 증진, 예방접종) 등
	2단계	초기병원성기	소극적 예방(특수 예방, 숙주의 면역 강화)
2차 예방	3단계	불현성감염기	중증의 예방(조기진단, 집단검진)
	4단계	발현성질환기 (임상질환기)	치료(악화 방지)
3차 예방	5단계	회복기	무능력 예방(재활, 사회생활 복귀)

이와 같이 질병의 전 과정(건강 포함) – 예방, 치료, 재활을 포함하는 포괄 보건의료가 현대적 개념의 예방 대책이다.

② 예방 대책

㉮ 1차 예방 : 예방접종, 환경위생관리, 생활 조건 개선, 보건교육, 모자보건사업 등

㉯ 2차 예방 : 질병의 조기 발견(건강진단), 감염병환자의 조기 치료, 질병의 진행을 늦추고, 후유증 방지 등

㉰ 3차 예방 : 재활치료(신체에 장애를 남긴 사람에게 물리적 치료로 신체기능을 회복), 사회생활 복귀 등

20 공중보건학의 발달 순서가 올바르게 연결된 것은?

① 고대기 – 중세기 – 여명기 – 발전기 – 확립기

② 중세기 – 여명기 – 요람기 – 발전기 – 확립기

③ 여명기 – 고대기 – 중세기 – 확립기 – 발전기

④ 여명기 – 고대기 – 요람기 – 발전기 – 확립기

⑤ 고대기 – 중세기 – 여명기 – 확립기 – 발전기

21 우리나라가 속해 있는 WHO 지역사무소와 설치된 도시는?

① 아시아 지역, 홍콩

② 서태평양 지역, 마닐라

③ 극동아시아 지역, 동경

④ 아시아 지역, 싱가폴

⑤ 동남아시아 지역, 뉴델리

해설 WHO 6개 지역 사무소

① 동지중해 지역 사무소(본부 : 이집트의 알렉산드리아)

② 동남아시아 지역 사무소(본부 : 인도의 뉴델리) – 북한

③ 서태평양 지역 사무소(본부 : 필리핀의 마닐라) – 우리나라

④ 미주(남북아메리카)지역 사무소(본부 : 미국의 워싱턴)

⑤ 유럽 지역 사무소(본부 : 덴마크의 코펜하겐)

⑥ 아프리카 지역 사무소(본부 : 콩고의 브로자빌)

22 사회보장제도의 창시자는?

① 영국의 J. Lister　　② 영국의 John Snow
③ 영국의 Chardwick　④ 독일의 Bismarck
⑤ 영국의 Snow

> **해설** Bismarck : 1883년에 법률로써 노동자 보호를 위한 질병보험법을 제정한 것을 최초의 사회보장제도로 한다.

23 공적부조와 관련된 것은?

① 생계보호　　② 국민연금　　③ 의료보험
④ 고용보험　　⑤ 산재보험

> **해설** 사회보장
> ① 사회보험 : 의료보장(의료보험, 산재보험), 소득보장(연금보험, 실업보험)
> ② 공적부조 : 생활보호, 의료보호(의료급여), 재해구호, 보훈사업
> ③ 공공복지서비스 : 아동복지, 노인복지, 장애자복지, 부녀자복지 등

24 보건교육사업을 실천하는 행정기관은?

① 한의원　　② 보건소　　③ 시청·군청
④ 개인병원　⑤ 종합병원

25 공중보건사업 수행에 있어서 가장 적절한 대상은?

① 교육 수준이 낮고 비위생적인 사람을 대상으로 한다.
② 빈민층의 저소득층을 대상으로 한다.
③ 특수 업태부를 대상으로 한다.
④ 병원에 입원하고 있는 환자를 대상으로 한다.
⑤ 지역 사회 주민 전체를 대상으로 한다.

26 다음 중 여러 사람의 전문가가 각각의 입장에서 어떤 주제에 관하여 발표한 다음 청중과 질의 토론하는 교육방법은?

① 패널디스커션　② 버즈 세션　　③ 심포지엄
④ 강연회　　　　⑤ 집단토론

> **해설** ① 심포지엄(Symposium) : 여러 사람의 전문가가 각각의 입장에서 어떤 주제에 관하여 발표한 다음 청중과 질의 토론하는 형식
> ② 패널디스커션(Panel Discussion) : 어떤 주제에 관해 몇 명의 전문가가 청중 앞 단상에서 자유롭게 토의하는 방법
> ③ 버즈 세션(Buzz Session) : 집회 참석자가 많은 경우에 전체를 몇 개의 분단으로 나누어서 토의시키고 다시 전체 회의에서 종합하는 분단토의방법(6-6 method)

27 학교보건이 중요시되어야 할 이유라고 볼 수 없는 것은?

① 교직원은 그 지역 사회의 지도적 입장에 있고 항상 보호자와 접촉하고 있다.
② 학교 인구는 지역 사회 인구의 20% 이상이라는 많은 수를 점하고 있다.
③ 학생들은 보건 교육의 대상으로써 능률적이며 학부형에게도 간접적으로 보건교육을 실시할 수 있다.
④ 학생들은 건강하기 때문에 질병에 감염될 우려가 없다.
⑤ 학교는 지역 사회의 중심체 역할을 하고 있다.

> **해설** 학교는 많은 인구가 집단생활을 하고 있으므로 질병에 감염될 염려가 있다.

28 학교 환경의 위생적 관리상 배수 및 환기에 특별히 신경을 써야 할 곳은?

① 체육실　　② 보건실　　③ 기숙사
④ 실습실　　⑤ 교실

> **해설** 실습실은 약품 및 각종 실습 재료를 사용하므로 냄새가 날 우려가 있고, 세척·실습을 할 때 물을 사용하는 경우가 많기 때문에 배수 및 환기에 신경을 써야 한다.

29 산술평균의 표준오차의 설명 중 맞는 것은?

① 산술평균의 표준분포의 분산이다.
② 산술평균의 오차이다.
③ 표본산술평균 간의 차이다.
④ 산술평균의 표본분포의 표준편차이다.
⑤ 모집단과 표본의 산술평균 간의 차이다.

30 생정통계에서 5~9세 인구란?

① 만 5세부터 만 10세 이하까지의 인구
② 만 5세부터 만 10세 미만의 인구
③ 만 4세부터 만 9세까지의 인구
④ 만 4세부터 만 10세 미만의 인구
⑤ 만 5세부터 만 9세까지의 인구

31 국가나 지역 사회의 보건 수준을 비교하는 데 사용되는 대표적인 3대 지표는?

① 신생아사망률, 비례사망지수, 평균수명
② 영아사망률, 비례사망지수, 평균수명
③ 조사망률, 비례사망지수, 평균수명
④ 영아사망률, 비례사망지수, 질병이환율
⑤ 영아사망률, 비례사망지수, 중독률

> **해설** WHO가 국가나 지역 사회의 보건 수준을 비교하는 데 사용되는 대표적인 3대 지표 : 영아사망률, 비례사망지수, 평균수명

32 비례사망지수는 인구의 연간 사망자 수에 대한 무엇을 백분율(%)로 표시한 지수인가?

① 영아 사망 수　　　② 유아 사망 수
③ 50세 이상 사망 수　④ 60세 이상 사망 수
⑤ 남자 사망 수

> **해설** 비례사망지수(P.M.I) $= \dfrac{50\text{세 이상 사망자수}}{\text{총 사망자수}} \times 100$

33 영아사망률 및 모성사망률의 분모가 되는 것은?

① 연간 사망 수　　　② 연간 출생아 수
③ 영아 수　　　　　④ 신생아 수
⑤ 모성 수

> **해설** 영아사망률 $= \dfrac{\text{연간 영아 사망자수}}{\text{연간 출생아수}} \times 1{,}000$
>
> 모성사망률 $= \dfrac{\text{그 연도의 임신·분만 및 산욕열에 의한 사망수}}{\text{어떤 연도의 출생아수}} \times 10^3 (\text{또는 } 10^5)$

34 α-index 값을 구하라.

영아 사망 : 9명, 신생아 사망 : 3명

① 1　　　　② 2　　　　③ 3
④ 4　　　　⑤ 5

> **해설** $\alpha\text{-index} = \dfrac{9}{3} = 3$

35 다음 중 영유아기부터 학령기 전까지 이용하는 신체계측 판정법은?

① 알파지수
② 비만도(%)
③ Vervaek 지수
④ Kaup 지수
⑤ 임상증상판정법

> **해설** 신체계측에 의한 판정법
> ① 영유아기부터 학령 전반기까지 : Kaup index 사용(22 이상 – 비만, 15 이하 – 마른 아이)
> ② Kaup 지수 $= \dfrac{체중(kg)}{[신장(cm)]^2} \times 10^4$

5 위생관계법령

01 제3급감염병이 아닌 것은?

① 파상풍
② 결핵, 한센병, 매독
③ 발진티푸스
④ 크로이츠펠트–야콥병
⑤ 후천성 면역결핍증(AIDS)

> **해설** 감염병예방법 제2조(정의)
> 제3급감염병 : 그 발생을 계속 감시할 필요가 있어 발생 또는 유행 시 24시간 이내에 신고하여야 하는 다음의 감염병을 말한다.
> ① 파상풍 ② B형간염 ③ C형간염
> ④ 황열 ⑤ 뎅기열 ⑥ 일본뇌염
> ⑦ 말라리아 ⑧ 레지오넬라증 ⑨ 비브리오패혈증
> ⑩ 발진티푸스 ⑪ 발진열 ⑫ 렙토스피라증
> ⑬ 신증후군출혈열 ⑭ 쯔쯔가무시증 ⑮ 브루셀라증
> ⑯ 공수병 ⑰ 후천성면역결핍증(AIDS)
> ⑱ 크로이츠펠트–야콥병(CJD) 및 변종크로이츠펠트–야콥병(vCJD)
> ⑲ 큐열(Q熱) ⑳ 웨스트나일열 ㉑ 라임병
> ㉒ 진드기매개뇌염 ㉓ 유비저(類鼻疽) ㉔ 치쿤구니야열
> ㉕ 중증열성혈소판감소증후군(SFTS)
> ㉖ 지카바이러스 감염증

02 예방접종을 받은 자에게 예방접종증명서를 발급하여야 하는 자는?

① 보건소장
② 시 · 도지사
③ 보건복지부
④ 보건복지부장관, 특별자치도지사, 시장 · 군수 · 구청장
⑤ 검역소장

> **해설** 감염병의 예방 및 관리에 관한 법률 제27조(예방접종증명서)

03 특별자치도지사 또는 시장 · 군수 · 구청장이 보건소를 이용하기 불편한 주민 등에 대한 예방접종업무를 위탁할 수 있는 의료기관으로 연결된 것은?

㉮ 종합병원 · 병원 · 의원	㉯ 한방병원
㉰ 요양병원, 보건소	㉱ 한의원

① ㉮, ㉯, ㉰
② ㉮, ㉰
③ ㉯, ㉱
④ ㉱
⑤ ㉮, ㉯, ㉰, ㉱

> **해설** 감염병의 예방 및 관리에 관한 법률 시행령 제20조(예방접종업무의 위탁)

04 소독업자는 소독업의 신고를 한 날부터 며칠 이내에 소독에 관한 교육을 받아야 하는가?

① 3개월(90일)
② 6개월(180일)
③ 1년(365일)
④ 2년(730일)
⑤ 5년(1,095일)

> **해설** 감염병의 예방 및 관리에 관한 법률 시행규칙 제41조(소독업자 등에 대한 교육) : 6개월 이내에 교육을 받아야 한다.

05 위생사가 되려는 사람은 위생사 국가시험에 합격한 후 누구의 면허를 받는가?

① 국가고시연구원장
② 행정안전부장관
③ 보건복지부장관
④ 국시원장
⑤ 국립보건원장

> **해설** 공중위생관리법 제6조의2(위생사의 면허 등)

06 다음 중 위생사 면허를 받을 수 있는 사람(또는 위생사 면허취소가 아닌 사람)은 누구인가?

① 정신질환자
② 마약류 중독자
③ 공중위생관리법을 위반하여 금고 이상의 실형을 선고받고 그 집행이 끝나지 아니 한 사람
④ 「감염병의 예방 및 관리에 관한 법률」, 「검역법」, 「식품위생법」, 「의료법」, 「약사법」, 「마약류 관리에 관한 법률」 또는 「보건범죄단속에 관한 특별조치법」을 위반하여 금고 이상의 실형을 선고받고 그 집행이 끝나지 아니 하거나 그 집행을 받지 아니 하기로 확정되지 아니 한 사람
⑤ 지체장애인, 미성년자, 알코올중독자

> **해설** 공중위생관리법 제6조의2(위생사의 면허 등)

07 위생사 시험 실시(시험 일시, 시험 과목)는 며칠 전에 공고해야 하는가?

① 10일
② 30일
③ 90일
④ 100일
⑤ 120일

> **해설** 공중위생관리법 시행령 제6조의2(위생사 국가시험의 시험방법 등) : 보건복지부장관은 시험 일시, 시험 과목 등은 90일 전에 공고하고, 시험 장소는 30일 전까지 공고할 수 있다.

08 「식품표시광고법」에서 정의하고 있는 "표시"를 바르게 표현한 것은?

① 식품 · 첨가물에 기재하는 문자
② 식품 · 첨가물 · 기구에 기재하는 문자와 숫자
③ 식품을 종합하여 나타내는 것
④ 채취 · 제조에 관한 모든 것
⑤ 식품, 첨가물, 기구, 용기 · 포장, 건강기능식품, 축산물 및 이를 넣거나 싸는 것에 적은 문자 · 숫자 또는 도형을 말한다.

> **해설** 식품표시광고법 제2조(정의) 7호

09 위해식품으로 판매가 금지된 식품이 아닌 것은 어느 것인가?

① 썩거나 상하거나 설익어서 인체의 건강을 해칠 우려가 없는 것
② 유독 · 유해물질이 들어 있거나 묻어 있는 것 또는 그러할 염려가 있는 것
③ 병을 일으키는 미생물에 오염되었거나 그러할 염려가 있어 인체의 건강을 해칠 우려가 있는 것
④ 불결하거나 다른 물질이 섞이거나 첨가된 것
⑤ 영업자가 아닌 자가 제조 · 가공 · 소분한 것

> **해설** 식품위생법 제4조(위해식품 등의 판매 등 금지) : ② · ③ · ④ · ⑤번 외
> ① 썩거나 상하거나 설익어서 인체의 건강을 해칠 우려가 있는 것
> ② 안전성 심사 대상인 농 · 축 · 수산물 등 가운데 안전성 심사를 받지 아니 하였거나 안전성 심사에서 식용으로 부적합하다고 인정된 것
> ③ 수입이 금지된 것 또는 수입신고를 하지 아니 하고 수입한 것

10 샘물등의 개발 허가의 유효 기간과 연장 기간은?

① 유효 기간 1년, 연장 기간 6개월
② 유효 기간 1년, 연장 기간 1년
③ 유효 기간 2년, 연장 기간 1년
④ 유효 기간 3년, 연장 기간 3년
⑤ 유효 기간 5년, 연장 기간 5년

🔎 **해설** 먹는물관리법 제12조(샘물등의 개발 허가의 유효 기간)
① 샘물등의 개발 허가의 유효 기간은 5년으로 한다.
② 시·도지사는 샘물등의 개발 허가를 받은 자의 신청에 의하여 유효 기간의 연장을 허가할 수 있다. 이 경우 매회의 연장 기간은 5년으로 한다.

11 먹는샘물등의 제조업을 하려는 자는 누구에게 무엇을 받아야 하는가?

① 대통령 – 허가
② 보건복지부장관 – 허가
③ 국토해양부장관 – 신고
④ 시·도지사 – 허가
⑤ 환경부장관 – 신고

🔎 **해설** 먹는물관리법 제21조(영업의 허가 등)

12 환경부장관 또는 시·도지사는 먹는물 관련 영업자에게 업무정지 또는 영업정지에 갈음하여 얼마 이하의 과징금을 부과할 수 있는가?

① 2억원
② 4천만원
③ 3천만원
④ 2천만원
⑤ 천만원

🔎 **해설** 먹는물관리법 제51조(과징금 처분)

13 먹는물의 수질기준 중 건강상 유해 영향 무기물질의 기준이 아닌 것은?

① 납
② 비소
③ 크롬
④ 카드뮴
⑤ 동

🔎 **해설** 먹는물 수질기관 및 검사 등에 관한 규칙 제2조(수질기준) [별표 1]
심미적 영향물질에 관한 기준 : 동(구리), 과망간산칼륨, pH, 염소이온 농도, 탁도, 색도, 냄새, 음이온계면활성제 등

14 질병에 걸렸거나 또는 질병에 걸려 죽은 동물에 있어서 판매할 수 있는 것은?

① 고기
② 장기
③ 뼈
④ 혈액
⑤ 가죽

🔎 **해설** 식품위생법 제5조(병든 동물 고기 등의 판매 등 금지) : ①·②·③·④번 외, 젖은 판매할 수 없다.

15 영업 질서와 선량한 풍속을 유지하기 위하여 식품접객영업자에 대하여 영업시간을 제한할 수 있는 사람은 누구인가?

① 환경부장관
② 국무총리
③ 특별자치시장·특별자치도지사·시장·군수·구청장
④ 동장
⑤ 보건복지부장관

🔎 **해설** 식품위생법 제43조(영업 제한) : 특별자치시장·특별자치도지사·시장·군수·구청장은 영업 질서와 선량한 풍속을 유지하는 데에 필요한 경우에는 영업자 중 식품접객영업자와 그 종업원에 대하여 영업시간 및 영업 행위를 제한할 수 있다.
※ "시·도지사"에서 → "특별자치시장·특별자치도지사·시장·군수·구청장"으로 개정되었음 〈개정 2019. 1. 15.〉〈시행 2019. 7. 16.〉

16 식품위생심의위원회에서 조사·심의하는 사항이 아닌 것은?

① 식중독 방지에 관한 사항
② 식품 위생에 관한 중요 사항
③ 식품 등의 기준과 규격에 관한 사항
④ 식품 등의 시험·검사
⑤ 농약·중금속 등 유독·유해물질의 잔류허용기준에 관한 사항

🔎 **해설** 식품위생법 제57조(식품위생심의위원회의 설치 등)
식품위생심의위원회에서 조사·심의하는 사항 : ①·②·③·⑤번이다.

17 다음 내용은 영업의 허가 관청에 관한 사항이다. 특별자치시장·특별자치도지사 또는 시장·군수·구청장이 허가를 하는 업종은?

① 식품조사처리업
② 식품소분업
③ 식품보존업
④ 식품운반업
⑤ 단란주점영업, 유흥주점영업

🔎 **해설** 식품위생법 시행령 제23조(허가를 받아야 하는 영업 및 허가 관청)

18 식품 등을 제조·가공하는 영업을 하는 자는 자가품질검사를 실시하여야 한다. 이때 자가품질검사에 관한 기록서 보관 기간은?

① 1년
② 2년
③ 5년
④ 10년
⑤ 15년

🔎 **해설** 식품위생법 시행규칙 제31조(자가품질검사)

19 환경부장관은 국가하수도정책의 체계적 발전을 위하여 몇 년마다 국가하수도종합계획(종합계획)을 수립하여야 하는가?

① 1년
② 2년
③ 5년
④ 10년
⑤ 20년

🔎 **해설** 하수도법 제4조(국가하수도종합계획의 수립) : 환경부장관은 10년 단위의 국가하수도종합계획을 수립하여야 한다.

20 개인하수처리시설을 운영·관리자가 해서는 안 되는 행위는?

㉠ 건물 등에서 발생하는 오수를 개인하수처리시설에 유입시키지 아니하고 배출하는 행위
㉡ 개인하수처리시설에 유입되는 오수를 최종방류구를 거치지 아니 하고 중간배출하는 행위
㉢ 건물 등에서 발생하는 오수에 물을 섞어 처리하거나 물을 섞어 배출하는 행위
㉣ 정당한 사유 없이 개인하수처리시설을 정상적으로 가동하지 아니 하여 방류수수질기준을 초과하여 배출하는 행위

① ㉠, ㉡, ㉢
② ㉠, ㉢
③ ㉡, ㉣
④ ㉣
⑤ ㉠, ㉡, ㉢, ㉣

🔎 **해설** 하수도법 제39조(개인하수처리시설의 운영·관리)

21 분뇨를 수집·운반하는 영업(분뇨수집·운반업)을 하고자 하는 자는 시설·장비 및 기술 인력 등의 요건을 갖추어 누구에게 어떻게 하여야 하는가?

① 특별자치시장·특별자치도지사·시장·군수·구청장 – 신고
② 특별자치시장·특별자치도지사·시장·군수·구청장 – 허가
③ 시·도지사 – 신고
④ 시·도지사 – 허가
⑤ 환경부장관 – 허가

🔎 **해설** 하수도법 제45조(분뇨수집·운반업 : 특별자치시장·특별자치도지사·시장·군수·구청장의 허가를 받아야 한다.

22 용어의 정의가 맞게 된 것을 고르시오.

> ㉮ "폐기물"이라 함은 쓰레기 · 연소재 · 오니 · 폐유 · 폐산 · 폐알칼리 · 동물의 사체 등으로서 사람의 생활이나 사업활동에 필요하지 아니 하게 된 물질을 말한다.
> ㉯ "지정폐기물"이라 함은 사업장폐기물 중 폐유 · 폐산 등 주변 환경을 오염시킬 수 있거나 의료폐기물 등 인체에 위해를 줄 수 있는 유해한 물질로써 대통령령이 정하는 폐기물을 말한다.
> ㉰ "의료폐기물"이란 보건 · 의료기관 동물병원 시험 · 검사기관 등에서 배출되는 폐기물 중 인체에 감염 등 위해를 줄 우려가 있는 폐기물과 인체 조직 등 적출물, 실험동물의 사체 등 보건 · 환경보호상 특별한 관리가 필요하다고 인정되는 폐기물로서 대통령령으로 정하는 폐기물을 말한다.
> ㉱ "의료폐기물"이라 함은 환경부령이 정하는 폐기물을 말한다.

① ㉮, ㉯, ㉰　　② ㉮, ㉰　　③ ㉯, ㉱
④ ㉱　　　　　　⑤ ㉮, ㉯, ㉰, ㉱

해설 폐기물관리법 제2조(정의) : 용어의 정의가 맞게 된 것은 ①번이다.
의료폐기물 : 보건 · 의료기관 동물병원 시험 · 검사기관 등에서 배출되는 폐기물 중 인체에 감염 등 위해를 줄 우려가 있는 폐기물과 인체 조직 등 적출물, 실험동물의 사체 등 보건 · 환경보호상 특별한 관리가 필요하다고 인정되는 폐기물로써 대통령령으로 정하는 폐기물을 말한다.

23 지정폐기물이 아닌 것은?

① 수소이온농도가 12 이상인 폐알칼리
② 기름 성분이 5% 이상인 폐유
③ 폐페인트 및 폐래커(폐락카)
④ 폐합성수지
⑤ 2mg/l 이상의 PCB를 함유한 액체상태 폐기물

해설 폐기물관리법 시행령 제3조(지정 폐기물의 종류) [별표 1] : 수소이온농도가 12.5 이상인 폐알칼리, 오니류(고형물 함량이 5% 이상인 것)

24 의료폐기물 용기에 표시하는 도형의 색상 중 붉은색으로 하는 폐기물은?

① 의료폐기물　　　　② 일반의료폐기물
③ 위해의료폐기물　　④ 격리의료폐기물
⑤ 재활용하는 태반

해설 폐기물관리법 시행규칙 제14조 [별표 5] (폐기물의 처리에 관한 구체적 기준 및 방법)

의료폐기물의 종류	도형 색상	
격리의료폐기물	붉은색	
위해의료폐기물(재활용하는 태반은 제외) 및 일반의료폐기물	봉투형 용기	검정색
위해의료폐기물(재활용하는 태반은 제외) 및 일반의료폐기물	상자형 용기	노란색
재활용하는 태반	녹색	

25 1일 취수 능력 300톤 이상의 샘물등을 개발하려는 자는 누구에게 허가를 받아야 하는가?

① 시장 · 군수 · 구청장　　② 시 · 도지사
③ 해양수산부장관　　　　④ 보건복지부장관
⑤ 환경부장관

해설 먹는물관리법 법 제9조(샘물 또는 염지하수의 개발 허가 등)
① 대통령령으로 정하는 규모 이상(300톤 이상)의 샘물 또는 염지하수(이하 "샘물등"이라 한다.)를 개발하려는 자는 환경부령으로 정하는 바에 따라 시 · 도지사의 허가를 받아야 한다.

제1회 실전모의고사 정답

1 환경위생학

01 ① 02 ④ 03 ④ 04 ③ 05 ⑤ 06 ⑤ 07 ⑤ 08 ① 09 ⑤ 10 ①
11 ① 12 ④ 13 ① 14 ④ 15 ① 16 ① 17 ② 18 ① 19 ② 20 ③
21 ② 22 ③ 23 ④ 24 ④ 25 ④ 26 ⑤ 27 ③ 28 ⑤ 29 ③ 30 ④
31 ④ 32 ③ 33 ④ 34 ⑤ 35 ③ 36 ③ 37 ⑤ 38 ④ 39 ⑤ 40 ④
41 ④ 42 ⑤ 43 ② 44 ① 45 ③ 46 ② 47 ① 48 ⑤ 49 ④ 50 ④

2 위생곤충학

01 ① 02 ⑤ 03 ⑤ 04 ① 05 ① 06 ④ 07 ③ 08 ③ 09 ③ 10 ①
11 ① 12 ⑤ 13 ④ 14 ③ 15 ③ 16 ③ 17 ② 18 ③ 19 ④ 20 ⑤
21 ① 22 ③ 23 ⑤ 24 ① 25 ② 26 ⑤ 27 ④ 28 ④ 29 ② 30 ①

3 식품위생학

01 ② 02 ① 03 ① 04 ④ 05 ② 06 ② 07 ① 08 ① 09 ⑤ 10 ②
11 ③ 12 ④ 13 ⑤ 14 ④ 15 ⑤ 16 ① 17 ③ 18 ④ 19 ② 20 ②
21 ④ 22 ⑤ 23 ③ 24 ① 25 ④ 26 ④ 27 ⑤ 28 ⑤ 29 ④ 30 ④
31 ④ 32 ④ 33 ⑤ 34 ② 35 ③ 36 ③ 37 ① 38 ⑤ 39 ① 40 ④

4 공중보건학

01 ② 02 ① 03 ② 04 ④ 05 ② 06 ⑤ 07 ③ 08 ① 09 ② 10 ③
11 ① 12 ② 13 ① 14 ② 15 ③ 16 ② 17 ④ 18 ④ 19 ④ 20 ⑤
21 ② 22 ③ 23 ① 24 ② 25 ⑤ 26 ③ 27 ④ 28 ④ 29 ③ 30 ②
31 ② 32 ③ 33 ② 34 ③ 35 ④

5 위생관계법령

01 ② 02 ④ 03 ② 04 ② 05 ③ 06 ⑤ 07 ③ 08 ⑤ 09 ① 10 ⑤
11 ④ 12 ① 13 ⑤ 14 ⑤ 15 ③ 16 ④ 17 ⑤ 18 ② 19 ④ 20 ⑤
21 ② 22 ① 23 ① 24 ④ 25 ②

제2회 실전모의고사

1 환경위생학

01 지하수에 속하지 <u>않는</u> 것은?

① 천층수   ② 심층수   ③ 하천수
④ 복류수   ⑤ 용천수

해설 하천 : 지표수이다

02 다음 중 다른 물에 비해 각종 미생물을 많이 함유하고 있고, 탁도가 높은 수원은?

① 지하수   ② 지표수   ③ 천층수
④ 천수   ⑤ 복류수

해설 ① 지하수 : 경도가 높고, 유기물이 적다.
　㉮ 천층수 : 소독하고 식수로 사용하여야 한다.
　㉯ 심층수 : 위생적으로 깨끗한다.
② 지표수 : 탁도·유기물·용존산소량·미생물이 많으며, 경도가 낮다.

03 다음 내용은 수원지에서부터 가정까지의 급수계통을 나타낸 것이다. 옳은 것은?

① 취수 → 도수 → 정수 → 송수 → 배수 → 급수
② 취수 → 도수 → 송수 → 정수 → 배수 → 급수
③ 취수 → 도수 → 소독 → 정수 → 배수 → 급수
④ 취수 → 송수 → 정수 → 도수 → 배수 → 급수
⑤ 취수 → 도수 → 정수 → 배수 → 송수 → 급수

04 음료수의 소독 목적은?

① 세균 발육 억제   ② 세균 분비독소 파괴
③ 모든 미생물의 사멸   ④ 대장균군 사멸
⑤ 병원균 사멸

해설 물을 살균 처리하는 것은 병균을 죽여서 수인성 감염병을 예방하는 데 있다.

05 물 $1k\ell$를 40%의 유효염소를 함유한 표백분을 사용하여 0.2ppm 농도로 염소소독할 때 필요한 표백분의 양은?

① 30mg   ② 40mg   ③ 50mg
④ 400mg   ⑤ 500mg

해설 $0.2mg/\ell \times 1,000\ell = 200mg$
$$200mg \times \frac{100}{40} = 500mg$$

06 다음 중 상수도의 약품 침전에 있어서 사용되는 응집제로 가장 적당한 것은?

① 황산동   ② 황산알루미늄
③ 활성탄   ④ 황산마그네슘
⑤ 황산망간

07 조류의 번식을 방지하기 위해 주입하는 약품은 어느 것인가?

① 명반   ② 염화제2철
③ 황산마그네슘   ④ 황산동
⑤ 황산제2철

해설 부영양화 방지 대책
① $CuSO_4$(황산동) 등의 화학약품을 살포한다.
② 활성탄, 황토 등을 주입한다.
③ 인을 사용하는 합성세제 사용을 금한다.
④ 정수장의 에너지 공급을 차단한다.
⑤ 질소, 인 등의 영양원 공급을 차단한다.
⑥ 유입 하수를 고도처리한다.

08 물속에서 DO의 농도는 온도의 하강에 따라 어떤 변화를 일으키는가?

① 변화가 없다.   ② 증가한다.
③ 감소한다.   ④ 수질에 따라 다르다.
⑤ 알 수 없다.

해설 수중 DO의 농도 증가 조건 : 온도↓, BOD↓, Cl^-↓, 유량↑, 유속↑, 난류↑, 기압(산소분압)↑ 등

09 광합성 작용으로 산소를 방출함으로써 주간에 연못이나 호수 등에 DO의 과포화 상태를 일으키는 미생물은?

① 로티퍼   ② virus   ③ 조류
④ 박테리아   ⑤ fungi

해설 조류는 광합성 작용을 하므로 DO를 과포화시킨다.

10 BOD란 무엇을 말하는가?

① 물에 함유된 유기물질이 혐기성 박테리아에 의하여 분해되는 동안 소모되는 산소량
② 물에 함유된 유기물질이 화학적으로 산화되는 데 필요한 산소량
③ 분해 가능한 유기물질이 호기성 박테리아에 의하여 분해되는 동안 소모되는 산소량
④ 물에 용존되어 있는 산소량
⑤ 물에 함유된 유기물을 응집시키는 데 필요로 하는 산소량

해설 생물화학적 산소요구량(BOD ; Biochemical Oxygen Demand) : 시료를 20℃에서 5일간 배양할 경우 호기성 미생물에 의해 유기물이 분해될 때 소모되는 산소량
① 1단계 BOD
　㉮ 탄소화합물이 산화될 때 소비되는 산소량
　㉯ 보통 20일 정도 시간이 걸린다.
② 2단계 BOD(질소 분해 BOD)
　㉮ 질소화합물이 산화될 때 소비되는 산소량
　㉯ 보통 100일 이상 시간이 소요된다.

11 음료수의 대장균군의 검출 의의는?

① 바이러스의 존재 여부를 파악하기 위하여
② 대장균 자체가 병원균이므로
③ 분변의 오염 여부를 파악하기 위하여
④ 대장균의 생존 여부로 다른 병원균의 존재 여부를 확인할 수 있으므로
⑤ 대장균의 존재는 유독물질이 없다는 것을 증명하므로

해설 대장균군의 검출 의의는 대장균의 생존 여부로 다른 병원균의 존재 여부를 확인할 수 있기 때문이다.

12 생물학적 폐수 처리에서 미생물에 의해 유기성 질소의 산화분해되는 과정이 순서대로 맞게 된 것은?

① 유기성질소 → NH_3-N → NO_2-N → NO_3-N

② 유기성질소 → NO_3-N → NO_2-N → NH_3-N

③ 유기성질소 → NO_2-N → NO_3-N → NH_3-N

④ 유기성질소 → NO_3-N → NH_3-N → NO_2-N

⑤ 유기성질소 → NH_3-N → NO_3-N → NO_2-N

🔍 **해설** 질산화반응(호기성) : 유기성질소(단백질) → NH_3-N → NO_2-N → NO_3-N

13 성층현상과 가장 관계 깊은 인자는?

① 적조현상　　② 유기물 농도　　③ 인 농도

④ 온도　　⑤ 염류 농도

🔍 **해설** 성층현상 : 호수에서는 수심에 따른 온도의 변화로 물의 밀도 차가 발생하여 표층, 변천대, 정체층 등으로 층이 발생하는데 이러한 현상을 성층현상이라 한다.
　① 겨울이나 여름에 주로 발생한다.
　② 호수나 저수지의 깊이에 따른 수질 변화
　　㉮ algae가 번식하면 주간에는 DO가 높아지고, 야간에는 호흡작용으로 DO는 낮아진다.
　　㉯ 성층현상(成層現象)의 순서 : 표수층 → 수온약층 → 심수층 → 침전물층
　　　㉠ 표수층 : 조류의 광합성 작용으로 DO 포화 및 과포화 현상이 일어난다.
　　　㉡ 수온약층(thermocline) : 호수에서 수온이 깊이에 따라 감소하는 중간 부분이다.
　　　㉢ 심수층(hypolimnion = 정체대)
　　　　ⓐ 저수지 바닥에 침전된 유기물은 혐기성 상태에서 분해되므로 수질은 악화된다.
　　　　ⓑ pH는 약산성이다.
　　　　ⓒ 용존산소는 거의 없다(무산소 상태이다).
　　　　ⓓ 이산화탄소(탄산가스)는 매우 많다.
　　　　ⓔ 황화수소가 검출된다.

14 부영양화 현상을 유발하는 원인물질은?

① 살충제

② 인산염, 질산염

③ 대장균군

④ 철, 망간

⑤ 황화수소, 염화수소

🔍 **해설** 부영양화를 일으키는 인자
　① 정체 수역에서 발생하기 쉽다.
　② 부영양화에 관계되는 오염물질 : 탄산염(100), 질산염(15 또는 16), 인산염(1) 등
　③ 부영양화의 한계 인자 : P이다.

15 생물 농축은 먹이 연쇄를 통해서 하위 영양 단계에서 상위의 영양 단계로 이동하면서 오염물질이 농축되어 가는 것을 말한다. 생물 농축이 되지 <u>않는</u> 물질은?

① Pb

② Na

③ Cd

④ PCB

⑤ Hg

🔍 **해설** ① 생물 농축이 일어나는 물질 : DDT, PCB, Hg, Cd, Pb, 방사능물질, Cr, Zn 등
　② 생물 농축이 되지 않는 물질 : 영양염류(N, P), ABS, Na 등

16 분뇨의 악취(냄새) 발생 원인이 되는 가스는 주로 무엇인가?

① CH_4과 NH_3

② CO와 CO_2

③ NH_3와 H_2S

④ CO_2와 NH_3

⑤ CH_4과 CO_2

🔍 **해설** 분뇨의 악취 발생 원인이 되는 가스 : NH_3와 H_2S

17 분뇨의 1차 처리 후 BOD가 4,000mg/l, 2차 처리율 80%일 때 방류수 기준에 맞게 희석하려면 최소한의 희석배수는?

① 40배　　② 50배　　③ 27배

④ 30배　　⑤ 20배

🔍 **해설** 분뇨의 방류수 기준은 30mg/l이다.
　4,000mg/l × (1 - 0.8) = 800mg/l
　∴ 800mg/l ÷ 30mg/l = 26.7배

18 일반적으로 실내의 이산화탄소의 상한량은 어느 정도인가?

① 0.01%　　② 0.1%　　③ 0.5%

④ 0.8%　　⑤ 0.01%

🔍 **해설** 이산화탄소의 상한량(허용량) : 0.1%(1,000ppm)

19 일반적으로 실외의 기온이라는 것은?

① 지상 1.5m에서의 건구온도

② 지상 1.5m에서의 습구온도

③ 지상 3m에서의 건·습구온도

④ 지상 2m에서의 건·습구온도

⑤ 바닥으로부터 45cm의 건구온도

20 실내의 기류를 측정하고자 할 때는 다음 중 어느 것을 쓰는가?

① 풍속계

② 카타 온도계

③ 흑구 온도계

④ Aneroid 기압계

⑤ 건구 온도계

🔍 **해설** 카타 온도계 : 일반적으로 미세한 실내 기류 측정 시 카타 온도계를 사용한다.

21 연탄가스 중 자극 증상을 나타내는 것은?

㉮ N_2	㉯ CO_2	㉰ CO	㉱ SO_2

① ㉮, ㉯, ㉰　　　② ㉮, ㉰　　　③ ㉯, ㉱

④ ㉱　　　⑤ ㉮, ㉯, ㉰, ㉱

🔍 **해설** ① SO_2 : 무색, 자극성, 액화성이 강함
　② CO : 무색, 무취

22 일교차의 설명 중에서 옳은 것은?

① 일출 30분 전의 온도와 14시경의 온도와의 차이

② 일출 2시간 전의 온도와 16시경의 온도와의 차이

③ 일교차는 산악의 분지에서는 작고 삼림 속에서는 크다.

④ 일교차는 내륙이 해양보다 작다.

⑤ 일출 30분 후의 온도와 14시경의 온도와의 차이

🔍 **해설** ① 일교차 : 일출 30분 전의 온도와 14시경의 온도와의 차이
　② 일교차는 산악의 분지에서는 크고 삼림 속에서는 작다.
　③ 일교차는 내륙이 해양보다 크다.

23 실내의 적당한 지적온도 및 습도는?

① 18±2℃, 40~70%

② 20±2℃, 30~60%

③ 20±2℃, 60~80%

④ 22±2℃, 60~80%

⑤ 16±2℃, 40~70%

🔍 **해설** 실내의 쾌적온도 및 습도 : 18±2℃, 40~70%이다.

24 인간이 순응할 수 있는 온도의 범위는 어느 정도인가?

① 5~35℃ ② 20~50℃
③ 15~40℃ ④ 10~35℃(40℃)
⑤ 40~45℃

25 기류를 측정할 때 사용하는 카타(Kata) 온도계의 상부 온도의 눈금은 얼마인가?

① 70℉ ② 85℉ ③ 90℉
④ 95℉ ⑤ 100℉

해설 카타 온도계의 눈금 : 최상 눈금 100℉, 최하 눈금 95℉

26 다음 중 자외선의 생물학적 작용이 아닌 것은?

① 비타민 D 생성작용 ② 온열작용(열선)
③ 살균작용 ④ 색소침착작용
⑤ 홍반형성작용

해설 온열작용 : 적외선이다.
① 자외선의 인체에 대한 작용
㉮ 장애 작용 : 피부의 홍반 및 색소 침착 심할 때는 부종, 수포 형성, 피부박리, 결막염(각막염증), 설안염, 피부암, 백내장 등
㉯ 긍정적인 작용 : 비타민 D의 형성으로 구루병 예방 작용, 피부결핵, 관절염의 치료 작용, 신진대사 촉진, 적혈구 생성 촉진, 혈압 강하 작용, 살균작용 등
② 가시광선의 장애 : 안구진탕증, 안정피로, 시력 저하, 작업 능률 저하 등
③ 적외선의 장애 : 피부 온도의 상승, 혈관 확장, 피부 홍반, 두통, 현기증, 열경련, 열사병, 백내장 등

27 다음 중 공기의 자정작용과 관계가 없는 것은 어느 것인가?

① 희석작용 ② 세정작용
③ 태양광선에 의한 살균작용 ④ 여과 작용
⑤ 산화작용

해설 공기의 자정작용 : 대기오염물질이 스스로 정화되어 깨끗해지는 것을 자정작용이라 하는데 자정작용 인자는 다음과 같다.
① 바람에 의한 희석작용
② 강우, 강설, 우박 등에 의한 세정작용
③ O_2(산소), O_3(오존), H_2O_2(과산화수소) 등에 의한 산화작용
④ 식물의 탄소동화작용
⑤ 자외선에 의한 살균작용
⑥ 중력에 의한 침강작용 등

28 다음 물질 중 로스앤젤레스 사건과 가장 관계가 깊은 물질은?

① SOx ② HNO_3 ③ CO
④ HF ⑤ O_3

해설 로스앤젤레스 사건의 원인물질 : 석유연소 시 발생한 올레핀계탄화수소(HC), 질소산화물(NOx) 등이 자외선과 반응하여 생성된 2차 오염물질(O_3, PAN, H_2O_2, NOCl 등)을 생성했다.

29 광화학 스모그는 자동차 등으로부터 대기 중에 배출되는 탄화수소와 ( )이 태양광선을 받아 반응한 결과로 생긴다. ( )에 알맞은 것은?

① 일산화탄소(CO) ② 질소산화물(NOx)
③ 황산화물(SOx) ④ 메탄가스(CH_4)
⑤ 산화제(Oxidant)

해설 광화학 반응을 간단히 설명하면 다음과 같다.

NOx
HC(올레핀계탄화수소) —자외선→ O_3, PAN, H_2O_2, NOCl, HCHO, PBN 등
유기물

30 폐에 침착하여 진폐증을 유발시킬 수 있는 입자의 크기는?

① 0.1μ 이하 ② 0.5~50μ ③ 0.5~5.0μ
④ 10~20μ ⑤ 20~50μ

해설 진폐증
① 원인 : 먼지의 흡인으로 발생한다. 가장 영향을 많이 미치는 입자의 크기는 0.5~5μm이다.
② 종류 : 규폐증, 탄폐증, 석면폐증, 흑연폐증, 면폐증, 농부폐증, 연초폐증 등

31 PAN(페록실아세틸나트레이트, Peroxyacetyl Nitrate)에 예민한 지표식물은 어느 것인가?

① 레몬 ② 강낭콩 ③ 무궁화
④ 담배 ⑤ 자주개나리

해설 지표식물(약한 식물) : 대기오염을 사람보다 빨리 감지하여 환경 파괴의 정도를 알리는 식물을 말한다.

대기오염물질과 지표식물

대기오염물질	지표식물
아황산가스(SO_2)	알파파(자주개나리), 참깨
불소(F) 및 불화수소(HF)	글라디올러스, 메밀
오존(O_3)	담배(연초)
페록실아세틸나트레이트(PAN)	강낭콩
염소(Cl_2)	장미

32 다음 그림은 대기 중에서 퍼져 나가는 연기의 모양을 나타낸 것이다. 강한 역전을 형성하며, 대기가 매우 안정된 상태이고, 아침과 새벽에 잘 발생하는 것은 어느 것인가?

①
②
③
④
⑤

해설 ①번 : 환상형, ②번 : 원추형, ③번 : 부채형, ④번 : 지붕형, ⑤번 : 훈증형
① 환상형(파상형 = Looping)
㉮ 대기의 상태 : 절대 불안정
㉯ 맑은 날 오후나 풍속이 매우 강하여 상·하층간에 혼합이 크게 일어날 때 발생한다.
㉰ 풍하측 지면에 심한 오염의 영향을 미친다(지표 농도 최대).
② 원추형(Conning)
㉮ 대기의 상태 : 중립 조건
㉯ 플룸의 단면도가 전형적인 가우시안 분포(Gaussian Distriution)를 이룬다.
③ 부채형(Fanning)
㉮ 대기의 상태 : 안정
㉯ 역전층 내에서 잘 발생한다.
㉰ 오염 농도 추정이 곤란하다.
㉱ 강한 역전을 형성하며, 대기가 매우 안정된 상태이고, 아침과 새벽에 잘 발생한다.
④ 상승형(지붕형 = 처마형 = Lofting) : 역전이 연기의 아래에만 존재해서 하향 방향으로 혼합이 안 되는 경우에 일어난다.
⑤ 훈증형(끌림형 = Fumigation)
㉮ 대기의 상태 : 하층이 불안정하다.
㉯ 오염물질이 지면에까지 영향을 미치면서 지표 부근을 심하게 오염시킨다.
⑥ 함정형(Trapping) : 침강역전과 복사역전이 있는 경우 양 역전층 사이에 오염물질이 배출될 때 발생한다.

33 다음 내용은 산성 강우에 대한 설명이다. ( ) 안에 적당한 말은?

> 산성 강우는 pH ( ) 이하의 강우를 말하며, 대기 중의 ( )가 강우에 포화되어 위의 산도를 지니게 된 것이다.

① 5.0, CO_2 　　　② 6.5, NO_2
③ 5.6, CO_2 　　　④ 5.0, NO_2
⑤ 4.5, SO_2

해설 산성비
① 인위적(공장, 자동차 등)으로 대기 중에 다량 방출된 황산화물(SO_x)과 질소산화물(NO_x)이 수분과 결합하여 황산(H_2SO_4)과 질산(HNO_3)으로 되고 이들이 우수에 용해되어 pH 5.6 이하의 강수가 되는 것을 산성비라 한다.
② pH 5.6은 지구상의 이산화탄소(CO_2) 약 330ppm과 평형을 이루었을 때의 산도를 나타낸 것이다.
③ 원인물질 : 황산 65%, 질산 30%, 염산 5%

34 엘니뇨에 대한 설명으로 타당하지 <u>않는</u> 것은?

① 남아메리카 페루 연안에서 형성되는 따뜻한 해류이다.
② 신의 아들이란 별칭을 가지고 있다.
③ 비교적 드물게 일어나는 현상이다.
④ 해수면의 온도가 평년보다 0.5℃ 이상 높게 6개월 이상 지속된다.
⑤ 비교적 자주 일어나는 현상이다.

해설 엘리뇨
① 엘리뇨란 적도 부근의 동태평양 수온이 서태평양 수온보다 5(6)개월 이상 0.5℃ 이상 높게 지속되는 현상을 말하며, 동태평양부터 중태평양에 이르는 광범위한 지역에서 발생한다.
② 피해 : 폭풍우와 홍수, 해일, 고온, 건조와 산불, 생태계의 변화 등 심각한 기상 재해를 발생한다.

35 폐기물 적환장에서 폐기물을 분쇄 또는 절단하는 이유가 <u>아닌</u> 것은?

① 용적의 감소 　　② 미생물의 분해 촉진
③ 분쇄 효율 증가 　④ 표면적 증가
⑤ 혼합의 용이성

해설 ① 적환장 기능 : 옮겨 하적, 분쇄 · 절단 · 압축 혼합 · 분리
② 적환장을 설치하는 이유
　㉮ 발생원과 처리장이 멀 때
　㉯ 수거 차량이 소형일 때
　㉰ 수거 형태가 압축식 수거 시스템일 때
　㉱ 주거 지역의 밀도가 낮을 때
※ 폐기물을 분쇄 또는 절단하는 것은 분쇄 효율과는 관계없다.

36 폐기물처리 시설 중 중간처리 시설이 <u>아닌</u> 것은?

① 소각 시설 　　　② 기계적 처리 시설
③ 생물학적 처리 시설 ④ 화학적 처리 시설
⑤ 매립 시설

37 폐기물 소각법의 장점이 <u>아닌</u> 것은?

① 남은 열의 회수가 가능하다.
② 시의 중심부에 설치가 가능하다.
③ 기후 영향을 거의 받지 않는다.
④ 건설비가 비싸다.
⑤ 매립에 비해 넓은 토지를 필요로 하지 않는다.

해설 ④번은 폐기물 소각법의 단점에 해당한다.

38 다음 설명 중 옳은 것은?

① 택지는 작은 언덕의 중간이 좋다.
② 지질은 침투성이 약하고 습한 곳이 좋다.
③ 지하수위가 지표면에서 근접할수록 좋다.
④ 단층 주택의 공지와 전대지와의 비가 5:10이 좋다.
⑤ 직장과 무조건 가까운 곳이 좋다.

해설 주택 부지의 조건
① 여름에는 서늘하고 겨울에는 따뜻할 수 있도록 남향이나 동남향이 좋다.
② 택지는 작은 언덕의 중간이 좋다.
③ 모래지(사적지)가 좋다.
④ 지하수위는 3m 이상의 것이 좋다.
⑤ 공해 발생이 인근에 없는 곳이 좋다.
⑥ 폐기물(진개류 등) 매립 후 30년이 경과되어야 주택지로 사용한다.
　[2011년 "법" 개정]
⑦ 단층 주택의 공지와 전대지와의 비는 3:10이 좋다.

39 창의 채광효과를 높이려면?

① 앙각 > 개각 　　　② 앙각 < 개각
③ 개각 = 앙각 　　　④ 개각과 무관하다.
⑤ 앙각과 무관하다.

해설 주택의 자연조명
① 창의방향 : 남향이 좋다.
② 창의 높이 : 채광과 환기를 위해 창문의 위치는 세로로 된 높은 창(실내가 밝다)이 좋다.
③ 창의 면적 : 바닥 면적의 1/5~1/7 이상 되는 것이 좋다.
④ 개각(가시각)과 입사각(앙각) : 개각은 4~5°, 입사각은 27~28° 정도가 좋다.
⑤ 거실의 안쪽 길이 : 바닥에서 창틀 윗부분의 1.5배 이하인 것이 좋다.
⑥ 일조 시간 : 약 6시간이 좋으나 최소한 4시간 이상은 햇빛이 비쳐야 한다.

40 여름철 냉방 시 실내 · 외 온도 차가 몇 도 이내여야 위생학적으로 적당한가?

① 1~2℃ 이내 　　② 2~4℃ 이내
③ 3~5℃ 이내 　　④ 4~6℃ 이내
⑤ 5~7℃ 이내

해설 ① 실내 · 외 온도 차가 10℃ 이상 : 냉각병을 유발한다.
② 실내 온도가 10℃ 이하 : 난방을 한다.
③ 실내 · 외 온도 차는 5~7℃ 이내가 좋다.

41 다음 사항 중 산업재해 지표와 무관한 사항은?

① 건수율 　　② 강도율 　　③ 발병률
④ 도수율 　　⑤ 중독률

해설 산업재해지수
① 건수율 : 산업재해 발생 상황을 총괄적으로 파악할 수 있는 지표이다.
$$건수율 = \frac{재해건수}{평균 \ 실근로자 \ 수} \times 10^3$$
② 도수율 : 재해 발생 상황을 파악하기 위한 표준적 지표이다.
$$도수율 = \frac{재해건수}{연근로시간 \ 수} \times 10^6 = \frac{재해건수}{연근로일 \ 수} \times 10^3$$
③ 강도율 : 재해의 상해지수
$$강도율 = \frac{손실작업일 \ 수(근로손실일 \ 수)}{연근로시간 \ 수} \times 10^3$$
④ 중독률 = $\frac{손실근로일 \ 수}{재해건수} \times 10^3$
⑤ 재해일수율 = $\frac{연재해일 \ 수}{연근로시간 \ 수} \times 100$

42 다음 중 고열 작업장에서의 만성적인 증상은?

① 열경련   ② 열사병   ③ 열쇠약
④ 열허탈   ⑤ 잠함병

> **해설** 열중증 : 고온·고습의 환경에서 작업을 할 때 발생한다.
> ① 열중증의 종류
>   ㉮ 급성열중증
>   ㉠ 열경련 : 탈수로 인한 수분 부족과 NaCl의 감소가 원인
>   ㉡ 열허탈증(열피로 = 열탈진 = 열실사) : 원인 – 순환기 이상, 혈관신경 부조화
>   ㉢ 열사병(일사병 = 울열증) : 원인 – 체온의 부조화, 뇌의 온도 상승, 중추신경장애
>   ㉯ 만성열중증 – 열쇠약증 : 고온 작업 시 비타민 B_1의 결핍
> ② 열중증의 대책
>   ㉮ 비만자, 순환기 질환자는 고온 작업 금지
>   ㉯ 휴식 시간 적정 배분
>   ㉰ 적정한 작업장 배치

43 방사선 장애에 있어 투과력의 순서는?

① α선 〉 β선 〉 γ선   ② α선 〉 γ선 〉 β선
③ β선 〉 γ선 〉 α선   ④ β선 〉 α선 〉 γ선
⑤ γ선 〉 β선 〉 α선

> **해설** ① 투과력의 크기 : γ선 〉 β선 〉 α선
> ② 살균력이 강한 순서 : γ선 〉 β선 〉 α선
> ③ 전리도의 순서 : α선 〉 β선 〉 γ선

44 다음 중 직업병의 예방 대책이 아닌 것은?

① 채용 전 신체검사   ② 정기적인 신체검사
③ 근로자의 보호구 착용   ④ 작업 환경 개선
⑤ 정기적인 예방접종

45 청력검사 시 작업성 난청을 조기 발견할 수 있는 주파수는?

① 1,000Hz   ② 2,000Hz
③ 3,000Hz   ④ 4,000Hz
⑤ 5,000Hz

> **해설** 난청을 조기에 발견할 수 있는 주파수 : 4,000Hz(C_5-dip)

46 다음 중 진동과 관련이 있는 질환은?

① C_5-dip
② 안구진탕증
③ 열중증
④ 잠함병(caisson disease)
⑤ 레이노드 현상(Raynaud's phenomenon)

> **해설** ① 국소진동 증상 : 레이노드병(Raynaud's phenomenon)
> ② 레이노드병은 손가락이 창백하고 청색으로 변하면서 통증을 느낀다.

47 소독작용에 영향을 주는 것이 아닌 것은?

① 수분   ② 시간   ③ 온도
④ 농도   ⑤ 채광

> **해설** 소독법은 물리적 소독법과 화학적 소독법으로 나누어 생각할 수 있으며 소독작용에 영향을 주는 것은 세균과의 접촉, 수분, 시간, 온도, 농도 등이 있다.

48 다음 중 소독약의 지표로 사용되는 것은?

① 생석회   ② 석탄산   ③ 크레졸
④ 알코올   ⑤ 역성비누

> **해설** 소독약의 살균력 측정
> ① 소독약의 살균력을 비교하기 위해서는 석탄산 계수(phenol coefficient)가 이용된다.
>
> 석탄산 계수 = $\dfrac{\text{소독약의 희석배수}}{\text{석탄산의 희석배수}}$
>
> ② 석탄산 계수의 특징
>   ㉮ 소독제의 살균력 지표로써 다른 소독약의 소독력을 평가하는 데 사용한다.
>   ㉯ 20℃에서 살균력을 나타낸다.
>   ㉰ 시험균은 장티푸스균과 포도상구균을 이용한다.
>   ㉱ 시험균은 5분 내 죽지 않고 10분 내 죽이는 희석배수를 말한다.
>   ㉲ 석탄산 계수가 높을수록 살균력이 좋다.

49 소독제가 갖추어야 할 조건에 해당하지 않는 것은?

① 소독력이 강할 것
② 물리·화학적으로 안정할 것
③ 인축에 해가 없을 것
④ 가격이 저렴하고 사용 방법이 간편할 것
⑤ 기름, 알코올 등에 잘 용해될 것

> **해설** ①·②·③·④번 외, 물에 잘 녹을 것, 석탄산계수가 높을 것 등

50 국제협약 내용이 맞게 된 것은?

㉮ 교토의정서 – 온실가스 배출 감축
㉯ 몬트리올 의정서 – 오존층 보호
㉰ 바젤협약 – 유해폐기물의 국가 간 이동 및 처분 규제
㉱ 람사협약(RAMSAR) – 국제적으로 중요한 습지대 보호에 관한 협약

① ㉮, ㉯, ㉰   ② ㉮, ㉰   ③ ㉯, ㉱
④ ㉱   ⑤ ㉮, ㉯, ㉰, ㉱

> **해설**
> ◆ 환경과 관련된 국제협약
> ① 1971년 람사협약(RAMSAR) : 물새 서식지로써 특히 국제적으로 중요한 습지에 관한 협약이다.
> ② 1972년 스톡홀름 선언 : 스웨덴 스톡홀름에서 열렸던 국제연합인간환경회의의 인간환경 선언을 재확인하면서 리우회의 마지막 날에 채택되었다.
> ③ 1985년 비엔나 협약 : 오존층 보호 국제협약
> ④ 1987년 몬트리올 의정서 : 오존층 보호 관련 의정서
> ⑤ 1989년 바젤협약 : 유해폐기물의 국가 간 이동 및 처분 규제에 관한 바젤협약
> ⑥ 1992년 유엔기후협약 : 기후협약은 온실기체의 국제적 기준을 설정하지 않고 각 국가의 개별적인 환경정책에 임의적으로 위임하고 있다. 2000년까지 이산화탄소 및 기타 온실기체의 인위적 배출을 1990년 수준으로 되돌리는 본 목표를 하고 있으며 온실기체 배출의 제한 조치를 각 국가에 위임함으로써, 온실기체의 규제기준이 각 국가에 따라서 다르게 되며, 이를 위반하는 경우 구체적인 조치가 없어서 규제의 정도가 훨씬 취약하였다.
> ⑦ 1997년 교토의정서 : 1997년 12월에 일본 교토에서 개최된 제3차 당사국총회에서는 2000년 이후 선진국의 온실가스 감축 목표를 주요 내용으로 하는 교토의정서를 채택하였다.
>   ㉮ 채택 배경 : 기후협약에서 온실효과기체 배출의 자발적 제한에 중점을 두게 되었으며, 협약 내용을 보완하고 구체적 감축 의무와 감축 일정을 포함하고 있는 의정서를 채택할 수 있도록 규정하고 있다. 이러한 배경에서 기후협약이 채택된 때부터 5년 후인 1997년에 교토의정서가 채택되었다.
>   ㉯ 주요 내용 : 5년 단위의 공약 기간을 정해 2008~2012년까지 36개국 선진국 배출량을 1990년 대비 5.2%까지 감축할 것을 규정하고 있다(선진국 : EU, 미국(2001년 교토의정서 탈퇴), 일본, 캐나다 등). 그 밖의 국가들(우리나라 등) 중 의무감축 대상국은 2013~2017년까지 온실가스의 배출을 감축하도록 되어 있다.
> ⑧ 파리협정
>   ㉮ 2015년 12월 12일 프랑스 파리에서 열린 제21차 유엔기후변화협(195개국 협약)
>   ㉯ 2021년 이후 적용할 새로운 기후협약
>   ㉰ 각국이 5년마다 자율적으로 목표 정해 제출, 국제법상의 구속력은 없음

2 위생곤충학

01 곤충의 말피기관에 대한 설명 중 잘못된 것은?

① 체강 내에 부유하고 있다.
② 곤충에 따라 1~150개로 차이가 있다.
③ 수가 많은 것은 길이가 길다.
④ 중장과 후장 사이에 연결되어 있다.
⑤ 탄산염, 염소, 인, 염 등의 노폐물을 여과시킨다.

해설 말피기관
① 곤충의 체내에서 생기는 탄산염, 염소, 인, 염 등 노폐물은 말피기관에서 여과되어 후장을 통해 분(糞)과 함께 배설된다.
② 말피기관의 수는 곤충의 종류에 따라 1~150개로 큰 차이를 보이나 어느 경우에도 되도록 넓은 표면적을 차지할 수 있도록 적용되어 있어서 수가 많을 때는 길이가 짧고, 적을 때는 길이가 길다.
③ 말피기관은 일정한 장소에 부착되어 있지 않고 체강 내에 떠 있으며 중장과 후장 사이에 연결되어 있다.

02 곤충을 분류할 때 계로부터 종까지 분류 시 중간단계를 순서대로 나타낸 것은?

① 문 – 강 – 목 – 과 – 속   ② 속 – 과 – 목 – 강 – 문
③ 문 – 목 – 강 – 과 – 속   ④ 문 – 과 – 강 – 목 – 속
⑤ 강 – 문 – 과 – 목 – 속

해설 분류의 단위
① 분류학상 기준 : 종(種, species)과 아종(亞種, subspecies)
② 분류의 기본이 되는 분류 계급 : 계(係, Kingdom), 문(門, Phylum), 강(綱, Class), 목(目, Order), 과(科, Family), 속(屬, Genus), 종(種, Species)의 순이다.
③ 종(種) : 곤충 분류상 가장 말단단계이다.

03 저작형 구기를 갖고 있는 곤충은?

① 이   ② 파리   ③ 바퀴
④ 벼룩   ⑤ 모기

04 유충과 성충의 서식처가 다른 것은?

① 귀뚜라미   ② 이   ③ 바퀴
④ 모기   ⑤ 빈대

해설 모기 유충은 수서생활(水棲生活)을 하며, 모기 유충을 장구벌레라 한다. 모기의 성충은 지상생활을 한다.

05 모기는 지상 몇 m 높이에서 군무를 하는가?

① 1~3m   ② 3~5m   ③ 5~9m
④ 15m   ⑤ 높이와 무관함

해설 모기의 교미 습성
① 군무는 수컷이 떼를 지어 상하로 비상운동(飛翔運動)을 하는 현상으로 20~30마리에서 수백 마리를 이룬다.
② 군무의 장소 : 지상 1~3m 높이에서 군무를 한다.
③ 암모기가 찾아올 수 있는 요인 : 움직임에서 오는 음파장
④ 정자는 수정낭에 저장되어 있다가 매 산란 시 수정된다.

06 학질모기는 어느 속에 속하는가?

① 늪모기속   ② 숲모기속
③ 얼룩날개모기속   ④ 집모기속
⑤ 왕모기속

해설 말라리아모기 : 중국얼룩날개모기(Anopheles sinensis, 학질모기)

07 모기 유충 채집 시 필요한 일반적인 도구는?

| ㉮ 가정용 국자 | ㉯ 스포이드 | ㉰ 채집병 | ㉱ 독병 |

① ㉮, ㉯, ㉰   ② ㉮, ㉰   ③ ㉯, ㉱
④ ㉱   ⑤ ㉮, ㉯, ㉰, ㉱

해설 ① 모기 유충 채집 시 필요한 일반적인 도구 : 가정용 국자로 물을 떠서 유충이 발견되면 스포이드로 채집병에 옮긴다.
② 독병 : 유문등의 한 구조이다.

08 다음 파리 중 집파리과에 속하지 않는 것은?

① 집파리   ② 큰집파리   ③ 침파리
④ 딸집파리   ⑤ 금파리

해설 ① 집파리과 : 집파리, 딸집파리(아기집파리), 큰집파리, 침파리
② 검정파리과 : 띠금파리속, 금파리속, 검정파리속 등

09 빈대에 대한 설명 중 잘못된 것은?

① 영기기마다 흡혈   ② 질병 매개
③ 5회 탈피   ④ 불완전변태
⑤ 군거성

해설 빈대와 보건 : 빈대는 사람을 흡혈하기 때문에 여러 가지 질병을 전파시키는 것으로 의심되어 왔다. 그러나 어떤 질병도 매개한다는 증거를 찾지는 못했다.

10 벼룩의 특성과 습성에 대한 설명 중 잘못된 것은?

① 자충만 흡혈
② 완전변태
③ 체장의 약 100배 정도 점프를 한다.
④ 숙주 선택성이 엄격하지 않다.
⑤ 숙주 동물의 등지에 산란한다.

해설 벼룩의 생활사 및 습성 : ②·③·④·⑤번 외
① 쥐벼룩은 사람도 흡혈한다(숙주 선택이 엄격하지 않다).
② 성충의 수명은 약 6개월이다.
③ 암수 모두 흡혈한다.
④ 흑사병균에 감염된 벼룩은 정상적인 벼룩보다 자주 흡혈한다.
⑤ 흑사병균에 감염된 벼룩은 수명이 짧다.
⑥ 숙주가 죽으면 재빨리 떨어져 다른 동물로 옮긴다.
⑦ 벼룩이 알을 낳는 장소 : 마루의 갈라진 틈, 먼지 속, 부스러기, 숙주 동물의 등지
⑧ 벼룩의 유충 : 미세한 유기물을 섭취한다.

11 다음 중 4쌍의 다리를 갖는 위생해충은?

① 이   ② 독나방   ③ 파리
④ 바퀴   ⑤ 진드기성충

해설 진드기목 : 불완전변태를 하며, 진드기 성충과 약충은 4쌍의 다리를 갖고 있다.

12 양충병(쯔쯔가무시병)의 매개체는?

① 벼룩   ② 털진드기   ③ 빈대
④ 큰진드기류   ⑤ 노린재

13 시궁쥐의 1회 평균 새끼 출산 수는?

① 8~10마리   ② 13~20마리   ③ 15마리
④ 15~20마리   ⑤ 20~25마리

해설 쥐의 새끼 수
① 생쥐 : 5.8(4~7) 마리
② 곰쥐 : 보통 6.2(4~8) 마리
③ 시궁쥐 : 평균 8~10마리

14 쥐가 간접 또는 직접적으로 옮기는 질병이 <u>아닌</u> 것은?

① B형간염, 콜레라   ② 살모넬라증
③ 유행성출혈열   ④ 흑사병
⑤ 선모충증

> **해설** ① B형간염 : 혈액, 타액, 정액, 질액에 의해 전파
> ② 콜레라 : 어패류와 관계가 있다.

15 곤충이 가해하는 방법 중 직접적인 피해를 설명한 것이다. 잘못 설명한 것은?

① 기계적 외상 또는 2차적 피부 감염 : 모기, 벼룩, 빈대, 진드기, 등에
② 인체 기생 : 옴진드기, 파리, 벌
③ 독성물질 주입 : 지네, 독나방, 벌
④ 알레르기성 질환 : 바퀴, 깔따구, 집먼지진드기
⑤ 국부적 알레르기 반응 : 모래파리, 빈대

> **해설** 직접 피해
> ① 기계적 외상 : 등에, 모기, 벼룩, 진드기 등
> ② 2차 감염 : 물린 상처에 잡균이 들어가 염증을 일으키는 것
> ③ 인체 기생 : 옴진드기, 모낭진드기, 모래벼룩, 승저증(파리) 등
> ④ 독성물질의 주입 : 지네, 벌, 독거미, 전갈 등

16 기계적 전파에 속하는 것은?

① 사상충   ② 장티푸스   ③ 재귀열
④ 옴   ⑤ 발진열

> **해설** 기계적 전파
> ① 기계적 전파란 한 장소에서 다른 장소로 운반하는 것, 병원체는 곤충의 체내에서 증식이나 발육을 하지 않는다.
> ② 위생곤충 : 집파리, 가주성바퀴 등
> ③ 질병 : 소화기질환(장티푸스, 이질, 콜레라 등), 결핵, 살모넬라증 등

17 증식형에 속하지 <u>않는</u> 것은?

① 발진열   ② 수면병   ③ 뇌염
④ 흑사병   ⑤ 재귀열

> **해설** 절지동물에 의한 생물학적 전파 양식
> ① 증식형 전파 : 곤충 체내에서 수적으로 증식한 후 전파(대개의 곤충)
>   **예** 페스트 · 발진열 – 벼룩, 일본뇌염 · 황열 · 뎅기열 – 모기, 발진티푸스 · 재귀열 – 이
> ② 발육형 전파 : 곤충 체내에서 수적 증식은 없고 단지 발육 후 전파
>   **예** 사상충증 – 모기, Loa loa(로아사상충)
> ③ 발육증식형 전파 : 곤충 체내에서 생활환의 일부를 거치며 수적 증식을 한 후 전파
>   **예** 말라리아 – 모기, 수면병(Sleeping Sickness) – 체체파리
> ④ 배설형 전파 : 곤충 체내에서 증식한 후 장관을 거쳐 배설물과 함께 배출되어 전파
>   **예** 발진티푸스 – 이, 발진열 – 벼룩, 재귀열 – 이
> ⑤ 경란형(난소 전이형) 전파 : 진드기의 난소를 통해 다음 세대까지 전달되어 전파
>   **예** 록키산홍반열, 쯔쯔가무시병(양충병), 진드기매개 재귀열

18 다음 해충 방제 방법 중 근본적이며 영구적인 방법은?

① 생물학적 방법   ② 기계적 방법
③ 환경적 방법   ④ 화학적 방법
⑤ 통합적 방법

> **해설** 매개곤충의 방제 방법
> ① 물리적 방법 : 환경 관리(환경의 물리적 변경 및 조정, 환경위생의 개선), 트랩 이용, 열, 방사선 등을 이용하는 것
> ② 화학적 방법 : 살충제, 발육억제제, 불임제, 유인제 등을 사용하는 것
> ③ 생물학적 방법 : 불임 수컷의 방산(放散), 포식동물(천적) 이용, 병원성 기생생물을 이용하는 것
> ④ 통합적 방법 : 두 가지 이상의 방제 방법을 동시에 적용하는 것

19 발육억제제의 장점은?

> ㉮ 환경오염을 시키지 않는다.
> ㉯ 살충제에 대한 내성 문제를 해결할 수 있다.
> ㉰ 포유동물에 영향이 없다.
> ㉱ 인체의 독성 문제가 없다.

① ㉮, ㉯, ㉰   ② ㉮, ㉰   ③ ㉯, ㉱
④ ㉱   ⑤ ㉮, ㉯, ㉰, ㉱

> **해설** 발육억제제 : 곤충의 발육 과정에 관여하는 호르몬의 작용을 방해하여 발육을 억제시키는 약제를 말한다. 즉, 접촉 및 섭취 시 정상적 발육이 저해되어 탈피 과정에서 치사하는 것

20 다음 중 유기염소계 살충제가 <u>아닌</u> 것은?

① dieldrin   ② permethrin
③ γ – HCH   ④ DDT
⑤ chlordane

> **해설** ① 유기염소계 살충제 : DDT(디디티, HCH(에이치씨에이치, BHC), dieldrin(디엘드린), aldrin(알드린), heptachlor(헵타크로), chlordane(크로덴), endrin(엔드린) 등
> ② 유기인계 살충제 : dichlorvos(디크로보스, DDVP), azamethiphos(아자메티포스), chlorpyrifos(크로피리포스), fenthion(펜티온), malathion(마라티온), naled(나레드), parathion(파라티온), coumaphos(크마포스), dizainon(다이아지논), dimethoate(디메토에이트), etofenprox(에토펜프록스), fenchlorphos(펜크로포스), fenitrothion(페니트로티온, Sumithion), temephos(템포스, Abate), trichlorphon(트리크로폰, Dipterexd) 등
> ③ 카바메이트계 살충제 : aldicarb(알디카브), bendiocarb(벤디오카브), carbaryl(카바릴, Sevin), propoxur(프로폭서, baygon), benfuracarb(벤퓨라카브), carbofuran(카보퓨란) 등
> ④ 피레스로이드계 살충제 : pyrethrin(피레트린), tetramethrin(테트라메트린), allethrin(알레트린), cyfluthrin(사이플루트린), barthrin(바트린), dimethrin(디메트린), permethrin(퍼메트린, EXMIN) 등
> ⑤ 효력증강제 : piperonyl butoxide(피페로닐브톡사이드, sesamin(쎄사민, sesamex(쎄사멕스)), sulfoxide(설폭사이드) 등
> ⑥ 기피제 : benzyl benzoat(벤질벤조에이트), dimethyl phtalte(DMP), ethyl hexamediol (Rutgers 612), dimethylcarbate(dimelone) 등
> ※ 명칭에서 "괄호 안의 콤마"는 "동일 명칭"을 의미함.

21 다음 살충제에서 비교적 저항성이 발달하지 <u>않은</u> 것은?

① naled   ② pyrethrin
③ malathion   ④ diazinon
⑤ fenitrothion

> **해설** pyrethrin(피레스린)
> ① 피레스린은 식물에서 추출한 것으로 속효성이며, 포유류에 저독성으로 널리 사용되고 있다.
> ② 태양광선에서 신속히 분해되어 잔효성이 없다.
> ③ 어둡고 산화 방지되는 곳에 저장한다.
> ④ 속효성이고 녹다운 효과가 큰 반면 회복률도 높다.
> ⑤ 살충력을 높이기 위해 효력증강제와 혼용한다(효력증강제인 piperonyl butoxide : 피레스린 = 10 : 1).

22 효력증강제에 대한 설명 중 틀린 것은?

① 곤충 체내에서 분비하여 무독화작용을 하는 효소를 공격한다.
② piperonyl butoxide는 효력증강제이다.
③ 살충제와 혼용 시 살충 효력이 커진다.
④ benzyl benzoate는 효력증강제이다.
⑤ 자체는 살충력이 없다.

해설 효력증강제(synergist 또는 activator, 협력제)
① 효력증강제란 자체로는 살충력이 전혀 없지만 살충제와 혼합하여 사용하면 살충제의 효능이 단독 사용 시보다 현저하게 증강되는 약제를 말한다.
② 곤충 체내에서 분비하여 무독화작용을 하는 효소를 공격한다.
③ 종류 : piperonyl butoxide(피페로닐 브톡사이드), sesamin(쎄사민), sesamex(쎄사멕스), sulfoxide(설폭사이드), DMC(디엠씨), piperonyl cyclonene(피페로닐 사이크로닌) 등
※ ④번의 벤질벤조에이트는 기피제이다.

23 benzyl benzoate는 무엇인가?
① 불임제
② 살서제
③ 유인제
④ 기피제
⑤ 살충제

24 50% HCH(BHC)유제를 물에 5%로 희석하여 100갤런을 만들어 사용하고자 한다. 이때 원제의 필요량은?
① 5갤런
② 10갤런
③ 25갤런
④ 30갤런
⑤ 35갤런

해설 $50 \times \chi = 5 \times 100$ ∴ $\chi = 10$갤런

25 다음 독성치는 흰쥐에 대한 경구독성 중앙치사량(LD_{50})이다. 방역용 살충제로서 가장 이상적인 것은?
① 맹독성 5mg/kg 이하
② 고독성 5~50mg/kg
③ 중독성 50~500mg/kg
④ 무해무독성 5,000~15,000mg/kg
⑤ 저독성 500~5,000mg/kg

해설 쥐의 급성독성에 의한 살충제 분류

독성등급	경구 LD_{50}(mg/kg)	경피 LD_{50}(mg/kg)
6 : 맹독성	<5	<20
5 : 고독성	5~50	20~200
4 : 중독성	50~500	200~1,000
3 : 저독성	500~5,000	1,000~2,000
2 : 경미독성	5,000~15,000	2,000~20,000
1 : 실질적인 무독성	>15,000	>20,000

26 가열연막은 언제 하는 것이 좋은가?
① 새벽
② 밤
③ 저녁
④ 낮
⑤ 수시로

해설 가열연무(Thermal Fogging 또는 가열연막)
① 가열연무란 살충제 용제(溶劑)를 석유 또는 경유로 희석한 용액이 400~600℃의 연소실을 통과한 공기에 밀려나가는 순간, 경유는 기화되고 경유에 용해되어 있던 살충제도 대부분 0.1~40μ(5~15μ)로 미립화되어 에어콤프레서의 힘으로 배출시키는 방법이다.
② 연무작업 : 밤 10시 후부터 새벽 해 뜨기 직전까지가 좋다.
③ 풍속 : 무풍 또는 10km/hr 이상일 때는 살포할 수 없다.
④ 분사구(노즐) : 풍향 쪽(풍향을 가로지르되) 30~40°로 하향한다.
⑤ 분사량 : 분사량은 최대한으로 증가시킨다.
⑥ 자동차 장착용 가열연무기는 평균 분사량이 시간당 40갤런(40gal/hr)이다.
※ 1gal = 3.785ℓ(미국 단위 기준), 1km² = 100ha(헥타)

27 살포방법의 기준을 지켜 잔류분무를 실시하였다. 희석농도가 5%인 경우, 원체 몇 g이 벽면에 잔류되는가?
① 1g/m²
② 2g/m²
③ 3g/m²
④ 5g/m²
⑤ 6g/m²

해설 잔류분무 시 벽면에 40cc/m²로 분무한다.
$40cc/m^2 \times \frac{5}{100} = 2cc/m^2 = 2g/m^2$
※ cc = cm³ = mℓ, cc = g(비중이 "1"일 때)

28 뇌염모기를 방제하기 위하여 축사벽에 잔류분무를 하고자 할 때 가장 알맞은 분무기의 노즐(분사구)은?
① 부채형
② 부정형
③ 원뿔형
④ 방사형
⑤ 직선형

해설 분사구(노즐)는 잔류분무의 장소에 따라 선택한다.
① 부채형 : 표면에 일정하게 약제를 분무할 때 가장 좋다.
② 직선형 : 해충(바퀴 등)이 숨어 있는 좁은 공간 깊숙이 분사할 때 사용한다.
③ 원추형 : 다목적으로 사용한다.
④ 원추 – 직선조절형 : 직선형과 원추형으로 필요에 따라 조절할 수 있는 노즐이다.

29 구서 활동은 어느 시기에 하는 것이 가장 효과적인가?
① 봄
② 가을
③ 겨울
④ 여름
⑤ 봄과 여름

해설 구서 작업은 쥐의 개체군 밀도가 낮은 겨울이 가장 효과적이고 그 다음이 여름이다.

30 만성 살서제를 사용할 때 옳지 못한 것은?
① 1회 다량 투여보다 4~5회 소량 중복 투여가 더 효과적이다.
② 장기간 사용하면 저항성이 생길 가능성이 크다.
③ 사전미끼를 4~8일간 설치해야 한다.
④ 사전미끼를 사용할 필요가 없다.
⑤ 독먹이에 대한 기피성이 없다.

해설 만성 살서제의 사용 : ① · ② · ④ · ⑤번외
① 만성 살서제는 항응혈성 살서제라는 이름으로 알려져 있다.
② 만성 살서제의 독작용
㉠ 1차적으로 혈액의 응고 요인을 방해하여 혈액응고 능력을 상실하게 한다.
㉯ 2차적으로 모세혈관을 파괴시켜 내부출혈이 계속되어 빈혈로 서서히 죽게 된다.
③ 만성살서제는 한 번 먹어서는 죽지 않는다.
④ 만성살서제는 장기간(수일간) 내버려두는 것이 좋다.
⑤ 만성살서제는 2차 독성이 거의 없다.
⑥ 사람이나 가축이 중독 시에는 비타민 K_1을 다량 투여하면 회복률이 높아서 위험도가 적다.

3 식품위생학

01 세균성 식중독 중에서 감염형이 아닌 것은?
① Salmonella 식중독
② Vibrio Parahaemolyticus
③ Cl. Welchii
④ Cl. Botulinum
⑤ 아리조나 식중독

02 신경친화성 식중독인 것은?
① 살모넬라
② 장염비브리오
③ 포도상구균
④ 보툴리즘
⑤ 프로테우스균

03 체외독소로 치명률이 가장 높고 신경 증상을 나타내는 식중독 원인균은?
① 살모넬라균
② 보툴리누스균
③ 포도상구균
④ 비브리오식중독
⑤ 대장균

04 여시니아 식중독균의 특징은?

① 그람음성의 구균
② 편모가 없다.
③ 협막을 형성한다.
④ 호기성 호흡을 한다.
⑤ 5℃ 전후에서도 증식한다.

05 식중독 발생 시 대책으로 옳지 않은 것은 어느 것인가?

① 음식을 끓여 먹는다.
② 주변 환경을 소독한다.
③ 환자의 관리에 만전을 기한다.
④ 검체 채취 및 병리학적 조사를 실시한다.
⑤ 원인 식품을 제거한다.

🔍 **해설** 식중독 발생은 식품이 원인물질이므로 주변 환경을 소독하는 것은 발생 시 대책으로 의미가 없다.

06 자연독 식중독과 병인물질과의 연결이 바르게 된 것은?

① 감자 중독 – Sepsine
② 버섯 중독 – Venerupin
③ 조개 중독 – Tetrodotoxin
④ 복어 중독 – Ergotoxin
⑤ 독미나리 중독 – Solanine

🔍 **해설** 감자의 싹 : Solanine, 감자의 부패 : Sepsine

07 다음 중 청매에 함유되어 있는 독성분은?

① muscarine
② gossypol
③ cicutoxin
④ amygdaline
⑤ ergotoxin

08 다음 중 복어의 독 tetrodotoxin이 가장 많이 있는 부위는?

① 난소(알)
② 간
③ 표피
④ 근육
⑤ 지느러미

🔍 **해설** tetrodotoxin : 복어의 난소, 고환, 간장, 피부, 창자 등에 독성분이 들어 있는데 난소(알)의 독성분이 가장 강하다.

09 복어 중독의 주증상이라고 할 수 없는 것은?

① 혀의 지각 마비
② 청색증(cyanosis)
③ 언어장애
④ 고열
⑤ 신경계 증상

🔍 **해설** 복어
① 독소 : Tetrodotoxin
② 난소(알) 독이 가장 강하다.
③ 증상 : 마비(운동마비, 지각장애, 언어장애, 호흡근 마비, 청색증)

10 다음 중 쌀에 황변미를 일으키는 미생물은 어느 것인가?

① 바이러스
② 세균류
③ 곰팡이
④ 리케치아
⑤ 원충류

11 자연독 식중독의 유독물질 연결이 틀린 것은?

① 감자 – 솔라닌
② 버섯 – 무스카린
③ 맥각 – Amygdaline
④ 목화씨 – Gossypol
⑤ 독미나리 – Cicutoxin

🔍 **해설** ① 맥각독 : 에고타민(Ergotamine), 에고톡신(Ergotoxin)
② 청매 : 아미그달린(Amygdaline)

12 다음 중 콜레라의 증상이 아닌 것은?

① 잠복기는 수 시간~5일이다
② 쌀뜨물 같은 수양변(水樣便)을 배설한다.
③ 탈수증상, 체온이 상승한다.
④ Cyanosis를 나타낸다.
⑤ 맥박이 약하다.

🔍 **해설** 콜레라 : 체온이 하강한다.

13 인축(인수)공통 감염병으로서 동물에게는 유산, 사람에게는 열병을 일으키는 질환은 어느 것인가?

① 탄저
② Q열
③ 결핵
④ 돼지단독
⑤ 파상열

14 경구감염병의 특성과 거리가 먼 것은 어느 것인가?

① 수인성 전파가 가끔 일어난다.
② 생균이 미량이라도 감염된다.
③ 잠복기가 비교적 길다.
④ 잠복기가 비교적 짧다.
⑤ 2차 감염이 드물지만 있다.

15 식품위생 정의에서 식품위생의 범위(대상)에 해당되지 않는 것은?

① 영양
② 식품
③ 첨가물
④ 기구 및 용기
⑤ 포장

🔍 **해설** ① 우리나라 식품위생법의 식품위생 정의 : 식품위생이라 함은 식품, 첨가물, 기구 또는 용기·포장을 대상으로 하는 식품에 관한 위생을 말한다.
② WHO의 식품위생 정의 : 식품위생이란 식품의 생육, 생산, 제조로부터 최종적으로 사람에게 섭취되기까지의 모든 단계에 있어서 식품의 안전성, 건전성 및 완전무결성을 확보하기 위한 모든 필요한 수단을 말한다.

16 미생물의 생육을 억제시킬 수 있는 염장법의 농도는?

① 10%
② 15%
③ 20%
④ 30%
⑤ 50%

🔍 **해설** 미생물 생육억제 방법
① 물리적 방법 : 냉장법, 건조법(수분 14% 또는 15%), 가열법, 자외선법, 방사선법 등
② 화학적 방법 : 염장법(소금 10%), 당장법(설탕 50%), 산저장법, 가스저장법 등
㉮ 산저장법 : 초산이나 젖산 이용(pH 5.0 이하)
㉯ 가스저장법 : 질소가스 이용(지질의 산화 방지), 탄산가스(쌀 등의 곡물류 보존에 이용 ; 사용 후 산미를 남기는 경우가 있음)
㉰ 기타 : 훈증·훈연법 등

17 미생물의 생육을 억제시킬 수 있는 수분 함량은?

① 10%
② 15%
③ 20%
④ 30%
⑤ 50%

18 중온균의 발육최적온도는?

① 5~15℃
② 25~40℃
③ 40~60℃
④ 70~80℃
⑤ 85~90℃

🔍 **해설** 증식온도에 따른 세균의 분류
① 저온균 : 최적온도는 10℃ 내외이고, 발육 가능한 온도는 0~20℃이다.
② 중온균 : 최적온도는 25~35℃이고 발육 가능한 온도는 20~40℃이다.
③ 고온균 : 최적온도는 60~70℃이고 발육 가능한 온도는 40~75℃이다.

19 다음 중 유지의 변패도를 측정하는 지표로 이용되지 <u>않는</u> 것은?

① 과산화물가   ② TBA가
③ carbonyl가   ④ 휘발성 염기질소량
⑤ 산가

해설 휘발성 염기질소량은 부패 판정 지표이다.

20 효소의 구성 성분은?

① 탄수화물   ② 지질   ③ 단백질
④ 무기질   ⑤ 당분

21 부패생성물에 해당되지 <u>않는</u> 것은 어느 것인가?

① methane   ② 함질소화합물
③ mercaptan   ④ lactic acid
⑤ H_2S

해설 ① 단백질의 부패에 의한 악취물질 : NH_3(암모니아), phenol(페놀), mercaptan(메르캅탄), H_2S(황화수소), indole(인돌), skatol(스카돌) 등
② lactic acid : 탄수화물 변질 시 생성

22 미생물(곰팡이)의 생육을 완전히 저지할 수 있는 수분 함량과 수분활성(Aw)은?

① 수분 함량 14% 이하, Aw 0.60
② 수분 함량 24% 이하, Aw 0.70
③ 수분 함량 34% 이하, Aw 0.85
④ 수분 함량 44% 이하, Aw 0.88
⑤ 수분 함량 54% 이하, Aw 0.95

해설 미생물의 생육을 완전히 저지할 수 있는 수분 함량은 14% 이하이고 Aw은 0.60이다.

23 다음 중 Allergy성 식중독을 일으키는 세균은?

① Proteus morganii
② Pseudomonas fluororescensi
③ Proteus vulgaris
④ Proteus rettgeri
⑤ Serratia marcescens

해설 ① Proteus morganii는 histidine decarboxylase를 가지고 있어 histidine을 분해시켜 histamine을 축적한다.
② Proteus morganii가 축적시킨 histamine은 Allergy성 식중독을 유발시킨다.

24 Asp. flavus가 생성하는 독소는?

① Aflatoxin   ② muscarine
③ solanine   ④ cicutoxin
⑤ gossypol

해설 ① Aspergillus flavus는 Aflatoxin(아플라톡신 ; 발암물질)이라는 독소를 생성한다.
② Aflatoxin 생성균주 : Aspergillus flavus, Aspergillus parasiticus
③ 독버섯 : 무스카린(muscarine)
④ 감자 : 솔라닌(solanine)
⑤ 독미나리 : 시큐톡신(cicutoxin)
⑥ 면실유 : 고시폴(gossypol)
⑦ 청매 : 아미그달린(amygdaline)

25 음료수에서 대장균군을 검사하는 이유는?

① 바이러스의 존재 여부를 파악하기 위하여
② 대장균 자체가 병원균이므로
③ 분변의 오염 여부를 파악하기 위하여
④ 대장균의 생존 여부로 다른 병원균의 존재 여부를 확인할 수 있으므로
⑤ 대장균의 존재는 유독물질이 없다는 것을 증명하므로

해설 대장균군의 검출 의의는 대장균의 생존 여부로 다른 병원균의 존재 여부를 확인할 수 있기 때문이다.

26 간디스토마의 제1중간숙주와 제2중간숙주는?

① 왜우렁이, 붕어   ② 게, 잉어
③ 다슬기, 가재   ④ 물벼룩, 왜우렁이
⑤ 돼지, 소

해설 기생충의 중간숙주는 다음과 같다.
① 간디스토마(간흡충) : 제1중간숙주 → 왜우렁이, 제2중간숙주 → 민물고기(붕어, 잉어, 모래무지 · 참게)
② 폐디스토마(폐흡충) : 제1중간숙주 → 다슬기, 제2중간숙주 → 가재 · 게 · 참게
③ 광절열두조충 : 제1중간숙주 → 물벼룩, 제2중간숙주 → 민물고기(농어, 연어, 숭어)
④ 아니사키스 : 제1중간숙주 → 갑각류(크릴새우), 제2중간숙주 → 바다생선(고등어, 대구, 오징어)
⑤ 요코가와흡충 : 제1중간숙주 → 다슬기, 제2중간숙주 → 담수어(붕어, 은어 등)
⑥ 무구조충(민촌충) : 소
⑦ 유구조충(갈고리촌충), 선모충 : 돼지

27 환경오염 물질의 농도가 높은 먹이를 먹게 되는 고등동물은?

① 사슴   ② 소   ③ 염소
④ 돼지   ⑤ 독수리

해설 독수리는 육식동물이므로 식물을 섭취하는 동물보다 오염물질농도가 높은 먹이를 먹게 된다.

28 농약을 함유한 식품을 사람이 평생 매일 섭취 해도 아무런 지장이 <u>없는</u> 양을 무엇이라 하는가?

① 1일 섭취 허용량   ② 1개월 섭취량
③ 최소 무작용량   ④ 평생 허용량
⑤ 영구적인 허용량

29 일본에서 미강유(米糠油)에 의한 중독 사건이 있었다. 원인물질은?

① 유기수은   ② PCB   ③ 카드뮴
④ 잔류농약   ⑤ 니트로조아민

30 우유의 유통 과정 중 이상적인 온도는?

① 0℃ 이하   ② 0~10℃ 이하   ③ 10℃ 이상
④ 10~15℃   ⑤ 20℃ 이하

해설 유통 기간 중 우유의 보관 온도 : 0~10℃로 냉장 보관

31 부패한 감자에서 생성되는 독성물질은?

① solanine   ② sepsine   ③ gossypol
④ amygdaline   ⑤ cicutoxin

32 식품의 변질 중 산패 현상이란?

① 단백질의 부패   ② 지방의 산화   ③ 비타민의 산화
④ 탄수화물의 산화   ⑤ 무기질의 산화

33 합성수지로 제조한 식기에서 용해 생성되는 유해물질은?

① Formaldehyde   ② Methanol
③ Aflatoxin   ④ muscarine
⑤ Acetic acid

> 해설 ① 합성수지 중 열경화성 수지에는 페놀수지, 멜라민수지, 요소수지가 있는데 요소수지에는 폼알데하이드(포름알데히드)가 검출된다.
> ② 열가소성 수지 : 폴리에틸렌, 프로필, 스티렌(용출로 이취 발생)이 검출되며, 폼알데하이드는 검출이 안 된다.

34 쌍구균으로서 가장 많이 걸리는 성병은?

① 임질   ② 에이즈   ③ 장티푸스
④ 세균성이질   ⑤ 트라코마

> 해설 임질의 특징
> ① 능동·피동 면역방법은 모두 없다.
> ② 그람음성의 쌍구균이다.
> ③ 이환 후 면역이 형성되지 않는다.
> ④ 배양 온도는 36℃로 24시간 배양한다.
> ⑤ 생식기를 침입하여 불임증이 될 수 있다.

35 슈도모나스에 관한 특징과 관계가 없는 것은?

① 저온에서 번식한다. 따라서 어류에 우점종으로 나타난다(수생세균의 주체가 된다).
② 단백질, 유지의 분해력이 강하다.
③ 방부제에 대하여 저항성이 강하다.
④ 어류, 육류, 우유, 달걀, 야채 등의 부패세균이다.
⑤ 대기오염균이다.

> 해설 Pseudomonas속 : ①·②·③·④번 외
> ① 그람음성, 무아포성, 편모를 가진 간균이다.
> ② 황록색의 색소를 생산하기도 한다.
> ③ 20~30℃에서 자라는 균이 많다.
> ④ 증식 속도가 빠르다.

36 중온균의 발육최적온도는?

① 5~15℃   ② 25~40℃   ③ 40~60℃
④ 70~80℃   ⑤ 85~90℃

> 해설 증식온도에 따른 세균의 분류
> ① 저온균 : 최적온도는 10℃ 내외이고, 발육 가능한 온도는 0~20℃ 이다.
> ② 중온균 : 최적온도는 25~35℃이고, 발육 가능한 온도는 20~40℃ 이다.
> ③ 고온균 : 최적온도는 60~70℃이고, 발육 가능한 온도는 40~75℃ 이다.

37 Tar 색소 알루미늄레이크가 갖는 장점은?

① 독성 감소   ② 경제적
③ 취급 용이   ④ 분석 용이
⑤ 내광성, 내열성 증대

> 해설 식용 tar 색소 알루미늄레이크
> ① 색소와 특수 알루미늄염이 결합된 분말이다.
> ② 내광성, 내열성이 좋다.

38 채소류 음료에 쓰이는 보존료는 어느 것인가?

① 안식향산나트륨   ② 염산
③ DHA   ④ 소르빈산
⑤ 프로피온산

> 해설 ① 안식향산나트륨 : 과실·채소음료 및 간장에 사용한다.
> ② 프로피온산 : 빵, 생과자에 사용한다.
> ③ 소르빈산 : 식육, 된장, 고추장, 케첩 등에 사용한다.

39 빵의 팽창제는 어느 것인가?

① 명반, 소명반, 염화알루미늄
② 몰포린지방산염
③ D-소르비톨
④ 초산비닐수지
⑤ 안식향산

40 식품첨가물 중 산미료가 아닌 것은?

① 초산   ② 구연산
③ 젖산   ④ 아스파탐
⑤ 탄산가스(이산화탄소)

> 해설 허용 산미료 : 초산, 빙초산, 구연산(무수), 구연산(결정), D-주석산, DL-주석산, 글루코노텔타락톤, 젖산, 푸말산, 푸말산 1 나트륨, DL-사과산, 이디핀산, 탄산가스(이산화탄소)

4 공중보건학

01 역학조사에서 어떤 사실에 대해 계획적 조사를 실시하는 1단계 역학은?

① 기술역학   ② 분석역학
③ 이론역학   ④ 실험역학(임상역학)
⑤ 작전역학

> 해설 기술역학 : 인간을 대상으로 질병의 발생 분포·경향 등을 파악하는 1단계적 역학, 사실을 그대로 기록(인적, 지역, 시간)하여 상황을 파악한다.

02 전향성 조사의 장점이라 할 수 있는 것은?

① 대상자가 많이 탈락한다.
② 위험도(Risk)의 산출이 가능하다.
③ 장기간의 관찰이 필요하다.
④ 후향성 조사에 비해서 노력이 많이 든다.
⑤ 조사경비가 많이 든다.

> 해설 전향성 조사(코호트 조사)
> ① 장점 : 흔한 병(폐암)에 적합, 객관적(편견이 적다.), 위험도 산출이 가능하다.
> ② 단점 : 조사경비가 많이 들고, 장기간의 관찰이 필요하며, 조사 노력이 많이 들고, 탈락률이 높다.

03 질병 발생의 3대 요소로 바르게 짝지어진 것은?

① 숙주, 환경, 감염   ② 병인, 숙주, 환경
③ 병인, 환경, 소질   ④ 병인, 숙주, 유전
⑤ 환경, 소질, 감수성

> 해설 ① 질병(역학)의 3대 요인 : 병인(병원체), 숙주, 환경이다.
> ② 질병의 3대 요인 중 매개곤충(파리, 모기)은 환경인자에 속한다.

04 잠복기(incubation period)를 가장 잘 설명한 것은?

① 병원체가 인체에 침입하여 감염력이 가장 클 때까지의 기간
② 병원체가 인체에 침입 후 임상적으로 타각 증상이 발현되기까지의 기간
③ 병원체가 인체에 침입 후 임상적으로 자각 및 타각 증상이 발현되기까지의 기간
④ 병원체가 인체에 침입 후 다른 숙주에 감염이환되기까지의 기간
⑤ 병원체가 인체에 침입 후 임상적으로 자각 증상이 발현되기까지의 기간

> 해설 ③번 : 잠복기, ①번 : 세대 기간

05 다음 중 병원소가 <u>아닌</u> 것은?

① 환자   ② 건강보균자   ③ 불현성환자
④ 식품   ⑤ 동물

> 해설   병원소 : 사람(환자, 보균자), 동물(개, 소, 돼지), 토양(오염된 토양)
> ※ 개달물, 식품은 병원소가 아님

06 병원체의 인체 침입로가 <u>아닌</u> 것은?

① 기계적 침입   ② 경피 침입
③ 경구적 침입   ④ 호흡기계 침입
⑤ 신경계 침입

> 해설   병원소로부터 병원체의 탈출과 침입로는 일치해야 감염이 된다.

07 비말감염이 이루어지지 <u>않는</u> 감염병은?

① 유행성이하선염   ② 성홍열
③ A형간염   ④ 홍역
⑤ 디프테리아

> 해설   침입구별 감염병의 종류
> ① 호흡기(비말감염, 공기전파) : 디프테리아, 백일해, 성홍열, 유행성
> 이하선염, 홍역, 인플루엔자(독감), 풍진, 수막구균성수막염, 한센
> 병(나병), 결핵, 두창, 감기, 폐렴, 수두 등
> ② 소화기 : 파라티푸스, 장티푸스, 세균성이질, 콜레라, 파상열, 폴리
> 오, A형간염(유행성간염), 살모넬라 등
> ③ 점막피부 : 옴, 유행성결막염, 페스트, 발진티푸스, 야토병, 일본뇌
> 염, 파상풍, 트라코마 등
> ④ 성기점막 : 매독, 임질, 연성하감 등

08 접촉지수가 틀리게 짝지어진 것은?

① 두창 : 95%   ② 백일해 : 60~80%
③ 디프테리아 : 10%   ④ 홍역 : 5%
⑤ 폴리오 : 0.1%

09 다음 중 병후면역이 형성되지 <u>않는</u> 것은?

① 임질   ② 장티푸스   ③ 폐렴
④ 와일씨병   ⑤ 세균성이질

10 인공능동면역으로 생균백신을 이용하는 감염병은?

① 홍역   ② 디프테리아   ③ 백일해
④ 일본뇌염(salk)   ⑤ 콜레라

> 해설   인공능동면역 방법과 질병

방법	질병
생균백신 (Live Vaccine)	두창, 탄저, 광견병, 결핵, 폴리오, 홍역, 황열, 수두, 일본뇌염 등
사균백신 (Killed Vaccine)	장티푸스, 파라티푸스, 콜레라, 백일해, 일본뇌염, 폴리오, A형간염, B형간염 등
순화독소 (Toxoid)	디프테리아, 파상풍

> ※ 생균(sabin), 사균(salk), 백신(왁친)

11 3~4년을 주기로 발생하는 백일해, 홍역은 질병 발생의 시간적 특성으로 구분하면 어떻게 분류되는가?

① 추세 변화   ② 불시 변화   ③ 주기적 변화
④ 계절적 변화   ⑤ 불규칙 변화

> 해설   ① 추세 변화(장기 변화) : 10년 이상 주기로 발생(장티푸스, 디프테리
> 아, 인플루엔자)
> ② 주기적 변화(순환 변화) : 3~4년 주기로 발생(홍역, 백일해, 일본
> 뇌염)

12 BCG에 대한 설명이다. 맞는 것 모두를 고르시오.

> ㉮ 결핵 예방약이다.
> ㉯ 결핵 생균제이다.
> ㉰ PPD 음성자에게 접종한다.
> ㉱ 결핵 감염 여부 판단 약이다.

① ㉮, ㉯, ㉰   ② ㉮, ㉰   ③ ㉯, ㉱
④ ㉱   ⑤ ㉯, ㉰, ㉱

> 해설   ㉮ · ㉯ · ㉰번은 BCG에 대한 설명이다. 101-15
>
> ❖ "K형의 문제"란 "보기"가 다음과 같이 된 것을 말한다.
> ① ㉮, ㉯, ㉰   ② ㉮, ㉰   ③ ㉯, ㉱
> ④ ㉱   ⑤ ㉮, ㉯, ㉰, ㉱

13 검역법에 규정된 검역감염병인 것은?

① 황열, 말라리아, 콜레라
② 페스트, 장티푸스, 파라티푸스
③ 콜레라, 페스트, 두창
④ 황열, 샤스, 동물인플루엔자, 신종인플루엔자, 메르스
⑤ 세균성이질, 메르스

> 해설   검역감염병의 최대잠복기간
> ① 콜레라 : 5일
> ② 페스트 : 6일
> ③ 황열 : 6일
> ④ 중증급성호흡기증후군(SARS) : 10일
> ⑤ 동물인플루엔자 인체감염증 : 10일
> ⑥ 중동호흡기증후군(MERS, 메르스) : 14일
> ⑦ 에볼라바이러스병 : 21일
> ⑧ 신종인플루엔자 : 최대 잠복기까지

14 호흡기계 질환의 이상적인 관리방법은?

① 보균자 관리   ② 접촉자 색출
③ 예방접종 실시   ④ 발병 시 치료
⑤ 환경위생 철저

> 해설   ① 호흡기 감염병 예방 : 예방접종
> ② 소화기계 감염병 예방 : 환경위생 철저
> ③ 성병 질환의 이상적인 관리 예방 : 접촉자 색출 및 보건교육

15 다음 중 현성감염보다 불현성감염이 더 많은 것으로 알려진 질병은?

① 말라리아   ② 공수병
③ 디프테리아   ④ 홍역
⑤ 일본뇌염

> 해설   일본뇌염의 현성감염 : 불현성감염 = 1:100(또는 500)

16 급성감염병의 역학적 특성을 잘 표현한 것은?

① 발생률은 높고 유병률은 낮다.
② 발생률과 유병률이 모두 높다.
③ 낮다.
④ 발생률은 낮고 유병률은 높다.
⑤ 발생률과 유병률이 같다.

> 해설   ① 급성 감염병(전염병) : 발생률은 높고 유병률은 낮다.
> ② 만성 감염병(전염병) : 발생률은 낮고 유병률은 높다.
> ③ 이환 기간이 짧은 질병(사망이 거의 없고, 기간이 1년일 때) : 발생률
> 과 유병률이 거의 같다.

17 흡연자에게서 발생할 수 있는 암은?

> ㉮ 폐암　　㉯ 후두암　　㉰ 식도암　　㉱ 위암

① ㉮, ㉯, ㉰　　　② ㉮, ㉰　　　③ ㉯, ㉱
④ ㉱　　　　　　　⑤ ㉯, ㉰, ㉱

🔎 해설 흡연자에게서는 모든 암에 걸릴 확률이 높다.
식도암(4.4배), 폐암(8.8배), 후두암(3배), 방광암, 췌장암, 위암 등

18 다음은 맬더스에 의한 인구 증가 억제 요소이다. 틀린 것은?

① 빈곤　　　　② 피임　　　　③ 만혼
④ 금욕주의　　⑤ 도덕적 억제

🔎 해설 인구의 규제방법
① Malthus : 도덕적 억제(성순결, 만혼주의), 빈곤 등
② Francis Place : 피임에 의한 산아조절을 주장한 신맬더스주의의 인구학자이다.

19 C. P. Blacker는 인구성장을 몇 단계로 나누었는가?

① 1단계　　　② 2단계　　　③ 3단계
④ 4단계　　　⑤ 5단계

🔎 해설 C. P. Blacker가 분류한 인구성장 5단계
① 제1단계(고위정지기) : 고출생·고사망률인 인구 정지형 – 아프리카 지역의후진국형 인구
② 제2단계(초기확장기) : 고출생·저사망률인 인구 증가형 – 경제개발 초기 단계의 인구
③ 제3단계(후기확장기) : 저출생·저사망률인 인구성장둔화형 – 한국, 중미지역 국가
④ 제4단계(저위정지기) : 출생률이 사망률보다 최저로 인구성장정지형 – 일본, 미국 등 선진국형의 인구
⑤ 제5단계(감퇴기) : 출생률이 사망률보다 낮아져 인구 감소경향형 – 스웨덴, 유럽, 호주, 뉴질랜드

20 인구 증가란?

① 자연 증가　　　　　　② 사회 증가
③ 인구의 이동　　　　　④ 베이비 붐
⑤ 자연 증가(출생 – 사망) + 사회 증가(유입 – 유출)

🔎 해설 인구 증가 = 자연 증가(출생 – 사망) + 사회 증가(전입 – 전출)

21 인구의 구성에 관한 설명이다. 맞는 것은?

> ㉮ 피라미드형 – 출생률은 높고 사망률이 낮은 형, 14세 이하가 50세 이상 인구의 2배 이상, 인구 증가형
> ㉯ 종형 – 출생률과 사망률이 모두 낮은 형, 14세 이하가 50세 이상 인구의 2배 정도, 인구 정지형
> ㉰ 항아리형 – 출생률이 사망률보다 더 낮은 형, 14세 이하가 50세 이상의 2배 이하, 인구감퇴형
> ㉱ 별형(성형) – 도시형, 생산층 인구가 전체 인구의 1/2 이상인 경우, 생산층 유입

① ㉮, ㉯, ㉰　　　② ㉮, ㉰　　　③ ㉯, ㉱
④ ㉱　　　　　　　⑤ ㉯, ㉰, ㉱

🔎 해설 인구의 구성 : ⑤번 외, 기타형(호로형, 표주박형) – 농촌형, 생산층 인구가 전체 인구의 1/2 미만인경우, 생산층 유출

22 제2차 성비란 다음 중 어느 것인가?

① 혼령기 성비　　　② 출생 전 성비
③ 노인의 성비　　　④ 사망 시
⑤ 출생 시 성비

🔎 해설 성비 : 1차성비(태아의 성비, 출생 전 성비), 2차성비(출생 시의 성비), 3차성비(현재의 성비)

23 공중보건의 정의에 포함된 내용이라고 볼 수 없는 것은?

① 질병의 예방　　　　② 정신적 효율 증진
③ 신체의 질병 치료　　④ 수명의 연장
⑤ 지역 사회의 공동 노력

🔎 해설 공중보건의 목적(3대 요소) : 질병 예방, 수명 연장, 건강 증진

24 다음 중 3차 보건의료에 관한 것은?

① 환경 관리　　　　② 급성감염병 관리
③ 노인건강관리　　④ 모자보건사업
⑤ 예방접종

🔎 해설 보건의료
① 1차 보건의료 : 예방접종사업, 식수위생관리사업, 모자보건사업, 영양개선사업, 풍토병관리사업, 통상 질병의 일상적 치료사업 등을 말한다.
② 2차 보건의료 : 2차 보건의료사업은 주로 응급처치를 요하는 질병이나 급성 질환의 관리사업과 병원에 입원 치료를 받아야 하는 환자관리사업이다.
③ 3차 보건의료 : 재활을 요하는 환자, 노인의 간호 등 장기 요양이나 만성질환자의 관리사업이다. 3차 보건의료는 노령화 사회에서 노인성 질환의 관리에 큰 기여를 하고 있다.

25 보건행정의 발전단계 중 여명기에 속하는 단계는?

① 고대기　　　② 중세기　　　③ 요람기
④ 확립기　　　⑤ 발전기

🔎 해설 고대기 → 중세기 → 여명기(요람기, 산업혁명시대) → 확립기 → 발전기
　　　(고대)　　(중세)　　　　　　　　(근세)　　　　　　(근대)　　(현대)

26 우리나라는 세계보건기구에 언제 몇 번째로 가입하였는가?

① 1946년, 50번째　　　② 1948년, 65번째
③ 1949년, 65번째　　　④ 1950년, 70번째
⑤ 1952년, 75번째

🔎 해설 ① 세계보건기구는 1948년 4월 7일 발족, 본부는 스위스 제네바
② 우리나라는 1949년 8월 17일에 65번째 회원국으로 가입

27 공적부조의 소요자금이 되는 것은?

① 재단운영수익금　　　② 보험료와 일반재정수입
③ 보험료　　　　　　　④ 일반재정수입(조세)
⑤ 기부금

🔎 해설 공적부조의 자금은 ④번이고, 의료보험(건강보험)의 자금은 ②번이다.

28 다음 연결 중 옳지 않은 것은?

① 감염병 관장 – 질병관리청
② 학교보건 관장 – 교육부
③ 직업병 관장 – 고용노동부
④ 상하수도건설 – 국토교통부
⑤ 환경정책 관장 – 보건복지부

🔎 해설 환경정책 : 환경부

29 다음 중 집단 접촉 교육방법이 아닌 것은?

① 강습회　　② 심포지엄　　③ 진찰
④ 부녀회　　⑤ 집단토론

🔎 해설 집단 접촉 교육방법 : 패널디스커션, 심포지엄(6-6법), 강습회, 부녀회, 청년회, 전람회, 반상회, 견학 등

30 보건교육방법 중 가장 효과적이고 중요한 것은?

① 가정보건교육　　　　② 의료인교육

③ 대중교육　　　　　　④ 학교보건교육

⑤ 보건소 직원교육

> **해설** 보건교육은 가정보건교육, 학교보건교육, 지역 사회 보건교육 및 전문적 보건교육으로 분류할 수 있는데, 공중보건학적 효과로 볼 때 학교보건교육이 가장 많은 효과를 가져올 수 있다.

31 측정값의 산술평균 둘레에 분포되는 분포 상태를 표시하는 산포성은?

① 분산　　　　② 조화평균　　　　③ 중간값

④ 최빈값　　　⑤ 범위

> **해설** 분산이란 한 변수의 측정값들이 이들 산술평균 둘레에 평균 얼마나 떨어져 있는가를 표시하는 값이다.

32 다음 중 신생아를 뜻하는 것은?

① 출생 후 1주 이내의 어린이

② 출생 후 4주 이내의 어린이

③ 출생 후 1년 이내의 어린이

④ 출생 후 6년 이내의 어린이

⑤ 출생 후 7년 이내의 어린이

> **해설** ① 초생아 : 생후 1주일까지
> ② 신생아 : 생후 1개월(4주)까지
> ③ 영아 : 생후 1년까지
> ④ 유아 : 생후 6년까지

33 지역 사회 보건 수준을 평가하기 위한 가장 대표적인 지표는?

① 질병유병률　　　　② 모성사망률

③ 영아사망률　　　　④ 평균수명

⑤ 조사망률

> **해설** 영아사망률 : 어느 국가나 지역 사회의 보건 수준을 나타내는 가장 대표적인 보건지표이다.

34 보건 통계에서 α-Index란?

① 출생 수 – 사망 수

② 영아 사망 수 / 신생아 사망 수

③ 신생아 사망 수 – 영아 사망 수

④ 출생 수 사망 수 × 100

⑤ 만 1세 미만 남아 수 ÷ 만 1세 미만 여아 수

> **해설** 알파지수(α-index) = $\dfrac{영아 사망수(율)}{신생아 사망수(율)}$

35 어떤 사람의 체중이 120kg, 신장이 2m일 때, 체질량지수(BMI)로 판단한 비만 정도는 어떻게 되는가?

① 저체중　　　② 정상체중　　　③ 과체중

④ 비만　　　　⑤ 보통

> **해설** BMI 수치에 따른 체질량지수 및 비만 관련 질환 위험도
>
> | 분류 | BMI(kg/m²) | 비만 관련 질환의 위험 |
> |---|---|---|
> | 저체중 | 〈 18.5 | 낮음 |
> | 정상체중 | 18.5~22.9 | 보통 |
> | 과체중 | ≥ 23 | – |
> | 위험체중 | 23.0~24.9 | 위험 증가 |
> | 비만 Ⅰ단계 | 25.0~29.9 | 중등도 위험 |
> | 비만 Ⅱ단계 | 〉 30.0 | 고도 위험 |
> | 비만 Ⅲ단계 | ≤ 40.0 | 극심한 위험 |
>
> ※ 비만 시 관련 질병 : 당뇨병, 심장질환, 심혈관계질환, 고혈압 등

5　위생관계법령

01 위생사의 업무범위에 해당하는 것은?

> ㉮ 공중위생영업소, 공중이용시설 및 위생용품의 위생관리
> ㉯ 음료수의 처리 및 위생관리, 쓰레기, 분뇨, 하수, 그 밖의 폐기물의 처리
> ㉰ 식품·식품첨가물과 이에 관련된 기구·용기 및 포장의 제조와 가공에 관한 위생관리
> ㉱ 유해곤충·설치류 및 매개체 관리, 소독업무, 보건관리업무

① ㉮, ㉯, ㉰　　② ㉮, ㉰　　③ ㉯, ㉱

④ ㉱　　　　　⑤ ㉮, ㉯, ㉰, ㉱

> **해설** 공중위생관리법 시행령 제6조의3(위생사의 업무)

02 위생사 국가시험에 응시한 자가 부정행위를 한 경우 처벌은 어떻게 되는가?

① 그 시험을 정지시키거나 합격을 무효로 한다.

② 그 시험 후 5회 동안 응시할 수 없다.

③ 해당 시험만 무효로 한다.

④ 영원히 위생사 시험에 응시할 수 없다.

⑤ 그 후 10회 동안 모든 국가시험에 응시할 수 없다.

> **해설** 공중위생관리법 제6조의2(위생사의 면허 등)

03 위생사 국가시험은 누가 실시하는가?

① 국무총리　　　　② 보건복지부장관

③ 교육부장관　　　④ 노동부장관

⑤ 국립보건원장

> **해설** 공중위생관리법 제6조의2(위생사의 면허 등)

04 위생사면허증 재발급을 받을 수 있는 사유에 해당하는 것은?

> ㉮ 면허증을 잃어버렸을 때
> ㉯ 위생사 면허증의 기재 사항에 변경이 있을 때
> ㉰ 위생사 면허증을 못쓰게 된 경우
> ㉱ 위생사 시험에 합격했을 때

① ㉮, ㉯, ㉰　　② ㉮, ㉰　　③ ㉯, ㉱

④ ㉱　　　　　⑤ ㉮, ㉯, ㉰, ㉱

> **해설** 공중위생관리법 시행규칙 제11조의3(위생사 면허증 재발급)
> ① 위생사는 면허증을 잃어버리거나 못쓰게 된 경우에는 위생사 면허증 재발급 신청서를 첨부하여 보건복지부장관에게 제출하여야 한다.
> ※ "위생사 면허증의 기재 사항에 변경이 있을 때"는 → "폐지"된 "위생사에 관한 법률 시행규칙" 내용임.

05 제2급감염병이 아닌 것은?

① 콜레라　　　　② 세균성이질

③ A형간염　　　④ 장출혈성대장균감염증

⑤ 아메바성이질

> **해설** 감염병예방법 제2조(정의)
> (1) 제1급감염병 : 생물테러감염병 또는 치명률이 높거나 집단 발생의 우려가 커서 발생 또는 유행 즉시 신고하여야 하고, 음압격리와 같은 높은 수준의 격리가 필요한 감염병으로서 다음의 감염병을 말한다.
> ① 디프테리아　　　　② 탄저
> ③ 두창　　　　　　　④ 보툴리눔독소증
> ⑤ 야토병　　　　　　⑥ 신종감염병증후군
> ⑦ 페스트　　　　　　⑧ 중증급성호흡기증후군(SARS)
> ⑨ 동물인플루엔자 인체감염증　⑩ 신종인플루엔자
> ⑪ 중동호흡기증후군(MERS)　　⑫ 마버그열
> ⑬ 에볼라바이러스병　⑭ 라싸열
> ⑮ 크리미안콩고출혈열　⑯ 남아메리카출혈열
> ⑰ 리프트밸리열

(2) 제2급감염병 : 전파 가능성을 고려하여 발생 또는 유행 시 24시간 이내에 신고하여야 하고, 격리가 필요한 다음의 감염병을 말한다.
① 백일해   ② 홍역
③ 폴리오   ④ 유행성이하선염
⑤ 풍진   ⑥ 수두
⑦ b형헤모필루스인플루엔자   ⑧ 폐렴구균 감염증
⑨ A형간염   ⑩ 콜레라
⑪ 장티푸스   ⑫ 파라티푸스
⑬ 세균성이질   ⑭ 장출혈성대장균감염증
⑮ 결핵   ⑯ 한센병
⑰ 성홍열   ⑱ 수막구균 감염증
⑲ 반코마이신내성황색포도알균(VRSA) 감염증
⑳ 카바페넴내성장내세균속균종(CRE) 감염증
㉑ E형간염

06 제1급감염병부터 제3급감염병까지에 해당하는 감염병 중 보건복지부령으로 정하는 감염병이 발생한 경우 "그 밖의 신고의무자"에 해당하지 않는 자는?
① 세대주   ② 학교장
③ 보건교사(양호교사)   ④ 회사 대표자
⑤ 병원의 관리인

⊙해설 감염병의 예방 및 관리에 관한 법률 제12조(그 밖의 신고의무자)
① 일반 가정 : 세대주
② 학교, 사회복지시설, 병원, 관공서, 회사, 공연장, 예배 장소, 선박·항공기·열차 등 운송수단, 각종 사무소·사업소, 음식점, 숙박업소 : 관리인, 경영자 또는 대표자

07 감염병이 발생하여 유행할 우려가 있다고 인정되면 지체 없이 역학조사를 실시할 수 있는 자는?

㉮ 질병관리청장	㉯ 시·도지사
㉰ 시장·군수·구청장	㉱ 보건소장

① ㉮, ㉯, ㉰   ② ㉮, ㉰   ③ ㉯, ㉱
④ ㉱   ⑤ ㉮, ㉯, ㉰, ㉱

⊙해설 감염병의 예방 및 관리에 관한 법률 제18조(역학조사) : 질병관리청장, 시·도지사 또는 시장·군수·구청장은 감염병이 발생하여 유행할 우려가 있다고 인정하면 지체 없이 역학조사를 하여야 한다.

08 소독업자가 소독을 하였을 때에는 소독에 관한 사항을 기록하고 몇 년간 보존하여야 하는가?
① 1년   ② 2년   ③ 3년
④ 5년   ⑤ 10년

⊙해설 감염병의 예방 및 관리에 관한 법률 시행규칙 제40조(소독의 기준 및 소독에 관한 사항의 기록 등) : 2년간 보존

09 다음 중 식품위생감시원을 두지 않아도 되는 곳은?
① 보건복지부   ② 서울특별시
③ 시·도   ④ 시·군·구
⑤ 식품의약품안전처

⊙해설 식품위생법 제32조(식품위생감시원) : 식품의약품안전처, 특별시·광역시·특별자치시·도·특별자치도(이하 "시·도라 한다.") 또는 시·군·구에 식품위생감시원을 둔다.

10 조리사는 누구의 면허를 받는가?
① 식품의약품안전처장   ② 보건복지부장관
③ 안전행정부장관   ④ 국립보건원장
⑤ 특별자치시장·특별자치도지사·시장·군수·구청장

⊙해설 식품위생법 제53조(조리사 및 영양사의 면허)

11 식품위생에 관한 위해가 발생하였다고 인정되는 때에는 영업자에 대하여 그 사실의 공표를 명할 수 있는 자는?

㉮ 식품의약품안전처장	㉯ 시·도지사
㉰ 시장·군수·구청장	㉱ 보건복지부장관

① ㉮, ㉯   ② ㉮, ㉰   ③ ㉯, ㉱
④ ㉱   ⑤ ㉮, ㉯, ㉰, ㉱

⊙해설 식품위생법 제73조(위해식품 등의 공표) : 식품의약품안전처장, 시·도지사 또는 시장·군수·구청장은 다음의 사항에 해당되는 때에는 해당 영업자에 대하여 그 사실의 공표를 명할 수 있다.
① 식품위생에 관한 위해가 발생하였다고 인정되는 때
② 위해식품 등의 회수규정에 의한 회수계획을 보고 받은 때

12 식품위생감시원의 직무가 아닌 것은?
① 시설기준의 적합 여부에 관한 사항
② 행정처분의 이행 여부에 관한 사항
③ 식품첨가물의 영업 허가
④ 영업자 및 종업원의 위생교육의 이행 여부의 확인·지도
⑤ 표시기준 또는 과대광고금지의 위반 여부에 관한 단속

⊙해설 식품위생법 시행령 제17조(식품위생감시원의 직무) : ①·②·④·⑤번 외
① 수입·판매 또는 사용 등이 금지된 식품 등의 취급 여부에 관한 단속
② 식품 등의 위생적 취급기준의 이행 지도
③ 출입·검사 및 검사에 필요한 식품 등의 수거
④ 식품 등의 압류·폐기 등
⑤ 영업소의 폐쇄를 위한 간판 제거 등의 조치

13 의료폐기물 전용용기 사용의 경우 기준 및 방법이 잘못된 것은?
① 한 번 사용한 전용용기는 다시 사용하여서는 아니 된다.
② 의료폐기물은 발생한 때부터 전용용기에 넣어 내용물이 새어 나오지 아니 하도록 보관하여야 하며, 의료폐기물의 투입이 끝난 전용용기는 밀폐 포장하여야 한다.
③ 전용용기는 봉투형 용기 및 상자형 용기로 구분하되, 봉투형 용기의 재질은 합성수지류로 하고, 상자형 용기의 재질은 골판지류 또는 합성수지류로 한다.
④ 봉투형 용기 - 검정색, 상자형 용기 - 노란색
⑤ 봉투형 용기 - 붉은색, 상자형 용기 - 녹색

⊙해설 폐기물관리법 시행규칙 제14조(폐기물 처리 등의 구체적인 기준·방법) [별표 5]

14 식품접객영업자의 준수사항이 아닌 것은?
① 가두 유객행위를 할 것
② 손님을 꾀어서 끌어들이는 행위를 해서는 아니 된다.
③ 「야생생물보호 및 관리에 관한 법률」을 위반하여 포획한 야생동물은 이를 식품의 제조·가공에 사용하여서는 아니 된다.
④ 지정된 영업시간을 준수할 것
⑤ 업소 안에서는 풍기문란 행위를 방지하여야 한다.

⊙해설 식품위생법 시행규칙 제57조(식품접객업자 등의 준수사항) [별표 17]

15 먹는샘물의 정의로 맞는 것을 찾아라.
① 먹는샘물이란 자연 상태의 물을 말한다.
② 먹는샘물이란 암반대수층 안의 지하수 또는 용천수 등 수질의 안정성을 계속 유지할 수 있는 자연 상태의 깨끗한 물을 먹는 데 적합하도록 물리적 처리 등의 방법으로 제조한 물을 말한다.
③ 먹는샘물이란 생물학적 과정을 거친 물을 말한다.
④ 먹는샘물이란 먹는물을 제조한 것을 말한다.
⑤ 먹는샘물이란 암반대수층의 물을 말한다.

해설 먹는물관리법 제3조(정의)
① 샘물 : 샘물이란 암반대수층 안의 지하수 또는 용천수 등 수질의 안정성을 계속 유지할 수 있는 자연 상태의 깨끗한 물을 먹는 용도로 사용할 원수를 말한다.
② 먹는샘물 : 먹는샘물이란 샘물을 먹는 데 적합하도록 물리적 처리 등의 방법으로 제조한 물을 말한다.
③ 먹는해양심층수 : 먹는해양심층수란 해양심층수를 먹는 데 적합하도록 물리적 처리 등의 방법으로 제조한 물을 말한다.

16 다음 보기 중 샘물보전구역의 지정자로 옳은 것은?

① 시장 · 군수 · 구청장　　② 보건복지부장관
③ 시 · 도지사　　　　　　④ 해양수산부장관
⑤ 환경부장관

해설 먹는물관리법 제8조의3(샘물보전구역의 지정) ① 시 · 도지사는 샘물의 수질보전을 위하여 다음 각 호의 어느 하나에 해당하는 지역 및 그 주변 지역을 샘물보전구역(이하 "샘물보전구역"이라 한다.)으로 지정할 수 있다.
1. 인체에 이로운 무기물질이 많이 들어 있어 먹는샘물의 원수(原水)로 이용 가치가 높은 샘물이 부존(賦存)되어 있는 지역
2. 샘물의 수량이 풍부하게 부존되어 있는 지역
3. 그 밖에 샘물의 수질보전을 위하여 필요한 지역으로서 대통령령으로 정하는 지역

17 환경보전 또는 국민보건에 중대한 위해를 끼치거나 끼칠 우려가 있다고 인정될 때 먹는물관련영업자, 냉 · 온수기 설치 · 관리자 또는 정수기 설치 · 관리자에게 필요한 지도와 명령을 할 수 <u>없</u>는 자는 누구인가?

① 환경부장관　　　　　② 시 · 도지사
③ 광역시장　　　　　　④ 시장 · 군수 · 구청장
⑤ 면장

해설 먹는물관리법 제45조(지도와 개선명령)

18 먹는물의 수질기준의 설명 중 <u>잘못된</u> 것은 어느 것인가?

① 페놀은 0.005mg/l를 넘지 아니 할 것
② 카드뮴은 0.005mg/l를 넘지 아니 할 것
③ 시안은 0.01mg/l를 넘지 아니 할 것
④ 질산성질소는 10mg/l를 넘지 아니 할 것
⑤ 비소는 0.05mg/l를 넘지 아니 할 것

해설 먹는물 수질기준 및 검사 등에 관한 규칙 제2조(수질기준) [별표 1] : 비소는 0.01mg/l를 넘지 아니 할 것

19 먹는물관리법 규정에 의한 영업에 종사하지 <u>못하는</u> 질병만으로 연결된 것은?

① 장티푸스, 파라티푸스, 세균성이질
② 장티푸스, 파라티푸스, 파상풍
③ 장티푸스, 파라티푸스, 풍진
④ 파라티푸스, 세균성이질, 홍역
⑤ 파라티푸스, 세균성이질, 페스트

해설 먹는물 수질기준 및 검사등에 관한 규칙 제5조(건강진단)

20 관할 구역 안에서 발생하는 분뇨의 수집 · 운반 및 처리는 누가 하는가?

① 공공하수도관리청장　　② 환경부장관
③ 시 · 도지사　　　　　　④ 지방환경청장
⑤ 특별자치시장 · 특별자치도지사 · 시장 · 군수 · 구청장

해설 하수도법 제41조(분뇨처리 의무) : 특별자치시장 · 특별자치도지사 · 시장 · 군수 · 구청장은 관할 구역 안에서 발생하는 분뇨를 수집 · 운반 및 처리하여야 한다.

21 개인하수처리시설의 관리기준이 <u>아닌</u> 것은?

① 오수처리 시설은 그 기능이 정상적으로 유지될 수 있도록 침전 찌꺼기와 부유물질 제거 등 내부 청소를 하여야 한다.
② 청소 과정에서 발생된 찌꺼기를 탈수하여 처리하거나 분뇨 수집 · 운반업자에게 위탁하여 처리하여야 한다.
③ 정화조의 경우에 수세식변기에서 나오는 오수가 아닌 그 밖의 오수를 유입 시키는 행위를 하여서는 아니 된다.
④ 전기설비가 되어 있는 개인하수처리시설의 경우에 전원을 끄는 행위를 하여서는 아니 된다.
⑤ 방류수의 수질을 자가측정하거나 측정대행업자가 측정하게 하고, 그 결과를 1년간 보관한다.

해설 하수도법 시행규칙 제33조(개인하수처리시설의 관리기준) : ① · ② · ③ · ④번 외, 방류수의 수질 측정 결과는 3년간 보관한다.

22 폐기물처리업의 업종구분상 <u>잘못된</u> 것은?

① 폐기물 수집 · 운반법　　② 폐기물 중간처분업
③ 폐기물 계획처분업　　　④ 폐기물 최종처분업
⑤ 폐기물 종합처분업

해설 폐기물관리법 제25조(폐기물처리업) : 폐기물처리업의 업종 구분은 ① · ② · ④ · ⑤번 외, 폐기물 중간재활용업, 폐기물 종합재활용업

23 폐기물처리 시설의 유지 · 관리 등 기술업무는 누가 맡아야 하는가?

① 기술관리인　　　　　② 폐기물처리업자
③ 시장　　　　　　　　④ 시 · 도지사
⑤ 군수

해설 폐기물관리법 제34조(기술관리인) : 폐기물처리 시설을 설치 · 운영하는 자는 당해 시설의 유지 · 관리에 관한 기술업무를 담당하게 하기 위하여 기술관리인을 임명하거나 기술관리능력이 있다고 정하는 자와 기술관리대행계약을 체결하여야 한다.

24 의료폐기물의 수집 · 운반차량의 차체의 색상과 글자의 색깔은?

> ㉮ 차체는 녹색
> ㉯ 차체는 흰색
> ㉰ 글자의 색깔은 흰색
> ㉱ 글자의 색깔은 녹색

① ㉮, ㉯, ㉰　　　② ㉮, ㉰　　　③ ㉯, ㉱
④ ㉱　　　　　　　⑤ ㉮, ㉯, ㉰, ㉱

해설 폐기물관리법 시행규칙 제14조 [별표 5] (폐기물의 처리에 관한 구체적 기준 및 방법)
① 의료폐기물의 수집 · 운반차량의 차체는 흰색으로 도색하여야 한다.
② 의료폐기물의 수집 · 운반차량의 적재함의 양쪽 옆면에는 의료폐기물의도형, 업소명 및 전화번호를, 뒷면에는 의료폐기물의 도형을 부착 또는 표기하되, 그 크기는 가로 100센티미터 이상, 세로 50센티미터 이상(뒷면의 경우 가로 · 세로 각각 50센티미터 이상)이어야 하며, 글자의 색깔은 녹색으로 하여야 한다.
③ 지정폐기물 수집 · 운반차량의 차체 : 노란색으로 색칠하여야 한다.
④ 지정폐기물의 수집 · 운반차량 : 적재함의 양쪽 옆면에는 지정폐기물 수집 · 운반차량, 회사명 및 전화번호를 잘 알아볼 수 있도록 붙이거나 표기하여야 한다. 이 경우 그 크기는 가로 100센티미터 이상, 세로 50센티미터 이상으로 하고, 검은색 글자로 하여 붙이거나 표기하되, 폐기물 수집 · 운반중을 발급하는 기관의 장이 인정하면 차량의 크기에 따라 붙이거나 표기하는 크기를 조정할 수 있다.
⑤ 폐석면을 수집 · 운반하는 차량 : "④번의 지정폐기물의 수집 · 운반차량표시" 외에 적재함 양측에 가로 100센티미터 이상, 세로 50센티미터 이상의 크기로 흰색 바탕에 붉은색 글자로 폐석면 운반차량을 표시하거나 표지를 부착하여야 한다.

25 환경부령이 정하는 재활용폐기물을 수집·운반하는 자가 시·도지사에게 신고하여야 하는 재활용폐기물은?

㉮ 폐지, 고철	㉯ 음식물류 폐기물
㉰ 동·식물성 잔재물	㉱ 폐포장재

① ㉮, ㉯, ㉰   ② ㉮, ㉰   ③ ㉯, ㉱

④ ㉱   ⑤ ㉮, ㉯, ㉰, ㉱

🔎 **해설** 폐기물관리법 시행규칙 제66조(폐기물처리 신고대상)

법 제46조(폐기물처리 신고) : 다음에 해당하는 자는 환경부령으로 정하는 기준에 따른 시설·장비를 갖추어 시·도지사에게 신고하여야 한다.

① 동·식물성 잔재물 등의 폐기물을 자신의 농경지에 퇴비로 사용하는 등의 방법으로 재활용하는 자로서 환경부령으로 정하는 자(환경부령으로 정하는 폐기물을 재활용하는 자 : 음식물류 폐기물, 동·식물성 잔재물, 유기성 오니, 왕겨 또는 쌀겨를 자신의 농경지의 퇴비나 자신의 가축의 먹이로 재활용하는 자), 폐의류 또는 폐섬유를 재활용하는 자 – 규칙 제66조 [별표 16]

② 폐지, 고철 등 환경부령으로 정하는 폐기물을 수집·운반하거나 환경부령으로 정하는 방법으로 재활용하는 자로서 사업장 규모 등이 환경부령으로 정하는 기준에 해당하는 자(환경부령으로 정하는 폐기물 : 폐지, 고철, 폐포장재(종이팩·유리병·금속캔 및 합성수지 재질의 포장재 및 1회용봉투·쇼핑백만 해당함) – 규칙 제66조

③ 폐타이어, 폐가전제품 등 환경부령으로 정하는 폐기물을 수집·운반하는 자(환경부령으로 정하는 폐기물 : 폐축전지 및 폐변압기, 폐타이어, 폐가전제품, 폐드럼, 폐식용유, 폐섬유, 농업용 폐플라스틱 필름·시트류와 폐농약용기 등 폐농약포장재), 폐의류(생활폐기물로 배출된 것) – 규칙 제66조

제2회 실전모의고사 정답

1 환경위생학

01 ③ 02 ② 03 ① 04 ⑤ 05 ⑤ 06 ② 07 ④ 08 ② 09 ③ 10 ③
11 ④ 12 ① 13 ④ 14 ② 15 ② 16 ① 17 ③ 18 ② 19 ① 20 ②
21 ④ 22 ① 23 ① 24 ④ 25 ⑤ 26 ② 27 ④ 28 ⑤ 29 ② 30 ③
31 ② 32 ① 33 ③ 34 ① 35 ③ 36 ⑤ 37 ④ 38 ① 39 ④ 40 ③
41 ③ 42 ③ 43 ⑤ 44 ⑤ 45 ④ 46 ⑤ 47 ⑤ 48 ② 49 ⑤ 50 ⑤

2 위생곤충학

01 ③ 02 ① 03 ③ 04 ④ 05 ① 06 ③ 07 ① 08 ⑤ 09 ② 10 ①
11 ⑤ 12 ① 13 ① 14 ① 15 ② 16 ② 17 ② 18 ③ 19 ⑤ 20 ②
21 ② 22 ④ 23 ④ 24 ② 25 ⑤ 26 ① 27 ② 28 ① 29 ③ 30 ③

3 식품위생학

01 ④ 02 ④ 03 ② 04 ⑤ 05 ② 06 ① 07 ④ 08 ① 09 ④ 10 ①
11 ③ 12 ① 13 ⑤ 14 ④ 15 ① 16 ① 17 ② 18 ② 19 ④ 20 ③
21 ④ 22 ① 23 ① 24 ① 25 ④ 26 ① 27 ⑤ 28 ① 29 ② 30 ②
31 ② 32 ① 33 ① 34 ① 35 ⑤ 36 ② 37 ⑤ 38 ① 39 ① 40 ④

4 공중보건학

01 ① 02 ② 03 ② 04 ③ 05 ④ 06 ⑤ 07 ③ 08 ④ 09 ① 10 ①
11 ③ 12 ① 13 ④ 14 ① 15 ⑤ 16 ① 17 ⑤ 18 ② 19 ⑤ 20 ②
21 ⑤ 22 ⑤ 23 ① 24 ③ 25 ③ 26 ③ 27 ④ 28 ⑤ 29 ③ 30 ④
31 ① 32 ③ 33 ③ 34 ② 35 ④

5 위생관계법령

01 ⑤ 02 ① 03 ② 04 ② 05 ⑤ 06 ③ 07 ① 08 ② 09 ① 10 ⑤
11 ① 12 ③ 13 ⑤ 14 ① 15 ② 16 ③ 17 ⑤ 18 ⑤ 19 ① 20 ⑤
21 ⑤ 22 ③ 23 ① 24 ③ 25 ⑤

제3회 실전모의고사

1 환경위생학

01 물 순환의 3단계를 가장 정확하게 설명한 것은?

① 지표수 – 증발 – 우박   ② 천수 – 유수 – 하천수
③ 강수 – 유출 – 증발   ④ 유출 – 우박 – 지표수
⑤ 강수 – 증발 – 유출

◉해설 ① 물의 순환은 강수(降水), 유출 증발 3단계에 의해 빚어진 결과라 할 수 있다.
② 자연계에서 물을 순환하게 하는 힘은 태양에너지에 의해서 이루어진다.

02 아래의 광합성작용에 관여하는 미생물은?

$$CO_2 + H_2O \rightarrow O_2 + CH_2O$$
$$(\quad)$$

① 로티퍼   ② virus   ③ 조류
④ 박테리아   ⑤ fungi

◉해설 광합성
① 녹색식물의 광합성에서는 빛에너지의 작용으로 물과 이산화탄소로부터 글루코오스를 합성하고, 이것을 녹말로 바꾸어 저장한다. 즉, 이산화탄소를 흡수하여 유기화합물을 합성하는 반응을 이산화탄소고정이라고 하며, 이 반응에서 산소가 발생하는데 이 산소는 이산화탄소에서 나온 것이 아니라 물에서 유래한다는 것이다.
② 광합성은 물이 빛에너지에 의해 분해되는 반응과 이어 이산화탄소가 환원되어 유기화합물로 되는 반응의 두 단계로 나누어져 있다.
③ 조류는 광합성을 하므로 DO를 과포화시킨다.
※ CH_2O : 유기물을 의미함.

03 수인성 감염병(水因性 感染病)이 아닌 것은?

① 발진티푸스   ② 장티푸스   ③ 파라티푸스
④ 콜레라   ⑤ 세균성이질

◉해설 발진티푸스 : 이가 전파한다.
※ 감염병 = 전염병, 감염원 = 전염원

04 밀스-라인케(Mills-Reincke) 현상을 가장 잘 설명한 것 하나를 선택하라.

① 상수를 처리함으로써 수인성 감염병이 감소되고 일반 사망률이 현저히 저하되는 현상을 말한다.
② 상수를 처리함으로써 수인성 감염병이 감소되는 현상을 말한다.
③ 상수를 처리함으로써 수명 연장이 되는 현상을 말한다.
④ 상수를 처리함으로써 일반 사망률이 감소되는 현상을 말한다.
⑤ 상수를 처리함으로써 소화기계 감염병이 감소되는 현상을 말한다.

05 완속여과와 급속여과를 비교한 설명이다. 옳지 않은 것은?

① 세균 제거면에서는 완속여과가 더 효과적이다.
② 여과속도가 다르므로 설치면적의 차이가 있다.
③ 건설비는 완속여과가 많이 들고 유지관리비는 급속여과가 많이 든다.
④ 약품 침전 후의 여과는 급속여과로 한다.
⑤ 원수의 수질이 탁도가 높을 때는 완속여과가 효과적이다.

◉해설 원수의 수질이 탁도와 색도가 높을 때 : 급속여과가 효과적이다.

06 여과처리에서 제거되는 것은?

① 용해성 유기물질   ② 철이온
③ 페놀   ④ 부유물질
⑤ 납

◉해설 여과처리 : SS(부유물질)를 제거하기 위한 것이다.

07 다음 중 유기응집제는?

① 황산알루미늄
② 황산 제1철, 황산 제2철
③ 염화 제2철
④ 폴리염화알루미늄PAC)
⑤ 폴리아크라민(polyacrylamine), 폴리에틸렌아민(polyethyleneamine)

◉해설 ① · ② · ③ · ④번은 무기응집제이고, ⑤번은 유기응집제이다.

08 주입된 염소농도와 남아 있는 염소농도의 차이를 무엇이라 하는가?

① 잔류염소   ② 결합염소량   ③ 염소요구량
④ 염산소비량   ⑤ 파괴염소량

09 정수 과정에서 전 염소처리와 후 염소처리의 구분을 하는데 후 염소처리의 목적은?

① 소독 목적   ② BOD 제거   ③ 냄새 제거
④ 부식 방지   ⑤ COD 제거

◉해설 ① 전 염소처리의 목적 : BOD 제거, 냄새 제거, 부식 방지 등
② 후 염소처리의 목적 : 살균, 즉 소독이 목적이다.
※ 염소 1ppm당 BOD 2ppm을 제거한다.

10 잔류염소를 제거하기 위해 사용되는 물질은?

① 황산알루미늄   ② 이산화황
③ 클로라민   ④ 소석회
⑤ 고분자응집제

◉해설 염소를 다량 주입 시 탈염소제 : SO_2, NaS_2O_3, $NaSO_3$, $KMnO_4$, 활성탄 등이 쓰이고 있으나 많은 수량의 처리에는 이산화황가스를 주입하여 처리한다.

11 1일 1,000m^3의 물에 유효염소 50%를 함유하는 클로르칼키를 사용하여 염소를 주입하려 한다. 염소 주입농도가 2mg/l라 한다면 하루에 요구되는 $Ca(OCl)_2$의 양은 얼마인가?

① 2.0kg   ② 4.0kg   ③ 5.0kg
④ 8.0kg   ⑤ 10.0kg

◉해설 $2mg/l \times 1,000m^3 \times \dfrac{100}{50} \times 10^{-3}kg/g = 4kg$

12 정수장 소독처리 시 원수에서 페놀이 유입될 경우 합성되는 물질로 냄새를 유발시키는 것은?

| ㉮ 나트륨 | ㉯ 클로로포름 | ㉰ 마그네슘 | ㉱ 클로로페놀 |

① ㉮, ㉯, ㉰
② ㉮, ㉰
③ ㉯, ㉱
④ ㉱
⑤ ㉮, ㉯, ㉰, ㉱

13 먹는물에서의 질산성 질소(NO_3-N)의 기준치는 $10mg/l$ 이하이다. 먹는물에서 질산성질소를 규제하는 이유는?

① 나쁜 냄새를 낸다.
② 세균의 번식을 초래한다.
③ 분뇨의 오염지표가 된다.
④ 청색아로 알려진 질병을 유발시킨다.
⑤ 위장장애를 가져온다.

14 먹는물 기준 중 심미적으로 불쾌감을 줄 수 있는 물질이 <u>아닌</u> 것은?

① 아연
② 알루미늄
③ 망간
④ 철
⑤ 불소

해설 불소 : 먹는물 기준 중 유해 무기물질이다.

15 물고기의 아가미가 선홍색을 나타낼 때 가장 먼저 의심되는 오염물질은?

① 비소
② 트리클로로에틸렌
③ 시안
④ 크롬
⑤ 파라치온

16 수중의 용존산소에 관한 설명 중 <u>잘못된</u> 것은 어느 것인가?

① 용존산소량은 수온에 반비례한다.
② 용존산소는 공기 중의 산소가 공급원이므로 과포화되는 일은 없다.
③ 20℃, 1기압에서 맑은 물의 포화용존량은 $9.17mg/l$이다.
④ 유기성 폐수가 유입되면 미생물의 작용으로 용존산소량은 감소된다.
⑤ 산소용해량은 기압에 비례한다.

해설 용존산소는 공기 중의 산소와 조류의 광합성 작용으로 과포화되는 경우가 있다.

17 질소화합물의 최종분해 산화물질은?

① 아질산성질소
② 암모니아성질소
③ 단백질
④ 질산성질소
⑤ 아미노산

해설 용존산소가 풍부한 수중에서 미생물에 의해 단백질이 분해될 때의 과정은 다음과 같다.
• 단백질 → Amino acid → NH_3-N → NO_2-N → NO_3-N
• 아미노산 → NH_4^+ → NO_2^- → NO_3^-

18 다음 내용에서 ( ) 안에 들어갈 숫자는?

> TLM(Tolerance Median Limit)이란 일정한 노출 시간 동안 실험동물의 ( )%가 살아남는 농도를 말한다.

① 20
② 30
③ 50
④ 60
⑤ 70

해설 TLM(Tolerance Median Limit)
① TLM이란 일정한 시간을 경과시킨 후 실험생물 중 50%가 살아남는 농도를 말한다.
② TLM 실험
㉮ 실험하기 전에 대상폐수에서 10~30일 동안 물고기를 적응시킨다.
㉯ 표기 : 96hr TLM, 48hr TLM, 24hr TLM 등으로 표기한다.

19 다음 내용은 오염원인물질과 인체에 해를 주는 영향과의 관계를 짝지은 것이다. <u>틀린</u> 것은?

① Cr^{6+} – 비중격천공증
② CS_2 – 정신병증
③ Cd – 골연화증
④ 유기수은 – 지각장애
⑤ 포스겐(phosgene) – 간염

해설 ① 포스겐(phosgene) : 질식성 가스이다.
② 간염 : 바이러스에 의한 감염성 질병이다.

20 분뇨를 혐기성 처리하려고 한다. 중온소화법의 적당한 온도와 일수는?

① 30~35℃에서 60일
② 50~55℃에서 15일
③ 30~35℃에서 30일
④ 30~55℃에서 30일
⑤ 50~55℃에서 60일

해설 미생물의 온도와 소화일수
① 저온(냉온성)소화 : 10℃ 정도(0~20℃), 40~60일(2달) 정도
② 중온(친온성)소화 : 30~35℃, 25~30일(1달) 정도
③ 고온(친열성)소화 : 60~70℃에서 소화일수 15~20일(15일) 정도
④ 고온소화는 여러 가지 경제성에 문제가 있기 때문에 우리나라에서는 주로 30~35℃에서 30일간 소화하는 중온소화를 많이 이용한다.

21 분뇨를 위생적으로 처리하는 목적이 <u>아닌</u> 것은?

① 수인성 감염병 관리
② 세균성 감염병 관리
③ 절지동물 관리
④ 소화기계 감염병 관리
⑤ 기생충 질환 관리

22 다음 중 지정폐기물이 <u>아닌</u> 것은?

① 폐산(pH 2.0 이상)
② 폐알칼리(pH 12.5 이상)
③ 폐유(기름 성분이 5% 이상인 것)
④ 오니류(고형물 함량이 5% 이상인 것)
⑤ 폐석면

해설 폐산 : pH 2.0 이하
※ 지정폐기물 : 위생관계법령 중 "폐기물관리법" 참고

23 폐기물을 퇴비화시킬 때 적정온도는?

① 10~30℃
② 30~50℃
③ 65~75℃
④ 80~100℃
⑤ 100~120℃

24 병원 적출물 처리방법 중 가장 안전한 것은?

① 매몰 처분
② 가축 사료 이용
③ 퇴비화
④ 해양 투기
⑤ 소각 처분

25 분뇨와 음식물폐기물 등의 유기성 폐기물을 혼합처리하는 데 가장 유용한 처리방법은?

① 매립법
② 퇴비화법
③ 소각법
④ 해양투기법
⑤ 사료화법

26 폐기물의 소각 시 발생하지 <u>않는</u> 것은?

① 다이옥신　　　② SO_2　　　③ CO_2

④ NO　　　　　⑤ THM

◉해설　THM : 염소 소독 시 발생하는 발암물질이다.

27 실내공기의 오염 정도를 나타내주는 지표가스는?

① 아황산가스　　② 이산화질소　　③ 오존

④ 이산화탄소　　⑤ 매연

28 연탄에서 발생되는 일산화탄소는 혈색소와의 친화력이 산소보다 약 몇 배가 높은가?

① 50배　　　　② 100배　　　③ 120배

④ 150배　　　　⑤ 250배

◉해설　CO는 O_2보다 헤모글로빈과의 결합력이 200~300배 정도 강하다.

29 지하철 역사에서의 이산화탄소의 오염허용기준은?

① 1ppm　　　　　　② 60ppm

③ 80ppm　　　　　④ 1,000ppm

⑤ 1,200ppm

◉해설　① 실내 · 외 오염허용기준
　　　㉮ CO : 10ppm 이하(실내 기준), 25ppm 이하(실내 주차장 기준)
　　　㉯ CO_2 : 1,000ppm 이하
　　　② 작업장 CO의 오염허용기준 : 30ppm 이하/8시간 기준

30 다음 중 복사열 측정에 이용되는 기구는 어느 것인가?

① 열선 풍속계　　　　② 흑구 온도계

③ 카타 온도계　　　　④ 아스만 통풍 건습계

⑤ 아우구스트 건습계

◉해설　① 카타 온도계 : 실내의 기류 측정, 냉각력 측정
　　　② 아스만 통풍 온 · 습도계 : 기온과 습도를 동시에 측정
　　　③ 아우구스트 건습계 : 습도 측정
　　　④ 흑구 온도계 : 복사열 측정

31 대기환경 기준 항목이 <u>아닌</u> 것은 어느 것인가?

① SO_2　　　　② Pb　　　　③ NO_2

④ H_2S　　　　⑤ O_3

◉해설　대기환경 기준 항목 : ① · ② · ③ · ⑤번 외 CO, 미세먼지(PM-10), 초미세먼지(PM-2.5), 벤젠

32 대기오염의 일반적인 지표로써 가장 많이 쓰이는 것은?

① CO_2　　　　② O_2　　　　③ SO_2

④ N_2　　　　⑤ CO

33 대기오염물질 중에서 고등식물에 독성이 강한 순서로 나열된 것은?

① $HF > Cl_2 > SO_2 > NO_2 > CO > CO_2$

② $Cl_2 > HF > CO > NO_2 > SO_2 > CO_2$

③ $SO_2 > Cl_2 > HF > CO > NO_2 > CO_2$

④ $NO_2 > SO_2 > Cl_2 > HF > CO > CO_2$

⑤ $CO > Cl_2 > SO_2 > NO_2 > HF > CO_2$

◉해설　식물의 독성이 강한 순서 : $HF > Cl_2 > SO_2 > NO_2 > CO > CO_2$

34 대기 중의 함량이 높아질 경우 온실효과를 일으키는 기체는?

① CO_2　　　　② CO　　　　③ SO_2

④ NO_2　　　　⑤ O_3

◉해설　① 온실효과 : 대기 중에 있는 잔류기체가 적외선의 복사열을 흡수하여 지구의 온도가 높아지는 현상이다.
　　　② 온실효과의 기여도 : CO_2는 66%, 메탄(CH_4)은 15%, N_2O, O_3, CFC 등
　　　③ 온실가스 유발물질 : 이산화탄소, 메탄, 아산화질소, 수소불화탄소, 과불화탄소, 육불화황

35 산성비의 원인물질은?

| ㉮ 황산 | ㉯ 질산 | ㉰ 염산 | ㉱ 암모니아 가스 |

① ㉮, ㉯, ㉰　　　　② ㉮, ㉰　　　　③ ㉯, ㉱

④ ㉱　　　　⑤ ㉮, ㉯, ㉰, ㉱

◉해설　원인물질 : 황산, 질산, 염산 등

36 잠함병(잠수병)을 일으키는 원인물질은 어느 것인가?

① 산소 기포　　　　② 수소 기포

③ 탄소 기포　　　　④ 일산화탄소 기포

⑤ 질소 기포

◉해설　① 잠함병(감압증) : 잠함병은 이상고압(고압) 환경으로부터 정상적인 기압 상태로 급격히 복귀할 때 발생하는 병이다. 즉, 고압 상태에서 질소가 혈액이나 지방조직에 용해되었다가 급격히 감압되면서 질소가 기포를 형성하여 발생되는 병이다.
　　　② 잠함병 발생 작업 : 잠수 및 잠함작업 등의 해저작업, 탄광작업 등

37 사고 건수 당 손실 노동 일수로 재해분석을 하는 방법은?

① 강도율　　　　② 건수율　　　　③ 도수율

④ 중독률　　　　⑤ 발병률

◉해설　중독률 = 손실 근로(노동) 일수 ÷ 재해 건수 × 10^3

38 다음 중 전리방사선 중 피부 투과력이 가장 큰 것은?

① 자외선　　　　② α선　　　　③ β선

④ X선　　　　⑤ γ선

◉해설　투과력의 크기 : X선 > γ선 > β선 > α선

39 규폐증을 일으키는 원인물질과 가장 관계가 깊은 것은?

① 매연　　　　　　② 암석분진

③ 일반 부유분진　　④ 석탄분진

⑤ 금속 fume

◉해설　① 규폐증은 주로 유리규산(SiO_2)을 함유하는 암석분진에 의해서 발병하며, 폐결핵을 동반한다.
　　　② 규폐증을 일으키는 입자의 크기 : 0.5~5μm이다.

40 귀덮개와 귀마개를 동시에 착용하여야 하는 소음의 수준은 얼마인가?

① 60dB(A)　　　② 70dB(A)　　　③ 95dB(A)

④ 110dB(A)　　　⑤ 120dB(A)

◉해설　120dB(A) 이상 : 귀마개와 귀덮개를 동시에 착용한다.

41 수영장의 수질기준 중 맞지 않는 것은?

① 탁도는 1NTU 이하
② $KMnO_4$ 소비량이 12ppm 이하일 것
③ pH(수소이온농도)는 5.8~8.6일 것
④ 유리잔류염소는 0.4~1ppm
⑤ 대장균은 10ml씩 5개 중에서 3개 이상이 음성일 것

해설 수영장의 수질기준 : ②·③·④·⑤번 외 알루미늄은 0.5mg/l 이하, 비소는 0.05mg/l 이하, 수은은 0.007mg/l 이하, 탁도는 1.5NTU 이하, 결합잔류염소는 최대 0.5mg/l

42 다음 중 실내의 자연환기에 영향을 미치는 요인이 아닌 것은?

① 실내 기류의 속도　　② 실내·외의 기습 차
③ 기체 확산력　　④ 옥외의 풍속
⑤ 실내·외의 기온 차

해설 실내의 자연 환기와 실내·외의 기습 차와는 관계가 없다.

43 창, 기타의 개구부로써 채광에 필요한 면적은 주택에 있어서 거실의 바닥 면적의 얼마 이상이어야 좋은가?

① 1/13 이상　② 1/7 이상　③ 1/10 이상
④ 1/15 이상　⑤ 1/20 이상

해설 채광 : 창의 면적은 전체 바닥의 1/5~1/7 이상 되는 것이 좋다.

44 부적당한 조명으로 주로 야기되는 피해는?

① 식욕 부진과 피로
② 정신적 흥분과 충돌
③ 안정피로와 작업 능률 저하, 근시
④ 심리적 갈등과 재해 억제
⑤ 안정피로와 작업 능률 상승

45 신축건물(신축학교) 증후군을 나타내는 오염물질은?

① 폼알데하이드　② CO_2　③ CO
④ O_3　⑤ SO_2

해설 실내공간 공기기준
① 이산화탄소(CO_2)　② 일산화탄소(CO)
③ 이산화질소(NO_2)　④ 오존(O_3)
⑤ 미세먼지(PM-10)　⑥ 폼알데하이드(Formaldehyde)
⑦ 석면　⑧ 라돈
⑨ 총부유세균　⑩ 휘발성 유기화합물(VOC)
※ 폼알데하이드 = 포름알데히드

46 다음 중 백금이(loop), 유리막대 등의 일반적인 멸균방법은?

① 자외선멸균법　② 화염멸균법
③ 건열멸균법　④ 고압증기멸균법
⑤ 알코올소독법

해설 화염멸균법 : 백금이, 유리막대 등의 소독에 이용한다.

47 다음 중 구내염, 인두염, 입안 세척 및 상처 소독에 알맞은 소독제는?

① 석탄산　② 크레졸　③ 알코올
④ 과산화수소　⑤ 승홍

해설 과산화수소 : 상처 소독에 이용

48 콜린에스테라제(cholinestrase) 활성저해로 신경 증상을 유발하는 물질은?

① 유기인계 농약　② 유기염소계 농약
③ 카바메이트계 살충제　④ 유기불소 농약
⑤ 염소계 살충제

해설 유기인계 농약에 의한 중독기전은 cholinestrase의 저해이다.

49 열중증 현상에서 식염을 투여함으로써 증상이 급속히 회복되는 것은?

① 열피로　② 열허탈증　③ 열경련
④ 열사병　⑤ 열쇠약

해설 열경련 원인 : NaCl(소금) 부족, 수분 부족

50 일회용 주사기, 페트리디쉬의 소독에 사용되는 것은?

① Formaldehyde　② 알코올
③ 과산화수소　④ Ethylen oxide
⑤ 메탄올

2　위생곤충학

01 장상모(palmate hair)의 역할은?

① 운동을 돕는다.
② 수면에 수평으로 뜨게 한다.
③ 물의 흐름을 감지한다.
④ 먹이를 모으는 역할을 한다.
⑤ 호흡작용을 돕는다.

해설 장상모의 역할 : 수면에 수평으로 뜨게 한다.

02 모기는 일조 시간이 몇 시간일 때 월동 준비를 하는가?

① 5시간　② 6시간　③ 10시간
④ 12시간　⑤ 15시간

해설 Diapause : 모기는 일조 시간이 10시간 이하가 되면 유충이 월동 시기임을 감지하게 되고 이와 같은 유충으로부터 우화(羽化)한 암컷은 이미 지방체(fat body)를 충분히 축적하고 있어 월동 준비를 완료한 상태가 되는데 이러한 생리적 현상을 Diapause라 한다.

03 작은빨간집모기(뇌염모기) 성충의 특징이 아닌 것은?

① 각 복절 기부에 흰 띠가 있다.
② 암갈색을 띤다.
③ 주둥이에는 흰 띠가 없다.
④ 크기는 4.5mm 정도이다.
⑤ 순판에 특별한 무늬가 없다.

해설 작은빨간집모기 성충의 특징
① 뇌염모기는 집모기속에 속한다.
② 크기는 4.5mm 정도의 소형이다.
③ 전체적으로 암갈색을 띠고 뚜렷한 무늬가 없다.
④ 다리 각 절(節) 끝에 작고 흐린 백색 띠가 있다.
⑤ 주둥이 중앙에 넓은 백색 띠가 있다. 이 띠로부터 기부로 내려가면서 복면에 백색 비늘이 산재해 있는 것이 특징이다.
⑥ 흡혈 활동 : 저녁 8~10시
⑦ 휴식 : 수평으로 휴식

04 부낭을 갖고 있는 모기의 알은?

① 얼룩날개모기　　② 왕모기　　　　③ 숲모기
④ 돌모기　　　　　⑤ 집모기

05 토고숲모기의 유충 서식 장소는?

① 약간의 염분이 섞인 물이 고여 있는 곳
② 보통 빗물이 고여 있는 곳
③ 웅덩이에 물이 고여 있는 곳
④ 늪이나 연못 같은 깨끗한 물
⑤ 하수구

◎ 해설　토고숲모기 유충의 서식 장소 : 유충은 해변가의 바위에 고인 물(염분이
　　　　섞인 물)에 주로 서식한다. 해변 지역이면 담수와 염분 어느 곳에서나
　　　　서식한다.

06 깔따구의 보건상 피해는?

① 뉴슨스　　　　　② 뎅기열　　　　③ 리슈마니아
④ 황열　　　　　　⑤ 오로야열

◎ 해설　깔따구와 보건 : 깔따구는 불쾌곤충(뉴슨스)의 대표적인 해충이며, 질병
　　　　을 매개하지는 않으나 뉴슨스 또는 알레르기 질환의 알레르기원으로 방
　　　　제 대상이 되고 있다.

07 파리 유충이 동물의 조직에 기생하는 것을 무엇이라 하는가?

① 수면병　　　　　　　　② 람불편모충증
③ 승저증　　　　　　　　④ 회선사상충증
⑤ 사상충증

◎ 해설　구더기증(승저증) : 파리 유충이 동물의 조직에 기생하는 것을 말한다.

08 흡수형 구기를 가지고 있는 곤충은?

① 벼룩　　　　　　② 개미　　　　　③ 바퀴
④ 새털이　　　　　⑤ 풍뎅이

◎ 해설　① 벼룩의 주둥이 : 흡혈에 적합하다.
　　　　② 새털이의 구기 : 저작형이다.

09 벼룩의 생활사에서 틀린 것은?

① 알의 부화 기간은 1주일이다.
② 쥐벼룩은 사람을 흡혈하지 않는다.
③ 성충의 수명은 약 6개월이다.
④ 암수 모두 흡혈한다.
⑤ 유충의 발육 기간은 약 2주이다.

◎ 해설　쥐벼룩 : 사람도 흡혈한다.

10 후기문 아목에 속하는 진드기는 어느 것인가?

① 물렁진드기과　　　　　② 먼지진드기과
③ 털진드기과　　　　　　④ 여드름진드기과
⑤ 집진드기과

◎ 해설　① 후기문아목에 속하는 진드기 : 참진드기과, 물렁진드기과
　　　　② 물렁진드기과(공주진드기과)의 매개 질병 : 진드기 매개 재귀열 등

11 다음은 곤충의 체벽(표피)을 구성하는 여러 가지 층(layer)이
　　다. 가장 외부층은?

① 기저막　　　　　② 내표피　　　　③ 표피세포
④ 근육　　　　　　⑤ 왁스층

◎ 해설　곤충의 외피 : 표피(表皮), 진피(眞皮), 기저막(基底膜) 3부분으로 되어
　　　　있다.
　　　　① 표피층
　　　　　⑦ 구조 : 복잡한 구조로 되어 있다.
　　　　　④ 화학성분 : 각질(chitin), 단백질, 색소 등
　　　　　④ 표피층의 최외부(最外部)인 시멘트층(cement)과 밀랍층(wax
　　　　　　layer, 왁스층)은 얇은 층으로 손상을 입으면 다시 진피세포층에
　　　　　　서 분비물이 세소관(pore canal)을 통해 나와 재형성된다.
　　　　　④ 밀납층 : 두께 1/4μ의 박층(薄層)이지만 내수성이 가장 강한 부분
　　　　　　이다.
　　　　② 진피층 : 진피세포로 형성되어 있는데, 표피층을 생성하며 일부는 변
　　　　　형되어 극모(satae) 등을 형성하는 조모세포(造毛細胞)로 되어 있다.

12 다음 중 불완전변태에 속하는 것은?

① 파리목　　　　　　　　② 반시목(노린재목)
③ 벼룩목　　　　　　　　④ 나비목
⑤ 벌목

◎ 해설　① 노린재목(반시목) 주요과(科) : 빈대과, 침노린재과
　　　　② 빈대, 노린재 : 불완전변태

13 거미, 진드기 등은 어느 강(class)에 속하는가?

① 거미강　　　　　② 바퀴강　　　　③ 지네강
④ 노래기강　　　　⑤ 곤충강

◎ 해설　거미강 : 거미, 진드기 등

14 다음 중 독일바퀴의 특성이 아닌 것은?

① 난협은 알이 부화할 때까지 어미 품에 붙어 있다.
② 전흉배판에 2줄의 흑색종대가 있다.
③ 몸 전체가 흑갈색이다.
④ 전국적으로 분포한다.
⑤ 주가성 바퀴 중 가장 소형이다.

◎ 해설　독일바퀴 : 밝은 황갈색이다.

15 쥐의 생활사에 관한 설명이다. 틀린 것은?

① 교미 활동 : 곰쥐, 시궁쥐(10~12주), 생쥐(8주)
② 교미 후 평균 22일 만에 출산하고, 출산 후 2일 만에 다시
　교미한다.
③ 2일 후에 눈을 뜨고 사물을 볼 수 있고, 10일 정도면 제대
　로 들을 수 있으며, 2주일 후에는 귀가 열린다.
④ 4주 후부터 어미로부터 독립을 강요당하지만 보통 5주 후부
　터는 완전 독립을 한다.
⑤ 쥐의 수명 : 생쥐(1년), 곰쥐와 시궁쥐(2년)

◎ 해설　쥐의 생활사
　　　　① 쥐는 포유류에 속한다.
　　　　② 생후 10일 정도면 귀가 열려 제대로 들을 수 있다.
　　　　③ 2주 후에 눈을 뜨고 사물을 볼 수 있다.
　　　　④ 4주 후부터 어미로부터 독립을 강요당하지만 보통 약 5주까지 어미
　　　　　에게 의존한다.
　　　　⑤ 교미 활동 : 곰쥐, 시궁쥐(10~12주), 생쥐(8주)
　　　　⑥ 임신 기간은 22일이며, 출산 후 2일 만에 교미한다.
　　　　⑧ 새끼 수(1회 평균 수) : 시궁쥐(8~10마리), 곰쥐(6.2(4~8)마리),
　　　　　생쥐(5.8(4~7)마리)
　　　　⑨ 수명 : 생쥐(1년), 곰쥐와 시궁쥐(2년)

16 쥐의 개체군 크기를 결정하는 3대 요인이 아닌 것은?

① 출산　　　　　　② 사망　　　　　③ 경쟁
④ 이동　　　　　　⑤ 출산, 사망

해설 ① 쥐의 개체군 크기 : 출산, 사망, 이동의 3요인에 의해 결정된다.
② 제한요인(또는 억제요인) : 쥐의 사망 수보다 출생 수가 훨씬 높은데 개체군이 일정하게 머물러 있는 것은 주위의 환경요인이 개체군 증가를 억제시키고 있기 때문인데 이러한 현상을 제한요인(또는 억제요인)이라 한다. 제한요인에는 물리적 환경, 천적, 경쟁률을 들 수 있다.
③ 개체군의 밀도 : 겨울 〈 여름 〈 가을 〈 봄의 순으로 높다.

17 급성 살서제를 미끼먹이에 섞어 설치한 후 언제 수거하여 매몰하는가?

① 1~2일 　　② 4~5일 　　③ 10일
④ 1주 　　⑤ 2주

18 2차 독성(Second Poisoning)이란?

① 모든 살서제가 가지고 있는 성질이다.
② 살서제를 먹고 죽은 쥐를 다른 동물이 섭취했을 때의 독성을 말한다.
③ 만성 살서제의 성질이다.
④ 살서제가 2일이 지나야 효과가 있다는 뜻이다.
⑤ 한 번 사용한 살서제를 다시 사용하여도 독성이 있다는 뜻이다.

해설 살서제에 의한 사고 예방
① 살서제를 사용할 때 사람이나 가축의 중독사고를 방지하기 위하여 알아야 할 사항은 다음과 같다.
㉮ 사람이 먹는 음식과 구별하기 위해 독먹이에 색을 넣는다.
㉯ 적당한 용기의 독먹이통에 독먹이를 설치한다.
㉰ 독먹이를 설치할 장소를 정확하게 기록한다.
㉱ 사용하지 않는 살서제는 자물쇠로 잠글 수 있는 용기에 보관한다.
㉲ 독먹이를 만들 때 마스크를 착용한다.
㉳ 살서작업이 끝나면 독먹이를 수거하여 처리한다.
② 2차 독성이란 쥐약을 먹고 죽은 쥐를 다른 동물이 섭취했을 때의 독성을 말한다.

19 다음은 파리의 습성을 설명한 것이다. 어떤 파리의 습성인가?

㉮ 유충의 서식 장소 : 동물의 배설물(사람, 소, 말, 돼지 등의 배설물(인분을 좋아함)
㉯ 장(腸)내 또는 비뇨기 내 구더기증을 유발한다.
㉰ 비상시에 공중의 한 지점에서 정지하는 습성이 있다.
㉱ 성충 : 음식물에 앉는 빈도는 집파리보다 낮다.

① 집파리 　　② 딸집파리(아기집파리)
③ 큰집파리 　　④ 침파리
⑤ 먹파리

20 개미의 방제 방법이 아닌 것은?

① 옥외에 개미집이 있을 때 : 개미집 입구를 파헤친 후 끓는 물을 붓거나, 방제용 살충제를 주입한다.
② 옥내에 개미집이 있을 때 : 일개미들을 추적하여 집을 발견할 수 있으면 본거지를 공격하여 근절시킨다. 벽 틈 속, 마루 밑 등에는 미끼 트랩, 잔류분무, 독먹이를 사용한다.
③ 미끼 트랩 : 미끼먹이를 적당한 용기에 넣어 트랩으로 사용한다. 먹이에 모이면 끓는 물을 부어 죽인다. 미끼먹이에는 당분(꿀, 설탕 등), 육류, 지방 등이 있다.
④ 독먹이법 : 당물질(꿀, 설탕 등), 육류에 살충제를 섞어 곳곳에 설치한다.
⑤ 옥외에 개미집이 있을 때 : 개미집 입구를 파헤친 후 끓는 물을 사용하면 안 된다.

해설 개미의 방제 방법 : ①·②·③·④번 외, 잔류분무(개미집 주변에 잔효성 살충제로 잔류분무한다.)

21 LD₅₀이라고 하는 것은?

① 공시동물의 50%를 치사시킬 수 있는 살충제(원체)의 양
② 공시동물 50%를 치사시킬 수 있는 살충제 농도
③ 살충제의 희석농도가 50%라는 뜻
④ 살충제의 원체 사용량이 50%라는 뜻
⑤ 살충제의 인축 독성을 비교하기 위하여 사용된 공시동물이 50이라는 뜻

해설 ① 중앙치사량(中央致死量, LD₅₀) : 시험동물로 하여 경구 및 경피 독성을 중앙치사량(中央致死量, LD₅₀ ; 공시동물(供試動物)의 50%를 치사시킬 수 있는 살충제 양)으로 표시하여 살충제의 인체 독성을 비교 평가한다.
② LD₅₀은 수치가 적을수록 독성이 강하다.
예 파라티온 LD₅₀(mg/kg) : 3 〉 마라티온 LD₅₀(mg/kg) : 100 〉 DDT LD₅₀(mg/kg) : 110 〉 나레드 LD₅₀(mg/kg) : 250

22 어떤 약제에 저항성일 때 유사한 다른 약제에도 자동적으로 저항성이 생길 경우 무엇이라고 하는가?

① 환경적 저항성 　　② 생리적 저항성
③ 생태적 저항성 　　④ 교차저항성
⑤ 내성

해설 교차저항성 : 어떤 약제에 저항성일 때 유사한 다른 약제에도 자동적으로 저항성이 생기는 것을 교차저항성이라 한다.

23 다음 중 곤충 방제 시 독먹이법을 사용할 수 없는 곤충은 어느 것인가?

① 개미 　　② 벼룩 　　③ 바퀴
④ 파리 　　⑤ 벌

24 모기의 성충을 방제하기 위하여 벽의 표면에 물약을 뿌렸다. 이 작업의 이름은 무엇인가?

① 가열연막 　　② 잔류분무 　　③ 훈증
④ 살분 　　⑤ 공간분무

해설 잔류분무
① 잔류분무란 효과가 오래 지속되는 약제를 표면(예를 들면 벽의 표면)에 뿌려 대상 해충이 접촉할 때마다 치사시키는 방법이다.
② 잔류분무 시 가장 중요한 것은 희석농도에 관계없이 희석액이 벽면에 40cc/m²이 되도록 살포되어야 한다. 벽면에 40cc/m²로 분무하는 요령은 다음과 같다.
㉮ 탱크 내 공기압력 : 40lb/in²
㉯ 노즐과 벽면과의 살포 거리 : 46cm
㉰ 속도 : 2.6m/6초
㉱ 살포 거리를 46cm로 하면 살포폭(swath)은 75cm가 된다.
∴ 6초에 1.95m²(2.6m × 0.75m)의 벽면을 살포한다.
※ lb(libra, pound)

25 살충제 잔류분무 시 동일한 약제의 경우도 분무 장소와 물질에 따라 잔류효과에 심한 차이를 나타낸다. 잘못 연결된 것은?

① 음지 〉 양지
② 시멘트벽 〈 흙벽
③ 저온 〉 고온
④ 페인트칠한 벽 〉 시멘트벽
⑤ 타일 〉 페인트칠한 나무벽

해설 ① 잔류 기간은 동일한 약제라도 분무 장소의 재질, 온도, 일사(日射) 등에 따라 다르다.
㉮ 재질 : 유리 · 타일 〉 페인트칠한 벽 〉 시멘트벽 〉 흙벽
㉯ 온도 : 저온 〉 고온
㉰ 일사(日射) : 그늘 〉 햇볕
② 잔류량 결정 요인 : 농도, 분사량, 분사 속도, 분사 거리

26 곤충의 생물학적 전파 중 경란형에 속하는 것은?

① 사상충
② 록키산홍반열, 양충병(쯔쯔가무시병)
③ 열대수면병
④ 록키산홍반열, 발진티푸스
⑤ 흑사병, 양충병(쯔쯔가무시병)

27 절지동물이 옮기는 질환과 연결이 잘못된 것은?

① 이 – 발진티푸스　　　② 벼룩 – 페스트
③ 모기 – 말라리아　　　④ 파리 – 황열
⑤ 파리 – 장티푸스, 파라티푸스

🔑 해설　모기 : 일본뇌염, 말라리아, 황열, 뎅기열 등

28 다음 중 뉴슨스(nuisance)로 취급되고 있는 곤충은?

① 등에　　　② 깔따구　　　③ 파리
④ 진드기　　　⑤ 등에모기

🔑 해설　① 불쾌곤충(뉴슨스) : 질병을 매개하지는 않고 단순히 사람에게 불쾌감, 불결감, 혐오감, 공포감을 주는 동물을 말한다.
　　　　② 뉴슨스 종류 : 깔따구, 노린재, 나방파리, 귀뚜라미, 지하집모기 등

29 다음 살충제 중 장기간 분해하지 않고 환경을 오염시키는 것은?

① DDT　　　　　② permethrin
③ diazinon　　　　④ DDVP
⑤ submission

30 다음 살충제 중 훈증작용을 하는 것은?

① DDT　　　　　② 마라티온
③ 카바릴　　　　④ dichlorvos(DDVP)
⑤ 펜티온

3　식품위생학

01 고열과 구역질, 설사가 특징이며, 혈변 증상이 있는 것은?

① 콜레라　　　　　② 장티푸스
③ 파라티푸스　　　④ 세균성이질
⑤ 소아마비(폴리오)

🔑 해설　세균성이질 : 고열과 구역질, 때로는 구토, 설사가 특징이며, 대변에 혈액과 점액, 고름 등이 섞여 나온다.

02 탄 고기, 볶은 고기 등에서 나오는 발암성 물질은?

① 벤조피렌　　　　② 벤젠
③ THM　　　　　④ nitroaniline
⑤ 사염화탄소

03 자연독 식중독의 유독물질 연결이 틀린 것은?

① 감자 – 솔라닌　　　② 버섯 – 무스카린
③ 맥각 – amygdaline　④ 목화씨 – gossypol
⑤ 독미나리 – cicutoxin

🔑 해설　① 면실유(목화씨) : 고시폴(gossypol)
　　　　② 청매 : 아미그달린(amygdaline)
　　　　③ 맥각독 : 에고타민(ergotamine), 에고톡신(ergotoxin)
　　　　④ 독버섯 : 무스카린(muscarine), muscaridine, coprin, choline, lampterol 등

04 다음 중 황변미의 독성분이 아닌 것은?

① Citrinin　　　　② Aflatoxin
③ Citreoviridin　　④ Luteoskyrin
⑤ Islanditoxin

🔑 해설　Aflatoxin : Aspergillus flavus에 의하여 생성된 독성 대사물이다.

05 다음 중 인수공통(인축공통) 감염병이 아닌 것은?

① 탄저병　　　② 파상열　　　③ 야토병
④ 결핵　　　　⑤ 급성회백수염

🔑 해설　급성회백수염(소아마비, 폴리오) : 사람 사이에서만 감염(전염)되는 질병이다.

06 피막제를 뿌리는 이유를 가장 잘 설명한 것 하나만 선택하라.

① 세균의 침입을 막기 위해
② 호흡작용을 저지하기 위해
③ 신선도를 단기간 유지하기 위해
④ 호흡작용을 제한하여 수분의 증발을 방지하기 위해
⑤ 상품 가치를 높이기 위해

🔑 해설　① 피막제 : 과일이나 채소류의 신선도를 장기간 유지시키기 위해 표면에 피막을 만들어 호흡작용을 제한하여 수분의 증발을 방지하기 위한 목적으로 사용하는 것을 피막제라 한다.
　　　　② 허용피 막제 : 몰포린지방산염, 초산비닐수지

07 소금의 방부작용은 어느 현상에 의한 것인가?

① 삼투압 작용　　　② 단백질의 분해
③ 미생물의 증식　　④ 산소분압 증가
⑤ 상승 증발

08 식품의 보존에 관한 설명이다. 옳게 설명된 것은?

① 저온 살균 처리한 식품에는 미생물이 존재하지 않는다.
② 냉동식품은 식품의 질을 향상시킨다.
③ Aw가 낮을수록 미생물은 잘 번식한다.
④ 호기성 부패균의 방지는 통조림법이 좋다.
⑤ 염장 처리 시 식염의 농도는 3%가 좋다.

🔑 해설　① 저온 살균 처리한 식품에는 미생물이 존재한다.
　　　　② 냉동식품은 식품의 미생물 발육을 억제시킨다.
　　　　③ Aw가 낮을수록 미생물은 잘 번식하지 못한다.
　　　　④ 염장 처리 시 식염의 농도는 10%가 좋다.

09 어패류의 경우 휘발성 염기질소가 어육 100g당 몇 %가 되면 초기 부패로 판정하는가?

① 5~10mg%　　② 15~20mg%　　③ 30~40mg%
④ 50~60mg%　　④ 90mg%

🔑 해설　초기 부패 판정
　　　　① 부패 판정 : 식품 중에 있는 단백질이 부패균에 의해 분해될 때 생성되는 암모니아와 유사한 amine(아민)을 포집하여 생성량을 구한다.
　　　　② 어육에서는 휘발성 염기질소가 30~40mg%(0.03~0.04%)로 되면 초기 부패라 한다(100g 중 30mg을 초과하면 부패가 시작된다고 한다).

10 단백질 억제효과란 무엇인가?

① 지방으로부터 단백질을 얻는 것이다.
② 미생물의 분해작용을 말한다.
③ 미생물에 의한 단백질 합성을 말한다.
④ 탄수화물과 단백질이 공존 시 미생물이 탄수화물을 먼저 에너지원으로 이용하는 현상을 말한다.
⑤ 단백질이 탄수화물로 되는 것을 막는 것이다.

11 식기 및 도마, 주사기 등에 널리 사용되는 소독법은?

① 고압증기소독법
② 석탄산소독법
③ 자비소독법
④ 간헐멸균법
⑤ 화염멸균법

> **해설** 자비멸균법(자비소독법)
> ① 가장 간단하여 널리 사용한다.
> ② 식기 및 도마, 주사기 등 15~20분간 끓는 물에서 처리하는 방법이다.
> ③ 100℃를 넘지 않기 때문에 완전멸균을 기대하기는 어렵다.

12 수중 세균이 아닌 것은?

① Pseudomonas
② Moraxella
③ Flavobacterium
④ Acinetobacter
⑤ Bacillus

> **해설** 수중의 세균
> ① 담수세균 : Pseudomonas속, Moraxella속, Flavobacterium속, Acinetobacter속, Aeromonas속 등의 Gram음성 간균이며, 대부분 저온세균이다.
> ② 해수세균 : Pseudomonas속, Moraxella속, Flavobacterium속, Acinetobacter속, Vibrio속 등의 Gram음성 간균이며, 대부분 저온세균이다.
> ③ Bacillus속, Clostridium속 : 토양과 공기 중에 많이 존재하는 세균이다.

13 P. Morganii가 생성하는 물질은?

① Histidine
② Histamine
③ Putrescine
④ Tyramine
⑤ Bacillus

14 대장균이 검출되는 음료수를 오염수라고 하는 가장 중요한 이유는?

① 대장균은 병원을 유발하므로
② 대장균은 독소를 생산하기 때문에
③ 대장균이 검출되면 병원성 미생물이 생존해 있을 가능성 때문에
④ 분변 오염의 지표가 되기 때문에
⑤ 대장균은 인축의 장내 상재균이기 때문에

> **해설** 음료수에서 대장균 검출 의의 : ③번과 ④번이 해당되나, 가장 중요한 이유를 하나만 찾으라면 ③번이 답이 된다.

15 대장균군의 MPN(Most Probable Number)에 관한 설명 중 옳은 것은?

① 검체 1ml 중 이론상 있을 수 있는 대장균군수
② 검체 10ml 중 이론상 있을 수 있는 대장균군수
③ 검체 50ml 중 이론상 있을 수 있는 대장균군수
④ 검체 100ml 중 이론상 있을 수 있는 대장균군수
⑤ 검체 150ml 중 이론상 있을 수 있는 대장균군수

> **해설** 대장균군의 MPN(Most Probable Number) : 검체 100ml 중 이론상 있을 수 있는 대장균군수이다.

16 다음 중 Aflatoxin 생산의 최적조건 설명이다. 옳지 않은 것은?

① 온도가 15℃ 이하이다.
② 상대습도는 80~85%이다.
③ 자외선에 불안정하다.
④ 방사선에 불안정하다.
⑤ 기질은 탄수화물이 많은 쌀, 보리, 옥수수 등이다.

> **해설** Alfatoxin의 최적온도는 25℃이다.

17 다음 균 중 이질균에 속하는 것은?

① Salmonella속
② Vibrio
③ Shigella
④ 대장균속
⑤ Serratia속

> **해설** 세균에 의한 수인성 감염병 종류
> ① 살모넬라속Salmonella)
> ㉮ 장티푸스(Typhoid fever)의 병원체 : Salmonella typhi
> ㉯ 파라티푸스(Paratyphoid fever)의 병원체 : Salmonella paratyphi
> ② 콜레라속(Vibrio) : 콜레라의 병원체는 Vibrio Cholera이다.
> ③ 시겔라속(Shigella) : 세균성이질(Bacillary dysentery)의 병원체는 Shigella dysenteria이다.

18 인수공통 감염병 중 세균성이 아닌 것은?

① 탄저병
② 돼지단독
③ 결핵
④ 야토병
⑤ 두창

> **해설** 인수공통 감염병 분류
> ① 세균성 : 탄저병, 돼지단독, 결핵, 야토병, 브루셀라(파상열) 등
> ② 바이러스 : 뇌염, 광견병, 앵무병, New castle병 등
> ③ 리케치아 : Q열 등
> ④ 원충성 : Toxoplasma병 등
> ※ 두창 : 사람 사이에서만 전파되는 바이러스성 질병이다.

19 아래의 내용은 파상열에 관한 설명이다. 맞는 것 모두가 조합된 것은?

> ㉮ 소, 염소, 양, 돼지의 동물에게 유산을 일으키는 질병이다.
> ㉯ Brucella melitensis : 양, 염소에 유산을 일으키는 병원체이다.
> ㉰ Brucella abortus : 소에 감염되어 유산을 일으키는 병원체이다.
> ㉱ 파상열은 인축공통 감염병이 아니다.

① ㉮, ㉯, ㉰
② ㉮, ㉰
③ ㉯, ㉱
④ ㉱
⑤ ㉮, ㉯, ㉰, ㉱

> **해설** 파상열의 특징 : ①번 외, 인축공통 감염병이며, 돼지에 감염되는 병원체는 Brucella suis이다.

20 경피감염되며 빈혈, 식욕 부진, 피부 건조를 일으키는 기생충은?

① 십이지장충
② 회충
③ 요충
④ 동양모양선충
⑤ 편충

21 제1중간숙주가 다슬기이고 제2중간숙주인 가재를 생식하여 생기는 기생충은?

① 광절열두조충
② 요코가와흡충
③ 아니사키스
④ 폐디스토마
⑤ 간디스토마

22 다음은 기생충질환과 중간숙주의 연결이다. 틀린 것은?

① 간흡충 – 민물고기
② 유구조충 – 돼지
③ 선모충 – 돼지
④ 폐디스토마 – 가재
⑤ 무구조충 – 채소

> **해설** 무구조충 : 소(쇠고기)

23 카드뮴이 체내에 축적되었을 때 만성적으로 나타나는 질환은?

① 카네미유증
② 미나마타질환
③ 정신질환
④ 이타이이타이질환
⑤ 유아창백증

24 심한 발열 증상이 있는 식중독은 어느 것인가?

① Salmonella 식중독   ② Botulinus 식중독

③ 황색 포도상구균 식중독   ④ 병원성 식중독

⑤ Cereus 식중독

🔎 해설   Salmonella 식중독 : 체온이 38~40℃까지 올라간다.

25 Vibrio parahaemolyticus에 의한 식중독 설명 중 잘못된 것은?

① 이 균은 호염세균이어서 염분의 농도가 3~4% NaCl을 함유한 배지에서 잘 자란다.

② 이 균은 열에 강하여 가열에 의해 영향을 받지 않는다.

③ 원인 식품은 주로 어패류이다.

④ 잠복기는 평균 10~18시간이다.

⑤ 주요 증상은 위장장애이다.

🔎 해설   Vibrio parahaemolyticus에 의한 식중독 예방 : 가열조리, 민물에 씻는다.

26 잠복기가 짧으면서 유제품이 원인 식품이 되거나 손에 상처가 있는 식품취급자를 통하여 감염되기 쉬운 식중독은?

① 살모넬라 식중독   ② 장염비브리오 식중독

③ 보툴리누스균 식중독   ④ 포도상구균 식중독

⑤ 프로테우스 식중독

27 다음은 enterotoxin에 대한 설명이다. 틀린 것은?

① 식품에 생성될 때에는 내열성이 매우 커진다.

② trypsin 등의 단백질 분해효소에 의하여 불활성화되지 않는다.

③ 균은 체내독소이다.

④ 독소 생성에 따라 A~E의 5형으로 구분된다.

⑤ 분자량이 30,000 정도의 단백질이다.

🔎 해설   enterotoxin는 체외독소이다.

28 Clostridium perfringens의 특징과 관계가 없는 것은?

① Welchii 식중독의 원인균이다.

② 그람양성의 아포를 형성하는 간균이다.

③ 편모가 없으며 비운동성이다.

④ 식중독을 일으키는 균형은 B형과 C형이다.

⑤ 주요 원인 식품은 동물성 단백질 식품이다.

🔎 해설   Clostridium perfringens의 균형은 A~F까지 있는데, 식중독을 일으키는 균은 A, D, F이다.

29 햄, 베이컨 등에 방부의 목적으로 사용되어 소화 불량, 식욕 감퇴 등을 일으키는 물질은?

① salicylic acid   ② 염산

③ boric acid   ④ DHA

⑤ benzoic acid

🔎 해설   boric acid : 방부, 윤, 입 촉감 증진을 위해 사용되어 소화 불량, 식욕 감퇴, 구토, 설사, 위통을 일으키는 물질이다.

30 방사성 물질로서 비교적 반감기가 길어서 문제가 되는 핵종은?

① Sr-90과 Cs-137   ② Co-60과 Zn-65

③ I-131과 Ba-140   ④ Cs-144와 Y-91

⑤ Zr-95와 Ru-103

🔎 해설   ① ^{90}Sr(스트론튬)의 반감기 : 약 29년
     ② ^{137}Cs(세슘)의 반감기 : 약 27년

31 다음 중 맥각독의 성분은?

① Solanine   ② Aflatoxin

③ Ergotamine   ④ Muscarine

⑤ Coprin

32 조개류 서식지역에 다른 유독화의 원인물질이라고 볼 수 있는 것은?

① 플랑크톤   ② 수중 환경에 유입된 N(질소)

③ 수중 어류의 유독성 물질   ④ 복어의 유독성 물질

⑤ 수중 환경에 유입된 P(인)

🔎 해설   적조현상이란 정체 수역에 질소(N), 인(P) 등의 무기성 영양소가 다량 유입 시 플랑크톤이 폭발적으로 증가하는 현상을 말한다.

33 식품첨가물로 허용되어 있는 산화방지제가 아닌 것은?

① Butyl hydroxy anisole(BHA)

② Sodium propionate

③ Propyl gallate

④ Tocopherol

⑤ Dibutyl hydroxy toluene(BHT)

🔎 해설   ②번(프로피온산 나트륨) : 보존료(방부제)이다.

34 빵 및 생과자에 사용되는 보존료는?

① 프로피온산나트륨   ② 안식향산

③ DHA   ④ 살리실산

⑤ 소르빈산

🔎 해설   프로피온산 나트륨 : 빵 및 생과자에 사용되는 보존료이다.

35 다른 보존제에 비해 효력은 약하지만 곰팡이의 발육 저지 작용이 강한 것은?

① 소르빈산   ② 안식향산

③ 디히드로초산   ④ 프로피온산

⑤ 살리실산

🔎 해설   소르빈산 : 살균력은 약하지만 곰팡이의 발육 저지 작용이 강하다.

36 식품위생 정의에서 식품위생의 범위에 해당되지 않는 것은?

① 영양   ② 식품   ③ 첨가물

④ 기구 및 용기   ⑤ 포장

37 주모성 편모를 가지고 있는 균만으로 된 것은?

① 폐렴균, 포도상구균

② 살모넬라균, 장염비브리오균

③ 대장균, 살모넬라균

④ 연쇄상구균, 대장균

⑤ 콜레라균, 장티푸스균

🔎 해설   ① 단모균 : 콜레라균, 장염비브리오균 등
     ② 주모균 : 살로넬라균, 보툴리누스균, 대장균, 장티푸스균 등

38 골연화증을 일으키는 물질은?

① Hg   ② Cd   ③ PCB

④ BHC   ⑤ 유기인

39 장티푸스에 관한 설명으로 맞는 것은?

① 혈청학적 Widal 반응시험으로 진단하는 질병이다.
② 주증상은 용혈성 요독 증상이다.
③ 다량의 설사를 한다.
④ 법정감염병이 아니다.
⑤ 분변으로 옮겨지지 않는다.

> **해설** ① Typhoid Fever(장티푸스) : 혈청학적 Widal 반응시험으로 진단하는 질병이다.
> ② 장티푸스 : 법정감염병이며, 매개체는 주로 파리이고 증상은 심한 열이 나고 두통이 있으나 설사는 하지 않는다.

40 곰팡이에 대한 설명이다. 잘못된 것은 어느 것인가?

① 식품을 부패시키기도 한다.
② 식품공업에 이용하기도 하고 항생물질을 만들어 질병 치료에 이용되기도 한다.
③ 대부분 호기성으로 산소가 있어야 번식한다.
④ 체외로 독소를 분비시켜 사람에게 질병을 유발하기도 한다.
⑤ 대부분 저온성이고 중성의 pH에서 잘 번식한다.

> **해설** ① 곰팡이는 세균보다 저온에서 발육하고 낮은 온도에서 저항이 크다.
> ② 곰팡이는 pH 4.0(산성)에서 번식이 양호하다.

4 공중보건학

01 환자-대조군 조사 시 장점이 아닌 것은?

① 희귀한 질병조사에 적합하다.
② 적은 조사 대상 수
③ 시간·경비가 적게 든다.
④ 잠복기가 긴 질병에 적합하다.
⑤ 편견이 크다.

> **해설** ⑤번 : 환자-대조군 조사의 단점이다.

02 환자군 중 유해요인노출군을 A·비노출군을 C, 대조군 중 유해요인노출군을 B·비노출군을 D라 한다. 다음 중 OR(Odds Ratio = 교차비)의 계산 공식은?

① AB/CD   ② AC/BD   ③ CD/AB
④ AD/BC   ⑤ AD×BC

> **해설** 환자-대조군 연구에서 발생률은 계산할 수 없기 때문에 오즈비를 이용한다.
> $$OR(\text{Odds Ratio = 교차비}) = \frac{\dfrac{\text{환자군 중 유해요인노출군(A)}}{\text{환자군 중 비노출군(C)}}}{\dfrac{\text{대조군 중 유해요인노출군(B)}}{\text{대조군 중 비노출군(D)}}} = \frac{AD}{BC}$$

03 병원체가 숙주에 침입하여 다른 숙주에 감염을 가장 많이 일으킬 때까지의 기간을 무엇이라 하는가?

① 세대기   ② 감염기   ③ 잠복기
④ 병원체   ⑤ 보균자

> **해설** 세대기 : 병원체가 숙주에 침입하여 다른 숙주에 감염을 가장 많이 일으킬 때까지의 기간

04 잠복기 보균자가 병원소 역할을 하는 것이 아닌 것은?

① 성홍열   ② 백일해   ③ 장티푸스
④ 디프테리아   ⑤ 홍역

> **해설** 잠복기 보균자 : 감염성(전염성)질환의 잠복 기간 중에 병원체를 배출하는 자, 호흡기계 감염병은 일반적으로 잠복기 보균자에 속한다.
> **예** 디프테리아, 홍역, 백일해, 유행성이하선염, 수막구균성수막염 등

05 다음 중 병후보균자에 속하는 질병은?

① 세균성이질   ② 홍역
③ 백일해   ④ 유행성이하선염
⑤ 풍진

06 감염 경로와 관련 질병명과의 연결이 옳지 않은 것은?

① 직접접촉 감염 – 성병   ② 개달물 감염 – 트라코마
③ 토양 감염 – 파상풍   ④ 비말 감염 – 황열
⑤ 간접접촉 감염 – 결핵

> **해설** 황열 : 모기가 매개하는 감염병이다.

07 감마 글로불린과 혈청제제 등의 접종으로 얻어지는 면역은?

① 선천적 면역   ② 인공수동면역
③ 자연능동면역   ④ 자연수동면역
⑤ 인공능동면역

08 인공능동면역으로서 순화독소를 이용하는 감염병(전염병)은?

① 결핵, 황열   ② 파상풍, 디프테리아
③ 홍역, 수두   ④ 성홍열, 폴리오
⑤ 콜레라, 페스트

09 감염병의 전파예방 조치와 관계가 없는 것은?

① 병원소의 격리   ② 병원소의 제거
③ 환경위생의 관리   ④ 환자의 감염력 감소
⑤ 감염병 치료

> **해설** 감염병 관리의 3대 원칙
> ① 전파 예방 : 병원소의 제거 및 격리(외래 감염병의 국내 침입 방지 ; 검역), 감염력의 감소, 환경위생 관리 등
> ② 면역 증강 : 영양 관리, 예방접종 등
> ③ 예방되지 못한 환자의 조치 : 진단 시설의 제도화, 감수성 보유자의 관리, 보건교육, 치료 등

10 성인의 폐결핵 집단검진 순서가 올바른 것은?

① 간접촬영 – 직접촬영 – 배양검사
② 객담검사 – 간접촬영 – 직접촬영
③ 배양검사 – 간접촬영 – 직접촬영
④ 배양검사 – 직접촬영 – 간접촬영
⑤ 직접촬영 – 간접촬영 – 배양검사

> **해설** 폐결핵 검진 순서
> ① 어린이 : 투베르쿨린검사→ X-ray 직접촬영→ 배양(객담) 검사
> ② 성인 : X-ray 간접촬영→ X-ray 직접촬영→ 배양(객담) 검사
> ※ 투베르쿨린 검사(T-test = PPD test) : 결핵균 감염 유무 판단에 사용한다.

11 수인성 감염병의 역학적 특성으로 틀린 것은?

① 유행 지역이 한정되어 있다.
② 발병률과 치명률이 높다.
③ 2차 감염이 적다.
④ 환자가 폭발적으로 발생한다.
⑤ 음료수에서 병원체가 증명된다.

> **해설** ①·③·④·⑤번 외, 발병률과 치명률이 낮다.

12 다음 질병 중 악성신생물에 속하는 것은?

① 변비　　　　　② 뇌출혈　　　　③ 당뇨
④ 협심증　　　　⑤ 식도암

> **해설** 악성신생물 = 악성종양 = 암, 양성종양 = 의사암

13 영구적 피임방법은?

① 콘돔 사용　　　　　　② 월경주기법
③ 불임수술　　　　　　④ 세척법
⑤ 자궁 내 장치

> **해설** 영구적 피임방법 : 난관절제술, 정관절제술, 불임수술

14 인구 동태의 대상이 <u>아닌</u> 것은?

① 이민　　　　② 사망　　　　③ 혼인
④ 인구구조　　⑤ 출생

15 조사망률이란?

① $\dfrac{\text{연간 50세 이상 사망수}}{\text{연간 총사망수}} \times 100$

② $\dfrac{\text{연간 특정원인 사망수}}{\text{연간 총사망수}} \times 1,000$

③ $\dfrac{\text{어떤 질병에 의한 사망수}}{\text{그 질병의 환자수}} \times 1,000$

④ $\dfrac{\text{연간 총 사망수}}{\text{연앙 인구}} \times 1,000$

⑤ $\dfrac{\text{연간 만1세 미만 사망수}}{\text{연간 출생수}} \times 1,000$

16 한 명의 여자가 일생 동안 낳을 수 있는 여아의 총수는?

① 표본여성생산율　　　② 총재생산율
③ 모성생산율　　　　　④ 여성출생률
⑤ 순재생산율

> **해설** ① 합계생산율 : 한 여성이 일생 동안 낳은 아기의 수
> ② 재생산율 : 한 여성이 다음 세대에 남긴 어머니의 수 또는 여아의 평균수
> ㉮ 총재생산율 : 한 여성이 일생 동안 낳은 여아의 총수(어머니로 될 때까지의 사망은 무시)
> ㉯ 순재생산율 : 총재생산율에 모성까지 생존을 곱한 율
> (순재생산율 : 1.0 - 인구 정지, 1.0 이상 - 인구 증가, 1.0 이하 - 인구 감소)

17 1차 성비란?

① 태아 성비　　② 유아 성비　　③ 사망 시 성비
④ 현재의 성비　⑤ 출생 시 성비

> **해설** ① 1차 성비(태아의 성비) - 남(108~110):여(100)
> ② 2차 성비(출생 시의 성비) - 남(104~108):여(100)
> ③ 3차 성비(현재의 성비) - 남(100~102):여(100)
> (3차 성비는 100 또는 102, 노년인구 고려 시 여자의 수가 더 많다.)

18 WHO의 건강에 대한 정의에서 "사회적 안녕" 상태란?

① 사회 질서가 잘 확립될 수 있도록 법이 마련된 상태
② 국민 경제가 고도로 성장된 상태
③ 사회에 도움이 되는 역할을 하고 있는 상태
④ 보건교육제도가 잘 마련된 상태
⑤ 범죄가 없는 안정된 사회의 상태

> **해설** ① 세계보건기구(WHO)의 건강에 대한 정의 : '건강이란 단순히 질병이 없고 허약하지 않은 상태만을 의미하는 것이 아니라 육체적, 정신적 건강과 사회적 안녕의 완전한 상태'를 의미한다.
> ② 사회적 안녕(social well-being) : 사회보장이나 사회의 여러 제도가 잘 되어 있다는 뜻이라기보다는 자신의 역할을 충분히 수행할 수 있는 능력을 가진 상태를 말한다.

19 1차 보건의료와 상관<u>없는</u> 것은?

① 응급처치 및 급성 질환 치료
② 예방접종 사업
③ 식수위생관리사업
④ 모자보건사업
⑤ 풍토병관리사업

> **해설** 보건의료
> ① 1차 보건의료 : 예방접종사업, 식수위생관리사업, 모자보건사업, 영양개선사업, 풍토병관리사업, 통상 질병의 일상적 치료사업 등을 말한다.
> ② 2차 보건의료 : 2차 보건의료사업은 주로 응급처치를 요하는 질병이나 급성 질환의 관리사업과 병원에 입원 치료를 받아야 하는 환자관리사업이다.
> ③ 3차 보건의료 : 재활을 요하는 환자, 노인의 간호 등 장기요양이나 만성질환자의 관리사업이다. 3차 보건의료는 노령화 사회에서 노인성 질환의 관리에 큰 기여를 하고 있다.

20 우리나라에 서양의학 지식이 도입된 시기는?

① 고려중기　　　　　② 이조초기
③ 이조중기　　　　　④ 이조말기(고종시대)
⑤ 고려말기

21 제2차 세계대전 당시 군사 작전상의 문제 해결을 위하여 고안된 것은?

① PERT　　　② OR　　　③ PPBS
④ SA　　　　⑤ CPM

22 전국민 의료보험이 시행된 시기는 언제인가?

① 1987년　　　② 1988년　　　③ 1989년
④ 1990년　　　⑤ 1991년

> **해설** 의료보험의 역사
> ① 1989년 : 전 국민 의료보험의 실시
> ② 2000년 : 직장조합과 지역조합의 통합, 의약분업 실시
> ③ 2003년 : 건강보험 재정 통합

23 다음 중 우리나라에서 채택하고 있는 진료비 지불제도는?

① 인두제　　　　　　② 봉급제
③ 포괄수가제　　　　④ 행위별수가제(점수제)
⑤ 굴신제

> **해설** 진료비 지불제도
> ① 인두제 : 의료인이 맡고 있는 일정 지역의 주민 수에 일정 금액을 곱하여 지급하는 것
> ② 봉급제 : 기본급을 지불하는 것
> ③ 포괄수가제(DRG 제도) : 진료의 종류나 양에 관계없이 요양기관종별(종합병원, 병원, 의원) 및 입원일수별로 미리 정해진 일정액의 진료비만을 부담하는 제도이다. - 미국, 우리나라(일부 질병 채택)
> ④ 행위별수가제(점수제) : 동일한 질병이라도 의료인의 행위에 따라 수가가 다르게 지급되는 것 - 우리나라

24 우리나라의 보건소 소속 공무원은 행정체계상 어느 부처에 속해 있나?

① 총무처　　　　　　　② 안전행정부
③ 기획재정부　　　　　④ 보건복지부
⑤ 고용노동부

> 해설　① 보건소 소속 공무원 : 행정체계상 안전행정부에 속한다.
> 　　　② 보건소의 행정은 이원화되어 있다. 즉, 안전행정부는 보건소를 직접 통제(인사, 예산)를 하며 보건복지부는 기술지원을 한다.

25 건강 증진의 접근 원칙과 활동 영역을 제시한 제1차 국제건강증진회의와 관련 있는 것은?

① 방콕헌장　　　　　　② 알마아타선언
③ 헬싱키선언　　　　　④ 오타와헌장
⑤ 자카르타선언

26 몇 사람의 전문가가 청중 앞 단상에서 자유롭게 토론하는 형식으로 사회자가 있어서 이야기를 진행, 정리해 나가는 보건교육 방법은?

① 패널디스커션　　　　② 버즈 세션
③ 심포지엄　　　　　　④ 리플렛
⑤ 강연회

> 해설　① 심포지엄(Symposium) : 여러 사람의 전문가가 각각의 입장에서 어떤 주제에 관하여 발표한 다음 청중과 질의 토론하는 형식
> 　　　② 패널디스커션(Panel Discussion) : 어떤 주제에 관해 몇 명의 전문가가 청중 앞 단상에서 자유롭게 토의하는 방법
> 　　　③ 버즈 세션(Buzz Session) : 집회 참석자가 많은 경우에 전체를 몇 개의 분단으로 나누어서 토의시키고 다시 전체 회의에서 종합하는 분단토의 방법(6-6 method)

27 보건교육대상자 중에서 교육효과가 가장 크다고 생각되는 집단은?

① 영세민　　　　　　　② 초등학생
③ 농민　　　　　　　　④ 노동자
⑤ 지역 사회 주민

> 해설　보건교육대상자 중 교육효과가 가장 큰 집단은 초등학교 학생이다.

28 학교 환경보호구역 중 절대보호구역은 학교 출입문(정문)으로부터 몇 m 이내인가?

① 100m　　　　② 200m　　　　③ 50m
④ 30m　　　　　⑤ 20m

> 해설　①「교육환경법」에 따라 환경보호구역 중 절대보호구역은 학교출입문(정문)으로부터 50m 이내이고, 상대보호구역은 학교경계선으로부터 200m로 되어 있다.
> 　　　② 같은 급의 학교 간에 보호구역이 서로 중복될 경우에는 학생 수가 많은 학교가 관리한다.
> 　　　③ 상·하급 학교 간의 보호구역이 서로 중복될 경우에는 하급학교(유치원은 제외)가 관리한다.
> 　　　※ "정화구역"이 법 개정(2017.2.4.)에 따라 "보호구역"으로 변경되었음.

29 대표값을 나타내는 가장 적절한 표현은?

① 하나의 객관적 값으로서 측정값들의 분포를 특정 짓는 값이다.
② 하나의 객관적 값으로서 측정값들의 집단을 대표하는 값이다.
③ 어떤 집단의 산술평균치이다.
④ 산술평균과 중앙값을 뜻한다.
⑤ 하나의 객관적 값으로서 집단의 크기를 나타내는 통계량이다.

30 WHO가 제시한 국가 간 종합건강지표는?

① 보통사망률, 비례사망지수, 평균수명
② 신생아사망률, 영아사망률, 모성사망률
③ 평균여명, 신생아사망률, 영아사망률
④ 질병이환율, 비례사망지수, 평균수명
⑤ 보통사망률, 비례사망지수, 중독률

> 해설　WHO가 제시한 종합건강지표
> 　　　① 조사망률 : (연간 총 사망자 수 ÷ 연앙 인구) × 1,000
> 　　　② 평균수명 : 0세의 평균여명
> 　　　③ 비례사망지수 : 전체 사망자 중 50세 이상의 사망 수를 백분율(%)로 표시한 지수

31 다음 보건 통계 중 분모가 연간 출생아로 계산되지 않는 것은?

① 초생아사망률　　　　② 모성사망률
③ 신생아사망률　　　　④ 조사망률
⑤ 영아사망률

> 해설　조사망률 $= \dfrac{\text{연간 총사망자수}}{\text{연앙인구}} \times 10^3$

32 출생·사망비(동태지수)의 계산식은?

① (남자 출생 수 / 인구) × 100
② (연간 사망 수 / 인구) × 1,000
③ (연간 출생 수 / 연간 사망 수) × 100
④ (여자 출생 수 / 인구) × 100
⑤ (연간 출생 수 / 인구) × 100

> 해설　동태지수(증가지수) = (출생 수 ÷ 사망 수) × 100

33 가족계획사업의 효과 판정상 가장 좋은 지표는?

① 주산기사망률　　　　② 조출생률
③ 초생아사망률　　　　④ 모성사망률
⑤ 영아사망률

> 해설　① 조출생률 $= \dfrac{\text{연간 출생아수}}{\text{인구}} \times 1,000$
> 　　　② 조출생률이 감소해야만 가족계획사업이 성공한 것이다.

34 백분율로 표시되는 것은?

① 조출생률　　　② 이환율　　　③ 발병률
④ 치명률　　　　⑤ 유병률

> 해설　① 치명률 $= \dfrac{\text{사망자수}}{\text{발병자수}} \times 100$
> 　　　② 백분율로 표시하는 것 : 치명률, 동태지수(증가지수), 부양비, 비례사망지수 등

35 다음 설명 중 잘못된 것은?

① 비례사망지수 - 분자는 50세 이상 사망자 수
② 신생아사망률 - 분자는 생후 1주일 내 사망자 수
③ 주산기사망률 - 분모는 연간 출생아 수
④ 신생아사망률 - 분모는 연간 출생아 수
⑤ 모성사망률 - 분모는 연간 출생아 수

> 해설　신생아사망률 $= \dfrac{\text{연간 신생아(생후 4주 이내) 사망자수}}{\text{연간 출생아수}} \times 1,000$

5 위생관계법령

01 「식품위생법」상 (   )에 들어갈 것으로 옳은 것은?

> 식품의약안전처장은 관계 중앙행정기관의 장과의 협의 및 심의위원회의 심의를 거쳐 식품등의 기준 및 규격 관리 기본계획을 (   )년마다 수립·추진할 수 있다.

① 1   ② 2   ③ 3
④ 5   ⑤ 10

⊙해설 제7조의4(식품등의 기준 및 규격 관리계획 등) ① 식품의약품안전처장은 관계 중앙행정기관의 장과의 협의 및 심의위원회의 심의를 거쳐 식품등의 기준 및 규격 관리 기본계획(이하 "관리계획"이라 한다.)을 5년마다 수립·추진할 수 있다.

02 공중위생시설이 아닌 것은?

① 이용업   ② 미용업
③ 세탁업   ④ 건물위생관리업
⑤ 제과점

⊙해설 공중위생관리법 제2조(정의)

03 위생사 면허대장에 기재하지 않아도 되는 것은?

① 면허번호 및 면허연월일
② 성명·주소 및 주민등록번호
③ 위생사 국가시험 합격연월일
④ 면허의 종별
⑤ 면허취소 사유 및 취소연월일

⊙해설 공중위생관리법 시행규칙 제11조의2(위생사 면허증의 발급) ② 보건복지부장관은 면허증의 발급 신청이 적합하다고 인정하는 경우에는 다음 각 호의 사항이 포함된 면허대장에 해당 사항을 등록하고, 위생사 면허증을 신청인에게 발급하여야 한다.
　1. 면허번호 및 면허연월일
　2. 성명·주소 및 주민등록번호
　3. 위생사 국가시험 합격연월일
　4. 면허취소 사유 및 취소연월일
　5. 면허증 재교부 사유 및 재교부연월일
　6. 그 밖에 보건복지부장관이 면허의 관리에 특히 필요하다고 인정하는 사항

04 "감염병의 예방 및 관리에 관한 법률"이 규정한 제2급·3급 감염병이 아닌 것은?

① 백일해, 수두
② 유행성이하선염
③ 후천성면역결핍증(AIDS)
④ B형간염
⑤ 디프테리아

⊙해설 감염병예방법 제2조(정의)
　　① 디프테리아 : 제1급감염병
　　② 백일해, 수두, 유행성이하선염 : 제2급감염병
　　③ B형간염, 후천성면역결핍증(AIDS) : 제3급감염병

05 의사, 치과의사 또는 한의사가 탄저병 환자를 진단하였을 때의 신고는?

① 즉시   ② 5일 이내   ③ 6일 이내
④ 7일 이내   ⑤ 8일

⊙해설 감염병의 예방 및 관리에 관한 법률 제11조(의사 등의 신고)

06 필수예방접종을 실시하여야 하는 질병이 아닌 것은?

① 디프테리아   ② 유행성이하선염
③ 풍진, 일본뇌염   ④ 파상풍, 인플루엔자
⑤ 아메바성이질

⊙해설 감염병의 예방 및 관리에 관한 법률 제24조(필수예방접종) : 디프테리아, 백일해, 파상풍, 홍역, 폴리오(소아마비), 풍진, 유행성이하선염(볼거리), B형간염, 수두, 일본뇌염, b형헤모필루스인플루엔자, 폐렴구균, 결핵, 인플루엔자, A형간염, 사람유두종바이러스감염증

07 소독업을 하고자 하는 자는 어디(무슨 령)에서 정하는 시설·장비 및 인력을 갖추어 어떻게 하여야 하는가?

① 보건복지부령 – 특별자치도지사 또는 시장·군수·구청장 – 신고
② 보건복지부령 – 특별자치도지사 또는 시장·군수·구청장 – 허가
③ 보건소령 – 보건소장 – 신고
④ 환경부령 – 시·도지사 – 신고
⑤ 보건복지부령 – 보건복지부장관 – 등록

⊙해설 감염병의 예방 및 관리에 관한 법률 제52조(소독업의 신고 등)

08 「감염병예방법」상 감염 시 "식품접객업 또는 집단급식소"에 일시적으로 업무종사자를 제한하는 감염병에 해당하지 않는 것은?

① A형간염
② 콜레라
③ 장티푸스, 파라티푸스, 세균성이질
④ 장출혈성대장균감염증
⑤ B형간염

⊙해설 감염병예방법 시행규칙 제33조(업무 종사의 일시 제한)

09 식품위생법에서 정의하는 "집단급식소"에 관한 설명으로 적절하지 않은 것은?

① 영리를 목적으로 한다.
② 기숙사, 학교, 병원, 사회복지시설, 산업체, 국가·지방자치단체 그 밖의 후생기관 등의 시설을 말한다.
③ 특정 다수인에게 계속하여 음식물을 공급하는 곳을 말한다.
④ 1회 50인 이상에게 식사를 제공하는 급식소를 말한다.
⑤ 대통령령으로 정한 급식시설을 말한다.

⊙해설 식품위생법 제2조(정의) : "집단급식소"란 영리를 목적으로 하지 아니하면서 특정 다수인(기숙사, 학교, 병원, 사회복지시설, 산업체, 국가·지방자치단체 및 공공기관, 그 밖의 후생기관 등)에게 계속하여 음식물을 공급하는 곳의 급식시설로서 대통령령으로 정하는 시설을 말한다.

10 "식품안전관리인증기준"의 관리 과정에 해당하는 것은?

> ㉮ 식품의 원료 관리
> ㉯ 식품의 제조·가공 과정
> ㉰ 식품의 조리 과정
> ㉱ 식품의 소분·유통의 모든 과정

① ㉮, ㉯, ㉰   ② ㉮, ㉰   ③ ㉯, ㉱
④ ㉱   ⑤ ㉮, ㉯, ㉰, ㉱

⊙해설 식품위생법 제48조(식품안전관리인증기준) : 식품의약품안전처장은 식품의 원료관리 및 제조·가공·조리·소분·유통의 모든 과정에서 위해한 물질이 식품에 섞이거나 식품이 오염되는 것을 방지하기 위하여 각 과정의 위해요소를 확인·평가하여 중점적으로 관리하는 기준(식품안전관리인증기준)을 식품별로 정하여 고시할 수 있다.

11 위생관리등급의 구분 중 우수업소 등급 색깔은?

① 황색　　　② 녹색　　　③ 백색
④ 적색　　　⑤ 청색

해설 공중위생관리법
(1) 규칙 제21조(위생관리등급의 구분 등) ① 법 제13조제4항의 규정에 의한 위생관리등급의 구분은 다음 각호와 같다.
1. 최우수업소 : 녹색등급
2. 우수업소 : 황색등급
3. 일반관리 대상 업소 : 백색등급
(2) 법 제13조(위생서비스수준의 평가)
① 시·도지사는 공중위생영업소(관광숙박업의 경우를 제외한다. 이하 이 조에서 같다.)의 위생관리수준을 향상시키기 위하여 위생서비스평가계획(이하 "평가계획"이라 한다.)을 수립하여 시장·군수·구청장에게 통보하여야 한다.
② 시장·군수·구청장은 평가계획에 따라 관할지역별 세부평가계획을 수립한 후 공중위생영업소의 위생서비스수준을 평가("위생서비스평가")하여야 한다.
(3) 법 제14조(위생관리등급 공표 등)
① 시장·군수·구청장은 보건복지부령이 정하는 바에 의하여 위생서비스평가의 결과에 따른 위생관리등급을 해당공중위생영업자에게 통보하고 이를 공표하여야 한다.
② 공중위생영업자는 제1항의 규정에 의하여 시장·군수·구청장으로부터 통보받은 위생관리등급의 표지를 영업소의 명칭과 함께 영업소의 출입구에 부착할 수 있다.
③ 시·도지사 또는 시장·군수·구청장은 위생서비스평가의 결과 위생서비스의 수준이 우수하다고 인정되는 영업소에 대하여 포상을 실시할 수 있다.

12 식품조사처리업의 허가권자는 누구인가?

① 시·도지사　　　② 시장·군수·구청장
③ 식품의약품안전처장　　　④ 보건복지부장관
⑤ 보건지소장

해설 식품위생법 시행령 제23조(허가를 받아야 하는 영업 및 허가 관청)

13 제1급감염병으로 옳은 것은?

㉮ 중증급성호흡기증후군(SARS)　㉯ b형헤모필루스인플루엔자
㉰ 중동 호흡기 증후군(MERS)　㉱ 폐렴구균 감염증, SFTS

① ㉮, ㉯　　② ㉮, ㉰　　③ ㉯, ㉰
④ ㉱　　⑤ ㉮, ㉯, ㉰, ㉱

해설 감염병의 예방 및 관리에 관한 법률 제2조(정의)

14 개인하수처리시설을 설치하거나 변경하려는 자는 누구에게 어떻게 하여야 하는가?

① 특별자치시장·특별자치도지사·시장·군수·구청장 – 신고
② 특별자치도지사·시장·군수·구청장 – 허가
③ 시·도지사 – 신고
④ 시·도지사 – 허가
⑤ 환경부장관 – 허가

해설 하수도법 제34조(개인하수처리시설의 설치) : 개인하수처리시설을 설치하거나 변경하려는 자는 특별자치시장·특별자치도지사·시장·군수·구청장에게 신고하여야 한다.

15 분뇨를 재활용하는 자 또는 분뇨수집·운반업자는 분뇨의 수집장소·수집량 및 처리 상황을 기록하여야 하며, 기록한 장부는 최종기재를 한 날부터 몇 년간 보존하여야 하는가?

① 1년　　　② 2년　　　③ 3년
④ 5년　　　⑤ 10년

해설 하수도법 제68조(장부의 기록·보존) : 최종 기재를 한 날부터 3년으로 한다.

16 분뇨의 재활용을 위한 장비 및 시설의 관리기준이 잘못된 것은?

① 분뇨의 저장·처리장소에는 쥐, 파리, 모기 등 해충이 발생·번식하지 아니 하도록 약제를 살포하는 등 필요한 조치를 하여야 한다.
② 분뇨를 저장·처리할 때에는 분뇨가 흘러나오거나 악취가 나지 아니 하도록 하여야 한다.
③ 분뇨를 처리하는 시설과 장비 등은 기능이 정상적으로 유지될 수 있도록 수시로 점검하거나 보수하는 등 필요한 조치를 하여야 한다.
④ 정당한 사유 없이 수집·운반을 거부하거나 지연하여서는 아니 된다.
⑤ 분뇨를 저장시설이 아닌 곳에 저장하여야 하며, 재활용이 아닌 다른 방법으로 처리하여서는 아니 된다.

해설 하수도법 시행규칙 제42조(재활용시설의 설치·관리기준) [별표 8] : ①·②·③·④번 외,
① 분뇨를 저장시설이 아닌 곳에 저장하여서는 아니 되며, 재활용이 아닌 다른 방법으로 처리하여서는 아니 된다.
② 운반차량은 항상 청결하게 관리하여야 한다.

17 사후관리 대상인 폐기물을 매립한 후 일정 기간 동안 토지의 이용을 제한할 수가 있다. 이 제한 기간에 포함되는 용도는 어느 것인가?

① 공장부지 조성　　② 공원시설　　③ 수목의 식재
④ 초지의 조성　　⑤ 체육시설

해설 폐기물관리법 제54조(사용종료 또는 폐쇄 후의 토지이용제한 등) : 사후관리 대상인 폐기물을 매립하는 시설의 사용이 끝나거나 시설이 폐쇄된 후 침출수의 누출, 제방의 유실 등으로 인하여 주민의 건강 또는 재산이나 주변 환경에 심각한 위해를 가져올 우려가 있다고 인정되면 대통령령이 정하는 기간 동안 그 토지의 이용을 수목의 식재, 초지의 조성, 공원시설, 체육시설, 문화시설, 신·재생에너지 설비의 설치에 한정할 수 있다.

18 사후관리 대상인 폐기물을 매립하는 시설이 사용 종료되거나 폐쇄된 날로부터 몇 년 이내로 토지이용을 제한하는가?

① 1년　　　② 5년　　　③ 10년
④ 15년　　　⑤ 30년

해설 폐기물관리법 시행령 제35조(토지이용 제한 등) : 30년 이내로 한다.

19 지정폐기물 중 의료폐기물을 중간처분하는 경우 최대 며칠분의 폐기물을 보관할 수 있는 보관창고를 갖추어야 하는가?

① 5일　　　② 10일　　　③ 20일
④ 30일　　　⑤ 60일

해설 폐기물관리법 시행규칙 제28조 [별표 7] (폐기물처리업의 시설·장비·기술능력의 기준) : 의료폐기물 보관창고는 1일 처리능력의 3일분 이상 5일분 이하의 폐기물을 보관할 수 있는 시설을 갖추어야 한다.
폐기물관리법 시행규칙 제31조(폐기물처리업자의 폐기물 보관량 및 처리 기간) : 의료폐기물은 냉장보관 할 수 있는 섭씨 4도 이하 전용보관시설에서 보관하는 경우 5일 이내, 그 밖의 보관시설에서 보관하는 경우에는 2일이내. 다만, 격리의료폐기물의 경우에는 보관시설과 무관하게 2일 이내로 한다.

20 모든 국민이 질 좋은 먹는물을 공급받을 수 있도록 합리적인 시책을 마련하여 먹는물 관련 영업자에게 지도 및 관리를 하여야 하는 곳은?

① 국가 및 지방자치단체　　② 국무총리
③ 보건복지부　　　④ 환경부
⑤ 국토해양부

해설 먹는물관리법 제2조(책무)

21 먹는물 공동시설의 알맞은 관리를 위하여 필요한 조치를 하여야 하는 사람은 누구인가?

① 보건복지부장관
② 특별자치시장 · 특별자치도지사 · 시장 · 군수또는구청장
③ 시 · 도지사
④ 환경부장관
⑤ 국토해양부장관

해설 먹는물관리법 제8조(먹는물 공동시설의 관리) : 먹는물 공동시설 소재지의 특별자치시장 · 특별자치도지사 · 시장 · 군수 또는 구청장(자치구의 구청장)이 한다.

22 먹는샘물등의 수입판매업을 하고자 하는 자는 누구에게 등록하여야 하는가?

① 시장 · 군수   ② 보건복지부장관
③ 국토해양부장관   ④ 시 · 도지사
⑤ 식품의약품안전처장

해설 먹는물관리법 제21조(영업의 허가 등)

23 먹는샘물등의 제조업자의 경우 생산 및 작업일지를 작성하고 그 기록서류를 최종 기재한 날부터 몇 년간 보존하여야 하는가?

① 1개월   ② 1년   ③ 3년
④ 5년   ⑤ 7년

해설 먹는물관리법 시행규칙 제20조(먹는물관련영업자 준수사항) [별표 5]
① 먹는샘물등의 제조업자 : 3년 보존
② 수처리제 제조업자 : 1년 보존
③ 먹는샘물등의 수입판매업자 : 1년 보존
④ 정수기 제조업자 및 수입판매업자 : 1년 보존

24 다음은 광역상수도 및 지방상수도의 경우, 정수장에서의 수질검사를 설명한 것이다. 매주 1회 이상 측정하여야 하는 항목이 아닌 것은?

① 일반세균   ② 총대장균군
③ 증발잔류물   ④ 암모니아성질소
⑤ 잔류염소

해설 먹는물 수질기준 및 검사 등에 관한 규칙 제4조(수질검사의 횟수) : 매주 1회 이상 측정해야 하는 항목은 ① · ② · ③ · ④번 외, 질산성질소, 과망간산칼륨 소비량, 대장균 또는 분원성 대장균군
※ 잔류염소 : 매일 1회 이상

25 먹는물 공정도 중 맞는 것은?

① 취수 - 원수저장 - 정수 - 자외선살균 - 처리수저장 - 충전 - 검사 - 포장
② 원수저장 - 취수 - 정수 - 자외선살균 - 처리수저장 - 충전 - 검사 - 포장
③ 취수 - 원수저장 - 자외선살균 - 처리수저장 - 정수 - 충전 - 검사 - 포장
④ 취수 - 원수저장 - 정수 - 자외선살균 - 충전 - 처리수저장 - 검사 - 포장
⑤ 취수 - 원수저장 - 자외선살균 - 처리수저장 - 충전 - 검사 - 정수 - 포장

해설 먹는물관리법 시행규칙 제9조 [별표 3] : 취수 - 원수저장 - 정수 - 자외선살균 - 처리수저장 - 충전(청정실 설치) - 검사 - 포장

제3회 실전모의고사 정답

1 환경위생학

01 ③ 02 ③ 03 ① 04 ① 05 ⑤ 06 ④ 07 ⑤ 08 ③ 09 ① 10 ②
11 ② 12 ④ 13 ④ 14 ⑤ 15 ③ 16 ② 17 ④ 18 ③ 19 ⑤ 20 ③
21 ③ 22 ① 23 ④ 24 ⑤ 25 ② 26 ② 27 ④ 28 ⑤ 29 ④ 30 ②
31 ④ 32 ③ 33 ① 34 ① 35 ① 36 ⑤ 37 ④ 38 ④ 39 ② 40 ⑤
41 ① 42 ③ 43 ① 44 ③ 45 ① 46 ② 47 ④ 48 ① 49 ③ 50 ④

2 위생곤충학

01 ② 02 ③ 03 ③ 04 ① 05 ① 06 ① 07 ③ 08 ① 09 ① 10 ①
11 ⑤ 12 ② 13 ① 14 ③ 15 ① 16 ③ 17 ① 18 ② 19 ② 20 ⑤
21 ① 22 ① 23 ② 24 ① 25 ② 26 ② 27 ④ 28 ② 29 ① 30 ④

3 식품위생학

01 ② 02 ① 03 ③ 04 ② 05 ⑤ 06 ④ 07 ① 08 ④ 09 ① 10 ④
11 ⑤ 12 ⑤ 13 ② 14 ③ 15 ④ 16 ① 17 ③ 18 ⑤ 19 ① 20 ①
21 ④ 22 ⑤ 23 ④ 24 ① 25 ② 26 ④ 27 ③ 28 ④ 29 ③ 30 ①
31 ④ 32 ① 33 ② 34 ⑤ 35 ① 36 ① 37 ① 38 ② 39 ① 40 ⑤

4 공중보건학

01 ⑤ 02 ④ 03 ① 04 ③ 05 ① 06 ④ 07 ② 08 ② 09 ⑤ 10 ①
11 ② 12 ① 13 ① 14 ④ 15 ④ 16 ② 17 ① 18 ③ 19 ① 20 ④
21 ② 22 ④ 23 ① 24 ② 25 ④ 26 ① 27 ② 28 ② 29 ② 30 ①
31 ④ 32 ① 33 ① 34 ④ 35 ②

5 위생관계법령

01 ④ 02 ⑤ 03 ④ 04 ⑤ 05 ① 06 ⑤ 07 ① 08 ⑤ 09 ① 10 ⑤
11 ① 12 ③ 13 ② 14 ① 15 ③ 16 ⑤ 17 ① 18 ⑤ 19 ① 20 ①
21 ② 22 ④ 23 ③ 24 ⑤ 25 ①

1 환경위생학

01 다음 중 지표수의 특징이 <u>아닌</u> 것은?

① 미생물과 세균 번식이 활발하다.
② 부유성 유기물이적다.
③ 경도가 낮다.
④ 수온 변화가 심하다.
⑤ 용존산소를 많이 함유하고 있다.

> 해설 ① 지표수 : 부유성 유기물이 많다.
> ② 지하수 : 부유성 유기물이 적고, 경도가 높다.

02 다음 내용 중 완속여과법과 관계없는 것은 어느 것인가?

① 수면이 잘 동결되는 지역에 좋다.
② 세균 제거율은 98~99%이다.
③ 건설비가 많이 든다.
④ 여과속도는 3m/day이다.
⑤ 사면대치를 한다.

> 해설 완속여과와 급속여과의 차이점

항목	완속여과	급속여과
여과속도	3~5m/day	120~150m/day
예비처리	보통침전법(중력침전)	약품침전
제거율	98~99%	95~98%
모래층 청소	사면대치(표면층 삭제)	역류세척(Back Wash)
경상비	적다.	많다.
건설비	많다.	적다.
부유물질 제거	모래층 표면	모래층 표면과 내부
장점	세균 제거율이 높다.	탁도·색도가 높은 물에 좋다. 수면 동결이 쉬운 곳에 좋다.

03 다음 물질 중 염소소독 대용으로 이용될 수 있는 물질이 <u>아닌</u> 것은?

① 오존 ② 브롬 ③ 고분자 응집제
④ 자외선 ⑤ 요오드

04 다음 중 불연속점(Break Point) 염소처리를 옳게 설명한 것은?

① 유리형 잔류염소 출현 시까지 처리
② 잔류염소 최하강점 이상으로 염소처리
③ 잔류염소 최상승점 이상으로 염소처리
④ 간헐적으로 염소처리
⑤ 불연속적으로 염소처리

> 해설 염소소독은 파괴점(Break Point, 잔류염소 최하강점) 이상으로 염소를 주입한다.

05 다음 중 오존의 장단점이 <u>아닌</u> 것은?

① 강력한 살균력이 있다.
② 잔류효과가 있다.
③ 발암물질인 THM이 생성되지 않는다.
④ 오존(O_3)은 잔류효과가 없다.
⑤ 가격이 비싸다.

> 해설 오존(O_3)은 물 소독 시 잔류효과가 없어 2차 오염을 일으킬 수 있는 것이 가장 큰 단점이다.

06 다음 중 상수도의 약품 침전에 있어서 사용되는 응집제로 가장 합당한 것은?

① 황산동 ② 황산알루미늄 ③ 활성탄
④ 황산마그네슘 ⑤ 황산망간

07 용존산소량(DO)에 대한 설명 중 맞지 <u>않는</u> 것은?

① DO는 수온이 낮고 기압이 높을수록 증가한다.
② DO가 가장 낮은 점이 임계점이다.
③ 염류농도가 높을 때 DO가 최대이다.
④ 해수나 경수는 산소의 용해도가 매우 낮다.
⑤ 염류의 농도가 높을수록 DO의 농도는 낮아진다.

> 해설 염류농도가 높으면 DO는 낮아진다.

08 BOD라 함은 몇 도에서 얼마 동안 저장한 후 측정한 값인가?

① 20℃, 5일간 ② 10℃, 5일간
③ 20℃, 7일간 ④ 15℃, 3일간
⑤ 10℃, 1일간

09 다음 중 경수(경도)에 해당하는 물질은?

① 탄산가스가 많다. ② 질소와인이 많다.
③ 칼슘, 마그네슘이 많다. ④ 조류가 많다.
⑤ 불소량이 많다.

> 해설 ① 경도라 함은 물속에 용해되어 있는 Ca^{2+}, Mg^{2+}, Mn^{2+}, Fe^{2+}, Sr^{2+} 등의 2가 양이온이 원인이 되며 이들의 양을 탄산칼슘($CaCO_3$)으로 환산하여 나타낸다.
> ② 종류
> ㉮ 일시경도(탄산경도)
> ㉠ 일시경도 유발물질 : OH^-, CO_3^{2-}, HCO_3^- 등
> (예) $Ca(OH)_2$, $Ca(HCO_3)_2$, $Mg(HCO_3)_2$, $MgCO_3$)
> ㉡ 일시경도 제거 방법 : 끓이면 경도를 제거할 수 있다. 즉, 연수화시킬 수 있다.
> ㉯ 영구경도(비탄산경도)
> ㉠ 영구경도 유발물질 : Cl^-(염화물), SO_4^{2-}(황산염), NO_3^-(질산염) 등
> (예) $MgCl_2$, $MgSO_4$, $CaSO_4$, $Mg(NO_3)_2$, $Ca(NO_3)_2$)
> ㉡ 영구경도는 끓여도 제거되지 않는다.
> ③ 경도제거 방법 : 석회소다법, 제오라이트법

10 대장균 지수가 크다는 의미는?

① 호기성세균 ② 집락 ③ 대장균이 많다.
④ 혐기성 세균 ⑤ 임의성 균

> 해설 ① 대장균 지수 : 대장균이 검출된 검수량의 역수
> ② 대장균 지수가 크다는 것은 대장균이 많다는 것이다.

11 하천의 오염 진행 상태를 알아보기 위한 지표로서 가장 타당성이 있는 것은?

① 암모니아성 질소(NH_3-N)가 대량 검출되었다.
② 용존산소(DO)가 5mg/l였다.
③ COD가 10mg/l였다.
④ 알칼리도가 50mg/l였다.
⑤ 중금속이온이 검출되었다.

> 해설 암모니아성 질소(NH_3-N)가 대량 검출되었다면 오염된 지 얼마 되지 않았다는 것을 알 수 있다.

12 PCB에 관한 설명 중 잘못된 것은?

① 물리적·화학적으로 안정하고 난연성이다.
② DDT와 BHC와 같은 염소를 함유하는 물질이다.
③ 전기절연성이 높고 콘덴서 등의 전기기기 제조에 사용된다.
④ 일반적으로 수용성이므로 생체 내에 들어가도 지방조직에 축적되는 일은 없다.
⑤ 생물 농축에 의해 축적된다.

⊙해설 PCB는 지용성이므로 생체 내에 들어가 지방조직에 축적된다.

13 오염원과 오염원으로부터 주로 배출되는 유해물질이 틀리게 짝지어진 것은?

① 축전지 제조공장 – 납　② 도금 공장 – 시안
③ 농약 제조공장 – 비소　④ 온도계 제조공장 – 크롬
⑤ 안료 제조공장 – 유기인

⊙해설 ① 안료 제조공장 : Pb, Cd, Cr 등이 배출된다.
　　　② 유기인 : 농약 공장에서 배출된다.

14 암모니아의 원인물질은?

① 탄수화물　　② 무기물　　③ 유기성 단백질
④ 지방　　　　⑤ 칼슘

⊙해설 질산화반응(호기성) : 유기성질소(단백질) → NH_3-N → NO_2-N → NO_3-N

15 성층현상과 가장 관계 깊은 인자는?

① 적조현상　　② 유기물 농도　　③ 인 농도
④ 온도　　　　⑤ 염류농도

⊙해설 성층현상 : 호수에서는 수심에 따른 온도의 변화로 물의 밀도 차가 발생하여 표층, 변천대, 정체층 등으로 층이 발생하는데 이러한 현상을 성층현상이라 한다.

16 분뇨를 혐기성 방법으로 처리할 때 장점이 아닌 것은?

① 소화가스를 모아서 열원으로 이용한다.
② 호기성 처리방법에 비하여 소화 속도가 빠르다.
③ 유지관리비가 적게 든다.
④ 기생충란을 사멸시킨다.
⑤ 수인성 감염병의 전파를 막을 수 있다.

⊙해설 혐기성처리는 호기성 처리방법에 비하여 소화 속도가 느리다.

17 하수의 운반시설 중 분류식의 장점은 어느 것인가?

① 항상 일정한 유량을 유지할 수 있다.
② 수리가 용이하다.
③ 빗물에 의해 하수관이 자연히 청소된다.
④ 점검이 간단하다.
⑤ 건설비가 적게 든다.

⊙해설 ②·③·④·⑤번은 합류식의 장점이다.
　　　하수 처리방식에는 합류식과 분리식이 있다.
　　　① 합류식 : 합류식이란 우수와 오수를 합쳐서 처리하는 방식으로써 평상시 오수만 유입 시 유속이 작아져 관내에 고형물이 퇴적되기 쉽다.
　　　㉮ 장점
　　　　㉠ 건설비가 적게 든다.
　　　　㉡ 관이 크므로 보수·점검·청소를 하기가 용이하다.
　　　　㉢ 하수관이 우수에 의해 자연적으로 청소가 된다.
　　　㉯ 단점
　　　　㉠ 강우 시 하수량이 많아져 수처리가 어렵다.
　　　　㉡ 강우 시 큰 유량에 대비하여 단면적을 크게 하므로 가뭄이 계속되는 여름철에는 침전물이 생겨 부패하기 쉽다.
　　　　㉢ 폭우에는 범람의 우려가 있다.
　　　② 분류식 : 우수와 오수를 분리하는 것으로써 항상 일정한 유량을 유지할 수 있으며, 장단점은 합류식의 반대가 된다.

18 군집독을 일으키는 가스의 변화를 바르게 설명한 것은?

① CO_2 증가, O_2 감소, 악취 증가, 기타 가스의 증가
② CO_2 증가, O_2 증가, 악취 증가, 기타 가스의 증가
③ CO_2 증가, O_2 감소, 악취 감소, 기타 가스의 증가
④ CO_2 증가, O_2 감소, 악취 증가, 기타 가스의 감소
⑤ CO_2 감소, O_2 감소, 악취 증가, 기타 가스의 증가

19 무색, 무취, 무자극성으로 공기보다 가벼우며 물체가 불완전연소할 때 발생하는 기체는?

① CO_2　　　② CO　　　③ O_2
④ N_2　　　⑤ SO_2

⊙해설 가스의 비중 = 가스의 무게 / 공기의무게
　　　CO의 비중 = 28 / 28.8 = 0.97　∴ CO는 공기보다 가볍다.

20 온열환경에 있어 가장 중요한 온열요소를 정확하게 설명한 것은?

① 기온, 일교차, 습도　　② 기온, 기습, 기류, 복사열
③ 복사열, 실내 온도, 일교차　④ 실내 온도, 기류, 감각온도
⑤ 기온, 기류, 일교차

⊙해설 온열요소(온열조건 4인자) : 기온, 기습(습도), 기류, 복사열

21 다음 중 거의 모든 사람이 쾌적감을 느낄 수 있는 겨울철의 최호적 감각온도는?

① 60℉　　　② 64℉　　　③ 66℉
④ 71℉　　　⑤ 80℉

⊙해설 ① 겨울철의 최호적 감각온도 : 66℉
　　　② 여름철의 최호적 감각온도 : 71℉

22 다음 중 불쾌지수를 구하는 방법으로 맞는 것은?

① (건구온도 × 습구온도)℃ × 0.72 + 40.6
② (건구온도 × 습구온도)℃ + 0.72 + 40.6
③ (건구온도 + 습구온도)℃ × 0.72 + 40.6
④ (건구온도 + 습구온도)℃ ÷ 0.72 + 40.6
⑤ (건구온도 – 습구온도)℃ × 0.72 + 40.6

⊙해설 불쾌지수(DI ; Discomfortable Index)
　　　① 불쾌지수 = (건구온도 + 습구온도)℃ × 0.72 + 40.6
　　　　　　　　 = (건구온도 + 습구온도)℉ × 0.4 + 15
　　　② 불쾌지수와 불쾌감
　　　　㉮ 불쾌지수 70 : 10%의 사람이 불쾌감을 느낀다.
　　　　㉯ 불쾌지수 75 : 50%의 사람이 불쾌감을 느낀다.
　　　　㉰ 불쾌지수 80 : 100%의 사람이 불쾌감을 느낀다.
　　　　㉱ 불쾌지수 85 : 견딜 수 없는 상태이다.

23 피부를 통해 방출되는 체열의 양은 전체 방열량의 몇 %인가?

① 20~30%　　② 30~40%　　③ 40~50%
④ 60~70%　　⑤ 80~90%

24 다음 중 온열지수에 해당하지 않는 것은?

① 쾌감대　　② 감각온도　　③ 불쾌지수
④ 냉각력　　⑤ 압력

⊙해설 ① 온열지수(온열요소의 종합지수) : 온도조건에 관한 여러 가지 종합지수를 온열지수라 한다.
　　　② 온열지수 : 쾌감대, 감각온도, 지적온도, 불쾌지수, 냉각력, 등가온도, 온열평가지수
　　　※ 온열인자 : 온도, 습도(기습), 기류, 복사열

25 빛의 종류별 파장의 길이를 바르게 표시한 것은?

① 적외선 〉 X선 〉 자외선

② γ선 〉 X선 〉 전파

③ 전파 〉 적외선 〉 가시광선

④ 가시광선 〉 적외선 〉 자외선

⑤ 전파 〉 가시광선 〉 적외선

> **해설** 파장의 길이가 긴 순서 : 전파 〉 적외선 〉 가시광선 〉 자외선 〉 X선 〉 γ선 〉 우주선

26 오존층에서 자외선을 흡수하는 파장 범위는?

① 150~200nm

② 180~200nm

③ 200~350nm

④ 200~290nm

⑤ 300~350nm

27 광화학적 오염에 관여하는 물질이 <u>아닌</u> 것은?

① 질소산화물(NOx)

② 유황산화물(SOx)

③ 유기물

④ 탄화수소(HC)

⑤ 오존(O_3)

28 대기 중에 존재하는 먼지의 크기는 보통 어느 정도인가?

① $0.001~0.01\mu$

② $1~100\mu$

③ $0.1~10\mu$

④ $0.01~0.1\mu$

⑤ $10~0.01\mu$

> **해설** 대기 중에 존재하는 먼지의 크기는 $0.001~500\mu m$ 정도이나 $0.1~10\mu m$ 정도의 크기가 대부분이다.

29 다음 중 조혈기능 장애를 일으키는 물질은 어느 것인가?

① 비소   ② 납, 벤젠   ③ 아연

④ 황화수소   ⑤ 오존

30 대기의 온실효과는 지구의 온도를 높인다고 한다. 그 이유는?

① 대기 중 먼지의 증가로 이 먼지가 복사열을 흡수하기 때문

② 일산화탄소 증가로 자외선 부근의 복사열을 흡수하기 때문

③ 아황산가스 증가로 적외선 부근 의 복사열을 흡수하기 때문

④ 이산화탄소의 증가로 적외선 부근의 복사열을 흡수하기 때문

⑤ 화산 폭발로 인한 방사열이 대기 중에 흡수되어 있기 때문

31 대기권의 상층부가 하층부보다 기온이 높은 상태를 무엇이라 하는가?

① 기온역전   ② 온열조건   ③ 기온감률

④ 기후요소   ⑤ 등온변화

> **해설** 기온역전 : 상층기온 〉 하층기온

32 미국의 대륙 서쪽 동태평양 적도 인근의 해수온도가 상승하면서 일으키는 현상은?

① 엘니뇨   ② 라니냐   ③ 황사

④ 태풍   ⑤ 온실효과

33 현대 공해의 특성으로 볼 수 <u>없는</u> 것은?

㉮ 누적화	㉯ 다발화	㉰ 다양화	㉱ 국소화

① ㉮, ㉯, ㉰   ② ㉮, ㉰   ③ ㉯, ㉱

④ ㉱   ⑤ ㉮, ㉯, ㉰, ㉱

> **해설** 우리나라의 대기오염의 특징
> ① 최근 우리나라의 대기오염 양상은 **점점 복잡 다양화**되어 가고 있다.
> ② 우리나라의 환경오염(대기오염)은 날로 증가 일로에 있다.
> ③ 질소산화물은 자동차 배출가스와 화력발전소 등에서 다량 배출되고 **전체적으로 증가**하고 있다.
> ④ 우리나라의 주요한 대기오염물질은 배출구에 따라 다르지만 아황산 가스가 많이 배출되고 있으나, 최근 들어서는 아황산가스는 줄어드는 반면, 질소화물, 미세먼지, 옥시던트(오존 등) 등도 문제가 되고 있다.

34 다음 지역 중 대기오염 사건이 일어난 도시가 <u>아닌</u> 곳은?

① Meuse Valley   ② Donora

③ London   ④ Paris

⑤ L.A

> **해설** 뮤즈계곡(Meuse Valley) 사건(1930년), 도쿄요꼬하마 사건(1946년), 도노라(Donora) 사건(1948년), 포자리카(Poza Rica) 사건(1950년), 런던(London) 사건(1952년), 로스앤젤레스(L.A ; Los Angeles) 사건(1954년)
> ※ 러브커넬 사건(1978, 미국) : 폐기물 오염사건 중 유기화합물질(다이옥신)에 의해 발생한 사건임.

35 다음 지역 중 대기오염 사건이 일어난 도시가 <u>아닌</u> 곳은?

① Poza Rica   ② Donora

③ London   ④ 미나마타

⑤ L.A

36 소각처리를 할 때 환경위생상 가장 큰 문제점이 되는 것은?

① 화재 발생   ② 대기 오염   ③ 악취 발생

④ 쥐의 서식   ⑤ 먼지 비산

37 위생적 매립방법을 할 때 가장 큰 단점은?

① 토지 요구량이 크다.

② 파리나 쥐가 서식한다.

③ 인건비가 많이 든다.

④ 폐기물의 분류가 선행되어야 한다.

⑤ 종이, 먼지의 비산이 많다.

> **해설** 위생적 매립방법의 가장 큰 단점은 많은 토지를 필요로 한다.

38 쓰레기의 위생적 매립 시 복토용 흙이 갖추어야 할 사항이 <u>아닌</u> 것은?

① 동물 시체의 침출수 방지

② 종이, 먼지의 비산 방지

③ 파리의 접근 방지

④ 물의 침투 방지

⑤ 압축성이 클 것

39 이상 고온에서 작업할 때 치사율이 가장 높은 질환은?

① 열경련   ② 일사병   ③ 열쇠약

④ 열허탈   ⑤ 열피로

40 다음 직업과 그 작업에서 오는 직업병을 연결한 것 중 틀린 것은?

① 용접공 – 백내장
② 인쇄공 – 진폐증
③ 항공기정비사 – 소음성난청
④ 도료공 – 빈혈
⑤ 용광로 화부 – 열쇠약

◉해설 인쇄공 : 납(연) 중독

41 다음의 단위 중 dB는 무엇을 말하는가?

① 음압 수준(음의 강도)   ② 음의 주파수
③ 음질   ④ 음의 양
⑤ 소음

42 일상적으로 근무하면서 폭로될 때 청력장애(난청)를 일으키기 시작할 수 있는 음의 최저치는?

① 65~70dB   ② 75~80dB
③ 90dB   ④ 100~105dB
⑤ 110dB 이상

◉해설 가청음역과 난청
① dB(A) : 음의 강도(음압 수준)
② phon : 음의 크기
③ Hz : 진동수의 단위
④ 소음의 허용한계(8시간 기준) : 90dB(A)
⑤ 건강인의 들을 수 있는 범위, 즉 가청음역 : 20~20,000Hz
⑥ 난청을 조기에 발견할 수 있는 주파수 : 4,000Hz(C_5-dip)

43 다음 중 소음성 난청의 초기 단계인 C_5-dip 현상이 잘 일어나는 주파수는?

① 25,000Hz   ② 10,000Hz
③ 4,000Hz   ④ 2,000Hz
⑤ 1,000Hz

◉해설 C_5-dip : 4,000cycle에서 최저가 저주파를 말한다.

44 규폐증을 일으키는 물질이 아닌 것은?

① 유리규산(SiO_2)   ② 규석
③ 석영   ④ 규조토, 석영유리
⑤ 금속 fume

◉해설 ① 규폐증은 주로 유리규산(SiO_2)의 흡입으로 폐에 만성섬유증식을 일으키는 질환이다.
② 유리규산은 결정형(結晶形 ; 규석, 석영), 미세결정형 및 무정형(無晶形 ; 규조토, 석영유리)의 3종이 있는데 이 중에서 결정형이 제일 문제가 된다.

45 수영장의 유리잔류염소량은 얼마로 규정되어 있는가?

① 0.05ppm   ② 0.1ppm
③ 0.2ppm   ④ 0.3ppm
⑤ 0.4~1.0ppm

◉해설 수영장의 수질기준 : 유리잔류염소는 0.4~1mg/l, 결합잔류염소는 최대 0.5mg/l

46 온천수 등의 욕수에 대한 수질기준 항목은 어느 것인가?

① 탁도   ② 색도
③ 수소이온 농도   ④ 과망간산칼륨 소비량
⑤ 총대장균군

◉해설 온천 목욕장 욕수의 수질기준
① 원수 : 총대장균군을 검사하되, 총대장균군은 100ml 중에서 검출되지 아니 하여야 한다.
② 욕조수(浴槽水) : 총대장균군을 검사하되, 1개를 초과하여 검출되지 아니 하여야 한다.

47 눈의 보호를 위해 가장 좋은 실내 조명방법은 어느 것인가?

① 반직접조명   ② 간접조명   ③ 직접조명
④ 반간접조명   ⑤ 이상 모두

◉해설 직접조명은 밝기 측면에서는 효과가 있으나 눈의 피로를 가져온다.

48 다음 중 실내의 최저 기준 조도는?

① 60Lux   ② 100~150Lux
③ 200~300Lux   ④ 500Lux
⑤ 300~600Lux

◉해설 실내 조도 기준
① 세면장 · 화장실 : 60~150Lux
② 식당 · 강당(집회장) : 150~300Lux
③ 교실 · 현관 · 복도 · 층계 · 실험실(일반) : 300Lux 이상 (300~600Lux)
④ 도서실 · 정밀작업 : 600~1,500Lux

49 고압증기멸균법의 압력과 처리 시간으로 맞는 것은?

① 10Lb, 15분간   ② 15Lb, 20분간
③ 20Lb, 15분간   ④ 20Lb, 30분간
⑤ 30Lb, 30분간

◉해설 고압증기멸균법
① 121℃, 15Lb, 20분간 실시하며, 아포형성균의 멸균에 사용된다.
② 사용 : 초자기구, 고무제품, 자기류 등에 사용된다.

50 석탄산계수가 2이고 석탄산의 희석배수가 30인 경우, 실제 소독약품의 희석배수는?

① 15배   ② 28배   ③ 32배
④ 60배   ⑤ 120배

◉해설 석탄산계수 = $\dfrac{소독약의 희석배수}{석탄산의 희석배수}$

$2 = \dfrac{x}{30}$ ∴ $x = 60$배

2 위생곤충학

01 불완전변태에서 볼 수 있는 발육단계는?

① 알 – 자충(유충) – 성충
② 알 – 유충 – 자충 – 성충
③ 알 – 유충 – 번데기 – 성충
④ 알 – 성충 – 유충
⑤ 알 – 자충 – 번데기 – 성충

◉해설 불완전변태
① 발육단계 : 알 – 유충 – 성충
② 종류 : 이, 바퀴, 빈대, 진드기 등
③ 유충(幼蟲) = 약충(若蟲), 자충(仔蟲)
④ 불완전변태를 하는 곤충의 경우 유충(幼蟲, larve) 대신 약충(若蟲, nymph)이란 용어를 사용한다. 자충(仔蟲)이라 부르기도 한다.

02 다음 중 거미강에 속하는 것은?

① 털진드기   ② 가재   ③ 지네
④ 게   ⑤ 벼룩

03 독일바퀴의 특성이 아닌 것은?

① 낮은 온도를 선호　　　② 군거성
③ 잡식성　　　　　　　　④ 저작형 구기
⑤ 야행성

> 해설　바퀴 또는 독일바퀴(Blattella germanica)
> ① 분포 : Blattella germanica(독일바퀴)는 우리나라에서도 전국적
> 　　으로 분포하고 있다.
> ② 형태
> 　㉮ 가주성 바퀴 중 가장 소형이다.
> 　㉯ 암수 모두 밝은 황갈색이고 암컷은 약간 검다.
> 　㉰ 전흉배판에 2줄의 흑색 종대가 있다.
> ③ 생활사 및 습성
> 　㉮ 암컷은 일생 동안 4~8회의 난협(알주머니)을 산출(産出)하는데
> 　　후기의 것일수록 알 수가 적어진다.
> 　㉯ 난협은 알이 부화할 때까지 어미 품에 붙어 있다.
> 　㉰ 30℃ 정도가 최적온도이고 20℃ 이하의 낮은 온도에서는 활동을
> 　　중지한다.
> 　㉱ 날개는 잘 발달되어 있으나 날지는 못하며, 민활한 동작으로 질주
> 　　(疾走)한다.
> 　㉲ 잡식성, 저작형 구기
> 　㉳ 군거성이며 야행성이다.

04 모기 유충과 번데기의 설명이다. 맞는 것은?

> ㉮ 유충 : 저작형구기가 있다.
> ㉯ 번데기 : 호흡각(呼吸角, trumpet)이 있는데 끝에 기문이 열려 있어
> 　유충처럼 대기의 산소를 호흡한다.
> ㉰ 번데기 : 유영편을 이용하여 수중에서 빠른 속도로 움직인다.
> ㉱ 유충 : 모든 유충은 호흡관을 이용하여 대기의 산소를 호흡한다.

① ㉮, ㉯, ㉰　　　② ㉮, ㉰　　　③ ㉯, ㉱
④ ㉱　　　　　　　⑤ ㉮, ㉯, ㉰, ㉱

> 해설　학질모기아과 유충은 호흡관이 없다.

05 모기가 숙주의 피를 흡혈할 때 숙주로부터 가장 먼 거리에서 숙
주를 찾을 수 있는 것은?

① 체습　　　② 체취　　　③ 체온
④ CO₂ 농도　⑤ 시각

> 해설　모기의 흡혈 습성
> ① 숙주 동물 찾아가는 요인 : 1차적으로 이산화탄소(탄산가스, CO_2),
> 　2차적으로 시각, 체온, 습기 등
> ② 모기가 숙주의 피를 흡혈할 때 숙주로부터 가장 먼 거리에서 숙주를
> 　찾을 수 있는 것은 체취이다.

06 학질모기속 유충에 대한 설명 중 잘못된 것은?

① 호흡관이 퇴화되어 있다.
② 장상모(palmate hair)가 있다.
③ 수면에 각도를 갖고 매달린다.
④ 수면에 평행으로 뜬다.
⑤ 하수구 등에 서식하지 않는다.

> 해설　중국얼룩날개모기 유충의 특징 : ①·②·④·⑤번 외
> ① 유충의 서식 장소 : 깨끗한 곳에서 서식한다(논, 관개수로, 늪, 빗물
> 　고인 웅덩이 등), 하수구 등에는 서식하지 않는다.
> ② 얼룩날개모기알 : 공기주머니인 부낭을 갖고 있다.
> ※ 작은빨간집모기 유충 : 수면에 각도를 갖고 매달린다.
>
> ● 중국얼룩날개모기 성충의 형태적 특징
> 　① 날개의 전연맥에 백색반점이 2개 있다.
> 　② 전맥에 흑색반점이 2개 있다.
> 　③ 촉수의 각 마디의 말단부에 좁은 흰 띠가 있다.
> 　④ 전체적으로 흑색의 중형모기이다.
> 　⑤ 휴식 시 45~90°를 유지한다.

07 먹파리(곱추파리)가 옮기는 질병은?

① 오로야열　　　　② 말레이사상충
③ 로아사상충　　　④ 카라아잘
⑤ 회선사상충

> 해설　먹파리(곱추파리)가 옮기는 질병 : 회선사상충

08 집파리에 의하여 질병이 전파(기계적 전파)되는 경우가 아닌 것은?

① 다리 강모에 의하여　　② 구기의 털에 의하여
③ 날개를 서로 비벼서　　④ 욕반에 묻혀서
⑤ 분비물, 배설물 등을 먹고 토함

> 해설　집파리가 병원체를 음식물이나 식기에 옮기는 방법
> ① 병원체를 몸의 표면 특히 주둥이의 순판과 발톱 사이에 있는 점액질
> 　로 덮여 있는 욕반에 부착시켜서 옮긴다.
> ② 병원체를 먹이와 함께 섭취하고 소화기관을 통과 분(糞)과 함께 배출
> 　해서 옮긴다.
> ③ 고체 먹이를 섭취하려고 소낭 내 물질을 토해낼 때 병원체를 배출해
> 　서 옮긴다.

09 흡혈노린재가 매개하는 질병은?

① 록키산홍반열　　② 모래파리열
③ 오로야열　　　　④ 아메리카수면병
⑤ 아프리카수면병

> 해설　흡혈노린재와 질병
> ① 흡혈노린재(트리아토민노린재)는 샤가스병 일명 아메리카수면병
> 　(American trypanosomiasis)을 옮긴다.
> ② 샤가스병 병원체의 인체 감염 경로는 노린재의 흡혈에 의한 것이 아
> 　니고, 배설물에 섞여 나온 병원체가 손상된 피부를 통하여 침입하여
> 　감염되는 것이다.

10 벼룩을 공중보건상 중요하게 생각하는 이유는?

① 야생동물들 사이에 흑사병(페스트)을 옮기고 사람에게도 옮
　긴다.
② 쥐에서 사람에게 페스트나 발진열을 옮긴다.
③ 흡혈을 하므로 자극적이고 불쾌하다.
④ 기생충의 중간숙주 역할을 한다.
⑤ 이상 모두 해당된다.

> 해설　벼룩매개 질병 : ①·②·③·④번 외, 자교에 의한 직접적 피해(물리면
> 　가려우므로 수면을 방해한다.)

11 절지동물에 의한 생물학적 전파 중 발육형에 속하는 것은?

① 사상충　　　　　② 흑사병
③ 말라리아, 수면병　④ 수면병
⑤ 황열

12 해충 방제 방법 중 열처리법에 대한 설명이다. 틀린 것은?

① 목재의 해충을 방제하기 위해 열처리할 경우에는 목재의 두께
　와 관계없이 동일한 온도(55℃)에서 처리 시간을 달리한다.
② 옷이나 침대 등에 발생한 이, 빈대, 진드기는 열처리를 하
　여 방제할 수 있다.
③ 바퀴는 영하 8℃(-8℃) 이하에서 1시간 정도 노출 처리하
　여도 방제된다.
④ 이 빈대는 -17℃ 이하에서 2시간 정도 노출 처리하면 방제
　할 수 있다.
⑤ 고온(55℃에서 1시간) 열처리하면 모든 곤충은 죽지 않는다.

> 해설　① 목재의 해 충방제 : 25mm 목재의 경우 55℃에서 2.5시간, 75mm
> 　목재의 경우 55℃에서 6.5시간 노출시켜 해충을 방제한다.
> ② 고온(55℃에서 1시간) 열처리하면 모든 곤충은 죽는다.

13 훈증제는 다음 중 어느 부위를 통하여 곤충의 체내로 들어가는가?

① 발바닥(부절)　　　　② 촉각
③ 구기　　　　　　　　④ 기문(기공)
⑤ 복안

> 해설　훈증제 : 미세한 살충제 입자로 공기 중에 부유하다가 곤충이 호흡할 때 공기와 함께 기문을 통해 들어가 중독 치사시키는 약제를 말한다.

14 방역용으로 쓸 수 없는 살충제는?

① 파라티온　　　　② 마라티온　　　　③ 다이아지논
④ 세빈　　　　　　⑤ 아베이트

> 해설　parathion(파라티온)
> ① 포유동물에 대한 독성이 살충제 중 가장 높다.
> ② 특정독물(特定毒物)로 지정되어 있으므로 지정된 사람의 감독하에서 만 사용하도록 규정되어 있다.
> ③ 마을 주변에서는 살포할 수 없으므로 방역용 살충제로 사용할 수 없다.

15 살충제의 인체중독사고를 예방 또는 치료하는 데 필요한 내용 중 옳지 않은 것은?

① 카바메이트계는 유기인제와 포유류에 대한 독성이 거의 비슷하다.
② 대부분의 살충제는 피부 접촉 시에도 중독된다.
③ 유기염소계에 중독되었을 때는 아트로핀을 투여한다.
④ 유기인계 중독 여부는 혈액의 코리네스트라제 효소의 양을 측정하면 된다.
⑤ 유기인계에 중독 시 휴식을 취하면 도움이 된다.

> 해설　① 유기염소계 : 포유동물에 독성이 거의 없다.
> ② 살충제(유기인계, 카바메이트계)의 중독 증상을 느낄 때는 아트로핀 을 반복 투여한다.

16 Permethrin(페메트린) 10%의 유제 20l를 희석하여 0.2% 살포액을 만들려고 한다. 이때 필요한 물의 양(l)은?

① 900　　　　　　② 980
③ 1,000　　　　　④ 1,500
⑤ 1,600

> 해설　$10 \times 20 = 0.2 \times (20 + x)$　　　$100 \times 20 = 2 \times (20 + x)$
> $2,000 = 40 + 2x$　　　∴ $x = 980$

17 동일 살충제, 동일 농도의 경우라도 제제에 따라 위험도가 다르다. 잘못 연결된 것은?

① 용제 〉 유제　　　　② 용제 〉 수화제
③ 수화제 〉 유제　　　④ 유제 〉 분제
⑤ 분제 〉 입제

> 해설　살충제의 위험도 : 용제 〉 유제 〉 수화제 〉 분제 〉 입제 순이다.

18 방역용 살충제의 조건 또는 개념에서 틀린 것은?

① 가격과는 별 관계가 없다.
② 가격이 염가라야 한다.
③ 환경을 가능한 오염시키지 말아야 한다.
④ 인축 독성이 낮거나 없어야 한다.
⑤ 다른 약제와 혼용해도 약효가 떨어져서는 안 된다.

> 해설　살충제의 조건 : ① · ③ · ④ · ⑤번이다

19 살충제의 생리적 저항성 개념에서 틀린 것은?

① 저항성이 생기는 정도나 속도는 개체군의 크기, 접촉빈도, 곤충의 습성이나 유전인자의 성격 등 여러 요인에 의하여 결정된다.
② 저항성 발전 요인이 살충제 사용 이전에 이미 개체군의 일부 개체에 존재하고 있다.
③ 단일 유전자에 의한 특수 방어 기능이 아닌 다른 힘에 의하여 살충제에 대항하는 힘이 증강되었을 경우
④ 대다수의 해충을 치사시킬 수 있는 농도에서 대다수가 생존할 수 있는 능력이 발달되었을 때
⑤ 저항성을 위한 돌연변이를 유발하지 않는다.

> 해설　저항성(resistance)
> ① 저항성이란 대다수의 해충을 치사시킬 수 있는 농도에서 대다수가 생존할 수 있는 능력이 발달되었을 때를 말한다.
> ② 저항성은 후천적 적응이 아니고 선천적인 단일 유전자에 의한 것이므로 저항성 발전요인은 살충제 사용 이전에 이미 개체군의 일부 개체에 존재하고 있다.
> ③ 저항성이 생기는 정도나 속도는 개체군의 크기, 접촉빈도, 곤충의 습성이나 유전인자의 성격 등 여러 요인에 의하여 결정된다.
> ④ 단일 유전자에 의한 저항성을 생리적 저항성(physiological resistance)이라 한다.
> ⑤ 살충제 자체가 저항성을 나타내는 유전자의 돌연변이를 유발하지 않으며, 정상적으로 일어나는 돌연변이 발생비율이 증가하지도 않는다.

20 극미량연무를 할 때 노즐(Nozzle)의 각도는 얼마가 좋은가?

① 수직　　　　　　② 수평　　　　　③ 위로 45°
④ 밑으로 45°　　　⑤ 아래로 30°

> 해설　극미량연무(ULV)
> ① 극미량연무는 살포 기구의 내부 구조를 특수 제작하여 물리적 방법으로 살충제 입자를 50μ 이하로 미립화하여 살포하는 것이다.
> ② 살충제 입자의 크기 : 5~50μ
> ③ 경유로 희석할 필요가 없고 고농도의 살충제 원제를 살포하므로 분사량이 시간당 1갤런 내외로 극히 미량이고, 최대 분사량도 5gal/hr 이내이다.
> ④ 노즐(Nozzle) : 45° 각도로 상향(上向) 고정한다

21 공기압축 분무기로 잔류분무를 하고자 할 때 평균 얼마나 공기를 압축시켜야 하는가?

① 20Lb　　　　② 40Lb　　　　③ 50Lb
④ 60Lb　　　　⑤ 100Lb

> 해설　잔류분무 시 탱크 내 공기압력 : 40lb/in²
> ※ 1lb(libra ; 리브라) : 0.453kg

22 냉장고 밑이나 싱크대의 틈새에 있는 바퀴를 방제하려고 한다. 가장 적합한 노즐의 형태는?

① 부채형　　　　② 원추형　　　　③ 방사형
④ 직선형　　　　⑤ 부정형

23 벼룩이 옮기는 감염병은?

① 발진티푸스　　　　　② 유행성출혈열
③ 황열　　　　　　　　④ 페스트, 발진열
⑤ 장티푸스

24 먼지진드기에 대한 설명 중 틀린 것은?

① 자충과 성충은 자유 생활을 하고 유충만 흡혈한다.
② 알에서 성충까지 1개월 소요된다.
③ 대기 중에 비포화 수분을 흡수하는 능력이 있다.
④ 습도가 중요한 생장 요인이다.
⑤ 성충의 수명은 2개월이다.

● 해설 집먼지진드기과 : ②·③·④·⑤번 외
① 집먼지진드기는 광의(廣義)로 집먼지(house dust) 속에 살고 있는 많은 종류의 진드기를 말한다.
② 유충 및 성충이 섭취하는 먹이 : 먼지 속에 섞여 있는 미세한 유기물질로 박리상피(剝離上皮), 비듬, 음식 부스러기, 미생물의 포자 등이다.
③ 대기가 건조하면 반대로 체내의 수분이 피부를 통해서 밖으로 빠져나가 생명을 잃게 된다.
④ 집먼지진드기와 알레르기성 질환 : 기관지천식(특히 소아천식), 비염, 아토피성피부염, 결막알레르기 등
⑤ 방제 : 가습기 사용을 금하고 베개, 이불, 담요 등을 자주 세탁한다.

25 항응혈성 살서제에 관하여 옳지 않은 것은?

① 한 번 먹으면 죽는다.
② 혈액의 응고를 방해하는 쥐약이다.
③ 4~5일간 계속 먹어야 죽는다.
④ 해독제는 비타민 K이다.
⑤ 기피성이 없다.

● 해설 만성 살서제(항응혈성 살서제) : 한 번 먹어서는 죽지 않는다.

26 성충 시기에는 흡혈을 안 하고 유충 시기에만 흡혈을 하는 진드기는?

① 집먼지진드기　　　　② 물렁진드기
③ 공주진드기　　　　　④ 참진드기
⑤ 털진드기

● 해설 ① 털진드기 : 유충 시기에만 포유동물을 흡혈을 한다.
② 물렁진드기(공주진드기), 참진드기 : 유충, 성충 모두 흡혈한다.

27 엄격한 숙주 선택을 하는 곤충은?

① 사면발이　　　② 모기　　　③ 벼룩
④ 파리　　　　　⑤ 바퀴

● 해설 이는 숙주 선택성이 엄격하다.

28 등줄쥐의 특징은?

① 등에 검은 줄이 있고 작다.
② 천장에서 주로 산다.
③ 보통 쥐보다 크다.
④ 도시에 주로 많다.
⑤ 가주성 쥐이다.

● 해설 등줄쥐(Apodemus agrarius)
① 등줄쥐는 들쥐 중 전국적으로 가장 많이 차지하고 있다.
② 등줄쥐는 들쥐의 일종으로 농촌지역에 많이 분포되어 있다.
③ 체색 : 검은 줄이 머리 위로부터 꼬리의 기부(基部)까지 있다.
④ 무게 : 20g 내외
⑤ 크기, 형태 등이 모두 생쥐와 비슷하나, 등의 검은 줄로 쉽게 구별이 된다.
⑥ 두동장(頭胴長) : 90~120mm이다.
⑦ 꼬리 : 82~88mm로 두동장보다 언제나 짧다.
⑧ 둥지 : 구멍을 S자로 1~2m 파고 그 속에 둥지가 있다.
⑨ 월동식량을 별도로 저장하는 습성이 없어, 겨울에도 먹이를 찾아 활동한다.

29 가주성 쥐의 특성을 틀리게 설명한 것은?

① 청각은 대단히 예민하다.
② 땅속에 구멍을 뚫고 사는 것은 대체로 시궁쥐이다.
③ 야간활동성이지만 시력은 근시이고 색맹이다.
④ 잡식성이며 섭취한 먹이가 이상하면 토해 버린다.
⑤ 생쥐의 활동 범위는 수 m이다.

● 해설 가주성 쥐의 특성 : ①·②·③·⑤번외
① 후각이 예민하여 이성이나 가족을 식별할 때 후각을 사용한다.
② 쥐는 점프(jump)에 능하다. 쥐는 선 자리에서 60cm까지 점프할 수 있다(생쥐 25cm 점프).
③ 곰쥐와 생쥐는 각종 파이프의 외부와 내부 또는 전선을 타고 이동한다(시궁쥐는 파이프나 전선을 타고 이동 못함).
④ 쥐는 달리다 넘을 때 수직 벽을 1m까지 뛰어오를 수가 있다.
⑤ 활동 범위 : 생쥐(3~10m), 곰쥐(15~50m), 시궁쥐(30~50m)
⑥ 수영 능력 : 생쥐(0.7km/hr), 곰쥐·시궁쥐(1km/hr)
⑦ 식성 : 잡식성이며, 구토하는 능력이 없다.

30 쥐 방제 시 미끼먹이를 사용하는 데 필요한 지식 중 내용이 틀린 것은?

① 하수구같이 습기가 많은 곳에는 파라핀을 섞어 덩어리를 매단다.
② 섭취율이 좋지 않을 때는 새로운 형의 미끼먹이를 시도한다.
③ 사전미끼는 4~8일간 설치한다.
④ 물이 귀한 곳에서 물미끼를 사용하는 것이 효과적이다.
⑤ 모든 살서제는 사전미끼를 설치해야 한다.

3 식품위생학

01 경구감염병 중 바이러스에 의한 것은 어느 것인가?

① 콜레라　　　　　　② 이질
③ 장티푸스　　　　　④ 디프테리아
⑤ 유행성간염

● 해설 ① 콜레라, 이질, 장티푸스 : 소화기계의 세균성 질환
② 디프테리아 : 호흡기계의 세균성 질환
③ 유행성간염(A형간염) : 바이러스성 질환

02 다음 중 인수공통 감염병이 아닌 것은?

① 결핵, 탄저　　　　② 파상열, 야토병
③ 성홍열, 이질　　　④ 돼지단독, Q열
⑤ Listeria, Brucellosis

● 해설 ① 성홍열 : 사람에게만 발생하는 호흡기질환이다.
② 이질 : 세균성이질·아메바성이질은 사람에게만 발생하는 소화기계 감염병이다.

03 파상열(Brucellosis)의 병원균은 어느 것인가?

① Bacillus anthracis　　② Brucella melitensis
③ Tuberculosis　　　　　④ Erysipelothrix
⑤ Listeriosis

04 스카치 테이프법을 이용하여 검사하는 기생충은 어떤 기생충을 말하는가?

① 회충　　　② 요충　　　③ 십이지장충
④ 선모충　　⑤ 간디스토마

05 채독증의 원인이 되는 기생충은 어느 것인가?

① 편충   ② 십이지장충(구충)
③ 회충   ④ 선모충
⑤ 요충

해설 구충
① 구충에는 십이지장충과 아메리카구충이 있다.
② 경피감염 : 구충은 유충이 침입한 피부 국소에 소양감, 작열감이 생기면서 소위 풀독(채독증)이라 부르는 피부염을 일으킨다.
③ 증상 : 빈혈, 식욕 부진, 피부 건조 등

06 광절열두촌충(긴촌충)의 감염원이 될 수 있는 식품은?

① 채소   ② 민물고기   ③ 돼지고기
④ 가재   ⑤ 소

07 이타이이타이병에서 나타나는 증상은?

① 안면마비   ② 위장증상   ③ 시력상실
④ 고열   ⑤ 어깨, 허리, 골반의 통증

해설 카드뮴 : 어깨, 허리, 골반의 통증(이타이이타이병)을 호소한다.

08 식품에 잔류하는 항생물질이 일으키는 공중보건상의 문제점이 아닌 것은?

① 식중독균의 증식   ② 급성·만성 독성
③ 알레르기 발생   ④ 균교대증
⑤ 내성균출혈

해설 항생물질이 일으키는 공중보건상의 문제점
① 항생물질에 의한 균교대증   ② 내성균을 출현시킨다.
③ 만성독성을 야기시킨다.   ④ 알레르기성을 유발시킨다.

09 DHA의 방부제를 사용할 수 없는 식품은?

㉮ 치즈	㉯ 버터	㉰ 마가린	㉱ 유산균 음료

① ㉮, ㉯, ㉰   ② ㉮, ㉰   ③ ㉯, ㉱
④ ㉱   ⑤ ㉮, ㉯, ㉰, ㉱

해설 DHA : 치즈, 버터, 마가린 이외에는 사용하지 못한다.

10 다음 중 유해성 보존료가 아닌 것은?

① AF_2 ② 붕산
③ 안식향산   ④ 불소화합물
⑤ 포름알데히드

해설 안식향산 : 허용 방부제(보존제)이다.

11 다음 중 우유의 위생검사가 아닌 것은?

① 결핵 검사   ② Phosphatase
③ 비중 검사   ④ 파상열 검사
⑤ Q열 검사

해설 ① 우유의 살균지표 물질은 Phosphatase이다.
② 비중 검사 : 가수 여부 확인

12 세균성 식중독이 아닌 것은?

① 살모넬라균 식중독   ② 장염비브리오 식중독
③ 복어 독에 의한 식중독   ④ 아리조나 식중독
⑤ 보툴리누스 독에 의한 식중독

해설 복어 독에 의한 식중독 : 자연독 식중독이다.

13 장염 Vibrio 식중독의 원인균은 어느 것인가?

① Salmonella
② Staphylococcus aureus
③ Vibrio cholera
④ Clostridium botulinum
⑤ Vibrio parahaemolyticus

해설 Vibrio parahaemolyticus(장염비브리오 식중독균) : 호염성균, 열에 약하다.
②번 - 포도상구균 식중독균, ③번 - 콜레라균, ④번 - 보툴리누스 식중독균

14 손에 화농성 상처를 가진 사람이 식품을 다루었을 때 일어나기 쉬운 식중독은?

① 포도상구균 식중독   ② 살모넬라 식중독
③ 보툴리누스 식중독   ④ 웰치균 식중독
⑤ 장염비브리오 식중독

15 다음 중 Clostridium botulinum의 특성이 아닌 것은?

① 아포를 형성하며 내열성이 강하다.
② 통조림, 진공포장 식품 등에 잘 번식한다.
③ 주모성 편모를 가지며 활발한 운동성이 있다.
④ 호기성의 그람음성 구균이다.
⑤ 균의 아포는 면역학적으로 A~G의 7가지형으로 분류한다.

해설 Clostridium botulinum : 혐기성, 그람양성, 아포형성, 주모균, 치명률이 높다.

16 다음 내용은 세균성 식중독에 대한 설명이다. 잘못된 것은?

① 잠복기가 길다.
② 잠복기가 짧다.
③ 면역이 형성되지 않는다.
④ 세균의 대량 섭취에 의해 발병한다.
⑤ 원인 식품에 기인한다.

해설 세균성 식중독 : 잠복기는 경구감염병보다 짧다.

17 다음 중 설탕보다 250배의 단맛을 갖고 있으나 혈액독을 유발시키기 때문에 사용이 금지된 물질은?

① dulcin   ② sorbitol   ③ cyclamate
④ aspartam   ⑤ saccharine

해설 dulcin(둘신) : 설탕보다 250배의 단맛을 갖고 있으며, 혈액독, 발암성, 중추신경에도 장애를 준다.

18 다음 중 물에 녹기 쉬운 무색의 기체로서 두부의 방부 목적으로 사용하여 문제를 일으키는 독성 물질은?

① 황산   ② butter yellow   ③ 과산화수소
④ formaldehyde   ⑤ 염산

19 Methyl alcohol(메틸알코올)의 독작용을 설명한 것이다. 옳은 것은?

① HCHO에 의한 운동장애
② HCHO에 의한 언어장애
③ HCHO에 의한 말초신경장애
④ HCHO에 의한 중추신경장애
⑤ HCHO에 의한 시신경장애

20 다음 중 최근에 식품위생상 문제가 되는 것은?

① 첨가물 사용 빈도의 증가   ② 트랜스지방 사용량의 감소
③ 기생충 질환의 증가   ④ 세균성 식중독의 증가
⑤ 원충류에 의한 중독 증가

🔎**해설** 최근에 식품위생상 문제는 첨가물 사용 빈도의 증가이다.

21 다음 독버섯의 특징 중 자율신경계에 작용하여 부교감신경 말초 흥분을 일으키는 유독물질은 어느 것인가?

① amin   ② gyromitrin   ③ muscarine
④ ibotenio acid   ⑤ lampterol

🔎**해설** ① 위의 내용은 muscarine 설명이다.
       ② lampterol : 위장장애

22 고시폴(gossypol)의 독성분을 함유하는 식품은?

① 감자   ② 버섯   ③ 면실유
④ 미나리   ⑤ 복어

23 섭조개가 갖고 있는 독소의 성분은?

① Tetrodotoxin   ② Solanine   ③ Muscarin
④ Saxitoxin   ⑤ Sepsine

🔎**해설** 대합조개, 섭조개, 홍합
       ① 독성분 : saxitoxin(5~9월에 발생)
       ② 중독 증상 : 말초신경마비
       ③ 치사율 : 10% 정도
       ④ 특징 : plankton(플랑크톤)의 생성독소를 조개가 섭취하여 조개의 체내에 축적한 것을 사람이 먹었을 때 중독 증상이 나타난다.

24 다음 중 Mycotoxin의 옳은 설명은 어느 것인가?

① 효소이다.   ② 세균에 의한 대사산물이다.
③ 곰팡이의 대사산물이다.   ④ 패류에 의한 독소이다.
⑤ 은행중독 성분이다.

25 이질아메바의 설명이 <u>아닌</u> 것은 어느 것인가?

① 병원체는 세균이다.
② 잠복기는 보통 3~4주일이다.
③ 이질아메바는 대장에 기생하며, 설사·점혈변이 주 증상이다.
④ 원충은 저항력이 약해서 배출된 후 12시간 이내에 죽는다.
⑤ 물속에서 1개월 정도 생존한다.

🔎**해설** 아메바성이질(이질아메바) : 원충성 질환이다.

26 체외독소로 치명률이 가장 높고 신경 증상을 나타내는 식중독 원인균은?

① 살모넬라균   ② 보툴리누스균
③ 포도상구균   ④ 비브리오식중독
⑤ 대장균

27 기생충의 중간숙주와 질병을 연결한 것이다. <u>틀린</u> 것은?

① 간디스토마 : 왜우렁 → 민물고기 : 간 비대, 복수, 황달
② 폐흡충 : 다슬기 → 가재·게 : 기침, 각혈
③ 아니사키스 : 갑각류(크릴새우) → 바다생선 : 소화관궤양
④ 유구조충 → 돼지 : 소화, 불량, 두통
⑤ 십이지장충 → 돼지 : 빈혈

28 우유의 살균온도와 시간 중 저온 살균에 해당하는 것은?

① 65℃, 30분   ② 75℃, 15초
③ 100℃, 15초   ④ 90℃, 30초
⑤ 121℃, 1초

🔎**해설** 우유의 주요 살균법
       ① 저온 살균법 : 62~65℃, 30분간 정도
       ② 고온 단시간 살균법(H.T.S.T) : 71~75℃, 15초간
       ③ 초고온 순간 살균법(U.H.S.T) : 130~135℃, 2~3초 정도

29 콜레라와 비슷한 증상을 유발하는 식중독은?

① 살모넬라 식중독   ② 장염비브리오 식중독
③ 포도상구균 식중독   ④ 보툴리누스 식중독
⑤ 병원성대장균 식중독

30 다음 중 NaCl이 미생물의 생육을 억제하는 이유에 해당되지 <u>않</u>는 것은?

① 식품 내의 수분활성 저하
② 산소분압의 감소
③ Cl^-의 독작용
④ 삼투압에 의한 원형질 분리
⑤ Na^+에 의한 능동운반 저하

31 미생물의 생육을 억제시킬 수 있는 당의 농도(당장법)는 몇 % 이상이어야 하는가?

① 20%   ② 30%   ③ 50%
④ 70%   ⑤ 10%

🔎**해설** 미생물의 생육을 억제시킬 수 있는 당의 농도 : 50%

32 어류의 사후변화가 바르게 기술된 것은?

① 사후강직 → 강직해제 → 자가소화 → 부패
② 사후강직 → 자가소화 → 강직해제 → 부패
③ 사후강직 → 부패 → 자가소화 → 강직해제
④ 자가소화 → 강직해제 → 사후강직 → 부패
⑤ 자가소화 → 사후강직 → 강직해제 → 부패

🔎**해설** 어류의 사후변화 : 어류는 일정한 시간이 지나면 근육이 경직된 다음 조직 내에 있던 효소에 의해 연화분해된다.
       사후강직 → 강직해제→ 자가소화(자기소화) → 부패

33 부패를 판정하는 방법 중 가장 기초적인 방법은 어느 것인가?

① 관능적 방법
② 미생물학적 방법
③ 휘발성 환원물질 측정
④ Histamine 측정
⑤ 휘발성 염기질소 측정법

🔎**해설** ① 관능적 방법 : 부패를 판정하는 방법 중 가장 기초적인 방법이다.
       ② 관능검사 : 성상, 맛, 냄새, 포장상태 등을 검사 등

34 식품 중의 생균 수 안전한계는 얼마인가?

① 10^2/g   ② 10^3/g   ③ 10^{20}/g
④ 10^4/g   ⑤ 10^5/g

🔎**해설** 식품 중의 생균 수 안전한계 : 10^5/g

35 다음은 식품의 Microflora형성에 관한 설명이다. 잘못된 것은?

① 염장식품에는 호염균이 많이 번식한다.
② 당류를 함유한 산성식품에는 유산균이 많다.
③ 함수량이 많은 식품에는 곰팡이가 잘 번식한다.
④ 세균은 곰팡이보다 먼저 서식한다.
⑤ 일반식품에는 비병원성 식품미생물이 많이 서식하고 있다.

해설 함수량이 많은 식품에는 세균이 잘 번식한다.

36 다음 사항과 관계있는 검사는 무엇인가?

> A : 비중 1.028~1.034
> B : 지방질 함량 3.0%
> C : pH 6.8 이하

① 어류의 신선도 검사기준   ② 계란의 부패 검사기준
③ 우유의 검사기준   ④ 단백질의 부패 검사기준
⑤ 지방의 부패 검사기준

해설 우유의 신선도 검사
  ① 산도 측정 : 신선한 우유는 pH 6.6~6.8
  ② 비중 : 1.032
  ③ 유지방 : 3.7% 정도 등

37 신선한 어류에서 우점종으로 나타나는 세균속은?

① Salmonella   ② Clostridium
③ Aspergillus   ④ Pseudomonas
⑤ Bacillus

해설 Pseudomonas : 저온에서 번식한다. 따라서 어류에 우점종으로 나타난다.

38 쌀에 황변미를 일으키는 미생물은?

① 원충류   ② 곰팡이   ③ 세균
④ 바이러스   ⑤ 리케치아

39 다음 중 대장균군의 특성은?

① 그람양성 간균으로 유당을 분해하는 호기성, 통성혐기성 균이다.
② 그람양성 구균으로 유당을 분해하는 호기성, 통성혐기성 균이다.
③ 그람음성 간균으로 포자를 형성하지 않고 유당을 분해하는 호기성, 통성혐기성 균이다.
④ 그람음성 구균으로 유당을 분해하는 호기성, 통성혐기성균이다.
⑤ 그람음성 구균으로 아포를 형성하고 편모를 갖지 않는다.

40 다음 중 분변오염의 지표미생물로 이용되는 것은?

① 대장균군   ② 살모넬라균
③ 비브리오균   ④ 포도상구균
⑤ 보툴리누스균

④ 공중보건학

01 질병 발생이나 유행 현상을 수리적으로 분석하여 수식화한 역학은?

① 기술역학   ② 분석역학   ③ 이론역학
④ 실험역학   ⑤ 작전역학

해설 이론역학 : 감염병의 발생 모델과 유행 현상을 수학적으로 수식화하여 발생이나 유행의 예측을 가능케 하는 3단계적 역학이다.

02 역학적 분석에서 귀속위험도의 산출 방법은?

① 폭로군의 발병률 × 비폭로군의 발병률
② 비폭로군의 발병률 ÷ 폭로군의 발병률
③ 폭로군의 발병률 − 비폭로군의 발병률
④ 비폭로군의 발병률 − 폭로군의 발병률
⑤ 폭로군의 발병률 ÷ 비폭로군의 발병률

해설 ① 귀속위험도(기여위험도) : 질병요인에 의한 희생자가 얼마나 되는가를 나타내는 방법이다.
② 귀속위험도(기여위험도) = 위험요인에 폭로된 실험군의 발병률 − 비폭로군의 발병률

03 감염병(전염병) 발생에 관여하는 6가지 요소의 순서가 올바른 것은?

① 병원소 − 병원소로부터 탈출 − 전파 − 신숙주의 감수성 및 면역 − 신숙주에의 침입
② 병원체 − 전파 − 병원소 − 병원소로부터 탈출 − 신숙주에의 침입 − 신숙주의 감수성 및 면역
③ 병원체 − 병원소 − 병원소로부터 탈출 − 전파 − 신숙주에의 침입 − 신숙주의 감수성 및 면역
④ 병원소 − 전파 − 신숙주에의 침입 − 신숙주의 감수성 및 면역 − 병원소에서 탈출 − 병원체
⑤ 병원체 − 병원소 − 전파 − 병원소로부터 탈출 − 신숙주에의 침입 − 신숙주의 감수성 및 면역

04 다음 중 바이러스성 감염병(전염병)이 아닌 것만으로 구성된 항목은?

① 유행성간염, 일본뇌염   ② 폴리오, 풍진
③ 황열, 유행성이하선염   ④ 콜레라, 이질
⑤ 두창, 홍역

05 다음 인간병원소 중 가장 관리하기 어려운 대상은?

① 감염병에 의한 사망자   ② 건강(만성) 보균자
③ 회복기 보균자   ④ 만성감염병 환자
⑤ 급성감염병 환자

해설 보균자는 잠복기보균자·회복기보균자·영구건강보균자가 있으며, 이들 보균자 중 가장 관리하기 힘든 것은 건강보균자이다.

06 다음 질병의 전파방법 중 직접전파에 속하는 것은?

① 비말핵에 의한 전파   ② 활성 매개체 전파
③ 경난형 전파   ④ 공동 매개체 전파
⑤ 비말에 의한 전파

해설 전파
  ① 직접전파 : 접촉에 의한 전파(성병, 에이즈), 비말에 의한 전파(디프테리아, 결핵 등)
  ② 간접전파 : 전파체가 있어야 하며 병원체가 병원소 밖으로 탈출하여 일정 기간 생존능력이 있어야 한다.
    ㉮ 활성 전파체(생물 전파체)
      ㉠ 기계적 전파 : 파리, 가주성 바퀴 등에 의한 전파(소화기계 감염병)
      ㉡ 생물학적 전파 : 증식형·발육형·발육증식형·배설형·난소 전이형 전파
    ㉯ 비활성 전파체(무생물 전파체) : 공기, 토양, 물, 우유, 음식물, 개달물에 의한 전파
  ※ 비말 : 10μ 이상, 비말핵 : 10μ 이하

07 다음 중 개달물에 해당되지 않는 것은?

① 책　　　　② 의복　　　　③ 완구
④ 침구　　　⑤ 토양

> **해설** 개달물(fomites) : 공기, 토양, 물, 우유, 음식물(5가지)을 제외한 환자가 쓰던 모든 무생물을 개달물이라 한다. 환자의 손수건, 컵, 안경, 장신구 등(대표적인 질환 : 트라코마)

08 불현성 감염 : 현성 감염의 비율이 약 1:100 정도 되는 질병은?

① 백일해　　　② 성홍열　　　③ 홍역
④ 디프테리아　⑤ 소아마비

> **해설** 홍역의 접촉지수 : 95%(100명에게 접촉 시 현성환자가 95명이 나타난다는 뜻)

09 사균백신, 생균백신(vaccine), 순화독소(toxoid) 등을 사용하여 얻어지는 면역은?

① 자연능동면역　　　② 인공능동면역
③ 자연수동면역　　　④ 인공수동면역
⑤ 감염면역

> **해설** 후천적 면역
> ① 능동면역
> ㉮ 자연능동면역 : 질병에 감염된(질병이환) 후 형성되는 면역
> ㉯ 인공능동면역 : vaccine(병원체 자체)이나 toxoid(독소)의 예방접종 후 얻어지는 면역
> ② 수(피)동면역
> ㉮ 자연수(피)동면역 : 모체로부터 태반이나 수유를 통해 받는 면역
> ㉯ 인공수(피)동면역 : 면역혈청(Antiserum), 항독성(Antitoxin), 항체(γ-globulin) 등 인공제제를 접종하여 얻게 되는 면역

10 다음 중 인공능동면역으로 사균(死菌)백신을 이용하는 것은?

① 결핵　　　　② 백일해　　　③ 파상풍
④ 디프테리아　⑤ 두창

> **해설** 인공능동면역 방법과 질병
> ① 생균백신 : 홍역, 두창, 탄저, 광견병, 결핵, 폴리오, 황열, 수두 등
> ② 사균백신 : 장티푸스, 파라티푸스, 콜레라, 백일해, 일본뇌염, A형·B형간염, 폴리오 등
> ③ 순화독소(toxoid) : 디프테리아, 파상풍 등
> ※ Sabin(생균)백신, Salk(사균)백신, 백신 = 왁친

11 예방접종이 감염병 관리상 갖는 의미는?

① 감염원의 제거　　　② 감수성 숙주의 관리
③ 병원소의 제거　　　④ 환경의 관리
⑤ 유행 여부의 파악

12 우리나라에서 학동의 결핵관리를 위해 가장 유효한 대책은?

① 집단검진 및 BCG
② 학부형에 대한 보건교육
③ 이환아동의 색출 및 등교 중지
④ 이환교사의 색출 및 휴직 조치
⑤ 해당 사항 없음

13 결핵관리상 효율적인 방법이 아닌 것은?

① 예방접종 철저　　　② 환자의 등록 치료
③ 집회 장소의 철저한 소독　④ 개방성 환자의 격리 철저
⑤ 환자의 조기 발견

> **해설** 결핵은 만성감염병으로 공기감염은 되지만 사람이 모이는 장소를 소독하는 것은 무의미할 수 있다.

14 환자의 격리를 어렵게 하는 대상이 아닌 것은?

① 건강보균자　　　② 은닉환자
③ 잠복기보균자　　④ 간과환자
⑤ 현성환자

15 다음 중 2차 발병률을 산출하는 데 분모가 되는 것은?

① 발병 위험에 폭로된 비면역자 수
② 환자와의 접촉자 수
③ 전체 환자 수
④ 그 기간 내의 총인구수
⑤ 그 기간 내의 총사망수

> **해설** 2차 발병률 : 환자와 접촉자 중(접촉자 중 기감염자와 면역자는 제외)에서 새로 발병한 비율

16 발생률과 유병률이 거의 같은 경우는 다음 중 언제인가?

① 질병의 이환 기간이 길 때
② 질병의 이환 기간이 짧을 때
③ 한 지역에 많은 질병이 발생할 때
④ 치명률이 낮을 때
⑤ 만성 감염병이 유행할 때

> **해설** 유병률(P) = 발생률(I) × 이환기관(D)

17 우리나라가 처음으로 국세조사를 실시하였던 시기는?

① 1915년　　　② 1925년　　　③ 1940년
④ 1945년　　　⑤ 1950년

> **해설** 우리나라 : 삼국시대 호구조사 이후 근대적 의미의 국세조사는 1925년 간이국세조사가 처음이었다.

18 C. P. Blacker의 인구성장단계 중 출생률과 사망률이 최저가 되는 저위정지기는 몇 단계에 속하는가?

① 고위정지기(1단계)
② 초기확장기(2단계)
③ 후기확장기(3단계)
④ 저위정지기(4단계)
⑤ 감퇴기(5단계)

19 인구의 동태지수(Vital Index)란?

① (출생자 수 + 유출 수) × 100
② (출생자 수 − 사망자 수) × 1,000
③ (출생자 수 + 사망자 수) × 1,000
④ (출생자 수 ÷ 사망자 수) × 100
⑤ (출생자 수 − 사망자 수) × 100

> **해설** 동태지수(증가지수) $= \dfrac{출생자수}{사망자수} \times 100$

20 다음 중 전입·전출이 없고 출생·사망의 증감만 고려한 인구는?

① 유입인구　　　② 안정인구　　　③ 개방인구
④ 봉쇄인구　　　⑤ 모형인구

> **해설** ① 봉쇄인구
> ㉮ 전입·전출이 없고 출생·사망의 증감만 고려한 인구
> ㉯ 남녀 인구가 거의 동등하다.
> ② 개방인구
> ㉮ 자연 증감 이외에 유입·유출이 있는 인구
> ㉯ 지역의 산업구조(직업 여성·남성 수)에 따라 성비의 균형이 깨지기도 한다.

21 순재생산율을 설명한 것이다. 맞는 것은?

> ㉮ 한 여성이 일생 동안 낳은 아기의 수
> ㉯ 순재생산율이 1.0이면 인구 정지, 1.0 이상이면 인구 증가, 1.0 이하면 인구 감소
> ㉰ 어머니의 사망률을 무시하는 재생산율 또는 한 여성이 일생 동안 낳은 여아의 총수
> ㉱ 총재생산율에서 어머니의 사망을 고려하는 경우

① ㉮, ㉯, ㉰ ② ㉮, ㉰ ③ ㉯, ㉱
④ ㉱ ⑤ ㉮, ㉯, ㉰, ㉱

🔎**해설** 순재생산율 : 어머니의 사망을 고려하는 경우에는 순재생산율이라 한다 (총재생산율에 모성까지 생존을 곱한 율).
(1.0 : 인구 정지 1.0 이상 : 인구 증가, 1.0 이하 : 인구 감소)

22 공중보건학에서 가장 중요하게 생각하는 건강의 대상은?

① 개인의 건강 ② 가족의 건강
③ 지역 사회 주민의 건강 ④ 근로자의 건강
⑤ 노인의 건강

🔎**해설** 공중보건학은 지역 사회를 한 단위로 전체 주민의 건강 증진에 목적을 두고 있다.

23 공중보건에 관한 단독법을 최초로 제정한 나라는?

① 영국 ② 미국 ③ 이탈리아
④ 독일 ⑤ 스웨덴

🔎**해설** 여명기 : 영국에서 세계 최초의 공중보건법(1848년)이 제정되었으며, 이 법에 근거하여 공중보건국과 지방보건국이 설치됨으로써 보건행정의 기틀이 마련되었다.

24 이조시대 왕실의료를 담당하였던 곳은?

① 전형사 ② 혜민서 ③ 내의원
④ 활인서 ⑤ 전의감

🔎**해설** 조선시대(1392~1910년)
① 전형사 : 예조판서 산하에 의약을 다루는 관직
② 내의원 : 왕실의료 담당
③ 전의감 : 일반 의료행정 및 의과 고시 담당
④ 혜민서 : 의약과 일반 서민의 치료 담당
⑤ 활인서 : 감염병(전염병) 환자와 구호를 담당
⑥ 고종 31년(1894년) : 서양 의학적 지식이 처음 우리나라에 도입됨

25 보건행정계획에 있어서 계획, 사업, 예산, 체계를 나타내는 것은?

① PPBS ② OR ③ PERT
④ SA ⑤ CPM

🔎**해설** ① 보건행정의 관리 과정 : Gulick의 7가지 기본 관리 과정 POSDCoRB
㉮ 기획(Planning)
㉯ 조직(Organization)
⊙ 조직의 일반적인 순서(POAC) : 기획(Planning) → 조직(Organization) → 실행(Actuating) → 관리(Controlling)
○ 기능조직 : 계선조직, 참모조직, 보조조직
○ 조직의 7대 원칙 : 계층화의 원칙, 목적의 원칙, 분업의 원칙, 조정의 원칙, 명령통일의 원칙, 일치의 원칙, 통솔 범위의 원칙
② 행정계획과 평가
㉮ 계획 → 사업 → 예산 → 체계(PPBS : Planning → Programming → Budgeting → System)
㉯ 운영연구(OR ; operation research) : 제2차 대전 당시 군사 작전상의 문제를 해결하기 위해 고안된 것

26 사회보장법에 관한 단독법이 최초로 제정 공포된 나라와 시기는?

① 영국, 1880년 ② 독일, 1884년
③ 스웨덴, 1910년 ④ 프랑스, 1930년
⑤ 미국, 1935년

🔎**해설** 1935년 : 미국, 사회보장법을 제정(사회보장이란 용어를 공식적으로 처음 사용)

27 공적부조에 관련된 법이 아닌 것은?

① 재해구호법 ② 아동복지법
③ 의료보험법 ④ 국민기초생활보장법
⑤ 군사원호법

🔎**해설** ②번(아동복지법) : 공적부조가 아니고 공공복지 서비스이다.
공중보건학에서는 관습상 "위와 같은 문제"일 때에는 ③번(의료보험법)을 답으로 한다.
※ "생활보호법" 현재의 명칭은 "국민기초생활보장법"이다.

28 공중보건사업을 중앙집권으로 할 때 갖는 장점이 아닌 것은?

① 지역단위로만은 불가능하거나 의미가 없는 사업이 있다.
② 보건사업의 중첩을 피할 수 있다.
③ 지방 자체의 특색을 살려 보건사업을 할 수 있다.
④ 다른 행정부서의 협조하에 이루어져야 할 사업이 많다.
⑤ 국가시책이 지방 말단에 이르기까지 잘 반영된다.

🔎**해설** 보건행정에는 하향식(국가중심)과 상향식(지역중심)이 있다.
① 중앙정부(하향식) : 지역 사회의 특성을 맞추기 어렵다.
② 지역중심(상향식) : 지역 사회의 특성에 맞는 사업을 할 수 있다.

29 우리나라에서 보건사업의 성공을 위한(보건행정의 접근방법으로) 가장 중요한 것은?

① 보건교육 ② 의료봉사 ③ 의료보험
④ 감염병 관리 ⑤ 환경위생 관리

30 다음 중 저소득층이나 노인층에 가장 적합한 보건교육방법은?

① 개인접촉방법 ② 강연회
③ 집단토론 ④ 심포지엄
⑤ 버즈 세션(Buzz Session)

🔎**해설** 저소득층이나 노인층에 가장 적합한 보건교육방법은 개인접촉방법이며, 개인접촉방법 중 가정방문은 저소득층·노인층에게 가장 적합하다.

31 다음 중 왕래식 보건교육방법이 아닌 것은?

① 영화 ② 면접 ③ 강습회
④ 부녀회 ⑤ 집단토론

🔎**해설** 영화 : 일방적인 교육방법에 속한다.

32 다음 중 변이계수의 계산식은?

① 표준편차 ÷ 평균편차 ② 표준편차 ÷ 산술평균
③ 분산 ÷ 기하평균 ④ 평균 ÷ 중위수
⑤ 편차 ÷ 평균

33 우리나라에서 주산기사망률의 주산기란 무엇을 말하는가?

① 임신 28주 이후 + 생후 7일 이내 기간
② 임신 20주 이후 + 생후 7일 이내 기간
③ 임신 28주 이후 + 생후 100일 이내 기간
④ 임신 20주 이후 + 생후 6개월 이내 기간
⑤ 임신 10주 이후 + 생후 30일 이내 기간

🔎**해설** 주산기사망률 = $\dfrac{\text{임신 28주 이후의 태아 사망자수 + 생후 1주 이내 사망수}}{\text{연간 28주 이후의 태아 사망자수 + 연간 출생아수}} \times 10^3$

34 부양비란?

① (생산층인구 + 비생산층인구) × 100

② (비생산층인구 ÷ 생산층인구) × 100

③ (생산층인구 – 비생산층인구) × 100

④ (비생산층인구 – 생산층인구) × 100

⑤ (생산층인구 ÷ 비생산층인구) × 100

해설 부양비 = $\dfrac{\text{비생산층 인구}}{\text{생산층 인구}} \times 100 = \dfrac{\text{비경제연령 인구}}{\text{경제연령 인구}} \times 100$

35 $\dfrac{\text{체중(kg)}}{[\text{신장(cm)}]^2}$ 은 무엇을 나타내는 것인가?

① 알파 지수   ② 비만도(%)

③ Vervaek Index   ④ Kaup Index

⑤ Rohrer Index

5 위생관계법령

01 샘물등의 개발 허가를 받으려는 자 중 먹는샘물등의 제조업을 하려는 자와 그 밖의 1일 취수 능력이 대통령령이 정하는 기준에 해당하는 규모의 샘물등을 개발하려는 자는 샘물등의 개발로 주변 환경에 미치는 영향과 주변 환경으로부터 발생하는 해로운 영향을 예측·분석하여 이를 줄일 수 있는 방안에 대하여 조사하여야 한다. 이러한 조사를 무엇이라 하는가?

① 환경영향조사   ② 환경영향평가

③ 환경영향심사   ④ 환경조사

⑤ 수질관리

해설 먹는물관리법 제13조(환경영향조사)

02 다음 중 먹는물공동시설의 관리 대상에 해당하는 것은?

① 상시 이용인구가 50인 이상인 것으로 먹는물공동시설 소재지의 특별자치시장·특별자치도지사·시장·군수 또는 구청이 지정한 시설

② 상시 이용인구가 40인 이상인 것으로 먹는물공동시설 소재지의 특별자치시장·특별자치도지사·시장·군수 또는 구청이 지정한 시설

③ 상시 이용인구가 30인 이상인 것으로 먹는물공동시설 소재지의 특별자치도지사·시장·군수 또는 구청이 지정한 시설

④ 상시 이용인구가 50인 이상인 것으로 특별시장이 지정한 시설

⑤ 상시 이용인구가 50인 이상인 것으로 먹는물공동시설소재지의 시·도지사가 지정한 시설

해설 먹는물관리법 시행규칙 제2조(먹는물공동시설의 관리)

03 다음은 광역상수도 및 지방상수도의 경우, 정수장에서의 수질검사를 설명한 것이다. 매일 1회 이상 측정하여야 하는 항목이 아닌 것은?

① 냄새   ② 맛   ③ 색도

④ 탁도   ⑤ 질산성질소

해설 먹는물 수질기준 및 검사 등에 관한 규칙 제4조(수질검사의 횟수) : 매일 1회 이상 측정은 ①·②·③·④번 외, 수소이온농도(pH), 잔류염소

04 일반 수도사업자를 관리하는 지방자치단체장은 수질검사 결과를 몇 년간 보존하여야 하는가?

① 1년   ② 2년   ③ 3년

④ 5년   ⑤ 10년

해설 먹는물 수질기준 및 검사 등에 관한 규칙 제7조(수질검사성적 등의 보존) : 일반 수도사업자, 전용 상수도 설치자를 관할하는 시장·군수 또는 먹는물 공동시설을 관리하는 일반 수도사업자를 관리하는 지방자치단체장은 수질검사 결과를 3년간 보존하여야 한다.

05 관할 구역에서 배출되는 생활폐기물을 처리하여야 하는 자는?

① 특별자치시장, 특별자치도지사, 시장·군수·구청장

② 시·도지사

③ 환경부장관

④ 도지사

⑤ 광역시장

해설 폐기물관리법 제14조(생활폐기물의 처리 등) : 특별자치시장·특별자치도지사, 시장·군수·구청장은 관할 구역 안에서 배출되는 생활폐기물을 처리하여야 한다.

06 폐기물처리 시설의 종류 중 중간처분시설에 해당하지 않는 것은?

① 소각 시설   ② 고형화·고화·안정화시설

③ 소멸화시설   ④ 호기성·혐기성 분해 시설

⑤ 매립 시설

해설 폐기물관리법 시행령 제5조(폐기물처리 시설) [별표 3] : 매립(관리형 매립, 차단형 매립)시설은 최종처분시설이다.
영 제1조의2(정의) : 폐기물처분시설이란 폐기물처리 시설 중 중간처분시설 및 최종처분시설을 말한다.

07 생활폐기물관리 제외지역으로 지정할 수 있는 지역은?

① 가구 수가 50호 미만 지역

② 가구 수가 100호 미만 지역

③ 가구 수가 150호 미만 지역

④ 가구 수가 300호 미만 지역

⑤ 가구 수가 500호 미만 지역

해설 폐기물관리법 시행규칙 제15조(생활폐기물관리 제외지역의 지정) : 특별자치시장, 특별자치도지사, 시장·군수·구청장은 ①번 외, 산간·오지·섬지역 등으로써 차량의 출입 등이 어려워 생활 폐기물을 수집·운반하는 것이 사실상 불가능한 지역을 생활폐기물관리 제외 지역으로 지정할 수 있다.

08 「감염병예방법」상 "제2급감염병"의 정의로 옳은 것은?

① 마시는 물 또는 식품을 매개로 발생하고 집단 발생의 우려가 커서 발생 또는 유행 즉시 방역대책을 수립하여야 하는 감염병을 말한다.

② 생물테러감염병 또는 치명률이 높거나 집단 발생의 우려가 커서 발생 또는 유행 즉시 신고하여야 하고, 음압격리와 같은 높은 수준의 격리가 필요한 감염병을 말한다.

③ 전파 가능성을 고려하여 발생 또는 유행 시 24시간 이내에 신고하여야 하고, 격리가 필요한 감염병을 말한다.

④ 그 발생을 계속 감시할 필요가 있어 발생 또는 유행 시 24시간 이내에 신고하여야 하는 감염병을 말한다.

⑤ 제1급감염병부터 제3급감염병까지의 감염병 외에 유행 여부를 조사하기 위하여 표본감시 활동이 필요한 감염병을 말한다.

해설 감염병예방법 제2조(정의)

09 재활용하는 태반의 도형 색상은 무슨 색인가?

① 붉은색　　　　② 노란색　　　　③ 녹색

④ 흰색　　　　　⑤ 검은색

해설 폐기물관리법 시행규칙 제14조 [별표 5] (폐기물의 처리에 관한 구체적 기준 및 방법)

의료폐기물의 종류	도형 색상	
격리의료폐기물	붉은색	
위해의료폐기물(재활용하는 태반은 제외) 및 일반의료폐기물	봉투형 용기	검정색
위해의료폐기물(재활용하는 태반은 제외) 및 일반의료폐기물	상자형 용기	노란색
재활용하는 태반	녹색	

10 오수를 배출하는 건물·시설 등을 설치하는 자는 단독 또는 공동으로 개인하수처리시설을 설치하여야 한다. 다음 중 개인하수처리시설을 하지 않아도 되는 경우는?

㉮ 공장폐수처리시설로 오수를 유입시켜 처리하는 경우
㉯ 분류식 하수관로로 배수설비를 연결하여 오수를 공공하수처리시설에 유입시켜 처리하는 경우
㉰ 공공하수도관리청이 하수관거정비구역으로 공고한 지역에서 합류식 하수관거로 배수설비를 연결하여 공공하수처리시설에 오수를 유입시켜 처리하는 경우
㉱ 분뇨수집·운반업자에게 위탁하여 공공하수처리시설·폐수종말처리시설 또는 자기의 오수처리시설로 운반하여 처리하는 경우

① ㉮, ㉯, ㉰　　② ㉮, ㉰　　③ ㉯, ㉱

④ ㉱　　　　⑤ ㉮, ㉯, ㉰, ㉱

해설 하수도법 제34조(개인하수처리시설의 설치), 규칙 제26조(개인하수처리시설의 설치 면제 대상 등)

11 시·군·구의 조례로 분뇨의 수집·운반 및 처리가 어려운 지역으로 정할 수 있는 지역은?

㉮ 오지나 벽지 등에 위치한 마을로서 가구 수가 50호 미만인 지역
㉯ 오지나 벽지 등에 위치한 마을로서 가구 수가 100호 미만인 지역
㉰ 차량 출입이 어려워 분뇨의 수집·운반이 어려운 지역
㉱ 차량 출입이 가능하여 분뇨의 수집·운반이 쉬운 지역

① ㉮, ㉯, ㉰　　② ㉮, ㉰　　③ ㉯, ㉱

④ ㉱　　　　⑤ ㉮, ㉯, ㉰, ㉱

해설 하수도법 시행규칙 제37조(분뇨수집 등의 의무제외 지역)

12 위생사 면허의 취소 시 청문은 누가 실시하는가?

① 보건복지부장관　　　② 시·도지사
③ 질병관리청장　　　　④ 국시원장
⑤ 국립보건원장

해설 공중위생관리법 제12조(청문) 보건복지부장관 또는 시장·군수·구청장은 "위생사의 면허취소"에 해당하는 처분을 하려면 청문을 하여야 한다.

13 "같은 명칭의 사용 금지" 규정에 위반하여 위생사라는 명칭을 사용한 자에 대한 벌칙으로 옳은 것은?

① 100만원 이하의 과태료　② 100만원 이하의 벌금
③ 10만원 이하의 벌금　　　④ 10만원 이하의 과태료
⑤ 1년 이하의 징역

해설 공중위생관리법
법 제22조(과태료)
① 제19조의3을 위반하여 위생사의 명칭을 사용한 자에게는 100만원 이하의 과태료를 부과한다.
② 과태료는 대통령령으로 정하는 바에 따라 보건복지부장관 또는 시장·군수·구청장이 부과·징수한다.
법 제19조의3(같은 명칭의 사용 금지) : 위생사가 아니면 위생사라는 명칭을 사용하지 못한다.

14 보건복지부장관 또는 시장·군수·구청장은 "위반 행위가 사소한 부주의나 오류로 발생한 것으로 인정되는 경우, 위반의 내용·정도가 경미하다고 인정되는 경우"에 해당하는 할 때에는 "개별기준"에 따른 과태료 금액의 2분의1 범위에서 그 금액을 줄일 수 있고, "위반의 내용 및 정도가 중대하여 이로 인한 피해가 크다고 인정되는 경우, 법 위반 상태의 기간이 6개월 이상인 경우"에 해당하는 경우에는 개별기준에 따른 과태료 금액의 2분의1 범위에서 그 금액을 늘려 부과할 수 있다. 여기서 위생사가 아니면서 위생사 명칭을 사용 시 "개별기준에 따른 과태료 금액"은 얼마를 말하는가?

① 50만원　　　② 40만원　　　③ 30만원

④ 20만원　　　⑤ 10만원

해설 공중위생관리법 시행령 제11조(과태료의 부과) [별표 2]

15 생물테러감염병 또는 치명률이 높거나 집단 발생의 우려가 커서 발생 또는 유행 즉시 신고하여야 하고, 음압격리와 같은 높은 수준의 격리가 필요한 감염병은 몇 급 감염병인가?

① 생물테러감염병　② 제4급감염병　③ 제3급감염병
④ 제2급감염병　　⑤ 제1급감염병

해설 감염병예방법 제2조(정의)
① 제1급감염병 : 생물테러감염병 또는 치명률이 높거나 집단 발생의 우려가 커서 발생 또는 유행 즉시 신고하여야 하고, 음압격리와 같은 높은 수준의 격리가 필요한 감염병을 말한다.
② 제2급감염병 : 전파 가능성을 고려하여 발생 또는 유행 시 24시간 이내에 신고하여야 하고, 격리가 필요한 감염병을 말한다.
③ 제3급감염병 : 그 발생을 계속 감시할 필요가 있어 발생 또는 유행 시 24시간 이내에 신고하여야 하는 감염병을 말한다.
④ 제4급감염병 : 제1급감염병부터 제3급감염병까지의 감염병 외에 유행 여부를 조사하기 위하여 표본감시 활동이 필요한 감염병을 말한다.

16 보고를 받은 의료기관의 장 및 감염병병원체 확인기관의 장, 의료기관에 소속되지 아니 한 의사, 치과의사 또는 한의사는 감염병환자등이 제1급감염병으로 사망한 경우 즉시 누구에게 신고하여야 하는가?

① 보건소장을 거쳐 보건복지부장관
② 시·도지사
③ 보건소장을 거쳐 시·도지사
④ 보건복지부장관
⑤ 관할 보건소장에게 신고

해설 감염병예방법 제11조(의사 등의 신고)
① 보고를 받은 의료기관의 장 및 감염병병원체 확인기관의 장은 질병관리청장 또는 보건소장에게, 의료기관에 소속되지 아니 한 의사, 치과의사 또는 한의사는 관할 보건소장에게 다음과 같이 신고하여야 한다.
제1급감염병의 경우에는 : 즉시
제2급감염병 및 제3급감염병의 경우에는 : 24시간 이내
제4급감염병의 경우에는 : 7일 이내
② 육군, 해군, 공군 또는 국방부 직할 부대에 소속된 군의관은 감염병환자 진단 시 소속 부대장에게 보고하여야 하고, 보고를 받은 소속 부대장은 제1급감염병의 경우에는 즉시, 제2급감염병 및 제3급감염병의 경우에는 24시간 이내에 관할 보건소장에게 신고하여야 한다.

17 필수예방접종(정기예방접종)은 누가 실시하는가?

① 시·도지사　　　　　② 보건소장
③ 읍장·면장·동장　　④ 국립검역소장
⑤ 특별자치도지사 또는 시장·군수·구청장

해설 감염병의 예방 및 관리에 관한법률 제24조(필수예방접종) : 특별자치도지사 또는 시장·군수·구청장은 관할 보건소를 통하여 실시한다.

18 감염병에 감염되었을 것으로 의심되는 충분한 이유가 있는 자에게 누가 건강진단을 받거나 예방접종을 받게 하는 등의 조치를 할 수 있는가?

① 식품의약품안전처장

② 보건복지부장관

③ 국립검역소장

④ 질병관리청장, 시·도지사 또는 시장·군수·구청장

⑤ 시·도지사

> 해설 감염병의 예방 및 관리에 관한법률 제46조(건강진단 및 예방접종 등의 조치)

19 감염병 예방에 필요한 소독을 하여야 하는 소독의무대상 시설이 아닌 곳은?

① 300세대 이상의 공동주택

② 객실 수 20실 이상인 숙박업소

③ 연면적 300제곱미터 이상의 식품접객업소

④ 객석 수 300석 이상의 공연장

⑤ 200세대 이상의 공동주택

> 해설 감염병의 예방 및 관리에 관한 법률 시행령 제24조(소독을 하여야 하는 시설)

20 특별자치시·특별자치도·시·도지사가 임명한 "검역위원의 직무"에 해당하지 않는 것은?

① 역학조사에 관한 사항

② 감염병병원체에 오염된 장소의 소독에 관한 사항

③ 감염병환자등의 추적, 입원 치료 및 감시에 관한 사항

④ 감염병병원체에 오염되거나 오염이 의심되는 물건 및 장소에 대한 수거, 파기, 매몰 또는 폐쇄에 관한 사항

⑤ 위생교육에 관한 사항

> 해설 감염병의 예방 및 관리에 관한 법률 시행규칙 제43조(검역위원의 임명 및 직무) : 검역위원의 직무는 ①·②·③·④번 외, 검역의 공고에 관한 사항

21 다음 중 식품위생법에서 정의하는 "식품위생"에 해당되지 않는 것은?

① 식품

② 식품첨가물

③ 기구 또는 용기

④ 포장

⑤ 치료를 목적으로 섭취하는 식품

> 해설 식품위생법 제2조(정의) : "식품위생"이란 식품·식품첨가물·기구 또는 용기·포장을 대상으로 하는 식품에 관한 위생을 말한다.

22 식품위생법에서 식품 등의 공전은 누가 작성·보급하여야 하는가?

① 보건복지부장관

② 식품의약품안전처장

③ 국립보건원장

④ 시·도지사

⑤ 시장·군수·구청장

> 해설 식품위생법 제14조(식품 등의 공전)

23 식중독을 일으킨 환자 또는 의심이 있는 자를 진단한 의사 또는 한의사는 누구에게 보고하여야 하는가?

① 보건복지부장관

② 시·도지사

③ 국무총리

④ 식품의약품안전처장

⑤ 특별자치장(특별자치도지사 포함)·시장·군수·구청장

> 해설 식품위생법 제86조(식중독에 관한 조사보고)

24 식품위생법에서 영업 허가를 받아야 하는 업종으로 옳은 것은?

① 식품조사처리업

② 단란주점업

③ 식품운반업

④ 유흥주점영업

⑤ ①·②·④번

> 해설 식품위생법 시행령 제23조(허가를 받아야 하는 영업 및 허가 관청) 제26조의 2(등록하여야 하는 영업) : 식품제조·가공업, 식품첨가물제조업, 공유주방운영업은 등록을 받아야 한다.

25 판매 등이 금지되는 동물의 질병이 아닌 것은?

① 리스테리아병

② 살모넬라병

③ 방선균증

④ 선모충증

⑤ 파스튜렐라병

> 해설 식품위생법 시행규칙 제4조(판매 등이 금지되는 병든 동물고기) : ①·②·④·⑤번 외, 도축이 금지되는 가축전염병

제4회 실전모의고사 정답

1 환경위생학

01 ②	02 ①	03 ③	04 ②	05 ②	06 ②	07 ③	08 ①	09 ③	10 ③
11 ①	12 ④	13 ⑤	14 ③	15 ④	16 ②	17 ③	18 ①	19 ②	20 ②
21 ③	22 ③	23 ⑤	24 ⑤	25 ③	26 ④	27 ②	28 ③	29 ③	30 ④
31 ②	32 ④	33 ④	34 ④	35 ④	36 ②	37 ①	38 ⑤	39 ②	40 ④
41 ①	42 ③	43 ③	44 ⑤	45 ⑤	46 ⑤	47 ②	48 ①	49 ②	50 ④

2 위생곤충학

01 ①	02 ①	03 ④	04 ①	05 ②	06 ③	07 ③	08 ③	09 ④	10 ⑤
11 ①	12 ⑤	13 ④	14 ①	15 ③	16 ②	17 ⑤	18 ②	19 ③	20 ③
21 ②	22 ④	23 ④	24 ⑤	25 ①	26 ⑤	27 ①	28 ①	29 ④	30 ⑤

3 식품위생학

01 ⑤	02 ③	03 ②	04 ②	05 ②	06 ②	07 ⑤	08 ①	09 ④	10 ③
11 ②	12 ③	13 ④	14 ①	15 ④	16 ①	17 ①	18 ④	19 ⑤	20 ①
21 ③	22 ③	23 ④	24 ③	25 ①	26 ②	27 ⑤	28 ①	29 ②	30 ⑤
31 ③	32 ④	33 ①	34 ③	35 ③	36 ③	37 ④	38 ②	39 ③	40 ①

4 공중보건학

01 ③	02 ③	03 ④	04 ④	05 ②	06 ⑤	07 ⑤	08 ③	09 ②	10 ②
11 ④	12 ①	13 ④	14 ⑤	15 ①	16 ②	17 ②	18 ④	19 ④	20 ④
21 ②	22 ③	23 ①	24 ③	25 ①	26 ②	27 ③	28 ②	29 ①	30 ①
31 ①	32 ③	33 ①	34 ②	35 ④					

5 위생관계법령

01 ①	02 ①	03 ⑤	04 ②	05 ①	06 ⑤	07 ①	08 ③	09 ③	10 ⑤
11 ②	12 ③	13 ①	14 ⑤	15 ⑤	16 ⑤	17 ⑤	18 ④	19 ⑤	20 ⑤
21 ⑤	22 ②	23 ④	24 ⑤	25 ③					

1 환경위생학

01 다음 물의 자정작용이 <u>아닌</u> 것은?

① 희석   ② 여과
③ 침전   ④ 부유
⑤ 생물에 의한 식균작용

> **해설** 물의 자정작용
> ① 물리적 자정작용 : 침강, 확산, 휘산, 운반, 희석, 혼합, 여과, 자외선에 의한 살균작용 등
> ② 화학적 자정작용 : 산화작용, 환원작용, 중화, 응집 등
> ③ 생물학적 자정작용 : 유기물 분해작용, 수중 생물에 의한 식균작용 등
>
> **자외선의 특징**
> ① 자외선 A · B · C 중에서 살균에 많은 관계를 하는 것은 자외선 C이다.
> ② 대류권에는 자외선 A · B가 내려오며, 자외선 C는 성층권에서 거의 걸러지며 대류권에는 거의 내려오지 않는다.
> ③ 자외선 A · B는 살균력이 약하므로, 자외선 A · B에 의해 죽은 균을 가시광선을 비추면 다시 살아난다. 따라서 자외선 A · B는 깊이 침투를 못 하므로 물속의 균을 죽일 수 없다고 보는 학자도 있다.
> ※ 보건학에서는 자외선에 의한 살균작용을 물의 자정작용에 포함시키나, 공학에서는 자외선에 의한 살균작용이 물속에서 이루어지지 않는다고 보는 경우도 있다.

02 수인성 감염병의 특징이 <u>아닌</u> 것은?

① 여과 및 염소소독에 의한 처리로써 환자 발생을 크게 줄일 수 있다.
② 모든 계층과 연령에서 발생한다.
③ 치명률, 발병률이 높다.
④ 계절적 영향을 크게 받지 않는다.
⑤ 환자 발생은 급수구역에 한정되며 경계가 명확하다.

> **해설** 수인성 감염병 : 치명률, 발병률이 낮다.

03 다음 중에서 물의 일시경도를 유발하는 물질은?

① $MgSO_4$ ② $Ca(HCO_3)_2$
③ $MgCl_2$ ④ $CaSO_4$
⑤ $Mg(NO_3)_2$

04 폐기물을 퇴비화시킬 때 최적 C/N비는?

① 20:1   ② 30:1   ③ 40:1
④ 50:1   ⑤ 60:1

> **해설** 퇴비화시킬 때 최적 C/N비는 30 내외이다.

05 폐기물 매립지 위에 집을 건축하려면 몇 년 후가 좋은가?

① 25년   ② 10년
③ 30년   ④ 40년
⑤ 50년

> **해설** 폐기물관리법 : 폐기물 매립 후 30년이 지난 후 주택지로 이용한다.
> [2011년 법 개정]

06 군집독과 관계가 <u>없는</u> 인자는?

① 기온   ② 습도
③ 이산화탄소   ④ 취기
⑤ 기압, 자외선

> **해설** 군집독과 기압과는 관계가 없다.

07 감각온도의 습도는?

① 10% 습도   ② 50% 습도   ③ 80% 습도
④ 100% 습도   ⑤ 150% 습도

08 자외선의 가장 대표적인 광선인 도노선(Dorno-ray = 생명선)의 파장은?

① 290~315Å   ② 2,900~3,150Å
③ 2,900~31,500Å   ④ 4,000~7,000Å
⑤ 400~700Å

> **해설** ① 살균선 : 2,400~2,800Å(2,500~2,900Å)
> ② 도노선(Dorno-ray)의 파장(건강선, 생명선, 비타민선) : 2,800~3,200Å(280~320nm)

09 폐포 침착률이 가장 큰 먼지는?

① 0.1μ 이하   ② 0.2~0.4μ
③ 0.5~5.0μ   ④ 5.0~6.0μ
⑤ 7.0μ 이상

> **해설** 입자상 물질의 특징
> ① 기관지 침착률이 가장 큰 입자의 크기 : 0.5~5μm(마이크로미터)이다.
> ② 0.5마이크로 이하의 입자 : 호흡운동에 의해 다시 밖으로 배출된다.
> ③ 5마이크로 이상의 입자 : 기관지 점막에 침착하여 객담과 함께 배출되거나 또는 식도를 통해 위 속으로 넘어가 배설된다.

10 의복의 방한력을 나타내는 단위는?

① REM   ② CLO   ③ BOD
④ MPH   ⑤ ABS

> **해설** ① 의복의 방한력의 단위 : CLO
> ② 적정 방한력 : 기온이 약 (8.8)9℃씩 하강할 때마다 1CLO의 보온력 피복을 더 입어야 한다.
> ㉮ 보통작업복 : 1CLO
> ㉯ 방한장갑 : 2CLO
> ㉰ 방한화 : 2.5CLO
> ㉱ 방한복 : 4~4.5CLO

11 탁도의 단위로 옳은 것은?

① 도   ② NTU   ③ THM
④ TUT   ⑤ mg/l

> **해설** ① 탁도란 불순물에 의해 물이 탁해지는 정도를 나타낸 것으로써, 탁도는 빛의 통과에 대한 저항으로 나타내는 값이다.
> ② 우리나라 먹는물의 탁도 기준에는 NTU 단위를 사용한다.
> ③ 1NTU(Nephelometric Turbidity Unit)란 황산히드라진과 헥사메틸테트라아민을 포함한 탁도 표준원액 2.5ml를 증류수 1l에 용해시켰을 때의 탁도를 1NTU라 한다.

12 치매의 원인물질로 알려진 것은?

① 나트륨   ② 마그네슘   ③ 칼슘
④ 칼륨   ⑤ 알루미늄

13 먹는샘물의 기준이 <u>잘못된</u> 것은?

① 과망간산칼륨소모량 : 10mg/l를 넘지 아니 할 것
② 암모니아성질소 : 0.5mg/l를 넘지 아니 할 것
③ 염소이온 : 150mg/l를 넘지 아니 할 것
④ 일반세균 수 : 1ml당 100CFU를 넘지 아니 할 것
⑤ 질산성질소 : 10mg/l를 넘지 아니 할 것

⊕해설 염소이온 : 250mg/l를 넘지 아니 할 것

14 LD$_{50}$의 의미와 가장 가까운 것은?

① 치명률   ② 이환율   ③ 치사량
④ 발생량   ⑤ 사망비

⊕해설 ① LD$_{50}$(Lethal Dose 50)
㉮ 반수치사량이라고도 한다.
㉯ 실험동물 50%를 사망시키는 독성물질의 양을 말한다.
② LC$_{50}$(Lethal Concentration 50) : 독성물질의 유해도를 나타내는 지수로써 실험용 물고기나 임상용 동물에 독성을 경구투여 시 실험 대상 동물의 50%가 죽는 농도를 나타낸 것이다.

15 호기성 분해 시 가장 많이 발생하는 가스는?

① CH_4 ② HCl ③ CO_2
④ SO_2 ⑤ NO_2

⊕해설 ① 유기물이 호기성 분해될 때 생성되는 최종물질 : CO_2와 H_2O이다.
② 혐기성 분해 시 생성되는 물질 : CH_4, CO_2, NH_3, H_2S, 메르캅탄 등

16 강도율을 구하는 공식은?

① $\dfrac{\text{재해건수}}{\text{평균 실근로자 수}} \times 10^3$ ② $\dfrac{\text{손실 작업일 수}}{\text{연 근로시간 수}} \times 10^3$

③ $\dfrac{\text{재해건수}}{\text{연 근로시간 수}} \times 10^6$ ④ $\dfrac{\text{재해건수}}{\text{연 근로일 수}} \times 10^3$

⑤ $\dfrac{\text{손실근로일 수}}{\text{재해건수}} \times 10^3$

17 다음 중 특히 폐암과 관계있는 것은?

① 석면   ② 칼슘   ③ 규소
④ 흑연   ⑤ 납

⊕해설 폐암 발생 : 석면, 6가크롬, 라돈, 3·4벤조피렌 등

18 화력발전소의 폐열수를 이용한 난방법은?

① 국부난방   ② 중앙난방   ③ 증기난방
④ 온수난방   ⑤ 지역난방

19 자비소독이란?

① 60℃에서 30분간 소독
② 71℃에서 15분간 소독
③ 90℃에서 20분간 소독
④ 100℃에서 15~20분간 소독
⑤ 210℃에서 15~20분간 소독

20 가장 강한 살균력을 갖는 알코올의 농도는?

① 50~60%   ② 70~75%
③ 80~85%   ④ 85~90%
⑤ 90% 이상

⊕해설 70~75% 알코올(alcohol) : 건강한 피부에 사용한다(단, 창상피부에 사용하면 안 된다).

21 수질검사에서 최확수(MPN)와 관계있는 것은?

① 일반 세균
② 대장균군
③ 생물화학적 산소 요구량
④ 생물지수
⑤ 염소요구량

⊕해설 최확수(MPN ; Most Probable Number) : 검수 100ml당 이론상 있을 수 있는 대장균군 수

22 분뇨의 소독 및 위생처리로 발생률을 감소시킬 수 있는 질병은?

① 일본뇌염   ② 재귀열   ③ 장티푸스
④ 말라리아   ⑤ 페스트

⊕해설 장티푸스는 소화기계 감염병이므로 분뇨의 소독 및 위생처리로 발생률을 감소시킬 수 있다.
①번, ④번 : 모기가 전파
②번 : 이가 전파
⑤번 : 쥐벼룩이 전파

23 지구 규모적 대기오염 종류가 <u>아닌</u> 것은?

① 황사   ② 산성비
③ 온난화   ④ 교통기관
⑤ 오존층 파괴

24 위생 보호구를 선택할 때의 주의사항으로 옳지 <u>않은</u> 사항은 어느 것인가?

① 손질이 쉽고 사용자가 사용하기 편한 것
② 사용 목적에 적합한 것
③ 품질이 양호한 것
④ 규격과 성능이 검정된 제품
⑤ 포집효율이 높고 흡·배기 저항이 높은 것

⊕해설 포집효율이 높고 흡·배기 저항이 낮은 것

25 다음은 위생보호구 착용과 작업을 연결한 것이다. 옳지 <u>않은</u> 것은?

① 전기용접 작업 – 차광안경
② 병타기 작업 – 귀마개
③ 납 취급 – 방독마스크
④ 냉동실 작업 – 방한복
⑤ 탱크 내의 분무 도장작업 – 분진마스크

⊕해설 탱크 내의 분무 도장작업 : 방독마스크 사용

26 폐기물의 성분 중 가연성이 <u>없는</u> 것은 어느 것인가?

① 부엌 쓰레기   ② 섬유류
③ 연탄재   ④ 플라스틱류
⑤ 나무

27 산업위생관리자의 직무 중 가장 중요하게 취급되어야 할 것은?

① 복지증진 – 노동시간 단축
② 노동조합 – 환경 개선
③ 총괄관리 – 위생교육
④ 작업 환경 관리 – 작업관리
⑤ 노동시간 단축 – 휴식

해설 작업 환경 관리, 작업관리, 건강관리를 하기 위해서 총괄관리나 위생교육을 실시하여야 한다.

28 목재의 방부제로 이용되며 흑족병(黑炳)의 원인이 되는 물질은?

① 크롬　　② 비소　　③ 수은
④ 벤젠　　⑤ 망간

해설 비소 : 흑피증, 사지의 색소 침착, 피부암 등

29 환경보전법에서 환경소음의 단위는?

① dB　　② NRN　　③ dB(A)
④ Phone　　⑤ Sone

30 건열멸균법은 160~170℃에서 최소 얼마간 실시해야 하는가?

① 30분　　② 1시간
③ 1시간 30분　　④ 2시간
⑤ 3시간

해설 건열멸균법 : 160~170℃의 건열멸균기로 1~2시간 처리하여 미생물을 완전 사멸시킨다.

31 이타이이타이병과 관계있는 물질은?

① 유기수은　　② 카드뮴
③ DDT의 축적　　④ 메틸수은
⑤ 납(연)

해설 카드뮴 : 이타이이타이병, 납 : 빈혈

32 성인 한 사람이 하루에 호흡하여 소비되는 산소량은?

① 200~250l　　② 300~400l
③ 400~500l　　④ 500~900l
⑤ 600~700l

33 다음 중 체온 발산의 비율이 가장 큰 것은?

① 피부에서의 전도 · 증발
② 폐포증발
③ 호기가온(乎氣加溫)
④ 소변 및 대변
⑤ 골격근과 심장

해설 ① 체온 발산을 이루는 작용에는 열전도, 열대류, 열복사, 증발 등이 있는데 체열 발산의 비율은 다음과 같다.
② 피부 전도 · 복사(73%) 〉 피부 증발(14.5%) 〉 폐 증발(7.2%) 〉 흡기기온(3.5%) 〉 분뇨(1.8%)

34 대기오염에 따른 질병과 가장 관련이 깊은 질병은?

㉮ 피부기계 질병	㉯ 순환기계 질병
㉰ 소화기계 질병	㉱ 호흡기계 질병

① ㉮, ㉯, ㉰　　② ㉮, ㉯　　③ ㉯, ㉱
④ ㉱　　⑤ ㉮, ㉯, ㉰, ㉱

35 실내 자연환기의 작용은 무풍 시에는 주로 무엇에 의해 일어나는가?

① 실내 · 외의 습도 차　　② 실내 · 외의 온도 차
③ 기압 차　　④ 기체의 확산
⑤ 실내 · 외의 불감기류 차

해설 실내환기의 작용
① 실내 · 외의 온도 차 : 주로 작용
② 기체의 확산
③ 외기의 통풍력 등

36 동일 면적과 동일 방향의 측창으로 채광효과를 높일 수 있는 가장 좋은 조건은?

① 창의 수가 많아야 한다.
② 창이 상하로 길어야 한다.
③ 창의 위치가 낮아야 한다.
④ 창의 위치가 높아야 한다.
⑤ 창이 가로로 길어야 한다.

37 다음 중 강한 음영으로 눈의 피로도가 큰 조명방법은?

① 굴절조명　　② 반간접조명
③ 직접조명　　④ 간접조명
⑤ 반직접조명

해설 ① 직접조명 : 밝기 면에서는 효과가 좋으나 반사시설이 없기 때문에 눈의 피로가 심하다.
② 간접조명 : 눈에 피로가 적으나, 조명 효율이 낮다.

38 우리나라 산업위생과 산업보건행정을 관장하는 행정부처는 어느 곳인가?

① 행정자치부　　② 환경부
③ 보건복지부　　④ 교육부
⑤ 고용노동부

해설 산업위생과 산업보건을 담당하는 부서 : 고용노동부

39 방사능 물질에 가장 예민한 신체 부위는?

① 간　　② 임파선　　③ 신장
④ 골격　　⑤ 근육

해설 방사선 장애
① 증상 : 골수에 가장 민감하며, 생식기능 저하, 불임을 유발한다.
② 피해 : 골수 · 생식기 · 임파계 〉 피부 〉 근육 〉 뼈 〉 신경

40 수영장이나 목욕탕에서 감염될 수 없는 질병은?

① 성병　　② 피부병
③ 트라코마　　④ 질트리모나스
⑤ 눈병

해설 ① 성병 : 성 접촉에 의해 전파된다.
② 질트리모나스는 질분비물의 오염에 의해 수영장 등에서 감염될 수 있다.

41 군집독을 해결하려는 방법으로 옳은 것은?

① CO 농도를 낮춘다.
② CO_2 농도를 낮춘다.
③ SO_2 농도를 낮춘다.
④ O_2 농도를 낮춘다.
⑤ CO_2 농도를 높인다.

42 실외의 쾌적 기류는?

① 0.1m/sec　　　　② 0.5m/sec
③ 1.0m/sec　　　　④ 1.5m/sec
⑤ 2.0m/sec

43 다음 중 일교차에 관한 내용으로 옳은 것은?

① 하루 중 최저 온도를 말한다.
② 하루 중 최고 온도를 말한다.
③ 하루 중 일출 30분 전의 온도를 말한다.
④ 하루 중 오후 2시경의 온도를 말한다.
⑤ 하루 중 최저 온도와 최고 온도의 차이를 말한다.

> **해설** 일교차 : 하루 중 최저온도(일출 30분 전)와 최고온도(오후 2시경)의 차이를 말한다.

44 종이류 및 섬유에 피해를 주는 물질은?

① F(불소)　　　　② HF(불화수소)
③ H_2S(황화수소)　　④ NO_2(이산화질소)
⑤ SO_2(아황산가스)

> **해설** 피해물질과 오염물질
> ① 의류, 종이류 : SO_2 및 오존(O_3)은 양모, 면류 및 도서관의 장서에 피해를 줌
> ② 금속부식 : SO_2(아황산가스), H_2S(황화수소), NO_2(이산화질소) 등
> ③ 고무제품 노화 : 오존(O_3), 옥시던트(oxidant) 등
> ④ 유리, 도자기 부식 : F(불소), HF(불화수소) 등

45 대기오염 사건의 지역이 아닌 것은?

① 뮤즈계곡　　② 도노라　　③ 포자리카
④ 런던　　　　⑤ 미나마타

46 지구온난화를 일으키는 물질 중 온실효과 기여도가 가장 높은 것은?

① SF_6　　　② N_2O　　　③ CH_4
④ CO_2　　　⑤ O_3

47 슬러지량의 감량화로 소화조의 필요 용적이 감소되는 처리는?

① 농축　　　② 안정화　　③ 개량
④ 탈수　　　⑤ 소각

> **해설** 농축의 목적 : 슬러지량의 감량화로 투자비용이 감소된다.

48 성층현상의 순서로 옳은 것은?

① 수온약층 → 표수층 → 심수층 → 침전물층
② 표수층 → 수온약층 → 침전물층 → 심수층
③ 표수층 → 수온약층 → 심수층 → 침전물층
④ 침전물층 → 표수층 → 수온약층 → 심수층
⑤ 표수층 → 침전물층 → 수온약층 → 심수층

> **해설** 성층현상의 순서 : epilimnion(표수층) → thermocline(수온약층) → hypolimnoin(심수층) → 침전물층

49 연근로시간 당 손실작업일수로 알 수 있는 산업재해 지표는?

① 건수율　　② 강도율　　③ 발병률
④ 도수율　　⑤ 중독률

> **해설** 강도율 = $\dfrac{손실작업 \ 일수}{연근로 \ 시간수}$

50 산업의 생산물이나 부산물로 만들어지는 유해폐기물들이 부적절하게 관리됨으로써 환경과 인체건강에 미치는 피해 사례가 늘어나고 있다. 유해성 폐기물에 의한 건강 피해를 최소화하기 위하여 미국 환경보호청은 "3Rs, 소각, 철저한 위생매립"을 최선의 폐기물 관리방법으로 제안하였다. 다음 중 3Rs에 해당하지 않는 것은?

① 감소 또는 축소　　　② 재사용
③ 재활용　　　　　　　④ 감소, 재사용, 재활용
⑤ 생산

> **해설** ① 3Rs
> ㉮ Reduction : 감소, 축소
> ㉯ Reuse : 재사용
> ㉰ Recycling : 재활용
> ② 친환경적 "4R" 운동 수칙
> ㉮ Refuse : 불필요한 물건은 사지 말자(불필요한 건 거절하고).
> ㉯ Reduce : 쓰레기를 줄이자(쓰레기를 줄이고).
> ㉰ Reuse : 버리지 말고 반복 사용하자(쓸 수 있는 것 재사용하고).
> ㉱ Recycle : 재활용을 활용한다(쓸 수 없는 건 재활용하고).

2 위생곤충학

01 뉴슨스 동물에 해당하는 것은?

① 모래파리　　② 호박벌　　③ 바퀴
④ 학질모기　　⑤ 독나방

> **해설** 뉴슨스 동물 : 깔따구, 노린재, 나방파리(모래파리), 귀뚜라미, 지하집모기 등

02 불완전변태와 비교 시 완전변태의 특징으로 옳은 것은?

① 유충 과정이 있다.　　② 번데기 과정이 있다.
③ 성충 과정이 있다.　　④ 자충 과정이 있다.
⑤ 충란 과정이 있다.

> **해설** ① 불완전변태 : 알 – 유충 – 성충
> ② 완전변태 : 알 – 유충 – 번데기 – 성충

03 저작형 구기에 관한 내용으로 옳지 않은 것은?

① 저작형 구기에서는 두순 바로 밑에서 구부의 전면을 덮고 있는 부분의 상순이 있다.
② 상순 후방 양옆에 1쌍의 대악(큰 턱)과 1쌍의 소악(작은 턱)이 있다.
③ 구부의 후면을 덮고 있는 부분은 하순이다.
④ 소악과 하순에는 각각 부속지인 촉수를 가지고 있다.
⑤ 여러 구조의 중심부에는 혀의 하인두가 위치하고 그 부근에 타액선이 닿혀 있다.

> **해설** ① 저작형 구기 : ①·②·③·④번, 여러 구조의 중심부에는 혀의 하인두가 위치하고 그 부근에 타액선이 열려 있다.
> ② 흡수형 구기 : 수액이나 혈액 등 액상의 식물을 섭취할 수 있게 변형되어 있어 가늘고 긴 주둥이를 형성한다.

04 모기가 흡혈하는 이유?

① 암모기는 체내 동물성 단백질을 공급하여 산란하기 위해 흡혈을 한다.
② 수컷은 체내 동물성 단백질을 공급 위해 흡혈을 한다.
③ 유충은 성충이 되기 위해 흡혈을 한다.
④ 자충은 번데기가 되기 위해 흡혈을 한다.
⑤ 번데기가 우화를 위해 흡혈을 한다.

05 진드기의 특징으로 옳은 것은?

① 거미강　② 바퀴강　③ 지네강
④ 노래기강　⑤ 곤충강

06 원충류의 질병은?

① 발진티푸스　② 페스트　③ 말라리아
④ 황열　⑤ 일본뇌염

07 쥐가 옮기는 질병 중에서 병원체가 리케치아인 것은?

① 말라리아　② 페스트
③ 쯔쯔가무시병　④ 발진티푸스
⑤ 발진열

08 등에가 매개하는 질병으로 옳은 것은?

① 튜라레미아증　② 페스트　③ 사상충
④ 발진티푸스　⑤ 발진열

　해설　등에
① 주간 활동성이고 특히 이른 아침과 오후 늦게 활발한 야간 활동성인 종도 간혹 있다.
② 질병 : 로아사상충증(loiasis), 튜라레미아증를 매개한다.

09 긴 호흡관을 가지며, 물속에서 잠깐 나오고 논에서 사는 모기유충은?

① 늪모기　② 중국얼룩날개모기
③ 숲모기　④ 작은빨간집모기
⑤ 보통모기

　해설　작은빨간집모기 유충의 특징
① 호흡관이 가늘고 길다.
② 주로 논, 늪, 호수, 고인 웅덩이 등 비교적 깨끗한 물에서 서식하나, 오염된 물에서도 발생 가능하다.
③ 수면에 각도를 갖고 매달린다.

10 머릿이와 몸이의 특징으로 옳은 것은?

① 암컷만 흡혈한다.　② 고온과 고습을 좋아한다.
③ 빛을 좋아한다.　④ 숙주 선택성이 엄격하다.
⑤ 자충만 흡혈한다.

　해설　머릿이와 몸이
① 자충, 성충, 암수 모두 흡혈한다.
② 고온과 고습에 부적당하다.
③ 빛을 싫어한다.
④ 숙주 선택성이 엄격하다.

11 이가 옮기는 질병 중에서 병원체가 리케치아인 것은?

① 말라리아　② 페스트　③ 쯔쯔가무시병
④ 발진티푸스　⑤ 발진열

12 다음 파리 중 구기의 모양이 다른 것은?

① 집파리　② 딸집파리　③ 아기집파리
④ 큰집파리　⑤ 침파리

13 양계장에 파리 방제 시 가장 효과적인 방법은?

① 훈증법　② 끈끈이줄　③ 유문등
④ 살문등(殺蚊燈)　⑤ 트랩

14 여름철 물가 주위의 불빛에 집단으로 모이고 수명이 짧아 시체가 싸여 주의가 불결하고 썩는 냄새가 나는 곤충은?

① 모래파리　② 깔따구　③ 등에모기
④ 호박벌　⑤ 하루살이

15 다음 벼룩의 종류 중 즐치 벼룩인 것은?

① 개벼룩　② 사람벼룩　③ 모래벼룩
④ 좀닭벼룩　⑤ 열대쥐벼룩

　해설　① 무즐치 벼룩(Combless flea) : 즐치를 갖고 있지 않는 벼룩으로 사람벼룩, 모래벼룩, 좀닭벼룩, 열대쥐벼룩이 있다.
② 즐치벼룩(Combed flea) : 즐치를 갖고 있는 벼룩으로 위생상 중요한 것은 개벼룩(고양이벼룩), 유럽쥐벼룩, 장님쥐벼룩 등이 있다.

16 유충의 다리는 3쌍이고, 성충일 때는 다리가 4쌍인 것은?

① 진드기　② 가재　③ 지네
④ 게　⑤ 벼룩

　해설　진드기 : 유충의 다리는 3쌍이고, 성충과 약충은 4쌍의 다리를 갖고 있다.

17 집먼지진드기를 제거하기 위한 방법으로 옳지 않은 것은?

① 카펫과 천으로 된 소파를 없앤다.
② 담요, 이불, 베개 등에 특수 커버를 씌우거나 세탁기로 자주 세탁한다.
③ 가습기 사용을 금하고, 실내를 자주 환기시킨다.
④ 살진드기 약제로 처리한 카펫을 사용한다.
⑤ 적외선 처리를 한다.

18 마을, 군부대 등 건물 주변의 잡초를 깨끗이 깎고, 구석구석 살충제분무를 하고, 기피제를 옷에 처리하는 것은 무엇을 방제하기 위한 것인가?

① 털진드기　② 여드름진드기
③ 모낭진드기　④ 집먼지진드기
⑤ 먼지진드기

19 개미에 물렸을 때의 증상으로 옳은 것은?

① 간지럽다.
② 따갑다.
③ 심한 통증과 발적현상, 자교에 의한 피부염 및 중앙에 수포가 발생한다.
④ 출혈이 발생한다.
⑤ 설사가 난다.

20 다음 "보기"의 내용으로 죽이는 것은?

> • 혈액의 응고 요인을 방해하여 혈액응고 능력을 상실하게 한다.
> • 모세혈관을 파괴시켜 내부출혈이 계속되어 빈혈로 서서히 죽게 된다.

① 만성 살서제　② 급성 살서제
③ 독먹이　④ 2차 독성
⑤ 살충제

　해설　만성 살서제
① 1차적으로 혈액의 응고 요인을 방해하여 혈액응고 능력을 상실하게 한다.
② 2차적으로 모세혈관을 파괴시켜 내부출혈이 계속되어 빈혈로 서서히 죽게 된다.

21 다음 중 카바메이트계 살충제는?

① Naled
② 벤디오카브
③ Permethrin
④ Diazinon
⑤ Bio-resmethrin

🔘해설 카바메이트계 : propoxur(프로폭서, Baygon 또는 Aprocarb), bendiocarb(벤디오카브, Ficam) 등

22 "원체 + 증량제 + 결점제 + 계면활성제"로 구성된 제제는?

① 수화제
② 부리켓
③ 용제
④ 수용제
⑤ 유제

🔘해설 입제(granule, G)와 부리켓(briquet) : 살충제 원체와 증량제를 혼합하여 물과 점결제(아교, 아라비아고무)를 섞고 여기에 계면활성제나 전분 같은 붕괴촉진제를 첨가하여 일정한 모양의 덩어리로 만든 것이다(원체 + 증량제 + 결점제 + 계면활성제나 붕괴촉진제).

23 살충제 분무 시 가장 영향을 미치는 곤충의 부위는?

① 경구
② 호흡기
③ 피부(외피)
④ 소화기
⑤ 신경계

24 훈증제의 특징으로 옳은 것은?

① 축사에 파리 방제를 위해 사용한다
② 퇴비장의 독나방을 방제하기 위해 사용한다
③ 화장실 파리 유충을 방제하기 위해 사용한다
④ 논에 모기 유충을 방제하기 위해 사용한다
⑤ 밀폐된 창고에 장기간 보관 중인 곡물, 직물, 목재 등의 해충을 신속하고 완전 방제하기 위해 사용한다.

🔘해설 훈증법(fumigation)
① 훈증법이란 밀폐된 장소에 가스 증기 상태의 유독물질을 채워 곤충이 호흡할 때 기공(氣孔, 기문)을 통해 체내에 흡입되어 치사하게 하는 방법이다. 이때 사용하는 약제를 훈증제(fumigant)라 한다.
② 밀폐된 장소에서는 해충을 신속하고 완전 방제할 수 있다.
③ 잔효성이 없으므로 해충의 재침입이 가능하다.
④ 효과가 좋은 것은 인축에 맹독성인 것이 많으므로 전문가가 작업한다.
⑤ 현재 훈증법이 쓰이는 곳은 다음과 같다.
㉮ 창고 : 장기간 보관 중인 곡물, 직물, 목재 등의 해충을 방제하기 위해 사용한다.
㉯ 부두 : 노적한 원목의 해충을 방제하기 위해 사용한다.
㉰ 선박 : 쥐, 바퀴 방제에 사용한다.

25 유기인계 농약의 특징은?

① 만성독성을 일으킴
② 급성독성을 일으킴
③ 잔류성이 큼
④ 안정성이 강함
⑤ 환경호르몬임

26 천연유기 살충제인 것은?

① 마라티온
② 파라티온
③ 다이아지논
④ 니코틴
⑤ DDT

27 원체에 물을 섞어 사용하는 것은?

① 수화제
② 유제
③ 용제
④ 수용제
⑤ 분제

🔘해설 ① 수화제(水和劑, WP, w.d.p.) : 살충제 원체에 증량제(탈크, 규조토, 고령토, 베트나이트)와 친수제 및 계면활성제를 가미한 분말이다(원체 + 증량제 + 친수제 + 계면활성제).
② 수용제(水溶劑, soluble powder, SP) : 수용성 원체에 물을 첨가하여 수용액(水溶液)을 만들어 살포한다(수용성 + 물).

28 어린이가 "강아지(개)"와 산책 후 집에 왔을 때 실내 잔류분무로 사용하는 것은?

① 분제
② 입제
③ 유제
④ 용제
⑤ 수화제

🔘해설 ① 분제
㉮ 분제 살포는 곤충의 접촉이 빈번한 장소에 잔효성 살충제 입자를 잔존시켜 장기간 살충효과를 내는 방법이다.
㉯ 진드기, 이, 벼룩, 바퀴, 독나방 등을 구제하기 위하여 사람의 옷, 가축, 애완동물의 몸, 곤충의 서식 장소에 살포한다.
㉰ 입제 : 입제 살포는 주로 모기의 유충을 방제하기 위하여 물에 뿌린다.

29 가열연막 작업에 관한 내용으로 옳지 않은 것은?

① 분사구 : 풍향 쪽(풍향을 가로지르되) 30~40° 각도로 하향한다.
② 속도 : 휴대용은 1km/hr, 차량용은 8km/hr
③ 살포 면적 : 휴대용은 1ha/hr, 차량용은 40ha/hr
④ 살포폭 : 휴대용은 5~10m, 차량용은 40m
⑤ 연무작업 : 새벽이 좋다.

🔘해설 가열연무(가열연막) : ①·②·③·⑤번 외
㉮ 분사구(노즐) : 풍향 쪽(풍향을 가로지르되) 30~40° 각도로 하향한다.
㉯ 살포폭 : 휴대용은 5~10m, 차량용은 50m
㉰ 극미량연무(ULV) 노즐 : 45° 각도로 상향(上向) 고정한다.

30 바퀴 방제 방법 중 환경적 방제 방법으로 옳은 것은?

① 발육억제제 이용
② 유인제 이용
③ 천적 이용
④ 서식처를 제거
⑤ 살충제 이용

3 식품위생학

01 장염 비브리오균 식중독의 주요 원인 식품은 어느 것인가?

① 육류
② 우유
③ 난류 및 그 가공품
④ 전분 가공품
⑤ 어패류 및 그 가공품

02 물엿이나 연근 등의 표백에 이용하여 문제를 일으키는 물질은?

① 알코올
② 차아황산나트륨
③ 붕산
④ 불소화합물
⑤ rongalite

03 식품에 함유된 Sr90이 생체에 흡수될 때 가장 친화성이 강한 범위는?

① 혈색소
② 간장
③ 뼈
④ 심장
⑤ 근육

04 Bovine(T. B)가 가장 많이 감염될 수 있는 것은?

① 우유
② 토양
③ 곤충
④ 철새
⑤ 쇠고기

05 항문 주위에 흰 충체를 발견할 수 있고 소양감을 일으키며 Scotch Tape로 검사하는 기생충은?

① 회충
② 편충
③ 요충
④ 촌충
⑤ 구충

06 자연계에 가장 널리 분포하고 있으며 식품오염의 주역으로 알려진 미생물은?

① Bacillus속   ② Micrococcus속
③ Serratia속   ④ Salmonella속
⑤ Aerobacter속

해설 Bacillus속 세균은 자연계에 가장 많이 분포하고 있으며 식품오염의 주역할을 한다.

07 어패류에 의해 매개되는 기생충이 아닌 것은?

① 간디스토마   ② 폐디스토마
③ 아니사키스   ④ 요코가와흡충
⑤ 십이지장충

08 Pasteurization of milk란 몇 (　　)℃에서 (　　)분간 가열하는 것을 말하는가?

① 63℃, 30분간 가열   ② 90℃, 50분간 가열
③ 100℃, 30분간 가열   ④ 120℃, 30분간 가열
⑤ 121℃, 30분간 가열

09 식품안전관리인증기준(위해요소중점관리기준)을 의미하는 것은?

① WHO   ② GDP   ③ HACCP
④ GMP   ⑤ TLM

10 MPN법은 무엇에 관한 것인가?

① 일반 세균   ② 대장균군
③ 바이러스   ④ 생물지수
⑤ 염소요구량

해설 최확수(MPN ; Most Probable Number) : 검수 100mℓ당 이론상 있을 수 있는 대장균군 수

11 산화방지제는 어떤 식품의 산패를 방지하는 것인가?

① 단백질의 변패 방지   ② 유지의 산패 방지
③ 탄수화물의 부패 방지   ④ 유기산의 생성 억제
⑤ 아민의 생성 억제

12 다음 중 최근에 식품위생상 문제가 되는 것은?

① 첨가물 사용 빈도의 증가
② 트랜스지방의 사용량의 감소
③ 기생충질환의 증가
④ 세균성 식중독의 증가
⑤ 원충류에 의한 중독 증가

해설 최근에 식품위생상 문제는 첨가물 사용 빈도의 증가이다.

13 다음 중 육류의 사후변화와 관계가 없는 것은 어느 것인가?

① 가수분해   ② 사후강직
③ 부패   ④ 자가소화
⑤ 강직해제

해설 사후강직 → 강직해제 → 자가소화 → 부패

14 어패류의 신선도 저하와 더불어 감소하는 것은 어느 것인가?

① Trimethylamine oxide
② 생균 수
③ 암모니아
④ 휘발성염기질소
⑤ pH

해설 Trimethylamine oxide로부터 트리메틸아민이 생성된다.

15 인수공통 감염병 중 원충성인 것은 어느 것인가?

① Toxoplasma병   ② 피부진균병
③ Q열   ④ 뇌염
⑤ 탄저병

해설 ①번 : 원충, ②번 : 곰팡이, ③번 : 리케치아, ④번 : 바이러스, ⑤번 : 세균

16 세균성 식중독의 특징과 관계없는 것은?

① 면역성이 없다.
② 잠복기는 경구감염병보다 길다.
③ 균의 양이 미량으로는 나타나지 않는다.
④ 식품에서 사람으로 최종 감염되며, 2차 감염은 없다.
⑤ 예방은 균의 증식 억제로 가능하다.

17 부패한 감자에서 생성되는 독성물질은?

① solanine   ② sepsine
③ gossypol   ④ amygdaline
⑤ cicutoxin

18 미강유에 혼입되어 많은 중독사고를 일으킨 원인물질은?

① ABS   ② LAS
③ fatty acid   ④ PCB
⑤ glycerine

19 청매의 Amygdaline이 분해되어 독작용을 나타내는 물질은?

① 청산(HCN)   ② 아민(Amine)
③ 알코올(Acohol)   ④ 솔라닌(Solanine)
⑤ 아트로핀(Atropine)

해설 설익은 매실이나 살구씨에는 Amygdaline이란 Cyan배당체가 함유되어 있어 그 자체가 가지고 있는 효소에 의해 분해되어 청산(HCN)을 생성한다.

20 쌀에 황변미를 일으키는 미생물은?

① 원충류   ② Penicillium
③ 세균   ④ 바이러스
⑤ 리케치아

해설 Penicillium속 : 곰팡이 종류이며, 색상은 녹색, 황색, 오렌지색 등이 있다.

21 기생충과 숙주와의 관계가 틀린 것은 어느 것인가?

① 무구조충 - 소   ② 유구조충 - 돼지
③ 폐디스토마 - 가재   ④ 간디스토마 - 잉어
⑤ 광절열두조충 - 다슬기

22 WHO가 정의한 식품위생에 해당하는 사항이 <u>아닌</u> 것은?
① 식품의 생육
② 식품의 생산
③ 식품의 제조
④ 식품의 폐기
⑤ 식품의 안전성, 건전성 및 완전무결성

23 식품위생에서 문제가 되는 I-131의 표적 장기는?
① 갑상선
② 심장
③ 신장
④ 위
⑤ 간

24 우리나라에서 주로 9~10월에 많이 발생하며 논이나 밭에서 일하는 사람에게 주로 감염되는 감염병은?
① 렙토스피라증
② 장티푸스
③ 세균성이질
④ 유행성출혈열
⑤ 콜레라

25 다음 중 밀가루 개량제가 <u>아닌</u> 품목은 어느 것인가?
① 과산화수소
② 스테아릴젖산
③ 과산화벤조일
④ 브롬산칼륨
⑤ 이산화염소
🔅해설 과산화수소 : 표백제

26 식품에 대한 미생물학적 검사를 하기 위해 검체를 채취하여 검사기관에 운반할 때 유지해야 할 기준온도는 몇 ℃인가
① 0℃
② 5℃ 이하
③ -5℃ 이하
④ 10℃ 이하
⑤ 20℃ 이하

27 조리 전에 손을 소독할 때 가장 적당한 소독제는?
① 알코올
② 역성비누
③ 승홍수
④ 석탄산
⑤ 크레졸비누액
🔅해설 역성비누(양성비누) : 손을 소독할 때 많이 이용한다.
① 장점 : 무색, 무취, 독성이 약하다.
② 단점 : 보통비누(중성세제)와 혼합하여 사용하면 효과가 없다.

28 밀가루 개량제는 표백과 숙성 기간을 단축시키고 제빵 효과의 저해물질을 파괴시켜 분질을 개량하는 목적으로 사용된다. 다음 중 밀가루 개량제가 <u>아닌</u> 품목은 어느 것인가?
① 과산화수소
② 스테아릴젖산
③ 과산화벤조일
④ 브롬산칼륨
⑤ 이산화염소
🔅해설 과산화수소 : 표백제

29 우리 몸에 탄수화물과 단백질이 공존 시 탄수화물을 먼저 에너지원으로 이용하려고 하는 현상을 무엇이라 하는가?
① 단백질 억제효과
② 탄수화물 억제효과
③ 지방 억제효과
④ 면역 억제효과
⑤ 탄수화물 합성효과
🔅해설 단백질 억제효과란 탄수화물과 단백질 공존 시 미생물이 탄수화물을 먼저 에너지원으로 이용하는 현상을 말한다.

30 법랑제 식기에 음식물을 저장했을 때 용출할 수 있는 중금속은?
① 아연
② 주석
③ 안티몬
④ 수은
⑤ 비스무트

31 식품첨가물로 허용되어 있는 산화방지제가 <u>아닌</u> 것은?
① Butyl Hydroxy Anisole(BHA)
② Sodium Propionate
③ Propyl Gallate
④ Tocopherol
⑤ Dibutyl Hydroxy Toluene(BHT)
🔅해설 ②번(Sodium Propionate, 프로피온산나트륨) : 보존료(방부제)이다.

32 질소성분이 함유되지 않은 유기화합물로써 당질이나 지방질의 식품이 미생물에 의해 분해되어 변질되는 것은?
① 발효(fermentation)
② 변패(deterioration)
③ 자기 소화(self digestion)
④ 숙성(aging)
⑤ 부패
🔅해설 식품의 변질
① 부패 : 미생물의 번식으로 단백질이 분해된 현상
② 변패 : 당질(탄수화물), 지방이 미생물에 의해 변질되는 현상
③ 발효 : 탄수화물이 산소가 없는 상태에서 분해되는 것

33 냉동식품에 대한 분변오염의 지표가 되는 균은 어느 것인가?
① 포도상구균 식중독
② 비브리오균 식중독
③ 장구균 식중독
④ 웰치 식중독
⑤ 병원성 대장균 식중독

34 장티푸스 영구(만성) 보균자에 있어서 균의 주 생성 장소는?
① 담낭
② 장
③ 누관
④ 위
⑤ 신장
🔅해설 장티푸스 영구보균자의 90% 이상이 담낭에서 균이 증식(생산)된다.

35 태국 쌀에서 발견된 독소는?
① 베로톡신
② 엔트로톡신
③ 테트로도톡신
④ 아플라톡신
⑤ 보툴리누스독소

36 다음은 식중독의 외부 형태를 비교한 것이다. 옳지 <u>않은</u> 것은?
① 살모넬라균 : Gram음성, 무포자 간균, 주모균
② 장염 Vibrio균 : Gram음성, 간균, 단모균, 무포자
③ 병원성 대장균 : Gram음성, 주모균, 간균, 무아포성
④ 포도상구균 : Gram양성, 구균, 무(無)아포성, 무편모, 비운동성
⑤ 보툴리누스균 : Gram음성, 구균, 단모균, 아포형성, 혐기성 등
🔅해설 보툴리누스 식중독균의 외부 형태 : Gram양성, 간균, 주모균, 아포형성, 혐기성 등

37 곰팡이 중에서 쌀에는 황변미를 유발하고, 사람에게는 신경장애를 유발하는 독소는?
① Citrinin
② Aflatoxin
③ Citreoviridin
④ Luteoskyrin
⑤ Islanditoxin
🔅해설 황변미 독에는 citrinin, islanditoxin, citreoviridin, luteoskyrin(루테오스키린), cyclohlorotin 등이 있다.
① citrinin : 신장독을 유발한다.
② islanditoxin : 간장독으로써 간암, 간경변증을 유발한다.
③ citreoviridin(시트레오비리딘) : 신경독소이다.

38 이 균이 증식하는 과정에서 배출하는 독소는 장출혈과 용혈성요독증을 일으켜 신장 기능 저하 및 뇌장애를 일으키고 심할 경우 죽음에 이르기도 한다. 이 균의 병원체는?

① 장출혈성대장균(O-157균) ② 콜레라균
③ 세균성이질균 ④ 파라티푸스균
⑤ 파상풍균

해설 O-157균
① O-157균은 장출혈성대장균의 일종으로, 1982년 미국에서 발생한 햄버거 식중독 사건을 계기로 처음 알려졌다.
② 초기 증상은 설사, 발열 등 일반 식중독과 비슷하다. 하지만 균이 대장 내에서 증식하는 과정에서 배출하는 독소가 장출혈과 용혈성요독증을 일으켜 신장 기능 저하 및 뇌장애를 일으키고 심할 경우 죽음에 이른다.

39 HACCP 시스템의 적용 7원칙의 순서는?

위해 요소 분석 → 중요 관리점 결정 → ( ) → ( ) → ( ) → ( ) → 기록 보존 및 문서 작성 규정의 설정

① 감시방식 설정 → 한계기준 설정 → 개선조치 방법 설정 → 검증 절차 및 방법 설정
② 개선조치 방법 설정 → 한계기준 설정 → 감시방식 설정 → 검증 절차 및 방법 설정
③ 한계기준 설정 → 감시방식 설정 → 검증 절차 및 방법 설정 → 개선조치 방법 설정
④ 한계기준 설정 → 개선조치 방법 설정 → 감시방식 설정 → 검증 절차 및 방법 설정
⑤ 한계기준 설정 → 감시방식 설정 → 개선조치 방법 설정 → 검증 절차 및 방법 설정

해설 HACCP 시스템의 적용 7원칙
위해 요소 분석 → 중요 관리점 결정 → 한계기준 설정 → 감시방식 설정 → 개선조치방법 설정 → 검증 절차 및 방법 설정 → 기록 보존 및 문서 작성 규정의 설정

40 HACCP 시스템의 적용 7원칙 중 한계기준의 확인지표가 아닌 것은?

① 온도 ② 시간
③ 수분활성도 ④ pH
⑤ 산소

해설 한계기준의 확인지표 : 온도, 시간, 수분활성도, pH 등

4 공중보건학

01 감염병 발생에 관여하는 6가지 요소의 순서를 나열한 것이다. ( ) 안에 들어갈 말은?

병원체 - 병원소 - 병원소로부터 탈출 - 전파 - ( ) - 신숙주의 감수성 및 면역

① 신숙주에의 탈출 ② 병원체의 탈출
③ 직접전파 ④ 간접전파
⑤ 신숙주에의 침입

02 역학적으로 보아 여름철에 발병률이 낮은 감염병은?

① 장티푸스 ② 인플루엔자
③ 세균성이질 ④ 파라티푸스
⑤ 콜레라

03 다음 중 인수공통감염병에 속하는 것은?

① 나병 ② 소아마비 ③ 홍역
④ 콜레라 ⑤ 결핵

04 J.P. Frank의 "위생행정"이라는 저서가 저술되어 나온 시대는?

① 고대기 ② 확립기 ③ 중세기
④ 여명기 ⑤ 발전기

해설 J. P. Frank(1745~1821) : 최초의 보건학 저서

05 두 변수 사이에 상관이 전혀 없을 때의 표시방법은?

① 1 > r > 0 ② 0 > r > -1 ③ r = 1
④ r = 0 ⑤ r = -1

해설 상관계수(r)
① 완전상관(직선상관) : r = 1 또는 r = -1
② 불완전상관 : r = 0.5 또는 r = -0.5
③ 무상관 : r = 0
④ 상관계수가 양수(+) : 순상관(1, 0.5), 증가
⑤ 상관계수가 음수(-) : 역상관(-1, -0.5), 감소

06 인구의 자연 증가율이란?

① 연초인구에서 사망자 수만 뺀 값으로부터 얻은 율이다.
② 연말인구에서 전출인구만 뺀 값이다.
③ 연초인구와 연말인구의 차이로 계산한다.
④ 1년 중 전입률에서 전출률을 뺀 것이다.
⑤ 전출·전입이 없다는 가정하에서 조출생률에서 조사망률을 뺀 값이다.

07 포괄보건의료의 개념에서 3차 예방활동의 의미는?

① 질병의 조기 발견 및 조기치료
② 생활 환경 개선 활동
③ 재활 및 사회활동 복귀 지도
④ 안전관리 및 예방접종 활동
⑤ 건강 증진 활동

08 OO대학 여학생 중 200명에게 설문지를 주어 150명에게서 해답을 받았다면 해답을 준 사람의 모집단은?

① OO대학 전체 학생
② OO대학 여학생 전원
③ OO대학 여학생 중 응답을 준 150명
④ OO대학 여학생 중 응답을 준 200명
⑤ OO대학 남학생 중 응답을 준 200명

해설 ① 모집단 : 대상조사 전원
② 표본집단 : 모집단에서 표본 추출한 것

09 다음 중 조산아(저체중아)의 관리방법이 아닌 것은?

① 소화기보호 ② 체온관리
③ 호흡관리 ④ 감염관리
⑤ 영양관리

해설 ① 조산아 : 2.5kg 이하(임신 28주~38(37)주 사이의 분만)
② 조산아의 4대 관리 원칙 : 체온관리, 영양관리, 호흡관리, 감염방지
※ 우리나라 「모자보건법」의 미숙아 : 임신 37주 미만인 출생아 또는 출생 시 체중이 2천500그램 미만인 자로서 보건소장 또는 의료기관의 장이 임신 37주 이상의 출생아 등과는 다른 특별한 의료적 관리와 보호가 필요하다고 인정하는 자

10 보건 수준이 가장 높을 때의 α-Index 값은?

① 1.0 미만일 때   ② 1.0 이하일 때
③ 1.0에 가장 가까울 때   ④ 1.0 이상일 때
⑤ 1.0 초과할 때

> **해설** ① α-Index의 값이 1.0에 가까울수록 보건 수준이 높다는 것을 뜻한다.
> ② α-Index는 1보다 작을 수 없다.

11 장티푸스의 가장 중요한 대책은?

① 검역의 철저   ② 환자의 치료사업
③ 의료기관의 확충   ④ 환자의 격리 수용
⑤ 환경위생의 철저와 보균자 색출

> **해설** 장티푸스 감염원 : 오염된 음식물이 감염원(전염원)이다.

12 중요한 혈관계 질환이며 조용한 살인자라고 지칭하는 질환은?

① 고혈압   ② 뇌졸중   ③ 동맥경화
④ 심장마비   ⑤ AIDS

13 생물테러가 발생하였을 때의 조치는?

① 112나 119에 신고 없이 자택에서 치료한다.
② 112나 119에 신고한다.
③ 응급구조기관에 연락 없이 병원 치료를 한다.
④ 위생환경을 철저히 한다.
⑤ 절지동물이 옮기므로 방역작업을 한다.

14 인구 증가율을 옳게 나타낸 것은?

① [(연초 인구 × 연말 인구) / 인구] × 1,000
② [(연말 인구 × 연초 인구) / 인구] × 1,000
③ [(자연 증가 – 사회 증가) / 인구] × 1,000
④ [(자연 증가 + 사회 증가) / 인구] × 1,000
⑤ [(연초 인구 + 연말 인구) / 인구] × 1,000

15 보건행정가의 역할이라 할 수 없는 것은?

① 전문가로서의 역할   ② 행정가로서의 역할
③ 사회지도자로서의 역할   ④ 정부관리로서의 역할
⑤ 전문위원으로서의 역할

16 간이국세조사는 몇 년 간격으로 언제를 기준으로 실시하는가?

① 1년마다 7월 1일   ② 2년마다 10월 1일
③ 5년마다 10월 1일   ④ 5년마다 11월 1일
⑤ 10년마다 11월 1일

> **해설** ① 국세조사는 정규적으로 매 10년마다 실시하는 것을 원칙으로 하고 5년마다는 간이국세조사를 실시하고 있으며, 그 방법으로는 현재인구조사와 상주인구조사가 있다.
> ② 우리나라는 국세조사 : 5년마다 실시하며, 11월 1일을 기준으로 하고 있다.

17 행정에 있어서 주어진 목적을 달성하기 위한 인적·물적 자원의 능률적인 관리방법으로 3S에 해당되는 조합은?

① 전문화(Specialization), 안정화(Stabilization), 단순화(Simplification)
② 표준화(Standardization), 안정화(Stabilition), 단순화(Simplification)

③ 표준화(Standardization), 안정화(Stabilization), 전문화(Specialization)
④ 표준화(Standardization), 전문화(Specialization), 단순화(Simplification)
⑤ 표준화(Standardization), 사회화(Socialization), 단순화(Simplification)

18 우리나라 보건행정의 말단기관은?

① 보건청   ② 환경부
③ 도 보건연구소   ④ 군청·시청
⑤ 보건소

19 다음 중 보건행정 수단으로 바르게 짝지어진 것은?

① 보건법규, 보건봉사, 보건조직
② 보건봉사, 보건교육, 보건법규
③ 보건교육, 보건예산, 보건법규
④ 보건법규, 보건봉사, 보건예산
⑤ 보건봉사, 보건교육, 보건예산

> **해설** ① 공중보건사업 수행의 3요소 : 보건봉사, 보건교육, 관계법규
> ② 보건사업의 성패를 결정짓는 가장 중요한 요소는 체계적인 보건교육 실시이다.

20 학교보건사업 중 최우선적으로 실시해야 할 사업은?

① 학교급식 실시   ② 학교환경위생 개선
③ 학교건강교육 실시   ④ 학교보건봉사
⑤ 학교와 지역 사회와의 유대 강화

> **해설** 학생들이 학교에 있는 동안 건강의 유지·향상, 나아가서 학습 능률의 향상을 위해 청결하고 아름다운 환경이 유지되어야 한다.

21 질병 원인의 가설이 유도되는 역학은?

① 기술역학   ② 분석역학
③ 이론역학   ④ 실험역학
⑤ 작전역학(해설)

> **해설** ① 기술역학 : 질병 원인의 가설이 유도되는 역학
> ② 분석역학 : 질병의 원인이 무엇인지를 알기 위해서 가설을 설정하여 그 가설이 옳은지 그른지를 판정하는 역학

22 윤리적인 문제가 발생할 수 있으나 가장 정확한 역학은?

① 기술역학   ② 분석역학   ③ 작전역학
④ 실험역학   ⑤ 이론역학

23 위험요인이 특정한 유병률을 갖고 있는 인구집단 내의 전체 질병 발생률 중 위험요인이 기여하는 부분을 추정하는 방법을 무엇이라 하는가?

① 특이도   ② 비교위험도   ③ 오즈비
④ 귀속위험도   ⑤ 상대위험도

24 경련성 기침을 유발하는 질병은?

① 홍역   ② 소아마비   ③ 백일해
④ 장티푸스   ⑤ 볼거리

25 다음 보기의 내용에 해당하는 질병은?

> 전파방식 : 식품이나 음료수로 감염되지만 감염원은 환자나 보균자의 분변이므로 이들을 찾아내어 치료하는 것이 무엇보다 중요하다. 집파리에 의한 전파도 가능하다.

① 백일해 　　　　　　② 디프테리아
③ 홍역 　　　　　　　④ Typhoid fever(장티푸스)
⑤ 풍진

26 자궁경부암을 예방하기 위한 예방접종은?

① 에이즈 　　　　　　② b형혜모필루스인플루엔자
③ 폐렴구균 　　　　　④ 매독
⑤ 사람유두종바이러스감염증

27 공중보건사업의 최소단위는?

① 인구 10만 　　② 개인 　　　　③ 가족
④ 지역 사회 　　⑤ 직장

28 요양급여 지급제도 중 질병단위별로 진료비를 결정하는 방식은?

① 인두제 　　　　　　② 봉급제
③ 포괄수가제 　　　　④ 진료행위별수가제
⑤ 총액제

🔎 **해설** 포괄수가제
① 치료 과정이 비슷한 입원환자들을 분류하여 일련의 치료 행위를 모두 묶어서 가격을 매기는 의료비 지불방식이다.
② "진단명 기준 환자 분류체계"로 병원 이용에 따른 진료비는 진단명 기준 환자군 DRG(Diagnosis Related Groups)에 의거하여 지불하고 있다.

29 각기병은 어떤 비타민의 결핍으로 발생하는가?

① 비타민 K 　　　　　② 비타민 D
③ 비타민 B_2 　　　　④ 비타민 B_1
⑤ 비타민 A

🔎 **해설** 영양소의 종류 결핍증상
① A : 야맹증 　　　　　　② B_1 : 각기병, 피로감
③ B_2 : 구순염, 설염, 눈의 충혈 ④ B_6 : 피부염, 눈·입·혀 등에 증상
⑤ B_{12} : 빈혈 　　　　　⑥ C : 괴혈병
⑦ D : 구루병, 충치, 골연화 ⑧ E : 불임증
⑨ K : 혈액응고지연 　　　⑩ Niacin : 펠라그라
⑪ 칼슘 : 구루병, 골다공증 등 ⑫ 인 : 구루병 골다공증
⑬ 요오드 : 갑상선비대 　　⑭ 철분 : 빈혈
⑮ 불소 : 치아의 붕괴(충치 = 우식치)　※ 과다 시에는 반상치 유발
　식염 : 식염은 근육 및 신경의 자극, 전도, 삼투압의 조절 등 조절소로써 기능을 하며, 부족하면 열중증(열경련)의 원인이 된다.
　※ 지용성 : A, D, E, K

30 노인에게 가장 적합한 상담 방법은?

① 개인상담 　　② 강연 　　　　③ 역할극
④ 집단토론 　　⑤ 버즈 세션

31 노인성 질환으로 옳지 않은 것은?

① 고혈압 　　　　　　② 뇌졸중
③ 노인성치매 　　　　④ 당뇨병
⑤ 골연화증(구루병)

32 만성질병(성인병)을 유발할 수 있는 요인은?

① 예방접종 　　② 비만 　　　　③ 조기진단
④ 조기치료 　　⑤ 임상검사

🔎 **해설** 비만과 관련 질환 : 당뇨병, 심장질환, 심혈관계질환, 고혈압 등

33 만성질병의 특징으로 옳지 않은 것은?

① 만성질환은 발생원이 다요인인 질병으로 다수의 위험요인이 복합적으로 작용하여 발생한다.
② 만성질환은 발병 이후 완치되기 어려운 상태를 유지하며, 단계적으로 기능의 저하나 장애가 심화되는 경우가 많다.
③ 대부분의 만성질환은 비감염성 또는 비전염성 질환으로 감염병과 같이 접촉 등 매개체에 의해 전파되지 않는다.
④ 질병 발생 시점을 정확하게 알기 어렵고 위험요인 노출 시점으로부터 발생까지의 유도 기간은 비교적 짧은 편이다.
⑤ 1차 예방은 개인의 생활 습관을 변화시키는 데 중점을 두어야 한다.

🔎 **해설** 만성질병 특징 : 질병 발생 시점을 정확하게 알기 어렵고, 위험요인 노출 시점으로부터 발생까지의 유도 기간은 비교적 긴 편이다.

34 혈압에 관한 설명으로 옳은 것은?

① 고혈압 : 110/80mmHg
② 상완동맥에서 잰다.
③ 어느 위치에서 재도 혈압은 같다.
④ 이완기 혈압은 심장 수축 시 재는 혈압이다.
⑤ 혈액이 심장에 들어갈 때 혈압이 가장 높다.

🔎 **해설** ① 수축기/확장기(이완기) 혈압
　　㉮ 고혈압 : 160/95mmHg 이상
　　㉯ 정상 : 120/80mmHg
　　㉰ 저혈압 : 100/60mmHg 이하
② 수축기 혈압
　　㉮ 심장이 수축해서 강한 힘으로 혈액을 동맥에 보낼 때의 혈관 내압이다.
　　㉯ 심실이 수축할 때의 혈압으로 가장 높은 압력을 가진다.
③ 확장기(이완기) 혈압
　　㉮ 동맥혈압인 데 보통 최소치를 말한다.
　　㉯ 심장이 확장기에 들어가 동맥의 내압(內壓)이 제일 낮아진 것을 말한다.
④ 상완 : 위팔
⑤ 심실 : 심장의 아래쪽에서 동맥과 직결되어 혈액을 내보내는 부분(염통집)

35 "일반출생률"의 "분모"가 되는 것은?

① 1년 동안 출생의 총수 　　② 가임여성의 총수
③ 총인구수 　　　　　　　　④ 자녀 수
⑤ 출생 수

🔎 **해설** ① 조출생률 = (연간출생아 수 / 연앙인구) × 1,000
　　　　　= (1년 동안 출생의 총수 / 7월 1일 현재 인구) × 1,000
② 일반출생률 = (출생 수 / 가임 여성 수) × 1,000
　　　　　= (1년 동안 출생의 총수 ÷ 가임 여성의 총수) × 1,000

5 위생관계법령

01 위생사 국가시험 실시 기간으로 옳은 것은?

① 매년 2회 이상   ② 매년 1회 이상
③ 6개월 1회 이상   ④ 2년에 1회 이상
⑤ 3년에 1회 이상

🔘 해설   공중위생관리법 제6조의2(위생사의 면허 등)

02 위생사 시험을 볼 수 있는 사람은?

① 합격이 무효처리 된 후 2년이 경과한 자, 미성년자, 알코올 중독자
② 합격이 무효처리 된 후 1년이 경과한 자
③ 마약류 중독자
④ 정신질환자
⑤ 부정행위를 하여 시험 정지 기간에 있는 자

🔘 해설   공중위생관리법 제6조의2(위생사의 면허 등)

03 제1급감염병부터 제3급감염병까지에 해당하는 감염병 중 보건복지부령으로 정하는 감염병이 발생한 경우 "그 밖의 신고의무자"는 어떻게 하여야 하는가?

① 의사, 치과의사 또는 한의사의 진단이나 검안을 요구하거나 해당 주소지를 관할하는 보건소장에게 신고하여야 한다.
② 시장에게 신고한다.
③ 보건복지부에 신고한다.
④ 시 · 도지사에게 신고한다.
⑤ 동사무소에 신고한다.

🔘 해설   감염병의 예방 및 관리에 관한 법률 제12조(그 밖의 신고의무자)

04 보건복지부장관은 제1급감염병의 유행으로 그 예방 · 방역 및 치료에 필요한 의약외품, 의약품 등 보건복지부령으로 정하는 물품("의약외품 등")의 급격한 가격 상승 또는 공급 부족으로 국민건강을 현저하게 저해할 우려가 있을 때에는 그 의약외품등의 수출이나 국외 반출을 금지할 수 있다. 다음 "보기"중 보건복지부장관이 제1급감염병의 유행 시 수출을 금지할 수 있는 물품으로 조합된 것은?

> ㉮ 「약사법」에 따른 의약외품에 해당하는 마스크
> ㉯ 「약사법」에 따른 의약외품에 해당하는 손 소독용 외용 소독제
> ㉰ 감염병 예방을 위하여 착용하는 보호 장비
> ㉱ 그 밖에 제1급감염병의 예방 · 방역 및 치료에 필요한 물품으로서 보건복지부장관이 정하여 고시하는 물품

① ㉮, ㉯, ㉰   ② ㉮, ㉰   ③ ㉯, ㉱
④ ㉱   ⑤ ㉮, ㉯, ㉰, ㉱

🔘 해설   감염병예방법 제40조의3(수출금지 등), 규칙 제31조의4(수출금지 등)

05 식품제조업에 종사하는 자가 검사를 받아야 하는 질병으로 옳은 것은?

> ㉮ 장티푸스   ㉯ 파라티푸스
> ㉰ 세균성이질   ㉱ 인플루엔자

① ㉮, ㉯, ㉰   ② ㉮, ㉰   ③ ㉯, ㉱
④ ㉱   ⑤ ㉮, ㉯, ㉰, ㉱

🔘 해설   식품위생법 제50조(영업에 종사하지 못하는 질병의 종류) 영업에 종사하지 못하는 사람 : A형간염, 콜레라, 장티푸스, 파라티푸스, 세균성이질, 장출혈성대장균감염증, 결핵(비감염성인 경우는 제외한다.), 피부병 또는 그 밖의 고름형성(화농성) 질환, 후천성면역결핍증(성매개감염병에 관한 건강진단을 받아야 하는 영업에 종사하는 사람만 해당한다.)

06 식품을 채취 · 제조 · 조리사들의 건강진단 기준은?

① 1개월   ② 3개월   ③ 6개월
④ 12개월(1년)   ⑤ 2년

🔘 해설   식품위생 분야 종사자 등의 건강진단규칙 [별표] 식품 또는 식품첨가물을 채취 · 제조 · 가공 · 조리 · 저장 · 운반 · 판매 등에 직접 종사하는 자는 장티푸스, 폐결핵, 전염성 피부질환에 대해서 1년에 1회 건강진단을 받아야 한다.

07 판매를 목적으로 하는 식품 또는 식품첨가물과 기구와 용기 · 포장에 관한 기준은 누가 정하는가?

① 식품의약품안전처장   ② 시장 · 군수 · 구청장
③ 보건복지부장관   ④ 시 · 도지사
⑤ 국립보건원장

🔘 해설   식품위생법 제14조(식품의 공전)

08 식품접객영업자의 준수사항 중 물수건에 대한 준수사항은?

① 알코올 소독한다.   ② 약품 처리한다.
③ 건조시킨다.   ④ 석탄산수로 처리한다.
⑤ 살균 · 소독제, 열탕, 자외선 등의 방법으로 소독한다.

🔘 해설   식품위생법 시행규칙 제57조(식품접객영업자 등의 준수사항) [별표 17] : 물수건, 숟가락, 젓가락, 식기, 찬기, 도마, 칼, 행주, 그 밖의 주방용구는 기구 등의 살균 · 소독제, 열탕, 자외선살균 또는 전기살균의 방법으로 소독한 것을 사용해야 한다.

09 「식품위생법」상 식품 등의 위해평가를 위한 위해요소가 <u>아닌</u> 것은?

① 트랜스지방   ② 잔류농약
③ 중금속   ④ 식중독 유발 세균
⑤ 잔류 동물용 의약품

🔘 해설   식품위생법 시행령 제4조(위해평가의 대상 등) ② 위해평가에서 평가하여야 할 위해요소는 다음 각 호의 요인으로 한다.
　1. 잔류농약, 중금속, 식품첨가물, 잔류 동물용 의약품, 환경오염물질 및 제조 · 가공 · 조리 과정에서 생성되는 물질 등 화학적 요인
　2. 식품 등의 형태 및 이물(異物) 등 물리적 요인
　3. 식중독 유발 세균 등 미생물적 요인

10 HACCP(식품안전관리인증기준) 적용 식품들은?

> ㉮ 어묵
> ㉯ 냉동어류 · 연체류 · 조미가공품
> ㉰ 냉동식품 중 피자류 · 만두류 · 면류
> ㉱ 빙과류중빙과

① ㉮, ㉯, ㉰   ② ㉮, ㉰   ③ ㉯, ㉱
④ ㉱   ⑤ ㉮, ㉯, ㉰, ㉱

🔘 해설   식품위생법 시행규칙 제62조(식품안전관리인증기준 대상 식품)
　1. 수산가공식품류의 어육가공품류 중 어묵 · 어육소시지
　2. 기타수산물가공품 중 냉동 어류 · 연체류 · 조미가공품
　3. 냉동식품 중 피자류 · 만두류 · 면류
　4. 과자류, 빵류 또는 떡류 중 과자 · 캔디류 · 빵류 · 떡류
　5. 빙과류 중 빙과
　6. 음료류[다류(茶類) 및 커피류는 제외한다.]
　7. 레토르트식품
　8. 절임류 또는 조림류의 김치류 중 김치(배추를 주원료로 하여 절임, 양념 혼합과정 등을 거쳐 이를 발효시킨 것이거나 발효시키지 아니한 것 또는 이를 가공한 것에 한한다.)
　9. 코코아가공품 또는 초콜릿류 중 초콜릿류
　10. 면류 중 유탕면 또는 곡분, 전분, 전분질 원료 등을 주원료로 반죽하여 손이나 기계 따위로 면을 뽑아내거나 자른 국수로써 생면 · 숙면 · 건면
　11. 특수용도식품
　12. 즉석섭취 · 편의식품류 중 즉석섭취식품
　12의2. 즉석섭취 · 편의식품류의 즉석조리식품 중 순대
　13. 식품제조 · 가공업의 영업소 중 전년도 총매출액이 100억원 이상인 영업소에서 제조 · 가공하는식품

11 먹는물 공동시설이란?

① 다수인이 먹는 물을 말한다.
② 공동우물을 말한다.
③ 여러 사람에게 먹는물을 공급할 목적으로 개발하였거나 저절로 형성된 약수터·샘터 및 우물 등을 말한다.
④ 환경부장관이 정한 물을 말한다.
⑤ 나라에서 정한 물을 말한다.

🔵 해설 먹는물관리법 제3조(정의)

12 먹는물 수질감시원은 자격을 갖춘 공무원 중에서 임용한다. 이에 해당하는 자격증은?

㉮ 위생사	㉯ 수질환경기사
㉰ 위생시험사	㉱ 폐기물기사

① ㉮, ㉯, ㉰   ② ㉮, ㉰   ③ ㉯, ㉱
④ ㉱   ⑤ ㉮, ㉯, ㉰, ㉱

🔵 해설 먹는물관리법 시행령 제2조(먹는물 수질감시원)

13 수처리제 제조업을 하고자 하는 자는 누구에게 등록해야 하는가?

① 대통령   ② 환경부장관
③ 보건복지부장관   ④ 군수
⑤ 시·도지사

🔵 해설 먹는물관리법 제21조(영업의 허가 등)

14 먹는물의 수질기준 중 건강상 유해 영향 무기물질의 기준이 아닌 것은?

① 시안   ② 암모니아성질소
③ 카드뮴   ④ 수은
⑤ 과망간산칼륨

🔵 해설 먹는물 수질기준 및 검사 등에 관한 규칙 제2조(수질기준) [별표 1] : 과망간산칼륨은 심미적 인자이다.

15 폐기물의 정의에 포함되는 것은?

㉮ 연소재	㉯ 오니
㉰ 폐유	㉱ 폐산, 폐알칼리

① ㉮, ㉯, ㉰   ② ㉮, ㉰   ③ ㉯, ㉱
④ ㉱   ⑤ ㉮, ㉯, ㉰, ㉱

🔵 해설 폐기물관리법 제2조(정의)

16 의료폐기물 분류에 속하는 것은?

㉮ 인체조직 등의 적출물류
㉯ 실험동물의 사체류
㉰ 인체의 피·고름·배설물이 묻은 탈지면류
㉱ 손상성 폐기물(주삿바늘 등)

① ㉮, ㉯, ㉰   ② ㉮, ㉰   ③ ㉯, ㉰
④ ㉱   ⑤ ㉮, ㉯, ㉰, ㉱

🔵 해설 폐기물관리법 시행령 제4조 [별표 2]

17 의료폐기물의 이동은 누구에게 허가를 받아야 하는가?

① 군수   ② 구청장
③ 시장   ④ 보건복지부장관
⑤ 환경부장관

🔵 해설 폐기물관리법 제25조(폐기물처리업)

18 지방자치단체에서 생활폐기물의 처리 수수료를 정할 수 있는 사람은?

① 광역시장
② 시·도지사
③ 환경부장관
④ 도지사
⑤ 특별자치시장, 특별자치도지사, 시장·군수·구청장

🔵 해설 폐기물관리법 제14조(생활폐기물의 처리 등)
특별자치시장, 특별자치도지사, 시장·군수·구청장은 제1항에 따라 생활폐기물을 처리할 때에는 배출되는 생활폐기물의 종류, 양 등에 따라 수수료를 징수할 수 있다. 이 경우 수수료는 해당 지방자치단체의 조례로 정하는 바에 따라 폐기물 종량제(從量制) 봉투 또는 폐기물임을 표시하는 표지 등(이하 "종량제 봉투 등"으로 한다.)을 판매하는 방법으로 징수한다.

19 관할 구역의 음식물류 폐기물의 발생을 최대한 줄이고 발생한 음식물류 폐기물을 적정하게 처리하기 위하여 음식물류 폐기물 발생 억제계획은 누가 몇 년마다 수립·시행하여야 하는가?

① 환경부장관 – 10년
② 도지사 – 10년
③ 도지사 – 5년
④ 시장·군수·구청장 – 10년
⑤ 특별자치시장, 특별자치도지사, 시장·군수·구청장 – 5년

🔵 해설 폐기물관리법
법 제14조의3(음식물류 폐기물 발생 억제계획의 수립 등) ① 특별자치시장, 특별자치도지사, 시장·군수·구청장은 관할 구역의 음식물류폐기물(농산물류·수산물류·축산물류 폐기물을 포함)의 발생을 최대한 줄이고 발생한 음식물류 폐기물을 적정하게 처리하기 위하여 음식물류 폐기물 발생 억제계획을 수립·시행하고, 매년 그 추진 성과를 평가하여야 한다.
규칙 제16조(음식물류 폐기물 발생 억제계획의 수립주기 및 평가방법 등) ① 법제4조의3제1항에 따른 음식물류 폐기물 발생 억제계획의 수립주기는 5년으로 하되, 그 계획에는 연도별 세부 추진계획을 포함하여야 한다.

20 특정공산품의 제조·수입·판매나 사용의 금지 또는 제한을 명할 수 있는 자는?

① 시장·군수·구청장   ② 시·도지사
③ 공공하수도관리청   ④ 보건복지부장관
⑤ 환경부장관

🔵 해설 하수도법 제33조(특정공산품의 사용 제한 등)

21 개인하수처리시설의 관리기준 중 방류수의 수질을 자가측정하거나 측정대행업자가 측정하게 하고, 그 결과는 몇 년간 보관하여야 하는가?

① 1년   ② 2년   ③ 3년
④ 4년   ⑤ 5년

🔵 해설 하수도법 시행규칙 제33조(개인하수처리시설의 관리기준)

22 건물위생관리원이(건물위생관리업자가) 지녀야 할 도구가 아닌 것은?

① 지름 25cm 이상의 마루광택기를 2대 이상
② 진공청소기(집수 및 집진용)를 2대 이상
③ 안전벨트·안전모 및 로프
④ 먼지, 일산화탄소, 이산화탄소를 측정하는 측정 장비
⑤ 자외선소독기

🔵 **해설** (1) 공중위생관리법 제2조(정의) "건물위생관리업"이라 함은 공중이 이용하는 건축물·시설물등의 청결 유지와 실내공기 정화를 위한 청소 등을 대행하는 영업을 말한다.
(2) 공중위생관리법 시행규칙 [별표 1] : 건물위생관리업
　가. 건축물 바닥을 닦고 광택을 내는 지름 25cm 이상의 마루광택기를 2대 이상 비치하여야 한다.
　나. 진공청소기(집수 및 집진용)를 2대 이상 비치하여야 한다.
　다. 업무수행에 필요한 안전벨트·안전모 및 로프를 갖추어야 한다.
　라. 먼지, 일산화탄소, 이산화탄소를 측정하는 측정 장비를 갖추어야 한다.

23 「공중위생관리법」상 공중위생영업자의 위생교육 시간은?

① 1시간　　　② 2시간　　　③ 3시간
④ 6시간　　　⑤ 8시간

🔵 **해설** 공중위생관리
(1) 법 제17조(위생교육)
　① 공중위생영업자는 매년 위생교육을 받아야 한다.
　② 제3조제1항 전단의 규정에 의하여 신고를 하고자 하는 자는 미리 위생교육을 받아야 한다. 다만, 보건복지부령으로 정하는 부득이한 사유로 미리 교육을 받을 수 없는 경우에는 영업 개시 후 6개월 이내에 위생교육을 받을 수 있다.
(2) 시행규칙 제23조(위생교육)
　① 법 제7조에 따른 위생교육은 3시간으로 한다.
　② 위생교육의 내용은 「공중위생관리법」 및 관련 법규, 소양교육(친절 및 청결에 관한 사항을 포함한다.), 기술교육, 그 밖에 공중위생에 관하여 필요한 내용으로 한다.
　③ 법 제17조제1항 및 제2항에 따른 위생교육 대상자 중 보건복지부장관이 고시하는 도서·벽지 지역에서 영업을 하고 있거나 하려는 자에 대하여는 제7항에 따른 교육 교재를 배부하여 이를 익히고 활용하도록 함으로써 교육에 갈음할 수 있다.
　⑧ 위생교육 실시 단체의 장은 위생교육을 수료한 자에게 수료증을 교부하고, 교육 실시 결과를 교육 후 1개월 이내에 시장·군수·구청장에게 통보하여야 하며, 수료증 교부대장 등 교육에 관한 기록을 2년 이상 보관·관리하여야 한다.

24 냉·온수기설치 및 장소, 설치 대수는 누구에게 신고하는가?

① 시장·군수·구청장　　　② 보건복지부장관
③ 해양수산부장관　　　④ 시·도지사
⑤ 환경부장관

🔵 **해설** 먹는물관리법 제8조의2(냉·온수기 또는 정수기의 설치·관리) ① 냉·온수기 설치·관리자 또는 정수기 설치·관리자는 환경부령으로 정하는 바에 따라 냉·온수기 또는 정수기의 설치 장소, 설치 대수 등을 시장·군수·구청장에게 신고하여야 한다. 신고한 사항 중 환경부령으로 정하는 중요한 사항을 변경하려는 때에도 또한 같다.

25 공공하수처리시설, 분뇨처리시설 및 간이공공하수처리시설의 방류수 수질검사 기준 중 50~500세제곱미터 미만인 공공하수처리시설의 방류수 수질검사 횟수는?

① 가동 시마다 1회 이상　　　② 매일 1회 이상
③ 주 1회 이상　　　④ 월 1회 이상
⑤ 월 2회 이상

🔵 **해설** 하수도 시행령 제15조(공공하수도의 운영·관리 기준 등) ③ 법 제19조제3항에 따른 공공하수처리시설·간이공공하수처리시설 또는 분뇨처리시설의 방류수 수질검사는 다음 각 호의 주기로 실시하여야 한다. 다만, 공공하수처리시설 방류수 수질검사의 항목 중 생태독성에 대한 검사는 월 1회 이상 실시하여야 한다.
1. 1일 처리 용량이 500세제곱미터 이상인 공공하수처리시설 또는 100세제곱미터 이상인 분뇨처리시설 : 매일 1회 이상
2. 1일 처리 용량이 50세제곱미터 이상 500세제곱미터 미만인 공공하수처리시설 또는 50세제곱미터 이상 100세제곱미터 미만인 분뇨처리시설 : 주 1회 이상
3. 1일 처리 용량이 50세제곱미터 미만인 공공하수처리시설 또는 분뇨처리시설 : 월 1회 이상
4. 간이공공하수처리시설 : 가동 시마다 1회 이상

제5회 실전모의고사 정답

1 환경위생학

01 ④	02 ③	03 ②	04 ②	05 ③	06 ⑤	07 ④	08 ②	09 ③	10 ②
11 ②	12 ⑤	13 ③	14 ③	15 ③	16 ②	17 ①	18 ⑤	19 ④	20 ②
21 ②	22 ③	23 ④	24 ⑤	25 ⑤	26 ③	27 ③	28 ②	29 ③	30 ②
31 ②	32 ⑤	33 ①	34 ④	35 ②	36 ②	37 ⑤	38 ②	39 ②	40 ①
41 ②	42 ③	43 ⑤	44 ⑤	45 ⑤	46 ④	47 ①	48 ③	49 ②	50 ⑤

2 위생곤충학

01 ①	02 ②	03 ⑤	04 ①	05 ①	06 ③	07 ⑤	08 ①	09 ④	10 ④
11 ④	12 ⑤	13 ②	14 ②	15 ①	16 ①	17 ⑤	18 ①	19 ③	20 ①
21 ②	22 ②	23 ③	24 ⑤	25 ②	26 ④	27 ④	28 ①	29 ④	30 ④

3 식품위생학

01 ⑤	02 ⑤	03 ④	04 ①	05 ③	06 ①	07 ⑤	08 ①	09 ③	10 ②
11 ②	12 ①	13 ④	14 ①	15 ①	16 ②	17 ②	18 ④	19 ①	20 ②
21 ⑤	22 ④	23 ④	24 ①	25 ③	26 ②	27 ②	28 ①	29 ①	30 ③
31 ②	32 ①	33 ③	34 ①	35 ④	36 ③	37 ③	38 ①	39 ⑤	40 ⑤

4 공중보건학

01 ⑤	02 ②	03 ⑤	04 ⑤	05 ④	06 ⑤	07 ③	08 ②	09 ①	10 ③
11 ⑤	12 ①	13 ②	14 ③	15 ⑤	16 ④	17 ④	18 ⑤	19 ②	20 ②
21 ①	22 ④	23 ④	24 ④	25 ④	26 ⑤	27 ④	28 ②	29 ④	30 ①
31 ⑤	32 ②	33 ④	34 ②	35 ②					

5 위생관계법령

01 ②	02 ①	03 ①	04 ⑤	05 ①	06 ④	07 ①	08 ⑤	09 ①	10 ⑤
11 ③	12 ①	13 ⑤	14 ①	15 ⑤	16 ①	17 ⑤	18 ⑤	19 ⑤	20 ⑤
21 ③	22 ⑤	23 ③	24 ①	25 ③					

최종 필기 실전모의고사

1 환경위생학

01 정상 공기의 중량백분율로 질소와 산소의 양은?

① 58%, 23% ② 76%, 21% ③ 76%, 23%

④ 79%, 21% ⑤ 79%, 23%

해설 ① 질소의 중량백분율 = [($N_2 \times 0.79$) / 29] × 100

= [($14 \times 2 \times 0.79$) / 29] × 100 = 76%

② 산소의 중량백분율 = [($O_2 \times 0.21$) / 29] × 100

= [($16 \times 2 \times 0.21$) / 29] × 100 = 23%

02 흡기(들숨)와 호기(날숨)의 이산화탄소(CO_2)의 농도 차이는 약 몇 %인가?

① 0.1% ② 2% ③ 4%

④ 7% ⑤ 12%

해설 호기와 흡기 및 혈중의 O_2와 CO_2의 조성비(%)

	흡기	호기(呼氣)	동맥혈	정맥혈
산소(O_2)	21%	17%	19	13
이산화탄소(CO_2)	0.03%	4%	47	52

03 표준대기압과 같은 값으로 옳은 것은?

① 24.9lb/in² ② 760mmHg

③ 1033.6mmH₂O ④ 1.0336kg/m²

⑤ 1.013 × 106N/m²

04 인체에서 열을 가장 많이 생산하는 부위는?

① 간 ② 대장 ③ 폐

④ 심장 ⑤ 골격근

해설 체온 발산을 이루는 작용에는 열전도, 열대류, 열복사, 증발 등이 있는데 체열 발산의 비율은 다음과 같다.

(피부전도 > 복사 > 피부 증발 > 폐 증발 > 흡기기온 > 분뇨)

① 인체의 열 생산 : 골격근 59.5%, 간장 21.9%, 신장 4.4%, 심장 3.6%, 호흡 2.8%

② 인체에서의 열 손실 : 피부에서의 복사 및 전도(73%), 피부에서의 증발(15%), 호흡(3%), 대소변 (2%)

※ 피부 : 80% 이상 발산

05 실내공기질공정시험기준에서 다중이용시설의 미세먼지 농도를 측정하는 주 시험방법으로 옳은 것은?

① 중량법 ② 광산란법 ③ 광투과법

④ 베타선흡수법 ⑤ 자외선투과법

06 실내의 기류를 측정하고자 할 때는 다음 중 어느 것을 쓰는가?

① 풍속계 ② 카타온도계 ③ 흑구온도계

④ Aneroid 기압계 ⑤ 건구온도계

07 다음 중 일교차에 관한 내용으로 옳은 것은?

① 하루 중 최저 온도를 말한다.

② 하루 중 최고 온도를 말한다.

③ 하루 중 일출 30분전의 온도를 말한다.

④ 하루 중 오후 2시경의 온도를 말한다.

⑤ 하루 중 최저온도와 최고온도의 차이를 말한다.

해설 일교차 : 하루 중 최저온도(일출 30분 전)와 최고온도(오후 2시경)의 차이를 말한다.

08 다음 중 수은온도계의 측정 시간은 ?

① 1분 ② 2분 ③ 3분

④ 4분 ⑤ 5분

해설 수은온도계는 2분, 알코올온도계는 3분간 측정한다.

09 대기 중 입자상 물질을 입경별로 측정하는 기구는?

① 강하분진계(dust fall sampler)

② 핸디샘플러(handy sampler)

③ 피에조밸런스분진계(piezobalance)

④ 광산란계(light scattering detector)

⑤ 앤더슨에어샘플러(Andersen air sampler)

10 가시광선은 시각기관을 통하여 정신기능에도 작용하는데, 온감을 주는 광선은?

① 적색 ② 청색 ③ 검정색

④ 백색 ⑤ 파랑색

해설 ① 적색 : 온감

② 청색 : 냉감

③ 검은색 : 압박감

11 실내공간의 오염물질로 옳은 것 전부를 고른 것은?

㉮ 총부유세균	㉯ 미세먼지(PM-10)
㉰ 이산화탄소(CO_2), 폼알데하이드	㉱ 라돈(Rn)

① ㉮, ㉯, ㉰ ② ㉮, ㉰ ③ ㉯, ㉱

④ ㉱ ⑤ ㉮, ㉯, ㉰, ㉱

해설 실내공간의 오염물질 (제2조 관련)[별표 1]

① 이산화탄소(CO_2 ; Carbon Dioxide)

⑥ 폼알데하이드(Formaldehyde)

② 일산화탄소(CO ; Carbon Monoxide)

⑦ 석면(Asbestos)

③ 이산화질소(NO_2 ; Nitrogen dioxide)

⑧ 라돈(Rn ; Radon)

④ 오존(O_3 ; Ozone)

⑨ 총부유세균(TAB ; Total Airborne Bacteria)

⑤ 미세먼지(PM-10)

⑩ 미세먼지(PM-2.5)

⑪ 휘발성유기화합물(VOCs ; Volatile Organic Compounds)

⑫ 곰팡이(Mold)

⑬ 벤젠

⑭ 톨루엔

⑮ 에틸벤젠

⑯ 자일렌

⑰ 스티렌

12 실내공간의 오염물질 기준 중 입자상 물질은?

① 미세먼지(PM-10)　　　② 오존
③ 이산화탄소　　　　　　④ 라돈
⑤ 벤젠

13 라돈이 많은 곳은?

① 시멘트　　　② 페인트　　　③ 토양
④ 공장　　　　⑤ 대기

🔍해설 라돈(Rn)
　① 지하수 및 암반을 통해 방출되어 환기량이 부족하면 열차운행구간, 터널과 승강장에 농도가 높다.
　② 지하에서 발생하여 육상으로 올라온다.
　③ "폐질환연구소의 보고서에 의하면 누적 노출량이 일정하다면 고농도로 짧은 기간 노출되는 것보다 저농도로 오랜 기간 노출될 경우 폐암 위험도가 더 높다."는 사실을 밝혔다.
　④ 육상에서 근무하는 사람보다 지하철 근무자에게 더 많은 폐암을 발생시킬 수 있다.
　⑤ 반감기 : 3.82일이다.

14 입자상 물질과 가스상 물질을 동시에 처리할 수 있는 집진장치는?

① 세정집진장치　　　② 중력집진장치
③ 관성력집진장치　　④ 여과집진장치
⑤ 원심력집진장치

15 황 성분을 함유하고 있는 물질을 연소 시 발생할 수 있는 가스는?

① O_3　　　② SO_2　　　③ H_2O
④ H_2O_2　　⑤ NH_3

🔍해설 황 성분을 함유하고 있는 물질을 연소 시 SO_2가 발생한다.

16 다음 중 유기분진에 해당하는 것은?

① 꽃가루　　　② 석면　　　③ 납
④ 구리　　　　⑤ 크롬

17 건조단열감율은 대류권에서는 지상 100m마다 몇도 감소하는가?

① 0.1℃　　　② 0.5℃　　　③ 0.65℃
④ 0.6~1℃　　⑤ 2℃

🔍해설 ① 건조단열감율(-1℃/100m) : 대류권에서는 지상 100m마다 1℃ 정도 낮아진다.
　② 표준감률(-0.65℃/100m) : 대류권에서는 평균 기온감률이 0.65℃/100m 낮아진다.
　③ 등온변화 : 고도로 올라가도 온도가 변화하지 않는 상태이다.
　④ 역전(+1℃/100m) : 대류권에서는 지상 100m마다 1℃ 정도 높아진다.

18 고기압 중심 부분에서 기층이 서서히 침강하면서 기온이 단열압축 및 단열변화로 승온되면서 발생하는 역전은?

① 복사역전　　　　② 지표성역전
③ 침강역전　　　　④ 전선역전
⑤ 난류역전

19 다음은 런던스모그 사건과 LA스모그 사건을 비교한 것이다. 옳지 않은 것은?

① 런던스모그는 방사역전, LA스모그는 침강성 역전이다.
② 런던스모그는 이른 아침에 발생, LA스모그는 낮에 발생한 사건이다.
③ LA스모그는 습도가 85%일 때 발생한 사건이다.
④ LA스모그의 원인 물질은 광화학반응의 물질이다.
⑤ 런던스모그의 원인물질은 아황산가스이다.

🔍해설 LA스모그는 습도가 70% 이하일 때 발생한 사건이다.

20 해양 심층수의 특성으로 옳은 것은?

① 수온이 높다.
② 무기영양물질이 적다.
③ 수질 변화가 심하다.
④ 산소의 공급이 충분하다.
⑤ 분해성 유기물질이 적어 깨끗하다.

21 폐수배출기준(방류수)의 수소이온농도(pH) 허용 범위는?

① 2.8~3.6　　② 2.8~5.6　　③ 5.8~8.6
④ 8.8~9.6　　⑤ 9.8~11.6

🔍해설 물환경보전법 시행규칙 [별표 13] : 수질오염물질의 배출허용기준

22 물의 순환과 이용에 관한 설명으로 옳은 것은?

① 바다에서는 강수량이 증발량보다 많다.
② 지구상의 수자원 총량 중 담수자원은 약 3%이다.
③ 우리나라의 수자원 이용에서 가장 큰 비중을 차지하는 것은 생활용수이다.
④ 지표면에서 흙 속으로 물이 침입하는 현상을 표면유출이라고 한다.
⑤ 식물에 흡수된 물이 식물 잎의 표면에서 빠져나가는 현상을 증발이라고 한다.

23 상수의 응집처리제인 황산알루미늄에 관한 내용으로 옳은 것은?

① 결정은 부식성, 자극성이 강하다.
② 저렴하다.
③ 황산알루미늄의 수용액은 강알칼리성이므로 취급에 주의를 요한다.
④ 철염에 비해 생성되는 floc이 비교적 무겁다.
⑤ 적용 pH 폭이 넓다.

🔍해설 황산알루미늄(황산반토) : 철염에 비해 생성되는 floc이 비교적 가볍고, 저렴하고, 적용 pH 폭이 좁다.

24 여과에서 제거되는 물질은?

① BOD　　　② COD　　　③ SS
④ 총-N　　　⑤ 총-P

🔍해설 여과 시 분리되는 물질은 부유물질(SS)이다.

25 먹는물의 수질기준 중 1m*l*당 일반세균 기준은?

① 10CFU　　　② 100CFU　　　③ 150CFU
④ 200CFU　　　⑤ 250CFU

26 유기물질 중 건강상 유해물질은?

① 비소 　　② 시안 　　③ 과망간산칼륨
④ 톨루엔 　　⑤ 납

　해설 ① 납, 비소, 시안 : 건강상 유해영향 무기물질에 관한 기준
　　　② 톨루엔 : 건강상 유해영향 유기물질에 관한 기준
　　　③ 과망간산칼륨 : 심미적 영향물질에 관한 기준

27 다음 중 물을 검게 하는 성분?

① 철 　　② 구리 　　③ 망간
④ 아연 　　⑤ 수중의 기포

28 대장균군 추정시험에 사용되는 배지는?

① 젖당부이온 배지 　　② 엔도 배지
③ EMB 배지 　　④ BGLB 배지
⑤ 보통 한천 배지

29 하·폐수의 슬러지 처리에서 개량(conditioning)공정으로 옳은 것은?

① 고온 건조 　　② 탈수기로 수분 제거
③ 슬러지케이크 소각 　　④ 부상 분리로 유지류 농축
⑤ 약품 첨가로 탈수성 향상

30 성층현상의 순서로 옳은 것은?

① 수온약층 → 표수층 → 심수층 → 침전물층
② 표수층 → 수온약층 → 침전물층 → 심수층
③ 표수층 → 수온약층 → 심수층 → 침전물층
④ 침전물층 → 표수층 → 수온약층 → 심수층
⑤ 표수층 → 침전물층 → 수온약층 → 심수층

　해설 성층현상의 순서 : epilimnion(표수층) → thermocline(수온약층) → hypolimnoin(심수층) → 침전물층

31 폐기물의 감량화·안정화에 유리한 위생적인 처리방법은?

① 소각법 　　② 해상투기법 　　③ 육상투기법
④ 퇴비·비료화법 　　⑤ 동물사료이용법

32 다음 하수처리방법 중 호기성 처리가 아닌 것은?

① 살수여상법 　　② 소화법 　　③ 활성오니법
④ 산화지법 　　⑤ 회전원판법

33 슬러지 처리공정 중 고액분리 조작인 것은?

① 농축 　　② 소화 　　③ 개량
④ 탈수 　　⑤ 최종처리

　해설 탈수 : 소화 슬러지를 탈수한 후 슬러지의 여액은 포기조로 반송시켜 재처리한 후 방류시킨다.

34 분뇨 정화조의 일반적인 구조이다. 처리 순서가 맞게 된 것은?

① 부패조 → 예비 여과조 → 산화조 → 소독조
② 예비 여과조 → 산화조 → 소독조 → 부패조
③ 산화조 → 부패조 → 예비 여과조 → 소독조
④ 예비 여과조 → 부패조 → 산화조 → 소독조
⑤ 부패조 → 예비 여과조 → 소독조 → 산화조

35 방사능 오염과 관련한 감마(γ)선의 대표 핵종은?

① 60Co 　　② 32P 　　③ 40K
④ 59Fe 　　⑤ 90Sr

36 다음 설명에 해당하는 것은?

> 항상성 유지, 생식, 발달 또는 행동을 조절하는 생체호르몬의 합성, 분비, 이동, 대사, 결합작용 또는 분해 등을 간섭하는 체외물질이다.

① 규소 　　② 석면 　　③ 적외선
④ 라돈 　　⑤ 내분비교란물질

　해설 환경호르몬(내분비교란물질)
　　　① 환경호르몬은 생체 내 호르몬의 합성, 방출, 수송, 수용체와의 결합, 수용체 결합 후의 신호 전달 등 다양한 과정에 관여하여 각종 형태의 교란을 일으킴으로써 생태계 및 인간에게 영향을 주며, 다음 세대에서는 성장 억제와 생식 이상 등을 초래하기도 한다.
　　　② 환경호르몬으로 불리기도 하는 내분비계장애물질은 환경으로 배출된 화학물질이 인체에 유입되어 내분비계의 정상적인 기능을 방해하는 것으로 알려져 있다.
　　　③ 환경호르몬 물질 종류 : 음료수 캔의 코팅물질 등에 사용되는 비스페놀 A, 플라스틱 가소제인 프탈레이트, PCB, DDT, 다이옥신 등

37 폐기물 매립 시 복토에 관한 내용으로 옳지 않은 것은?

① 일일복토 : 하루 작업이 끝난 후 복토하는 것으로써 15cm로 한다.
② 중간복토 : 1주일(7일) 이상 작업이 중단되는 경우 복토하는 것으로써 30cm로 한다.
③ 최종복토 : 매립이 끝난 후 복토하는 것으로써 식생대층의 최종복토 두께는 60cm로 한다.
④ 최종복토 : 식생대층의 최종복토 두께는 50cm로 한다.
⑤ 복토를 하는 이유 : 미관상, 위생해충의 발생 방지, 침출수의 유출 방지 등을 위함이다.

38 소음성 난청이 발생하는 주파수 대역으로 옳은 것은?

① 500~900Hz 　　② 1,500~2,500Hz
③ 2,000~3,000Hz 　　④ 3,000~6,000Hz
⑤ 7,000~9,000Hz

39 우리나라 산업위생과 산업보건행정을 관장하는 행정부처는?

① 행정자치부 　　② 환경부 　　③ 보건복지부
④ 과학기술부 　　⑤ 고용노동부

40 산소농도가 높을 때 발생할 수 있는 질병은?

① 산소 중독증 　　② 질소 색전증 　　③ 빈혈
④ 질식 　　⑤ 이산화탄소 중독

41 광원으로부터 단위시간당 단위면적에서 나오는 빛의 양은?

① 광속(lumen) 　　② 반사율(reflection)
③ 휘도(luminance) 　　④ 조도(illumination)
⑤ 광도(candela)

　해설 조명의 척도
　　　① 광속 : 광원으로부터 단위시간에 나오는 빛의 에너지량으로 단위는 루멘(lumen)이다.
　　　② 광도 : 광원의 밝기로 단위는 칸델라(candela)이다.
　　　③ 조명도 : 비추는 면의 밝기이며, 단위는 룩스(Lux)이다.
　　　④ 휘도 : 비춰진 면이 새로운 광원이 되어 빛을 발하는 때의 밝기이며, 단위는 니트(nit = cd/m²)이다.

42 하·폐수의 물리적 처리 중 비중이 큰 무기성 입자가 다른 입자의 영향을 받지 않고 침전할 경우 침전 속도에 관한 법칙으로 옳은 것은?

① 보일의 법칙
② 샤를의 법칙
③ 허블의 법칙
④ 헨리의 법칙
⑤ 스토크스의 법칙

해설 침전지
① 침전지는 중력을 이용하여 큰 부유물질을 침전시키는 것으로써 스토크의(stocke's) 법칙이 적용된다.
② 스토크 법칙 : Stokes 법칙은 다음과 같다.

$$Vs = \frac{g(\rho_s - \rho_w)d^2}{18\mu}$$

Vs : 입자의 침강속도(종속도)(cm/sec)
g : 중력가속도(980cm/sec²)
ρ_s : 입자의 밀도(g/cm³)
ρ_w : 물의 밀도(g/cm³)
d : 입자의 직경(cm)
μ : 점성계수(동점성계수)(g/cm·sec)
비중이 1인 경우에는 점성계수는 동점성계수이다.

43 소음성 장애를 유발할 수 있는 범위는?

① 1,000Hz
② 2,000Hz
③ 3,000Hz
④ 4,000Hz
⑤ 20,000Hz

해설 ① 건강인의 들을 수 있는 범위, 즉 가청음역 : 20~20,000Hz
② 난청을 조기에 발견할 수 있는 주파수 : 4,000Hz(C₅-dip)
③ 소음성 난청
㉮ 4,000Hz~6,000Hz에서 소음성 난청이 가장 많이 발생(코르티기관에 손상)
㉯ 난청 순서 : 4,000Hz(청력손실이 가장 현저함) → 4,000Hz 이상 고주파 → 4,000Hz 이하의 저주파

44 먹는물수질공정시험기준에서 총대장균군을 분석할 때, 추정시험단계에서 양·음성을 판정하기 위해 사용하는 기구는?

① 뷰렛
② 네슬러관
③ 다람시험관
④ 둥근플라스크
⑤ 킬달플라스크

해설 듀람(Durham)관은 세균 배양(대장균 정성시험 등)에 쓰인다.

45 용액의 분자나 입자가 물리적 또는 화학적 결합력에 의해 고체 표면에 붙는 현상은?

① 부상
② 응집
③ 중화
④ 침강
⑤ 흡착

46 창문 안의 열을 조절하기 위해 밖의 공기와 안의 공기를 환기시키는 것은?

① 중력환기
② 배기식 환기
③ 송기식 환기
④ 평형식 환기
⑤ 송풍식

해설 ① 자연환기 : 중력환기, 풍력환기
② 인공환기 : 배기식 환기법, 송기식 환기법, 평형식 환기법 등

47 의복은 여러 가지 목적에 따라 이용되고 있으나 기본적으로 몇 가지로 구분한다. 의복의 목적 중 군인 및 경찰 의복은?

① 체온 조절
② 신체의 청결
③ 신체의 보호
④ 사회생활
⑤ 미용 및 표식

해설 의복의 목적 : 의복은 여러 가지 목적에 따라 이용되고 있으나 기본적으로 다음과 같이 몇 가지로 구분할 수 있다.
① 체온 조절
② 신체의 청결
③ 신체의 보호
④ 사회생활 : 일상 생활복, 작업복, 제복(법복, 교복, 군복, 경찰복, 운동복 등), 각종 의식에 사용되는 예복으로서의 목적이 있다.
⑤ 미용 및 표식 : 아름답게 장식하기 위한 것, 타인에게 우월감을 보이기 위한 것 등의 표시를 위하여 이용되는 의복 등이 있다.

48 초자기구, 의료, 고무제품, 자기류, 거즈 및 약액 등의 멸균에 주로 사용되는 소독법은?

① 자비소독법
② 고압증기멸균법
③ 유통증기멸균법
④ 저온살균법
⑤ 건열멸균

49 다음에 해당되는 살균법으로 옳은 것은?

> • 파장이 265nm인 광원을 이용함
> • 결핵균이나 디프테리아균은 2~3시간이면 살균됨
> • 수술실, 무균실, 제약실, 음식점 등에서 사용함

① 건열살균법
② 고압증기살균법
③ 자외선살균법
④ 저온살균법
⑤ 유통증기살균법

50 3%(V/V) 크레졸 용액 500mℓ를 제조할 경우 사용되는 100% 크레졸의 양(mℓ)은?

① 5
② 10
③ 15
④ 25
⑤ 30

해설 N1V1 = N2V2   3 × 500 = 100 × X   ∴ X = 15mℓ

2 위생곤충학

01 부스러기 등을 치워 곤충의 서식처를 제거하였다. 이것은 어떤 해충 방제 방법인가?

① 생물학적 방법
② 기계적 방법
③ 물리적 방법
④ 화학적 방법
⑤ 통합적 방법

02 뉴슨스 동물에 해당하는 것은?

① 모래파리
② 호박벌
③ 바퀴
④ 학질모기
⑤ 독나방

해설 뉴슨스 동물 : 깔따구, 노린재, 나방파리(모래파리), 하루살이, 귀뚜라미, 지하집모기 등

03 다음 중 카바메이트계 살충제는?

① Naled
② 벤디오카브
③ Permethrin
④ Diazinon
⑤ Bio-resmethrin

해설 카바메이트계 : propxur(프로펔서, Baygon 또는 Aprocarb), bendiocarb(벤디오카브, Ficam) 등

04 다음 중 곤충 방제 시 독먹이법을 사용할 수 없는 곤충은?

① 개미   ② 벼룩   ③ 바퀴
④ 파리   ⑤ 벌

> 해설 독먹이법을 사용하는 곤충 : 개미, 바퀴, 파리, 벌 등

05 무흡혈산란(autogeny)을 하는 모기는?

① 동양집모기   ② 빨간집모기
③ 지하집모기   ④ 줄다리집모기
⑤ 작은빨간집모기

06 원체에 물을 섞어 사용하는 것은?

① 수화제   ② 유제   ③ 용제
④ 수용제   ⑤ 분제

> 해설 ① 수화제(水和劑, WP, w.d.p.) : 살충제 원체에 증량제(탈크, 규조토, 고령토, 베트나이트)와 친수제 및 계면활성제를 가미한 분말이다.
> (원체 + 증량제 + 친수제 + 계면활성제)
> ② 수용제(水溶劑, soluble powder, SP) : 수용성 원체에 물을 첨가하여 수용액(水溶液)을 만들어 살포한다.
> (수용성 원체 + 물)

07 가열연막 작업에 관한 내용으로 옳지 않은 것은?

① 분사구 : 풍향 쪽(풍향을 가로지르되) 30~40° 각도로 하향한다.
② 속도 : 휴대용은 1km/hr, 차량용은 8km/hr
③ 살포면적 : 휴대용은 1ha/hr, 차량용은 40ha/hr
④ 살포폭 : 휴대용은 5~10m, 차량용은 40m
⑤ 연무작업 : 새벽이 좋다.

> 해설 ① 가열연무(가열연막) : ①·②·③·⑤번 외
> ㉮ 분사구(노즐) : 풍향 쪽(풍향을 가로지르되) 30~40° 각도로 하향한다.
> ㉯ 살포폭 : 휴대용은 5~10m, 차량용은 50m
> ② 극미량연무(ULV) 노즐 : 45° 각도로 상향(上向) 고정한다.

08 극미량연무를 할 때 분무의 각도는?

① 수직   ② 수평   ③ 상향
④ 밑으로   ⑤ 하향

09 폐기물이나 퇴비가 쌓인 곳에 파리가 번식하고 있다. 파리의 성충과 유충을 동시에 빠르게 방제하려고 한다. 가장 효과적인 방법은?

① 분제살법   ② 가열연막법   ③ 극미량연무법
④ 미스트법   ⑤ 연무법

10 어린이가 "강아지(개)"와 산책 후 집에 왔을 때 실내 잔류분무로 사용하는 것은?

① 분제   ② 입제   ③ 유제
④ 용제   ⑤ 수화제

> 해설 ① 분제
> ㉮ 분제 살포는 곤충의 접촉이 빈번한 장소에 잔효성 살충제 입자를 잔존시켜 장기간 살충효과를 내는 방법이다.
> ㉯ 진드기, 이, 벼룩, 바퀴, 독나방 등을 구제하기 위하여 사람의 옷, 가축, 애완동물의 몸, 곤충의 서식 장소에 살포한다.
> ② 입제 : 입제 살포는 주로 모기의 유충을 방제하기 위하여 물에 뿌린다.

11 다음 중 유충과 성충의 서식처가 같은 것은?

① 파리   ② 빈대   ③ 벼룩
④ 모기   ⑤ 나방

> 해설 ① 불완전변태 : 이, 바퀴, 빈대, 진드기 등
> ② 완전변태 : 모기, 파리, 벼룩, 나방, 등에 등

12 인가 주변 폐기물 집합장의 고인 물에서 발생하는 모기는?

① 반점날개늪모기   ② 빨간집모기
③ 토고숲모기   ④ 광릉왕모기
⑤ 중국얼룩날개모기

13 다음 중 중국얼룩날개 모기가 옮기는 질병은?

① 일본뇌염   ② 말라리아   ③ 황열
④ 뎅기열   ⑤ 페스트

14 복절배판에 장상모를 갖고 있는 모기 유충은?

① 얼룩날개모기(학질모기)   ② 왕모기
③ 숲모기   ④ 돌모기
⑤ 집모기

15 중남미와 아프리카 등에서 회선사상충증(onchocerciasis)을 전파하는 위생곤충은?

① 등에   ② 깔따구   ③ 먹파리
④ 등에모기   ⑤ 나방파리

16 머릿이와 몸이의 특징으로 옳은 것은?

① 암컷만 흡혈한다.
② 고온과 고습을 좋아한다.
③ 빛을 좋아한다.
④ 숙주 선택성이 엄격하다.
⑤ 자충만 흡혈한다.

> 해설 머릿이와 몸이
> ① 자충, 성충, 암·수 모두 흡혈한다.
> ② 고온과 고습에 부적당하다.
> ③ 빛을 싫어한다.
> ④ 숙주 선택성이 엄격하다.

17 이가 옮기는 질병 중에서 병원체가 리케치아인 것은?

① 말라리아   ② 페스트   ③ 쯔쯔가무시병
④ 발진티푸스   ⑤ 발진열

18 다음 파리 중 구기의 모양이 다른 것은?

① 집파리   ② 딸집파리   ③ 아기집파리
④ 큰집파리   ⑤ 침파리

19 자궁에서 부화하는 곤충은?

① 집파리   ② 딸집파리   ③ 아기집파리
④ 체체파리   ⑤ 침파리

> 해설 체체파리 : 체체파리는 파리목의 다른 종류와는 달리 1개의 알이 자궁에서 부화하고 유충은 자궁 속에서 모체로부터 영양공급을 받으며 발육을 마친 후 밖으로 나온다.

20 빈대의 특징으로 옳은 것은?

① 주간 활동성이다.
② 완전변태를 한다.
③ 성충의 수명은 실내 온도와 관계없다.
④ 암컷은 일생에 한 번 교미한다.
⑤ 각 영기(instar)마다 흡혈해야 탈피가 가능하다.

해설 빈대의 암컷은 수시로 교미한다.

21 양계장에 파리 방제 시 가장 효과적인 방법은?

① 훈증법　　　　② 끈끈이 줄　　　　③ 유문등
④ 살문등(殺蚊燈)　　⑤ 트랩

22 여름철 물가 주위의 불빛에 집단으로 모이고 수명이 짧아 시체가 싸여 주의가 불결하고 썩는 냄새가 나는 곤충은?

① 모래파리　　　② 깔따구　　　　③ 등에모기
④ 호박벌　　　　⑤ 하루살이

23 유충의 다리는 3쌍이고, 성충일 때는 다리가 4쌍인 것은?

① 진드기　　　　② 가재　　　　③ 지네
④ 게　　　　　　⑤ 벼룩

해설 진드기 : 유충의 다리는 3쌍이고, 성충과 약충은 4쌍의 다리를 갖고 있다.

24 유충 시기에만 포유동물을 흡혈하는 것은?

① 벼룩　　　　　② 털진드기　　　③ 빈대
④ 큰진드기류　　⑤ 노린재

25 집먼지진드기를 제거하기 위한 방법으로 옳지 않은 것은?

① 카펫과 천으로 된 소파를 없앤다.
② 담요, 이불, 베개 등에 특수 커버를 씌우거나 세탁기로 자주 세탁한다.
③ 가습기 사용을 금하고, 실내를 자주 환기시킨다.
④ 살진드기 약제로 처리한 카펫을 사용한다.
⑤ 적외선 처리를 한다.

26 개미의 특징으로 옳은 것은?

① 독립 생활을 한다.
② 완전변태를 한다.
③ 수개미는 여왕개미보다 크다.
④ 먹이 습성은 편식성이다.
⑤ 일개미는 숙주 특이성이 강하다.

27 개미에 물렸을 때의 증상으로 옳은 것은?

① 간지럽다.
② 따갑다.
③ 심한 통증과 발적현상, 자교에 의한 피부염 및 중앙에 수포가 발생한다.
④ 출혈이 발생한다.
⑤ 설사가 난다.

28 중량이 20g인 가주성 쥐는?

① 생쥐　　　　　② 곰쥐　　　　③ 집쥐
④ 시궁쥐　　　　⑤ 등줄쥐

29 다음 "보기"의 내용으로 죽이는 것은?

> • 혈액의 응고 요인을 방해하여 혈액응고 능력을 상실하게 한다.
> • 모세혈관을 파괴시켜 내부출혈이 계속되어 빈혈로 서서히 죽게 된다.

① 만성 살서제　　② 급성 살서제　　③ 독먹이
④ 2차 독성　　　　⑤ 살충제

해설 만성 살서제
① 1차적으로 혈액의 응고 요인을 방해하여 혈액응고 능력을 상실하게 한다.
② 2차적으로 모세혈관을 파괴시켜 내부출혈이 계속되어 빈혈로 서서히 죽게 된다.

30 진드기를 아목(Suborder)으로 분류할 때 기준은?

① 기문의 위치　　② 협각의 위치　　③ 의두의 존재
④ 슬절의 존재　　⑤ 구하체의 모양

3　식품위생학

01 공기 중의 산소에 의해 일어나는 변질, 즉 유지에 의한 이미, 이취, 식품의 변색 및 퇴색 등을 일으키는 현상은?

① 변패　　　　　② 부패　　　　③ 산패
④ 발효　　　　　⑤ 퇴색

02 부패의 판정방법 중 화학적 판정 방법의 항목이 아닌 것은?

① pH
② K값
③ 휘발성 염기질소
④ trimethylamine
⑤ 산소

해설 화학적 부패의 판정 방법 : K값, pH, 휘발성 염기질소, 휘발성 유기산, trimethylamine 등

03 캄필로박터 식중독균에 관한 설명으로 옳은 것은?

① 구균　　　　　② 그람음성　　　③ 편성혐기성
④ 포자 형성　　　⑤ 편모 없음

해설 Camphylobacter(캄필로박터) 식중독
① 특징 : 건조나 가열에 약해 60℃에서 30분 가열로 사멸, 소나 염소에 유산과 설사, 사람에 대한 병원성이 밝혀졌다.
② 원인균 : Campylobacter jejuni, C. coli이며, 이 균은 그람음성이며, 통 질환의 원인균이다.
③ 원인 식품 : 식육, 우유, 햄버거, 닭고기
④ 감염원 : 가축, 가금류, 애완동물
⑤ 잠복기 : 2~7일
⑥ 증상 : 설사, 복통, 두통, 발열, 구토 등 감염형 식중독과 유사하다.

04 다음은 식중독의 외부 형태를 비교한 것이다. 옳지 않은 것은?

① 살모넬라 : Gram음성, 무포자 간균, 주모균
② 장염 Vibrio : Gram음성, 간균, 단모균, 무포자
③ 병원성대장균 : Gram음성, 주모균, 간균, 무아포성
④ 포도상구균 : Gram양성, 구균, 무(無)아포성, 무편모, 비운동성
⑤ 보툴리누스 : Gram음성, 구균, 단모균, 아포형성, 혐기성 등

해설 보툴리누스 식중독의 외부 형태 : Gram양성, 간균, 주모균, 아포형성, 혐기성 등

05 Salmonella 식중독을 예방하기 위하여 가열하여야 할 온도와 시간은?

① 40℃에서 20분　　② 50℃에서 45분
③ 55℃에서 10분　　④ 60℃에서 20분
⑤ 60℃에서 5분

06 손에 화농성 상처를 가진 사람이 식품을 다루었을 때 일어나기 쉬운 식중독은?

① 포도상구균 식중독　　② 살모넬라 식중독
③ 보툴리누스 식중독　　④ 웰치균 식중독
⑤ 장염비브리오 식중독

07 보툴리누스 식중독(Clostridium botulinum)이 생성하는 독소는?

① enterotoxin　　② ergotoxin　　③ ergometrin
④ neurine　　⑤ neurotoxin

08 4℃ 이하에서도 활발하게 증식하는 식중독은?

① 살모넬라　　② 비브리오　　③ O-157
④ 리스테리아　　⑤ Staphylococcus

🔎해설 리스테리아균에 의한 식중독
　① 발육 온도 : 광범위한 온도(10~45℃)에서 발육하는 것이 특징이다. 저온(10℃)과 고온(40℃)에서도 발육이 가능하며 열에 대한 저항성이 강한 세균이다. 따라서 4℃ 이하에서도 증식이 가능하기 때문에 냉장고에 보관하더라도 안심할 수 없다.
　② 가열 온도 : 75℃ 이상으로 가열하여야 한다.

09 다음 보기에서 세균성식중독에 해당하는 것은?

> ㉮ 세균에서 사람으로 종말 감염 된다.
> ㉯ 2차 감염이 드물지만 일어난다.
> ㉰ 다량의 균이 필요하다.
> ㉱ 잠복기가 비교적 길다.

① ㉮, ㉯, ㉰　　② ㉮, ㉰　　③ ㉯, ㉱
④ ㉱　　⑤ ㉮, ㉯, ㉰, ㉱

🔎해설 ① 세균성 식중독
　㉮ 세균에서 사람으로 terminal infection(최종 감염)된다.
　㉯ 다량의 균이 필요하다.
　② 경구 감염병
　㉮ 병원체가 고유 숙주와의 사이에 infection cycle이 성립한다.
　㉯ 2차 감염이 드물지만 일어난다.
　㉰ 세균성 식중독에 비하여 잠복기가 비교적 길다.

10 미생물의 생육에 관여하는 물리적 인자는?

① 산소　　② 온도　　③ 이산화탄소
④ 영양소　　⑤ 수소이온농도(pH)

11 다음 중 피마자씨가 함유하고 있는 독성분은?

① gossypol　　② ricin　　③ muscarine
④ cicutoxin　　⑤ tetrodotoxin

12 복어의 독소는 (　)이고 (　)에 가장 많다. (　)안에 들어갈 말은?

① 테트로도톡신 - 난소　　② 난소 - 테트로도톡신
③ 테트로도톡신 - 간　　④ 무스카린 - 난소
⑤ 고시폴 - 난소

13 원인 식품과 그 독성분의 연결이 옳은 것은?

① 청매 - 프타킬로시드(ptaquiloside)
② 독보리 - 테물린(temuline)
③ 복어 - 테트라민(tetramine)
④ 권패류 - 시구아테린(ciguaterin)
⑤ 고사리 - 듀린(dhurrin)

🔎해설 ① 독보리 - 테물린(temuline)
　② 고사리 - 프타킬로시드(Ptaquiloside)

14 다음 중 Aflatoxin으로 오는 질병은?

① 간암　　② 신경장애　　③ 기형아 형성
④ 과민성 피부염　　⑤ 골수염

15 주원인 땅콩에서 발암성 물질인 M1을 생성한 곰팡이는?

① Bacillus　　② Clostridium　　③ Micrococcus
④ Pseudomonas　　⑤ Aflatoxin

🔎해설 Aflatoxin의 특징
　① 독성 순서 : $B_1 > M_1 > G_1 > m_2 > B_2 > G_2$
　② B_1, M_1 : 강한 발암성이고, 강산·강알칼리에서 분해되어 약한 유도체로 된다.
　※ 식품 오염원이 되는 토양 세균 속 : Bacillus속, Clostridium속, Micrococcus속, Pseudomonas속 등이 있다.

16 곰팡이 중에서 쌀에는 황변미를 유발하고, 사람에게는 신경장애를 유발하는 독소는?

① Citrinin　　② Aflatoxin　　③ Citreoviridin
④ Luteoskyrin　　⑤ Islanditoxin

🔎해설 황변미 독에는 citrinin, islanditoxin, citreoviridin, luteoskyrin(루테오스키린), cyclohlorotin 등이 있다.
　① citrinin : 신장독을 유발한다.
　② islanditoxin : 간장독으로써 간암, 간경변증을 유발한다.
　③ citreoviridin(시트레오비리딘) : 신경독소이다.

17 이 균이 증식하는 과정에서 배출하는 독소는 장출혈과 용혈성요독증을 일으켜 신장 기능 저하 및 뇌장애를 일으키고 심할 경우 죽음에 이르기도 한다. 이 균의 병원체는?

① 장출혈성대장균(O-157균)　　② 콜레라균
③ 세균성이질균　　④ 파라티푸스균
⑤ 파상풍균

🔎해설 O-157균
　① O-157균은 장출혈성대장균의 일종으로, 1982년 미국에서 발생한 햄버거 식중독 사건을 계기로 처음 알려졌다.
　② 초기 증상은 설사, 발열 등 일반 식중독과 비슷하다. 하지만 균이 대장 내에서 증식하는 과정에서 배출하는 독소가 장출혈과 용혈성요독증을 일으켜 신장 기능 저하 및 뇌장애를 일으키고 심할 경우 죽음에 이른다.

18 다음 중 설사증을 일으키는 세균성이질균에 관한 내용으로 옳지 않은 것은?

① Gram양성, 구균이다.
② 아포와 협막을 갖지 않는다.
③ 이질균이 분변으로 배출된다.
④ Gram음성, 간균, 호기성이다.
⑤ 인체의 잠복기는 2~7일이다.

🔎해설 세균성이질균 : Gram음성, 간균, 호기성이며 운동성이 없고, 아포와 협막을 갖지 않는다.

19 다음 중 결핵을 예방하기 위한 방법은?

① MMR   ② MMD   ③ DDT
④ BCG   ⑤ BOD

20 다음 중 인수공통 전염병인 것은?

① 급성회백수염   ② 콜레라   ③ 장티푸스
④ 이질   ⑤ 파상열

21 야토병의 명칭으로 옳은 것은?

① Tuberculosis   ② Anthrax   ③ Brucellosis
④ Tularemia   ⑤ Swine erysipeloid

> **해설** ① 결핵(Tuberculosis)   ② 탄저(Anthrax)
> ③ 파상열(Brucellosis)   ④ 야토병(Tularemia)
> ⑤ 돈단독(Swine erysipeloid)

22 파상열에 관한 내용으로 옳은 것은?

① 소, 염소, 양, 돼지의 동물에게 유산을 일으키는 질병이다.
② Brucella melitensis : 소에 감염되어 유산을 일으키는 병원체이다.
③ Brucella abortus : 돼지에 유산을 일으키는 병원체이다.
④ Brucella suis : 양, 염소에 유산을 일으키는 병원체이다.
⑤ 파상열은 인축공통 전염병이 아니다.

> **해설** ① Brucella melitensis : 양, 염소
> ② Brucella abortus : 소
> ③ Brucella suis : 돼지

23 신장독을 일으키는 곰팡이 독소는?

① 파툴린(patulin)
② 시트리닌(citrinin)
③ 시트레오비리딘(citreoviridin)
④ 아이슬란디톡신(islanditoxin)
⑤ 루테오스카이린(luteoskyrin)

24 붉은곰팡이(Fusarium) 속이 생성하는 독소로 가축의 비정상적인 발정을 유발하는 것은?

① 푸모니신(fumonisin)
② 루브라톡신(rubratoxin)
③ 제랄레논(zearalenone)
④ 말토리진(maltoryzine)
⑤ 트리코테센(trichothecene)

25 다음 합성수지 중 열경화성 수지에 해당하는 것은?

① 폴리에틸렌   ② 폴리프로필   ③ 폴리스티렌
④ 염화비닐수지   ⑤ 멜라민수지

> **해설** ① 합성수지 중 열경화성 수지에는 페놀수지, 멜라민수지, 요소수지가 있는데 요소수지에는 포름알데히드가 검출된다.
> ② 열가소성 수지
> ㉮ 열가소성 수지 : 가열하면 가공하기 쉽고 냉각하면 굳어지는 합성수지이다(염화비닐 · 폴리에틸렌).
> ㉯ 폴리에틸렌, 프로필, 스티렌(용출로 이취 발생)이 검출되며, 포름알데히드는 검출이 안 된다.

26 제조 · 가공 과정 중에 니트로소아민을 생성하는 물질은?

① 삼염화질소   ② 파라핀   ③ 붕산
④ 아질산염   ⑤ 수소

> **해설** 아질산염 : 체내에서 분해되어 발암물질인 N-nitrosoamine을 생성하므로 사용 품목에 제한을 두어야 하는 물질이다.

27 다음 "보기"의 정의로 옳은 것은?

> 식품 중에서 미생물에 대해 정균작용이나 효소의 발효작용을 억제한다.

① 발효   ② 효소   ③ 보존료
④ 착색제   ⑤ 산패

> **해설** 보존료(방부제)는 식품 중에서 미생물에 대해 정균작용이나 효소의 발효작용을 억제한다.

28 다음 중 허용된 발색제는?

① 식용색소 적색 2호   ② 구리
③ 질산칼륨   ④ 식용색소 녹색 3호
⑤ 삼이산화철

> **해설** 발색제 : 아질산나트륨, 질산나트륨, 질산칼륨, 황산제일철(건조), 황산제일철(결정)

29 밀가루 개량제 중 빵, 면류 이외는 사용이 금지되어 있는 것은?

① 과산화벤조일   ② 스테아릴 젖산 칼슘
③ 과황산 암모늄   ④ 소르빈산
⑤ 차아염소산 나트륨

> **해설**
>
> | 밀가루 개량제 | 사용 기준 |
> | --- | --- |
> | 과산화벤조일(희석), 과황산 암모늄, 염소(Cl₂), 이산화염소 | 소맥분 : 허용 기준 있음 |
> | 스테아릴 젖산 칼슘, 스테아릴 젖산 나트륨 | 빵, 면류 이외는 사용 금지 |
>
> ① 소르빈산 : 식육, 된장, 고추장, 케첩 등에 사용하는 보존료이다.
> ② 차아염소산나트륨 : 살균제

30 다음 중 유해 감미료는?

① Cyclamate   ② Auramine   ③ Rhodamin
④ Silk scarlet   ⑤ D-sorbital

> **해설** ① 유해 감미료 : Dulcin, Cyclamate, ρ-nitro-toluidin 등
> ② 유해 착색료 : Auramine, Rhodamin, Silk scarlet 등
> ※ 허용 감미료 : 사카린나트륨, 글리실리친산 2나트륨, D-소르비톨, 아스파탐

31 식품에 사용이 허용된 감미료는?

① nitrotoluidine   ② cyclamate
③ 글리실리친산 2나트륨   ④ ethylene glycol
⑤ perillartine

32 1회 투여로 치사시킬 수 있는 것은?

① 1일 섭취 허용량   ② 급성독성
③ 최소 무작용량   ④ 평생 허용량
⑤ 영구적인 허용량

33 제1중간숙주는 물벼룩이고, 제2중간숙주는 민물어류인 기생충은?

① 간흡충   ② 폐흡충   ③ 선모충
④ 아니사키스   ⑤ 유극악구충

34 가장 살균력이 있는 자외선의 파장은?

① 2,000~2,400Å ② 2,200~2,400Å
③ 2,400~2,800Å ④ 2,400~3,100Å
⑤ 2,850~3,100Å

> **해설** 가장 살균력이 있는 자외선의 파장은 2,400~2,800Å(2,500~2,900Å)이다.

35 소독약과 사용농도의 연결이 맞지 않는 것은?

① 과산화수소 : 2.5~3.5%
② 크레졸 비누액 : 3%
③ 알코올 : 75%
④ 석탄산 : 3%
⑤ 승홍(HgCl2) : 1%

36 다음 식품안전관리인증기준(HACCP)에서 설명하는 정의에 해당하는 것은?

> 식품·축산물 안전에 영향을 줄 수 있는 위해 요소와 이를 유발할 수 있는 조건이 존재하는지 여부를 판별하기 위하여 필요한 정보를 수집하고 평가하는 일련의 과정을 말한다.

① 한계기준 설정 ② 모니터링 확립
③ 위해 요소 분석 ④ 개선 조치 수립
⑤ 중요 관리점 결정

37 HACCP 시스템의 적용 7원칙의 순서는?

> 위해 요소 분석 → 중요 관리점 결정 → (　) → (　) → (　) → (　) → 기록 보존 및 문서 작성 규정의 설정

① 감시 방식 설정 → 한계 기준 설정 → 개선 조치 방법 설정 → 검증 절차 및 방법 설정
② 개선 조치 방법 설정 → 한계 기준 설정 → 감시 방식 설정 → 검증 절차 및 방법 설정
③ 한계 기준 설정 → 감시 방식 설정 → 검증 절차 및 방법 설정 → 개선 조치 방법 설정
④ 한계 기준 설정 → 개선 조치 방법 설정 → 감시 방식 설정 → 검증 절차 및 방법 설정
⑤ 한계 기준 설정 → 감시 방식 설정 → 개선 조치 방법 설정 → 검증 절차 및 방법 설정

> **해설** HACCP 시스템의 적용 7원칙
> 위해 요소 분석 → 중요 관리점 결정 → 한계기준 설정 → 감시방식 설정 → 개선조치 방법 설정 → 검증 절차 및 방법 설정 → 기록 보존 및 문서 작성 규정의 설정

38 HACCP 시스템의 적용 7원칙 중 한계 기준의 확인 지표가 아닌 것은?

① 온도 ② 시간 ③ 수분활성도
④ pH ⑤ 산소

> **해설** 한계 기준의 확인 지표 : 온도, 시간, 수분활성도, pH 등

39 GMO 유전자 검사 시 (　) 미만이면 유전자변형식품으로 인정하지 않는다. (　)안에 내용은?

① 3% ② 5% ③ 7%
④ 10% ⑤ 15%

> **해설** ① 한국에서 유통되는 콩, 콩나물, 옥수수 등은 GMO가 3% 이상 섞일 경우에는 반드시 GMO(genetically modified organism, 유전자변형농산물)를 표시해야 한다.
> ② GMO 표시 기준 : 유럽연합 국가들은 1% 이상, 한국은 3% 이상, 일본은 5% 이상

40 용혈성 연쇄상구균이 병원체인 경구감염병은?

① 성홍열 ② 유행성 간염 ③ 장티푸스
④ 파라티푸스 ⑤ 콜레라

> **해설** 성홍열(Scarlet fever)
> 용혈성 연쇄상구균 감염에 의해 나타나며, 영유아 및 소아기의 감염병이며, 주로 비말감염 또는 환자나 보균자의 분비물과 접촉에 의해 전파된다.
> ① 병원체 : Streptococcus pyogenes(세균)
> ② 병원소 : 사람(환자, 보균자)
> ③ 증상 : 고열, 편도선염, 목, 가슴과 허벅지 안쪽에 반점이 발생한다.
> ④ 잠복기 : 1~3일
> ⑤ 전파 방식 : 주로 환자나 보균자와 직접 접촉할 때 호흡기로 감염된다(오염된 개달물에 의한 전파는 드물다).

4 공중보건학

01 동맥경화증이나 신장질환 등의 원인 질환에 의해 2차적으로 발생하는 고혈압은?

① 본태성 고혈압 ② 속발성 고혈압 ③ 수축성 고혈압
④ 원발성 고혈압 ⑤ 이완성 고혈압

> **해설** 고혈압 : 수축기 혈압이 160mmHg 이상, 확장기 혈압이 95mmHg 이상
> ① 본태성 고혈압(1차성 고혈압)
> ㉮ 원인 : 유전적 소인, 노화, 체중 과다, 고지혈증, 과다한 소금 섭취, 기호품(담배, 술, 커피 등)의 과다 섭취, 스트레스, 운동 부족, 과로 등
> ㉯ 증상 : 뇌졸중, 허혈성심장질환, 동맥경화, 심근경색, 대동맥박리 등
> ② 속발성 고혈압(2차성 고혈압)
> ㉮ 원인 : 장기 이상, 호르몬 이상 등

02 질병 원인의 가설이 유도되는 역학은?

① 기술역학 ② 분석역학 ③ 이론역학
④ 실험역학 ⑤ 작전역학

> **해설** ① 기술역학 : 질병 원인의 가설이 유도되는 역학
> ② 분석역학 : 질병의 원인이 무엇인지를 알기 위해서 가설을 설정하여 그 가설이 옳은지 그른지를 판정하는 역학

03 다음에서 설명하는 영양소는?

> • 체조직의 구성 물질, 열량 공급
> • 결핍 시 콰시오커(Kwashiorkor), 마라스무스(Marasmus) 유발

① 탄수화물 ② 지방 ③ 단백질
④ 수분 ⑤ 무기질

> **해설** 영양소의 결핍에 의한 증상
> ① 단백질 : 발육 지연, 지능발달장애, 면역 결핍, kwashiorkor, 빈혈, 부종, 신체 소모
> ② 탄수화물 : 단백질 소모(과량 섭취 시 비만, 우리나라 사람 과량 섭취)
> ③ 지방 : 거친 피부, 빈혈

04 가장 정확하나 윤리적인 문제가 발생할 수 있는 역학은?

① 기술역학   ② 분석역학
③ 작전역학   ④ 실험역학(임상역학)
⑤ 이론역학

05 다음 중 세균성 감염병으로 옳지 않은 것은?

① 백일해   ② 디프테리아   ③ 결핵
④ 장티푸스   ⑤ 간염

> **해설** ① A형간염, B 간염, C 간염 : 바이러스
> ② 백일해, 디프테리아, 결핵, 장티푸스, 파라티푸스 : 세균

06 감염병 발생 이론의 변천 과정으로 옳은 것은?

① 장기설 → 접촉전염설 → 미생물병인설
② 장기설 → 미생물병인설 → 접촉전염설
③ 접촉전염설 → 미생물병인설 → 장기설
④ 접촉전염설 → 장기설 → 미생물병인설
⑤ 미생물병인설 → 장기설 → 접촉전염설

07 다음에서 설명하는 역학연구방법은?

> • 일정한 시점에서 유병률을 산출하여 질병 발생의 상호 관련성을 조사한다.
> • 상관관계만을 알 수 있을 뿐 인과관계를 설명하기는 어렵다.

① 단면연구   ② 환자–대조군연구
③ 실험연구   ④ 코호트연구
⑤ 사례연구

08 곤충에 의한 생물학적 전파 중 발육형에 속하는 것은?

① 사상충   ② 황열   ③ 말라리아
④ 수면병   ⑤ 흑사병

09 모유 수유를 통해 얻는 면역은?

① 자연능동면역   ② 자연수동면역   ③ 인공능동면역
④ 인공수동면역   ⑤ 선천면역

> **해설** 자연수동(피동)면역 : 모체로부터 태반이나 수유를 통해 받는 면역이다.

10 가족 내 감수성자(면역자 제외) 중에서 질병이 발병한 가족의 수로 알 수 있는 것은?

① 치명률   ② 유병률   ③ 누적 발생률
④ 2차 발생률   ⑤ 평균 발생률

11 장기설과 관련된 감염병은?

① 장티푸스   ② 세균성이질   ③ 유행성간염
④ 홍역   ⑤ 콜레라

12 참모조직의 특성은?

① 임무와 책임 한계가 명확하다.
② 일관된 정책을 수행할 수 있다.
③ 신속하게 사업을 수행할 수 있다.
④ 강력한 통제력을 발휘할 수 있다.
⑤ 수평적인 업무의 조정과 협조가 가능하다.

13 생물테러로 가장 많이 쓰이는 감염병은?

① 콜레라   ② 세균성이질   ③ A형간염
④ 에볼라열   ⑤ 파상풍

> **해설** "생물테러감염병"이란 : 고의 또는 테러 등을 목적으로 이용된 병원체에 의하여 발생된 감염병 중 보건복지부장관이 고시하는 감염병을 말한다.
> ① 탄저   ② 야토병   ③ 페스트
> ④ 두창   ⑤ 보툴리눔독소증   ⑥ 마버그열
> ⑦ 에볼라열   ⑧ 라싸열

14 전 인류의 건강 달성에 목적을 두고 1948년 국제연합의 경제사회이사회전문기관의 하나로 발족한 기구는?

① 국제노동기구   ② 세계보건기구   ③ 유엔개발계획
④ 유엔인구기금   ⑤ 유엔아동기금

15 다음 중 혈청학적 Widal 반응시험으로 진단하는 질병은?

① Typhoid fever(장티푸스)   ② Diphtheria(디프테리아)
③ Scarlet fever(성홍열)   ④ Tuberculosis(결핵)
⑤ 성홍열

> **해설** ① Typhoid fever(장티푸스)의 진단 검사 : 혈청학적 Widal 반응시험
> ② 성홍열(Scarlet fever)의 감수성 검사방법 : Dick test
> ③ 디프테리아(Diphtheria)의 감수성 검사방법 : Schick test
> ④ 첩포시험(patch test) : 약제를 바른 천·종이 조각을 붙여 피부의 알레르기 반응을 알아보는 시험

16 노인성 질환으로 옳지 않은 것은?

① 고혈압   ② 뇌졸중   ③ 노인성 치매
④ 당뇨병   ⑤ 골연화증(구루병)

> **해설** 성인병 : 고혈압, 뇌졸중, 동맥경화증, 협심증, 심근경색, 당뇨병, 퇴행성관절염, 노인성치매, 악성신생물 등

17 일제강점기 경찰국에 설치되었던 보건행정조직은?

① 노동과   ② 후생과   ③ 사회과
④ 위생과   ⑤ 보건과

18 심장 박동이 불규칙적인 상태의 질병은?

① 심장병   ② 신장병   ③ 부정맥
④ 협심증   ⑤ 뇌졸중

> **해설** 부정맥 : 심장 박동이 불규칙적인 상태의 질병이다.

19 혈압에 관한 설명으로 옳은 것은?

① 고혈압 : 110/80mmHg
② 상완동맥에서 잰다.
③ 어느 위치에서 재도 혈압은 같다.
④ 이완기 혈압은 심장 수축 시 재는 혈압이다.
⑤ 혈액이 심장에 들어갈 때 혈압이 가장 높다.

> **해설** ① 수축기/확장기(이완기) 혈압
> ㉮ 고혈압 : 160/95mmHg 이상
> ㉯ 정상 : 120/80mmHg
> ㉰ 저혈압 : 100/60mmHg 이하
> ② 수축기 혈압
> ㉮ 심장이 수축해서 강한 힘으로 혈액을 동맥에 보낼 때의 혈관 내압이다.
> ㉯ 심실이 수축할 때의 혈압으로 가장 높은 압력을 가진다.
> ③ 확장기(이완기) 혈압
> ㉮ 동맥혈압인 데 보통 최소치를 말한다.
> ㉯ 심장이 확장기에 들어가 동맥의 내압(內壓)이 제일 낮아진 것을 말한다.
> ④ 상완 : 위팔
> ⑤ 심실 : 심장의 아래쪽에서 동맥과 직결되어 혈액을 내보내는 부분(염통집)

20 $\dfrac{체중(kg)}{[신장(cm)]^2}$ 은 무엇을 나타내는 것인가?

① 알파 지수
② 비만도(%)
③ Vervaek Index
④ Kaup Index
⑤ Rohrer Index

> **해설** 영양 상태 판정
> ① 영유아기부터 학령 전반기까지 : Kaup index 사용 (22 이상 ÷ 비만, 15 이하 ÷ 마른 아이)
> Kaup 지수 = $\dfrac{체중(kg)}{[신장(cm)]^2}$
> ② BMI(Body Mass Index ; 체질량 지수) : 25 이상 ÷ 비만, 18.55 이하 ÷ 저체중
> BMI = $\dfrac{체중(kg)}{[신장(cm)]^2}$ …… WHO가 제시한 공식

21 인구 정태 지표로 옳은 것은?

① 출생, 사망
② 전입, 전출
③ 결혼, 이혼
④ 인구 밀도, 분포
⑤ 출생, 사망

22 농어촌 등 보건의료 취약 지역의 주민 등에게 보건의료를 효율적으로 제공함으로써 국민이 고르게 의료 혜택을 받게 하고 국민의 보건을 향상시키기 위해, 보건진료 전담 공무원으로 하여금 의료 행위를 하게 하기 위한 보건의료시설은?

① 보건소
② 보건지소
③ 보건진료소(보건진료원)
④ 보건의료원
⑤ 병원

> **해설** 농어촌 등 보건의료를 위한 특별조치법(약칭 : 농어촌의료법)
> 제1조(목적) 이 법은 농어촌 등 보건의료 취약 지역의 주민 등에게 보건의료를 효율적으로 제공함으로써 국민이 고르게 의료 혜택을 받게 하고 국민의 보건을 향상시키는 데에 이바지함을 목적으로 한다.
> 제2조(정의)
> 1. "보건진료 전담 공무원"이란 제19조에 따른 의료행위를 하기 위하여 보건진료소에 근무하는 사람을 말한다.
> 2. "보건진료소"란 의사가 배치되어 있지 아니하고 계속하여 의사를 배치하기 어려울 것으로 예상되는 의료 취약 지역에서 보건진료 전담 공무원으로 하여금 의료행위를 하게 하기 위하여 시장·군수가 설치·운영하는 보건의료시설을 말한다.

23 환자에게 의료비용의 일부를 부담하게 함으로써 의료 이용의 남용을 방지하여 건강보험의 재정 안정성을 도모하기 위한 것은?

① 대지급금
② 미수금
③ 상환금
④ 과징금
⑤ 본인일부부담금

> **해설** 본인일부부담금 : 일정 비율로 보험자(또는 제3자 지불단체)와 의료 이용자가 부담하는 것을 말한다. 즉, 소비자의 도덕적 위해(의료 이용의 남용)를 방지하고 보험재정 안정을 도모하기 위한 것이다.

24 한 여성이 일생 동안 몇 명의 자녀를 낳았는가를 나타내는 지표는?

① 합계출산율
② 순재생산율
③ 일반출산율
④ 유배우자출산율
⑤ 조출산율

25 특정 강 유역에서 간흡충증이 일정한 발생 양상을 유지하며 지속적으로 나타날 때의 역학 현상은?

① 범발적(pandemic)
② 산발적(sporadic)
③ 토착적(endemic)
④ 유행적(epidemic)
⑤ 주기적(periodic)

26 보건교사의 직무 내용으로 옳은 것은?

① 학교보건계획의 수립
② 학교 및 교직원의 건강진단
③ 학교 및 교직원의 건강평가
④ 학생과 교직원의 건강상담
⑤ 의약품 및 독극물의 실험·검사

> **해설** 학교보건법 시행령 제23조(학교의사, 학교약사 및 보건교사) 보건교사, 학교의사 및 학교약사의 직무는 다음과 같다.
> 1. **보건교사의 직무**
>   가. 학교보건계획의 수립
>   나. 학교 환경위생의 유지·관리 및 개선에 관한 사항
>   다. 학생과 교직원에 대한 건강진단의 준비와 실시에 관한 협조
>   라. 각종 질병의 예방처치 및 보건지도 등
> 2. 학교 **의사**의 직무
>   가. 학교보건계획의 수립에 관한 자문
>   나. 학교 환경위생의 유지·관리 및 개선에 관한 자문
>   다. 학생과 교직원의 건강진단과 건강평가
>   라. 각종 질병의 예방처치 및 보건지도
>   마. 학생과 교직원의 건강상담
>   바. 그 밖에 학교보건관리에 관한 지도
> 3. 학교 **약사**의 직무
>   가. 학교보건계획의 수립에 관한 자문
>   나. 학교환경위생의 유지관리 및 개선에 관한 자문
>   다. 학교에서 사용하는 의약품과 독극물의 관리에 관한 자문
>   라. 학교에서 사용하는 의약품 및 독극물의 실험·검사 등

27 보건행정의 특성 중 주민 참여에 관한 것은?

① 과학성과 기술성
② 조장성
③ 봉사성
④ 공공성
⑤ 사회성

> **해설** 보건행정의 특성
> ① 과학성과 기술성 : 과학과 기술을 바탕으로 한 기술 행정적 성격이다.
> ② 조장성 및 교육성 : 지역사회 주민을 교육 또는 자발적인 참여를 조장함으로써 목적을 달성한다. 즉, 보건행정은 교육을 주된 수단으로 하고 있다.
> ③ 봉사성 : 국가는 국민의 행복과 복지를 위해 직접 개입하고 봉사한다. 국민의 건강향상과 증진을 위해 적극적인 서비스의 봉사성 행정이다.
> ④ 행정 대상의 양면성 : 소비자 보건을 위한 규제(강제성)와 보건의료 산업의 보호를 위한 자율(스스로)을 함께 고려하는 양면성이 존재한다.
> ⑤ 사회성 : 사회 구성원 전체의 건강 증진을 위한 사회성이다.
> ⑥ 공공성 : 공공복지와 공익을 위한 공공성이다.
> ⑦ 상충성 : 제한된 자원을 분배하려는 사회적 형평성과 무한대의 서비스를 요구하는 개인의 가치가 상충(相衝, 충돌)하는 경우가 있다.

28 유병률(prevalence rate)을 산출할 때 분자가 되는 것은?

① 특정 질병에 의한 사망 수
② 조사 시점(기간)의 환자 수
③ 해당 연도에 새로 발생한 환자 수
④ 환자를 접촉한 감수성자 수
⑤ 일정 기간 동안 위험에 노출된 인구수

29 후천적으로 교정이 불가능한 만성질환의 위험인자는?

① 생활 습관
② 부적절한 식이
③ 유전적 소인
④ 스트레스
⑤ 신체 활동 부족

30 테러에 사용되는 생물무기의 특징으로 옳은 것은?

① 비용이 많이 든다.　② 은닉이 용이하다.
③ 운반이 어렵다.　④ 전파 경로의 차단이 쉽다.
⑤ 생산 시설의 규모가 커야 한다.

31 대중에게 보건교육을 시킬 수 있는 방법은?

① 포스터　② 개인 면담
③ 역할극　④ 배심 토의(패널디스커션)
⑤ 분단 토의

32 대상자들이 직접 실제 상황 중의 한 인물로 연기하면서 그 인물의 입장이나 처지를 이해하고, 건강 문제나 상황을 분석하여 해결 방안을 모색하는 보건교육방법은?

① 역할극　② 패널 토의　③ 심포지엄
④ 워크숍　⑤ 브레인스토밍

33 국제기구 중 아동복지와 관련 있는 기구는?

① 유니세프(UNICEF)　② 유네스코(UNESCO)
③ 국제노동기구(ILO)　④ 유엔환경계획(UNEP)
⑤ 경제협력개발기구(OECD)

해설 ① 유니세프(UNICEF) : 국제 연합 아동 기금(개발도상국 아동의 구제 · 복지 · 건강의 개선을 목적으로 함)
② 유네스코(UNESCO) : 국제 연합 교육 과학 문화 기구(국제 연합 전문 기관의 하나. 교육 · 과학 · 문화로써 국제 간 협력을 촉진하고, 그것에 의해 평화와 안전 보장에 기여함을 목적으로 함)
③ 국제노동기구(ILO) : 국제적 노동 조건의 개선을 위해 활동하는 국제 연합 전문 기구의 하나이다.
④ 유엔환경계획(UNEP) : 유엔 환경(環境) 계획 기구(환경보호 목적의 유엔 기구의 하나)
⑤ 경제협력개발기구(OECD) : 개발도상국의 원조, 경제 성장, 세계 무역의 확대 등을 주목적으로 1961년에 창설된 국제 협력 기구

34 세계보건기구(WHO)에 대한 설명으로 옳지 않은 것은?

① 최고의사결정기구인 세계보건총회(WHA)는 매년 5월에 스위스 제네바에서 개최된다.
② 북한은 동남아시아 지역사무소에 소속되어 있다.
③ WHO는 국제적인 보건사업을 지휘하며, 회원국에 경제적 지원과 의약품을 공급한다.
④ 전 세계에 6개 지역사무소가 설치되어 있다.
⑤ WHO는 국제적인 보건사업을 지휘하며, 회원국에 경제적 지원과 의약품을 공급하지 않는다.

35 WHO 건강 증진을 위한 국제회의 중 최초로 세계건강증진 대회가 개최된 곳은?

① 오타와　② 알마타　③ 워싱턴
④ 필리핀　⑤ 유럽

해설 ① WHO 건강증진을 위한 국제회의
제1차 : 오타와(Ottawa)(캐나다, 1986) : 최초로 세계건강증진 대회가 개최
1986년 11월 캐나다 오타와에서 최초로 세계건강증진 대회가 개최되었으며, 여기에서 건강 증진을 개인의 생활 개선에 한정시키지 않고, 사회적 환경 개선을 포함하는 "오타와헌장"이 채택되었다.
② 구소련 알마아타 : "2000년까지 모든 사람에게 건강을"이라는 슬로건으로 1차 보건의료에 관한 국제회의가 개최되어 1차 보건의료의 기원이 된 곳이다.

---

5 위생관계법령

01 공중위생시설이 아닌 것은?

① 이용업　② 미용업　③ 세탁업
④ 제과점　⑤ 건물위생관리업

해설 공중위생관리법 제2조(정의) ① 이 법에서 사용하는 용어의 정의는 다음과 같다.
1. "공중위생영업"이라 함은 다수인을 대상으로 위생관리서비스를 제공하는 영업으로써 숙박업 · 목욕장업 · 이용업 · 미용업 · 세탁업 · 건물위생관리업을 말한다.

02 「식품위생법」상 식품위생법의 목적이 아닌 것은?

① 식품생산의 합리적 관리
② 식품에 관한 올바른 정보 제공
③ 식품영양의 질적 향상 도모
④ 국민보건의 증진에 이바지
⑤ 식품으로 인하여 생기는 위생상의 위해 방지

해설 식품위생법 제1조(목적) 이 법은 식품으로 인하여 생기는 위생상의 위해(危害)를 방지하고 식품영양의 질적 향상을 도모하며 식품에 관한 올바른 정보를

03 "위생사의 업무 범위"에 포함되지 않는 것은?

① 공중위생영업소, 공중이용시설 및 위생용품의 위생관리
② 음료수의 처리 및 위생관리
③ 쓰레기, 분뇨, 하수, 그 밖의 폐기물의 처리
④ 식품 · 식품첨가물과 이에 관련된 기구 · 용기 및 포장의 제조와 가공에 관한 위생관리
⑤ 공중위생영업 허가

해설 공중위생관리법
법 제8조의2(위생사의 업무 범위) : ① · ② · ③ · ④번 외,
① 유해곤충 · 설치류 및 매개체 관리
② 그 밖에 보건위생에 영향을 미치는 것으로써 대통령령으로 정하는 업무
법 제3조(공중위생영업의 신고 및 폐업신고)
① 공중위생영업을 하고자 하는 자는 공중위생영업의 종류별로 보건복지부령이 정하는 시설 및 설비를 갖추고 시장 · 군수 · 구청장(자치구의 구청장에 한한다. 이하 같다)에게 신고하여야 한다.

04 위생관리등급의 구분 중 우수업소 등급 색깔은?

① 녹색　② 황색　③ 백색
④ 적색　⑤ 청색

해설 공중위생관리법
법 제13조(위생서비스수준의 평가)
① 시 · 도지사는 공중위생영업소(관광숙박업의 경우를 제외한다. 이하 이 조에서 같다)의 위생관리수준을 향상시키기 위하여 위생서비스평가계획(이하 "평가계획"이라 한다)을 수립하여 시장 · 군수 · 구청장에게 통보하여야 한다.
② 시장 · 군수 · 구청장은 평가계획에 따라 관할지역별 세부평가계획을 수립한 후 공중위생영업소의 위생서비스수준을 평가(이하 "위생서비스평가"라 한다)하여야 한다.
④ 제1항 내지 제3항의 규정에 의한 위생서비스평가의 주기 · 방법, 위생관리등급의 기준 기타 평가에 관하여 필요한 사항은 보건복지부령으로 정한다.
법 제14조(위생관리등급 공표 등)
① 시장 · 군수 · 구청장은 보건복지부령이 정하는 바에 의하여 위생서비스평가의 결과에 따른 위생관리등급을 해당공중위생영업자에게 통보하고 이를 공표하여야 한다.
② 공중위생영업자는 제1항의 규정에 의하여 시장 · 군수 · 구청장으로부터 통보받은 위생관리등급의 표지를 영업소의 명칭과 함께 영업소의 출입구에 부착할 수 있다.

③ 시·도지사 또는 시장·군수·구청장은 위생서비스평가의 결과 위생
서비스의 수준이 우수하다고 인정되는 영업소에 대하여 포상을 실시
할 수 있다.
시행규칙 제21조(위생관리등급의 구분 등)
① 법 제13조제4항의 규정에 의한 위생관리등급의 구분은 다음 각 호와
같다.
1. 최우수업소 : 녹색등급
2. 우수업소 : 황색등급
3. 일반관리대상 업소 : 백색등급

05 「공중위생관리법」상 공중위생영업자의 위생교육 시간은?

① 1시간   ② 2시간   ③ 3시간
④ 6시간   ⑤ 8시간

🔎해설 공중위생관리법
법 제17조(위생교육)
① 공중위생영업자는 매년 위생교육을 받아야 한다.
② 제3조제1항 전단의 규정에 의하여 신고를 하고자 하는 자는 미리 위
생교육을 받아야 한다. 다만, 보건복지부령으로 정하는 부득이한 사
유로 미리 교육을 받을 수 없는 경우에는 영업개시 후 6개월 이내에
위생교육을 받을 수 있다.
시행규칙 제23조(위생교육)
① 법 제17조에 따른 위생교육은 집합교육과 온라인 교육을 병행하여
실시하되, 교육시간은 3시간으로 한다.
② 위생교육의 내용은 「공중위생관리법」및 관련 법규, 소양교육(친절
및 청결에 관한 사항을 포함한다), 기술교육, 그 밖에 공중위생에 관
하여 필요한 내용으로 한다.
④ 법 제17조제1항 및 제2항에 따른 위생교육 대상자 중 보건복지부장
관이 고시하는 도서·벽지 지역에서 영업을 하고 있거나 하려는 자에
대하여는 제9항에 따른 교육교재를 배부하여 이를 익히고 활용하도
록 함으로써 교육에 갈음할 수 있다.
⑥ 법 제17조제2항 단서에 따라 영업신고 전에 위생교육을 받아야 하는
자 중 다음 각 호의 어느 하나에 해당하는 자는 영업신고를 한 후 6개
월 이내에 위생교육을 받을 수 있다.
1. 천재지변, 본인의 질병·사고, 업무상 국외 출장 등의 사유로 교
육을 받을 수 없는 경우
2. 교육을 실시하는 단체의 사정 등으로 미리 교육을 받기 불가능한
경우
⑧ 법 제17조제4항에 따른 위생교육을 실시하는 단체(이하 "위생교육
실시 단체"라 한다)는 보건복지부장관이 고시한다.
⑩ 위생교육 실시 단체의 장은 위생교육을 수료한 자에게 수료증을 교부
하고, 교육 실시 결과를 교육 후 1개월 이내에 시장·군수·구청장
에게 통보하여야 하며, 수료증 교부대장 등 교육에 관한 기록을 2년
이상 보관·관리하여야 한다.

06 다음 중 제1급감염병인 것은?

① A형간염 / 황열
② B형간염 / 뎅기열
③ C형간염 / 페스트
④ 중증급성호흡기증후군(SARS) / 중동호흡기증후군(MERS)
⑤ 일본뇌염 / 인플루엔자

🔎해설 감염병예방법 제2조(정의)

07 보건복지부장관은 감염병의 예방 및 관리에 관한 "기본계획"을 몇 년마다 수립·시행하여야 하는가?

① 1년   ② 2년   ③ 3년
④ 4년   ⑤ 5년

🔎해설 감염병예방법 제7조(감염병 예방 및 관리 계획의 수립 등) ① 질병관리
청장은 보건복지부장관과 협의하여 감염병의 예방 및 관리에 관한 기본
계획(이하 "기본계획"이라 한다)을 5년마다 수립·시행하여야 한다.

08 소독업을 하고자 하는 자는 누구에게 신고하여야 하는가?

① 특별자치도지사 또는 시장·군수·구청장
② 특별시장 또는 시장·군수·구청장
③ 시·도지사
④ 보건복지부장관
⑤ 보건소장

🔎해설 감염병예방법 제52조(소독업의 신고 등) ① 소독을 업으로 하려는 자(제
51조제4항 단서에 따른 주택관리업자는 제외한다.)는 보건복지부령으
로 정하는 시설·장비 및 인력을 갖추어 특별자치도지사 또는 시장·군
수·구청장에게 신고하여야 한다.

09 역학조사의 내용 중 옳지 않은 것은?

① 감염병환자등의 인적 사항
② 감염병환자등의 발병일 및 발병 장소
③ 감염병의 감염원인 및 감염 경로
④ 예방접종 후 이상반응자의 인적 사항
⑤ 감염병환자등에 관한 예방방법

🔎해설 감염병예방법 제12조(역학조사의 내용)
① 법 제18조제1항에 따른 역학조사에 포함되어야 하는 내용은 다음 각
호와 같다.
1. 감염병환자등 및 감염병의심자의 인적 사항
2. 감염병환자등의 발병일 및 발병 장소
3. 감염병의 감염 원인 및 감염 경로
4. 감염병환자등 및 감염병의심자에 관한 진료 기록
5. 그 밖에 감염병의 원인 규명과 관련된 사항
② 법 제29조에 따른 역학조사에 포함되어야 하는 내용은 다음 각 호와
같다.
1. 예방접종 후 이상반응자의 인적 사항
2. 예방접종기관, 접종 일시 및 접종 내용
3. 예방접종 후 이상반응에 관한 진료 기록
4. 예방접종약에 관한 사항
5. 그 밖에 예방접종 후 이상반응의 원인 규명과 관련된 사항

10 감염병의 병원체를 확인할 수 있는 기관이 아닌 곳은?

① 질병관리청   ② 보건환경연구원
③ 국립검역소   ④ 보건소
⑤ 국립환경연구원, 보건진료소

🔎해설 감염병예방법 제16조의2(감염병병원체 확인기관) ① 다음 각 호의 기
관(이하 "감염병병원체 확인기관"이라 한다)은 실험실 검사 등을 통하여
감염병병원체를 확인할 수 있다.
1. 질병관리청
2. 국립검역소
3. 「보건환경연구원법」제2조에 따른 보건환경연구원
4. 「지역보건법」제10조에 따른 보건소
5. 「의료법」제3조에 따른 의료기관 중 진단검사의학과 전문의가 상근
(常勤)하는 기관
6. 「고등교육법」제4조에 따라 설립된 의과대학 중 진단검사의학과가 개
설된 의과대학
7. 「결핵예방법」제21조에 따라 설립된 대한결핵협회(결핵환자의 병원
체를 확인하는 경우만 해당한다.)
8. 「민법」제32조에 따라 한센병환자 등의 치료·재활을 지원할 목적으
로 설립된 기관(한센병환자의 병원체를 확인하는 경우만 해당한다.)
9. 인체에서 채취한 검사물에 대한 검사를 국가, 지방자치단체, 의료기
관 등으로부터 위탁받아 처리하는 기관 중 진단검사의학과 전문의가
상근하는 기관

11 「감염병의 예방 및 관리에 관한 법률」상 그 밖의 신고의무자가 제1급감염병 중 보건복지부령으로 정하는 감염병이 발생한 경우 관할 보건소장에게 지체 없이 신고하거나 알려야 하는 사항이 <u>아닌</u> 것은?

① 감염병환자의 성명, 주소
② 감염병환자의 직업
③ 감염병환자의 주요 증상 및 발병일
④ 신고인의 성명, 주소와 감염병환자와의 관계
⑤ 감염병환자가 입원한 감염병전문병원의 주소

⊕해설 감염병예방법 시행규칙 제9조(그 밖의 신고의무자의 신고)
제공함으로써 국민건강의 보호 · 증진에 이바지함을 목적으로 한다.

12 「식품위생법」상 용어에 대한 정의로 옳지 <u>않은</u> 것은?

① "식품"이란 의약으로 섭취하는 것을 포함한 모든 음식물을 말한다.
② "용기 · 포장"이란 식품 또는 식품첨가물을 넣거나 싸는 것으로써 식품 또는 식품첨가물을 주고받을 때 함께 건네는 물품을 말한다.
③ "화학적 합성품"이란 화학적 수단으로 원소 또는 화합물에 분해반응 외의 화학 반응을 일으켜서 얻은 물질을 말한다.
④ "위해"란 식품, 식품첨가물, 기구 또는 용기 · 포장에 존재하는 위험 요소로써 인체의 건강을 해치거나 해칠 우려가 있는 것을 말한다.
⑤ "식중독"이란 식품 섭취로 인하여 인체에 유해한 미생물 또는 유독물질에 의하여 발생하였거나 발생한 것으로 판단되는 감염성 질환 또는 독소형 질환을 말한다.

⊕해설 식품위생법 제2조(정의)

13 식품위생법에서 정의하는 "집단급식소" 기준으로 옳은 것은?

① 10인 이상　　② 20인 이상　　③ 30인 이상
④ 40인 이상　　⑤ 50인 이상

⊕해설 식품위생법 시행령 제2조(정의)

14 「식품위생법」상 기구 및 용기 · 포장에 관한 기준 및 규격을 정하여 고시하는 자는?

① 시장 · 군수 · 구청장
② 시 · 도지사
③ 질병관리청장
④ 보건복지부장관
⑤ 식품의약품안전처장

⊕해설 식품위생법 제7조(식품 또는 식품첨가물에 관한 기준 및 규격)

15 「식품위생법」상 식품등의 기준 및 규격 관리 기본계획에 포함되는 노출량 평가 · 관리의 대상이 되는 유해물질의 종류가 <u>아닌</u> 것은?

① 중금속
② 곰팡이 독소
③ 유기성 오염물질
④ 제조 · 가공 과정에서 생성되는 오염물질
⑤ 질병관리청장이 노출량 평가 · 관리가 필요하다고 인정한 유해물질

⊕해설 식품위생법
법 제7조의4(식품등의 기준 및 규격 관리계획 등) ① 식품의약품안전처장은 관계 중앙행정기관의 장과의 협의 및 심의위원회의 심의를 거쳐 식품등의 기준 및 규격 관리 기본계획(이하 "관리계획"이라 한다)을 5년마다 수립 · 추진할 수 있다.
규칙 제5조의4(식품등의 기준 및 규격 관리 기본계획 등의 수립 · 시행) ① 법 제7조의4제1항에 따른 식품등의 기준 및 규격 관리 기본계획(이하 "관리계획"이라 한다)에 포함되는 노출량 평가 · 관리의 대상이 되는 유해물질의 종류는 다음 각 호와 같다.
1. 중금속
2. 곰팡이 독소
3. 유기성 오염물질
4. 제조 · 가공 과정에서 생성되는 오염물질
5. 그 밖에 식품등의 안전관리를 위하여 식품의약품안전처장이 노출량 평가 · 관리가 필요하다고 인정한 유해물질

16 「식품위생법」상 식품안전관리인증기준적용업소로 받은 인증의 유효 기간은 인증을 받은 날부터 몇 년인가?

① 1년　　　　② 2년　　　　③ 3년
④ 4년　　　　⑤ 5년

⊕해설 식품위생법
법 제48조(식품안전관리인증기준) ③ 식품의약품안전처장은 제2항에 따라 식품안전관리인증기준을 지켜야 하는 영업자와 그 밖에 식품안전관리인증기준을 지키기 원하는 영업자의 업소를 식품별 식품안전관리인증기준 적용 업소(이하 "식품안전관리인증기준적용업소"라 한다)로 인증할 수 있다.
법 제48조의2(인증 유효 기간)
① 제48조제3항에 따른 인증의 유효기간은 인증을 받은 날부터 3년으로 하며, 같은 항 후단에 따른 변경 인증의 유효기간은 당초 인증 유효 기간의 남은 기간으로 한다.
③ 식품의약품안전처장은 제2항에 따른 연장신청을 받았을 때에는 안전관리인증기준에 적합하다고 인정하는 경우 3년의 범위에서 그 기간을 연장할 수 있다.

17 냉 · 온수기 설치 및 장소, 설치 대수는 누구에게 신고하는가?

① 시장 · 군수 · 구청장　　② 보건복지부장관
③ 해양수산부장관　　　　④ 시 · 도지사
⑤ 환경부장관

⊕해설 먹는물관리법 제8조의2(냉 · 온수기 또는 정수기의 설치 · 관리) ① 냉 · 온수기 설치 · 관리자 또는 정수기 설치 · 관리자는 환경부령으로 정하는 바에 따라 냉 · 온수기 또는 정수기의 설치 장소, 설치 대수 등을 시장 · 군수 · 구청장에게 신고하여야 한다. 신고한 사항 중 환경부령으로 정하는 중요한 사항을 변경하려는 때에도 또한 같다.

18 1일 취수 능력 300톤 이상의 샘물등을 개발하려는 자는 누구에게 허가를 받아야 하는가?

① 시장 · 군수 · 구청장
② 보건복지부장관
③ 해양수산부장관
④ 시 · 도지사
⑤ 환경부장관

⊕해설 먹는물관리법
법 제9조(샘물 또는 염지하수의 개발 허가 등) ① 대통령령으로 정하는 규모 이상의 샘물 또는 염지하수(이하 "샘물등"이라 한다)를 개발하려는 자는 환경부령으로 정하는 바에 따라 시 · 도지사의 허가를 받아야 한다.
시행령 제3조(샘물 또는 염지하수의 개발허가 대상) ① 법 제9조제1항에서 "대통령령으로 정하는 규모 이상의 샘물 또는 염지하수(이하 "샘물등"이라 한다)를 개발하려는 자"란 다음 각 호의 자를 말한다.
2. 1일 취수 능력 300톤 이상의 샘물등(원수(原水)의 일부를 음료류 · 주류 등의 원료로 사용하는 샘물등을 말한다. 이하 "기타샘물"이라 한다)를 개발하려는 자

19 수질개선부담금을 지원하지 않는 것은?

① 먹는물의 수질관리시책 사업비의 지원

② 먹는물의 수질검사 실시 비용의 지원

③ 먹는물공동시설의 관리를 위한 비용의 지원

④ 샘물보전구역을 지정한 시·도지사에 대한 지원

⑤ 가정의 개인 지하수 설치비용 지원

해설 먹는물관리법

법 제33조(수질개선부담금의 용도)

제31조에 따라 징수된 수질개선부담금은 다음 각 호의 어느 하나에 해당하는 용도에만 사용한다. 다만, 제31조제8항에 따라 징수비용으로 교부한 금액은 해당 수질개선부담금을 부과·징수하는 데에 드는 경비 등으로 사용하여야 한다.

1. 제5조제1항에 따른 먹는물의 수질관리시책 사업비의 지원
2. 제5조제2항에 따른 먹는물의 수질검사 실시 비용의 지원
2의2. 제8조제1항에 따른 먹는물공동시설의 관리를 위한 비용의 지원
3. 그 밖에 공공의 지하수 자원을 보호하기 위하여 대통령령으로 정하는 용도

시행령 제15조(수질개선부담금의 용도)

법 제33조제3호에서 "대통령령으로 정하는 용도"란 다음 각 호의 어느 하나에 해당하는 용도를 말한다.

1. 「지하수법」 제12조에 따른 지하수보전구역의 지정을 위한 조사의 실시
2. 지하수자원의 개발·이용 및 보전·관리를 위한 기초조사와 복구 사업의 실시
3. 법 제31조제9항에 따른 샘물보전구역을 지정한 시·도지사에 대한 지원

20 수질개선 부담금 부과 대상이 아닌 것은?

① 먹는샘물등의 제조업자가 취수한 샘물

② 먹는샘물등의 수입판매업자가 수입한 먹는샘물등

③ 기타샘물의 개발허가를 받은 자가 취수한 샘물 등

④ 먹는샘물등의 제조업 허가를 받은 자가 취수한 샘물 등

⑤ 수출하는 것

해설 먹는물관리법 시행령 제7조(부담금의 부과 대상)

① 법 제31조제1항에 따른 수질개선부담금(이하 "부담금"이라 한다)의 부과 대상은 다음 각 호와 같다.

1. 법 제9조에 따라 개발 허가를 받은 자로서 다음 각 목의 구분에 따른 자가 취수한 샘물 등
   가. 기타샘물의 개발허가를 받은 자가 취수한 샘물 등
   나. 음료류를 제조하기 위하여 먹는샘물등의 제조설비를 사용하는 자가 취수한 샘물 등
2. 법 제21조제1항에 따라 먹는샘물등의 제조업 허가를 받은 자(이하 "먹는샘물등의 제조업자"라 한다)가 취수한 샘물 등
3. 법 제21조제3항에 따라 먹는샘물등의 수입판매업의 등록을 받은 자(이하 "먹는샘물등의 수입판매업자"라 한다)가 수입한 먹는샘물등

② 제1항에 따른 부과 대상 중 다음 각 호의 어느 하나에 해당하는 것은 부담금의 부과 대상에서 제외한다.

1. 수출하는 것
2. 우리나라에 주재하는 외국군대 또는 주한외국공관에 납품하는 것
3. 「재난 및 안전관리 기본법」 제66조제3항제1호에 따라 이재민의 구호를 위하여 지원·제공하는 것
4. 법 제13조제1항에 따른 환경영향조사 및 법 제18조제1항에 따른 환경영향심사를 위하여 취수한 샘물 등

21 먹는샘물등, 수처리제, 정수기 또는 그 용기의 제조업자의 자가 품질 검사성적서 보존 기간은?

① 1년 ② 2년 ③ 3년
④ 4년 ⑤ 5년

해설 먹는물관리법 시행규칙 제33조(자가품질검사) 검사성적서는 2년간 보존하여야 한다.

22 먹는물 분석기관이 아닌 것은?

① 국립환경과학원

② 유역환경청 또는 지방환경청

③ 시·도 보건환경연구원

④ 특별시·광역시의 상수도연구소·수질검사소

⑤ 농어촌공사

해설 먹는물관리법

시행규칙 제8조(조사대행자의 등록)

① 법 제15조 전단에 따라 환경영향조사 대행자(이하 "조사대행자"라 한다)로 등록하려는 자는 별지 제6호서식의 환경영향조사 대행자 등록 신청서(전자문서를 포함한다.)에 다음 각 호의 서류를 첨부하여 시·도지사에게 제출하여야 한다.

⑧ 다음 각 호의 어느 하나에 해당하는 기관은 제1항부터 제3항까지의 규정에도 불구하고 조사대행자로 등록한 것으로 본다.

1. 「한국농어촌공사 및 농지관리기금법」에 따른 한국농어촌공사
2. 「과학기술분야 정부출연연구기관 등의 설립·운영 및 육성에 관한 법률」 제8조제1항에 따라 설립된 한국지질자원연구원

시행규칙 제35조(검사기관의 지정 등)

⑥ 다음 각 호의 어느 하나에 해당하는 기관은 먹는물 수질검사기관(바이러스 및 원생동물검사 분야는 제외한다.) 및 수처리제 검사기관으로 지정된 것으로 본다. 이 경우 법 제36조제2항에 따른 자가기준과 자가규격에 관한 검사는 제1호의 기관에서만 할 수 있다.

1. 국립환경과학원
2. 유역환경청 또는 지방환경청
3. 시·도 보건환경연구원
4. 특별시·광역시의 상수도연구소·수질검사소

23 일반의료폐기물에 해당하는 것은?

① 주삿바늘

② 봉합 바늘

③ 수술용 칼날

④ 피 묻은 생리대

⑤ 폐항암제

해설 폐기물관리법 시행령 [별표 2]

일반의료폐기물 : 혈액·체액·분비물·배설물이 함유되어 있는 탈지면, 붕대, 거즈, 일회용 기저귀, 생리대, 일회용 주사기, 수액세트

24 혈액오염폐기물에 해당하는 것은?

① 폐혈액백

② 폐백신

③ 폐항암제

④ 폐화학치료제

⑤ 폐시험관

해설 폐기물관리법 시행령 [별표 2]

① 혈액오염폐기물 : 폐혈액백, 혈액투석 시 사용된 폐기물, 그 밖에 혈액이 유출될 정도로 포함되어 있어 특별한 관리가 필요한 폐기물

② 생물·화학폐기물 : 폐백신, 폐항암제, 폐화학치료제

25 폐기물분석 전문기관이 <u>아닌</u> 곳은?

① 한국환경공단

② 수도권매립지관리공사

③ 보건환경연구원

④ 환경부장관이 폐기물의 시험 · 분석 능력이 있다고 인정하는 기관

⑤ 수질검사소

해설 폐기물관리법 제17조의2(폐기물분석전문기관의 지정) ① 환경부장관은 폐기물에 관한 시험 · 분석 업무를 전문적으로 수행하기 위하여 다음 각 호의 기관을 폐기물 시험 · 분석 전문기관(이하 "폐기물분석전문기관"이라 한다)으로 지정할 수 있다.

1. 「한국환경공단법」에 따른 한국환경공단
2. 「수도권매립지관리공사의 설립 및 운영 등에 관한 법률」에 따른 수도권매립지관리공사
3. 「보건환경연구원법」에 따른 보건환경연구원
4. 그 밖에 환경부장관이 폐기물의 시험 · 분석 능력이 있다고 인정하는 기관

이 책의 내용 변경과 개정 법령은 홈페이지(www.crownbook.co.kr) 학습자료실을 참고하기 바람

최종 필기 실전모의고사 정답

1 환경위생학

01 ③	02 ③	03 ②	04 ⑤	05 ①	06 ②	07 ⑤	08 ②	09 ⑤	10 ①
11 ⑤	12 ①	13 ③	14 ①	15 ②	16 ①	17 ④	18 ③	19 ③	20 ⑤
21 ③	22 ②	23 ②	24 ③	25 ②	26 ④	27 ③	28 ①	29 ⑤	30 ③
31 ①	32 ②	33 ④	34 ①	35 ①	36 ①	37 ⑤	38 ④	39 ①	40 ①
41 ①	42 ⑤	43 ④	44 ③	45 ①	46 ①	47 ④	48 ②	49 ③	50 ③

2 위생곤충학

01 ③	02 ①	03 ②	04 ②	05 ③	06 ④	07 ④	08 ③	09 ④	10 ①
11 ②	12 ①	13 ①	14 ①	15 ③	16 ④	17 ④	18 ⑤	19 ④	20 ⑤
21 ②	22 ②	23 ①	24 ②	25 ⑤	26 ②	27 ③	28 ①	29 ①	30 ①

3 식품위생학

01 ③	02 ⑤	03 ②	04 ⑤	05 ④	06 ①	07 ⑤	08 ④	09 ②	10 ②
11 ②	12 ①	13 ①	14 ②	15 ①	16 ③	17 ①	18 ①	19 ④	20 ⑤
21 ④	22 ①	23 ②	24 ①	25 ②	26 ④	27 ③	28 ③	29 ②	30 ③
31 ③	32 ②	33 ⑤	34 ③	35 ⑤	36 ③	37 ⑤	38 ⑤	39 ①	40 ①

4 공중보건학

01 ②	02 ①	03 ③	04 ④	05 ⑤	06 ①	07 ①	08 ①	09 ②	10 ④
11 ④	12 ⑤	13 ④	14 ②	15 ①	16 ⑤	17 ④	18 ③	19 ②	20 ④
21 ④	22 ②	23 ⑤	24 ①	25 ③	26 ①	27 ②	28 ②	29 ③	30 ②
31 ①	32 ①	33 ①	34 ③	35 ①					

5 위생관계법령

01 ④	02 ①	03 ⑤	04 ②	05 ③	06 ④	07 ⑤	08 ①	09 ⑤	10 ⑤
11 ⑤	12 ①	13 ①	14 ⑤	15 ⑤	16 ③	17 ①	18 ④	19 ⑤	20 ⑤
21 ②	22 ⑤	23 ④	24 ①	25 ⑤					

초특급 핵심문제

40

최종 실기 실전 모의고사

시험시간 : 40분	문제지유형별 : A	수험번호 :	성명 :

01 "그림 1"은 무엇을 측정하는 기구인가?

① 온도   ② 기습   ③ 바람
④ 복사열   ⑤ 조도

02 "그림 2"의 기온 측정 시간은?

① 1분   ② 3분   ③ 5분
④ 10분   ⑤ 15분

⊕ 해설
기온의 측정 시간 : 수은 온도계는 2분, 알코올 온도계는 3분을 측정한다.

03 "그림 3" 기구의 명칭은 무엇인가?

① 자기 온도계   ② 아우구스트 건습계
③ 자기 습도계   ④ 아스만 통풍 습도계
⑤ 수은 온도계

04 "그림 4"는 강하분진을 측정하는 기구이다. 강하분진 측정 시 이끼 방지를 위하여 포집병(E)에 사용하는 물질은?

① 염산   ② 황산알루미늄   ③ 황산동
④ 수산화칼륨   ⑤ 명반

05 "그림 5"의 측정 단위는 어떻게 표시하는가?

① dB   ② Lux   ③ Phone
④ Watt   ⑤ pH

06 소음은 풍속 몇 m/sec 초과할 때 측정을 안 하는가?

① 1.0   ② 2.0   ③ 3.0
④ 4.0   ⑤ 5.0

07 "그림 7"과 같은 구성도를 가진 기기는 환경오염물질을 측정하는 데 쓰인다. 이 기기의 명칭은 무엇인가?

① 가스크로마토그래피법   ② 흡광광도법
③ 원자흡광광도법   ④ 적외선분석법
⑤ 비분산적외선법

08 "그림 8"은 무슨 계통도인가?

① 가스크로마토그래피법   ② 흡광광도법
③ 원자흡광광도법   ④ 적외선측정법
⑤ 비분산적외선

09 "그림 9"와 같은 장치 구성으로 측정 가능한 물질은?

① 미세먼지   ② 강하먼지   ③ 부유먼지
④ 석면   ⑤ 수은

⊕ 해설
대기 중의 비산먼지 측정법
① 수동 : 하이볼륨에어샘플러법, 로우볼륨에어샘플러법
② 자동 : 광산란법, 광투과법, 베타선흡수법(베타선법, β-Ray Method)
㉮ 환경 대기 중의 미세먼지(PM-10) 자동측정법 중 베타선법의 목적 : 이 시험 방법은 환경 대기 중에 존재하는 입경이 10μm 이하인 입자상물질(PM-10)의 질량 농도를 베타선법에 의해 측정하는 방법에 대해 규정하며, 베타선법에 의한 측정의 정확성과 통일성을 갖추는 것을 목적으로 한다.

10 화학적산소요구량(COD_{Cr})을 측정하기 위해 다이크롬산칼륨법(적정법)을 사용할 경우 적정 종말점의 색깔 변화로 옳은 것은?

① 청색 → 무색   ② 청록색 → 적갈색
③ 무색 → 엷은 갈색   ④ 무색 → 엷은 홍색
⑤ 무색 → 엷은 적황색

⊕ 해설
화학적 산소요구량(COD : Chemical Oxygen Demand)
(1) 과망간산칼륨에 의한 화학적 산소요구량(COD_{Mn})
① 산성 100℃에서 과망간산칼륨에 의한 COD : 0.025N-과망간산칼륨용액을 사용하여 액의 색이 엷은 홍색을 나타낼 때까지 적정한다.
② 알칼리성 100℃에서 과망간산칼륨에 의한 COD : 4%(W/V) 아지드화나트륨 한 방울을 가하고 황산용액(2+1) 5ml를 넣어 유리된 요오드를 지시약으로 전분용액 2ml를 넣고 0.025N-티오황산나트륨용액으로 무색이 될 때까지 적정한다.
(2) 중크롬산칼륨에 의한 화학적산소요구량(COD_{Cr}) : 0.025N-황산제일철암모늄액을 사용하여 액의 색이 청록색에서 적갈색으로 변할 때까지 적정한다.

11 염소이온 측정 시 적정 시약은?

① 질산은($AgNO_3$)   ② 과망간산칼륨   ③ 황산
④ 염산(HCl)   ⑤ 수은

⊕ 해설
① 염소이온 검사 시약 : K_2CrO_4(크롬산칼륨) 50g을 증류수 약 200ml에 녹이고 적색 침전이 생길 때까지 질산은($AgNO_3$) 시약을 넣어 여과 후 여과액에 증류수를 넣어 전량 1,000ml로 만든다.
② 염소이온의 측정 원리 : 지시약으로 가해진 K_2CrO_4(크롬산칼륨)의 존재하에서 질산은($AgNO_3$)으로 적정하여 미주홍색이 나타나면 이 점을 적정의 종말점으로 한다.

12 "그림 12"는 무엇을 채집하는 기구인가?

① 공기   ② 물   ③ 흙
④ 중금속   ⑤ 온도

13 다음은 먹는물수질공정시험기준에서 제시하는 경도의 정의이다.
( ) 안에 들어갈 것으로 옳은 것은?

> 경도(hardness)란 먹는물 중에 존재하는 칼슘과 마그네슘의 농도를 ( )의 농도(mg/l)로 나타낸 값이다.

① 염화칼슘   ② 탄산칼슘   ③ 크롬산칼륨
④ 산화마그네슘   ⑤ 염화마그네슘

⊕ 해설
경도라 함은 물속에 용해되어 있는 Ca^{2+}, Mg^{2+}, Mn^{2+}, Fe^{2+}, Sr^{2+} 등의 2가 양이온이 원인이 되며 이들의 양을 탄산칼슘($CaCO_3$)으로 환산하여 나타낸다.

14 소독약의 살균기전 연결이 바르게 된 것은?

① 오존 – 환원작용　　　② 과산화수소 – 환원작용
③ 역성비누 – 단백질 응고　　④ 산화에틸렌 – DNA 변경
⑤ 생석회 – 환원작용

＋해설

소독약의 살균기전
① 산화작용 : 과산화수소(H_2O_2), 과망간산칼륨($KMnO_4$), 오존(O_3), 염소(Cl_2)
② 균체의 단백질 응고 : 알코올, 석탄산, 크레졸, 포르말린, 승홍
③ 균체의 효소불활 작용 : 알코올, 석탄산, 중금속염, 역성비누
④ 핵산(DNA, RNA)에 의한 작용 : 에틸렌옥사이드(Ethylen oxide, 산화에틸렌), formalin, 자외선, 방사선
⑤ 생석회(CaO) : 1차적 [물 + 생석회 → 열반응(고온, 200℃)]
　　　　　　　　2차적 [열반응 후 소석회로 변해 강알칼리(pH 11~12) 작용이 있어 소독효과를 나타냄]

[참고]
에틸렌옥사이드(Ethylen oxide, 산화에틸렌, OEG 살균)
① 맹독성 기체인 에틸렌옥사이드를 이용하는 화학적 소독법에 속한다.
② 살균기전 : 핵산에 작용
③ 사용 : 주사기, 페트리디쉬의 소독에 사용되는 것

15 고형배지는 한천, 혈청, 난 등을 사용하여 고형화한 배지이다. "그림 15"의 배지는?

① 고층배지　　　② 중층배지　　　③ 저층배지
④ 증윤배지　　　⑤ 평판배지

＋해설

배지의 종류
임상 검체에서 병원균을 분리하거나 연구 목적으로 실험실 내에서 목적하는 세균을 증식시키고자 할 때, 그 세균이 증식 가능한 배지를 만들어 적당한 환경에서 배양한다.
(1) 형상에 의한 분류
　① 액체배지 : 각 성분을 증류수에 녹인 것. broth 또는 bullion이라고도 한다.
　② 고형배지 : 한천(agar), 혈청, 난 등을 사용하여 고형화한 배지이다.
　　㉮ 평판배지 : 샤레(Petri dish)에 2~3mm 두께로 굳힌 것
　　㉯ 사면배지 : 시험관에서 사면을 만든 것(미생물 생육을 보호하기 위해서)
　　㉰ 고층배지 : 시험관을 수직으로 유지한 상태에서 배지를 굳힌 것
　③ 반고체배지 : 한천 농도를 반 이하로 줄인 것으로 형태로는 고층배지의 형태이다.
(2) 조성에 의한 분류
　① 천연배지
　② 합성배지
(3) 목적에 의한 분류
　① 증균배지 : 균을 증식시키기 위한 배지이다.
　② 선택감별분리배지(선택적분리배지)
　　여러 종류의 균이 혼합되어 있는 재료에서 어떤 특정균을 분리하기 위한 배지이며, 선택감별분리배지에는 SS배지, TCBS배지 등이 있다.
　　㉮ SS배지(SS agar ; Salmonella–selenite agar)
　　　㉠ 살모넬라 및 쉬겔라균(이질, 적리균)의 선택적분리배지이다.
　　　㉡ 그람양성균이나 대장균의 발육은 억제된다.
　　㉯ TCBS배지(thiosulfate citrate bile salts sucrose agar, TCBS agar) 콜레라나 장염비브리오균 분리에 사용하는 선택적분리배지이다.
　③ 감별배지(확인배지) : 균의 생리, 생화학적 성상을 조사하는 배지이다.
　※ 쉬겔라속(Shigella) : 세균성이질의 병원체는 Shigella dysenteria이다.

16 증균배지인 셀레나이트배지(selenite broth)로 분리할 수 있는 것은?

① 쉬겔라균　　　② 대장균　　　③ 녹농균
④ 일반세균　　　⑤ E. coli

＋해설

쉬겔라–시험관법(Shigella–Multiple Tube Method)
① 적용 범위 : 이 시험 방법은 먹는물수질기준 및 검사 등에 관한 규칙에 의한 먹는물의 수질기준에 규정된 먹는물, 샘물 및 염지하수의 수질검사에 적용한다.
② 쉬겔라 : 장내 세균의 하나로 운동성이 없고, 아포를 만들지 않으며 세균성이질 및 식중독을 일으키는 그람음성 간균이다. 락토스를 분해하지 않으며, 당분해로 산을 형성하지만 기체는 형성하지 않는 생화학적 특성을 가진다.

③ 시약 및 표준용액
　㉮ 증균배지(3배 농후 셀레나이트 액체배지, 3×Selenite broth)
　　: 셀레나이트배지(selenite broth)는 Salmonella와 설사원인균(쉬겔라균)의 분리에 사용되므로, "먹는물수질기준"에서 쉬겔라균 측정 시 증균배지(증식배지)로 셀레나이트배지를 사용한다.
　㉯ 추정시험용 배지(자이로스 라이신 데속시콜레이트 한천 선택배지 ; XLD agar)
　㉰ 확인시험용 배지(트립틱 소이 배지, Tryptic soy agar)

[참고]
(1) 셀레나이트배지(selenite broth)
　① 셀레나이트배지는 살모넬라 종을 분변 등에서 분리하기 위한 "증식배지"의 일종이다.
　② 다른 장내세균의 대부분은 이 배지에서 증식이 억제된다.
　③ 이 배지에서 E. coli는 생육이 부분적으로 억제되고, Salmonella spp(살모넬라균)는 잘 배양된다.
　　㉮ 아(亞)셀레산나트륨에 의해 다른 장내세균의 발육은 억제된다.
　　㉯ 배지에 포함되어 있는 sodium selenite는 Salmonella spp를 선별적으로 자라게 한다.
　④ 용도 : Salmonella와 설사원인균(쉬겔라균)의 분리에 사용한다.
　⑤ 검체를 접종하고 12~18시간 배양한 후에 감별배지에 접종한다.
(2) Salmonella spp
　① Salmonella spp는 진정세균강, 진정세균목에 속하는 균이다.
　② 사람이나 동물에 티푸스성 질환을 일으키고 식중독의 원인균이 된다.
　③ Sal. typhimurium, Sal. thompson, Sal. enteritidis, Sal. derby 등 2,400여종의 혈청형이 존재하는데, 이 중에서 2,300여종이 식중독을 발병시킨다.
　※ sodium(나트륨) selenite(셀렌산염)

17 식품공전에 의한 우유류 규격 기준 중 산도(젖산으로써)값으로 옳은 것은?

① 0.18% 이하　　　② 0.19~0.20%
③ 0.25~0.30%　　　④ 0.35~0.40%
⑤ 0.45% 이상

＋해설

우유류 규격 및 기준
① 수분 : 82%
② 유당 : 3.5~6.0%
③ 유지방 : 2.5~8.0%(3.7%, 3% 이상)
④ 유단백 : 2.5~5.0%(3.4%)
⑤ 산도 : pH 6.6~6.8(젖산으로써는 0.18% 이하)
⑥ 비중 : 1.028~1.032 등

18 "그림 18"은 미생물 증식 곡선이다. 대사산물이 가장 많이 분비되는 "대수기"에 해당하는 것은?

① A　　　② B　　　③ C
④ D　　　⑤ A~D

＋해설

미생물 증식 곡선 : 유도기 → 대수기 → 정지기 → 사멸기

19 "그림 19"에 있는 균의 질병은?

① 세균성이질　　② 장염비브리오　　③ 콜레라
④ 소아마비　　　⑤ 장티푸스

20 식중독을 일으키는 세균 중 "그림 20"과 같이 편모가 하나이며 3~4% 식염첨가 배지에서 잘 자라는 균은?

① 황색포도상구균　　② 살모넬라균　　③ 장염비브리오균
④ 병원성대장균　　　⑤ 장티푸스균

＋해설

① 황색포도상구균 : 무편모
② 장염비브리오균 : 단모균
③ 살모넬라균, 병원성대장균, 장티푸스균 : 주모균

21 "그림 21"은 어느 기생충의 cycle(생활사)를 나타낸 것인가?
① 회충　　　　② 요충　　　　③ 십이지장충
④ 선모충　　　⑤ 편충

22 "그림 22"는 어느 기생충의 생활사를 나타낸 것인가?
① 간디스토마(간흡충)　　② 폐디스토마(폐흡충)
③ 무구조충　　　　　　　④ 광절열두조충
⑤ 유구조충

23 "그림 23"은 바다생선이 중간숙주이다. 사진의 명칭은?
① 간흡충　　　　② 회충　　　　③ 아니사키스
④ 폐디스토마　　⑤ 구충

⊕ 해설
아니사키스(anisakis, 고래회충) : 제1중간숙주 → 갑각류(크릴새우)
제2중간숙주 → 바다생선(고등어, 갈치, 오징어 등)

24 폴리염화비닐(PVC) 재질의 식품 포장재에서 용출될 수 있는 내분비교란물질은?
① 둘신　　　　　　　　② 메탄올
③ 니트로소아민　　　　④ 파라티온화합물
⑤ 프탈레이트화합물

⊕ 해설
내분비계 장애물질(환경호르몬) 물질 종류 : 음료수 캔의 코팅물질 등에 사용되는 비스페놀 A, 플라스틱 가소제인 프탈레이트, PCB, DDT, 다이옥신 등

25 "그림 25"의 North 곡선 중 빗금 친 부분을 무엇이라 하는가?
① 중간대　　　② 최고대　　　③ 최저대
④ 쾌적대　　　⑤ 우유형성대

26 식품 시설의 벽은 바닥에서 몇 m까지 내수성 자재로 하는 것이 좋은가?
① 1m　　　　② 1.5m　　　③ 2m
④ 3.5m　　　⑤ 5m

27 "그림 27"은 공장 벽면과 바닥 구조를 나타낸 것이다. 가장 이상적인 것은?
① ㉠　　　　② ㉡　　　　③ ㉢
④ ㉣　　　　⑤ ㉤

28 다음 중 식품 공장의 천장은?
① 천장은 벽과 달리 어두운 색으로 한다.
② 비스듬히 한다.
③ 천장은 벽과 완만한 경사로 한다.
④ 천장은 벽과 직각의 경사로 한다.
⑤ 천장은 벽과 90도의 경사로 한다.

29 "그림 29"에서 바퀴 알은?
① ㉠　　　　② ㉡　　　　③ ㉢
④ ㉣　　　　⑤ ㉤

30 "그림 30" 중 모기의 생활사 중에서 수중생활을 하는 것은?
① ㉠　　　　② ㉡　　　　③ ㉢
④ ㉠~㉢까지　⑤ ㉠~㉡까지

⊕ 해설
모기의 생활사(집모기속) : ㉠ – 난괴, ㉡ – 성충(암컷)의 산란, ㉢ – 번데기에서 우화하는 성충

31 "그림 31"은 무엇을 방제하기 위한 것인가?
① 모기　　　② 파리　　　③ 바퀴
④ 독나방　　⑤ 몸이

32 "그림 32"의 해충을 방제하기 위한 방법은?
① 기피제　　　　② 유문등　　　③ 트랩
④ 파리 끈끈이　⑤ 베레스원추통 설치

33 "그림 33"에 해당하는 곤충은?
① 바퀴목　　　② 진드기목　　③ 파리목
④ 새털이목　　⑤ 모기목

34 "그림 35"는 어떤 벼룩 암컷의 형태인가?
① 유럽벼룩　　② 열대쥐벼룩　③ 개벼룩
④ 모래벼룩　　⑤ 고양이벼룩

35 "그림 35"는 어느 곤충의 알과 약충인가?
① 몸이　　　② 빈대　　　③ 벼룩
④ 진드기　　⑤ 개미

36 "그림 36"은 진드기를 나타낸 것이다. 진드기의 명칭은?
① 모낭진드기　② 옴진드기　　③ 털진드기
④ 참진드기　　⑤ 물렁진드기

⊕ 해설
옴진드기 성충 : ㉠ – 암컷, ㉡ – 수컷

37 "그림 37"과 같은 독나방의 구조별 설명으로 옳은 것은?
① 촉각 – 두부 – 흉부 – 미방모 – 배
② 두부(머리) – 촉각(더듬이) – 흉부(가슴) – 배 – 미방모
③ 촉각(더듬이) – 두부(머리) – 흉부(가슴) – 배 – 미방모
④ 미방모 – 촉각 – 두부 – 배 – 미방모
⑤ 미방모 – 더듬이 – 머리 – 흉부 – 배

38 "그림 38"은 어떤 곤충인가?
① 파리　　　② 나방　　　③ 등에
④ 말벌　　　⑤ 꿀벌

39 쥐가 간접 또는 직접적으로 감염시키는 질병이 아닌 것은?
① 선모충증　　② 살모넬라증　③ 유행성출혈열
④ 흑사병　　　⑤ 말라리아

40 살충제의 설명서에 "그림 40"과 같은 표시가 있는 경우 해당 살충제가 의미하는 것은?
① 무독성　　② 경비독성　　③ 저독성
④ 중독성　　⑤ 고독성

01

02

03

04

A : 철망(조류 접근 방지용)
B : 포집깔대기
C : 고무관
D : 역립깔대기
E : 포집병
F : 나무받침(두께 약 1/2 inch)
G : 받침대

05

07

08

09

12

15

18

19

20

21

성충

충란
(대변과 함께 배출)

제4기 유충
(심장 통과 후 폐로 이행)

자충포장란
(인체에 감염됨)

유충
(위에서 부화 후에 소장에 정착)

22

성충

경구감염

충란

미숙 충체
인체에 감염

미라시듐

메타세르카리아

스포로씨스트

제1 중간숙주
(다슬기)

복강을 통과

세르카리아

제2 중간숙주
(게, 가재)

daughter redia

레디아

23

25

온도

?

크림형성 저지선
결핵균 사멸선

시간

27

측벽

ㄱ

ㄴ

바닥

측벽

ㄷ

ㄹ

바닥

29

ㄱ　ㄴ　ㄷ　ㄹ　ㅁ

30

ㄱ　ㄴ　ㄷ

31

널판지

타이어

32

33

닭 참새털이(배면)　　　닭 참새털이 두부의(복면)　　　개털이(배면)

34

35

알　　　　　　　약충

36

ㄱ　　　　　　　　ㄴ

37

38

40

POISON

MEMO